跨度长篇小说文库

Kuadu Novel Series

跨度长篇小说文库
Kuadu Novel Series

The Bluebird
and Rose

蓝鸟与玫瑰

包讷睿
◎著

中国文史出版社

目　录

第 一 章　北京之行 ……………………………………………… 1

第 二 章　陈梅和斯特林 …………………………………… 29

第 三 章　玉真其人 ………………………………………… 48

第 四 章　二度结缘 ………………………………………… 64

第 五 章　酒吧歌手 ………………………………………… 83

第 六 章　惊人消息 ………………………………………… 111

第 七 章　母婿苟且 ………………………………………… 131

第 八 章　吴玉华一家 ……………………………………… 155

第 九 章　智海的秘密 ……………………………………… 177

第 十 章　梅根先生 ………………………………………… 198

第十一章　领导视察 ………………………………………… 223

第十二章　小马与小超 ……………………………………… 244

第十三章　受戒皈返 ………………………………………… 287

第十四章　告别纽约 ………………………………………… 318

第十五章　醮坛化劫 ………………………………………… 369

第十六章　化蝶成谜 ………………………………………… 377

第一章 北京之行

从 2012 年 5 月开始，纽约天气迅速变暖，哥伦比亚大学进入一年一度的毕业季。毕业班教室和毕业生寝室空空如也，大部分人不是忙着去投简历，就是参加各种应聘考试。还有人担心毕不了业，留在学校加紧修改论文和准备答辩。始于 2008 年的金融危机仍无好转迹象，就业形势晦气，毕业生们心情普遍不佳；这成了他们人生中的一道坎。教授们也好不到哪儿，这段时间真把他们累坏了，脾气发了一通又一通，总感觉应届生不如往届生。他们严肃更甚平时，连走路和看东西都像努力思考什么。最忙里偷闲的就是那些恋人，抓紧时间寻欢作乐。校园像青蛙交配季的池塘，混杂一种腥臊的躁动。包裹公司的活应接不暇，他们要为外省和国外的毕业生托运行李，货物堆得像纽约港口的分理处，包裹车像印度大篷车不时摇摇晃晃驶离校园。旅行社忙着向学生张发广告，推销他们精心订制的假期行程。毕业典礼紧锣密鼓筹备中，这是历年毕业季的重头戏，只是不知今年哪位名人到场演讲。最繁忙的当属文印室，机器昼夜轰鸣，员工们手脚麻利地制作毕业论文册子。每年都会有惊世骇俗的论文出现，今年哪位学子拔得头筹，世人充满期待！留学生像鸟一样聚起来开会，他们流露出伤感，以后肯定会怀念在美国和纽约的日子。

但总有例外。巴特勒图书馆二楼查阅室，一个靠近窗户的地方，正坐着哥伦比亚大学公认的校花。她芳名海丝莉·伯纳德，人家都叫她莉莉。因为她的存在，整个忙碌的哥伦比亚大学校园像涡流里出现一个芳草萋萋的岛屿。她安静地端坐椅上，立起胳膊，手托玉腮，肘下搁几件书本，头转向一侧，专心致志欣赏窗外风景。那排爱奥尼亚式石柱的侧影，沐浴春日午后阳光，像涂一层耀眼的希伯来金粉。它们不仅撑起这座宏伟的建

1

筑，还与柱上各位贤人共同撑起整个哥伦比亚大学。下面两侧是整齐的草坪，依时返青的小草反射耀眼光芒，让人看一会儿就眩晕。对过几百米处，正是名扬天下的洛氏纪念图书馆。门口那位头戴桂冠、手持四束麦穗的智慧女神正雄姿英发，俯瞰她的偌大领地，即两个图书馆之间一处空旷的院子。院子周围聚拢着其他教学楼、实验室与公寓。莉莉对这些再熟悉不过，闭上眼都像看照片一样清晰。从这个位置还可眺望半个哈莱姆区，绿茵像从港口涌上的新鲜海水，那些高楼大厦成了浪花丛中的山峰岛屿。最后还有露出四个塔尖的河滨教堂，像只正在融化的巨型灰色冰激凌。——校园里春意融融，她亦楚楚怡人，却是响花带露，一副玳瑁镜框之后，睫上的泪痕依稀未干。耳机里响起碧昂丝的 *Irreplaceable*，她想象自己像天使飞上纽约天空，融入纽约港上一尘不染的蓝天。

　　一点没错，她漂亮过人！消瘦白皙，蓝眸清澈，金发齐肩，像清高的仙子，散发天使的魅力；可又一副远人千里的模样，脸上难觅一笑，喜欢独来独往，常显心事重重、闷闷不乐。无数男生追求她，她一个没瞧上，全部心思用在学业上。她出生于纽约一个"上流社会"家庭（加引号部分引自她母亲原话），不住校内宿舍，每天开车往返学校与家里，并且在校的活动场所也仅限教室、图书馆和实验室。那辆红色保时捷，是她十九岁生日一位纽约巨富送的礼物，她说不上喜欢，也说不上不喜欢。母亲是世居于此的英裔，负责处理纽约州国际贸易事务，经常代表纽约甚至美国处理与其他国家和地区的经贸事务，在业界以精通业务、大胆泼辣著称，被尊称为玛格丽特夫人。她有头火红头发，海浪一样翻卷至耳后，露出一张精心修饰的脸和老态龙钟的脖子。她习惯裹在职业装里，跐着细长的高跟鞋，透着一股激情，在众人面前侃侃而谈。这印证了她形容自己的话："我是个不折不扣的斗士！"——莉莉的父亲阿杰夫·伯纳德，年近五十，本是一头金发，但人到中年衰成秃顶。他遗传先人的红脸膛圆鼻头，挺着个啤酒肚，个子大概只比普通俄罗斯人高些，却身姿挺拔，看人喜欢把头高高抬起，说话语速极快，音量够冲，像只真正的高卢雄鸡。他在美国太平洋舰队任驻日两栖攻击舰中队长，几乎长年待在舰上，只在休假时与家人团聚。丈夫长年不在家，妻子对他几乎不抱指望。但莉莉没有遗传母亲的美貌却随了父亲，这让母亲耿耿于怀。母亲对她施以严教，生怕她沾上法国乡巴佬的习气，希望她务必像自己一样出色。在母亲看来，只有英国血统的人才算正宗纽约公民，其他都是外乡人。阿杰夫·伯纳德不在家的时候，这对母女就栖身于曼哈顿上东区的豪宅里相依为命。哪怕莉莉晚回一会儿都受到母亲严厉盘问，尤其自从她出落得如花似玉之后，母亲更把她看管得像蛇窝附近的鸟蛋一样谨慎。——莉莉非常害怕妈妈，二人从未像别的母女那样推心置腹谈过话，所以莉莉有时宁肯到阿斯托里亚公园喂野猫，也不愿意回家被妈妈数落。

答辩期临近，她加倍用功。她属于被寄予厚望的优秀毕业生之一。如果毕业论文不能一鸣惊人，怀特教授会对她失望，母亲更会冲她大发雷霆。她泡在图书馆，黑着眼圈不说，手脚也冰凉，像打一场生死战役。可很快她还是出神了，回想起去年暑假难忘的中国之行。特别是那个与她只有一面之缘的中国人，像显影液里的照片一天比一天清晰，仿佛她观察橱窗中一只漂亮的蓝鸟，喜爱之情越来越浓。她清楚记得自己提出这个要求时，妈妈用一种高度质疑的眼神足足打量她三十秒，然后放话："真不理解你为什么到中国，我一点不喜欢它！如果不是你爸爸快哭一样地苦苦哀求，而我这段时间又忙得不可开交，我决不会同意你离开纽约半步！"她的脑子里只有纽约和华盛顿适合人类居住，别的任何地方都是不毛之地。——于是就在第三天，她悄悄带着新认识不久的男朋友——彼德·皮特曼，两人启程赶往中国。

飞机快要抵达北京首都国际机场的时候，莉莉迫不及待从舷窗向下眺望，她急于知道这个大洋彼岸的神秘国度到底与美国有何不同。当她出行前打听有关中国的情况时，听到的是众说纷纭："中国吗？那个拥有十三亿人口的大国，贫穷、落后、吵闹、肮脏、混乱，没有秩序和安全感，去那里做什么？没有正经事别去！""哦，我知道那个国家，人们缺乏信仰，一门心思挣钱，别的都可以置之不管。对了，他们居然是我们最大的债主，可笑得很呢！不过我没去过。"——这是一部分人的看法。而另一部分人认为："中国人非常友好，你再不会见到比他们更性情温顺的人了，就像熊猫和考拉那么迷人！""当然它不像美国这么先进和文明，但不妨去了解下，因为那里是世界上变化最快的地方。""美国就历史的长度和深度而言没法与其相比，他们拥有五千年文明史，是世界唯一没有中断、完整连贯的人类文明，拥有独特的文化体系和思维模式。美国与其相比还是个婴儿，去那里你会获得更多关于生活、生命的理解与感悟。"——现在她就要亲自落地验证这些话。

座位前后就有许多中国人，莉莉看他们穿西服、打领带，同样使用 iPad 和戴着耳机聆听流行音乐，同样能说没有任何语法错误的美式英语，心里自然涌起一阵微笑。乘务人员用中、英文播报飞机即将着陆，莉莉赶忙叫醒睡了一路的皮特曼。如果他不是不时换个姿势，莉莉会以为自己只是多带了一件大件行李。皮特曼揉着眼坐起来。

"到了吗？啊，原来是场梦，我梦到自己被民主党总部录用了！"皮特曼嘿嘿笑起来。他来自怀俄明州，比莉莉低一年级，黑眼睛，中等个子，身体强壮，T 恤外随意套件衬衫，将来的理想是参选总统，成为怀俄明州历史上第一位美国总统。

"皮特曼，真的，不知为什么，我喜欢这里，尽管还没有踏上这里的土地！"

"这里好像有故宫、长城什么的，还有 2008 年奥运会，人们住在胡同里。胡同是什么，我不知道。"

"皮特曼，我说正经的！"

"我也是，我们正经在一起，正经成为恋人，这不值得高兴吗？"

飞机触地弹起，皮特曼顺势抓住莉莉的手。莉莉扭过头，心早飞出机舱。

当他们走入首都国际机场三号航站楼时，同时发出惊呼。皮特曼把行李扔到地上，双手举起来向着鱼鳞状的屋顶大声惊叹："真是太棒了，感觉像待在一条透明、巨型的鱼身里！我不会想到，这里竟有这么宏伟奇妙的建筑！我一直以为美国拥有世界上最好的一切，看来上帝欺骗了我们。"莉莉什么也不说，眼里蓄满泪水，心里大声讲："是的，没错，我要来的正是这里！"她举目四望：壮观的建筑，穿梭不息的人流，人们自信坦然地交谈和行走，先进与便捷的服务设施，工作人员的职业与美丽，还有外面间隔很短就呼啸而起的飞机，眼前一切无不呈现出一个欣欣向荣的帝国景象。

按照行程，他们乘坐机场大巴直达北京饭店。通往市区的道路宽阔平坦，沿途是高大的阔叶林和浓密的松柏，柔质的绿地拼嵌出各式图案，纵深则是鳞次栉比的楼群。越往市区中心车辆和人流越多，每次经过信号灯，莉莉都要为密密麻麻的车辆感慨一番："这里简直就是美国，你能说出一点与纽约的不同吗？"皮特曼兴奋又疲惫："是有点和我想象的不同，我一直以为他们住在方糖纸盒一样四四方方的院子里！""真不可思议，我感觉脚下的土地都在发烫。皮特曼，你后悔跟我来吗？""怎么会，我们还没真正待在一起呢！"大巴进入城区，几乎一路行驶在高架桥上，两人争先恐后举起 iPad 拍下现代北京的壮丽街景，心情无比的好，像他们头上经过治理的天空。

"北京饭店享有国际声誉，许多外国政要和名流都曾下榻于此，"穿着红色镶边制服的侍者热情为他们介绍，"老布什总统就是其中之一，他非常友善，饭店至今保留他的签名。"侍者骄傲地说，然后帮客人进行登记，又把行李搬进房间。看到占据半个房间的豪华大床，皮特曼叫嚷起来："哦，老天，我喜欢这张床！"他倒在上面舒服地弹了几下。"布什先生给过你们小费吗？"他坐起来时把一张钞票递给侍者，"我也给你二十美元！"侍者笑着接过去致谢。

侍者把他俩带到窗前，"隔壁就是举世闻名的故宫，也是目前世界上规模最宏大、最精美的宫殿。现在只作为博物馆使用，代表中国辉煌的过去，无论外国人还是中国人，到北京首选这里。这个房间位置很好，可以看到它的全貌。"莉莉顺侍者指的方向看去，一种从未有过的虚幻缥缈感油然而生，仿佛脚离了地，身体失去重量，毫无牵挂在天空城池中徜徉，其间能听到心灵在愉悦地歌唱。——一条文明的大河在这里汇成大湖，一切如此平静、神圣，像一个呼吸都能让时间之水荡漾开来，又像所有时光和生命滞留于此。——侍者悄悄退出，皮特曼开始抱住吻她。她释然躺下，在某种迷离中，无怨无悔献出坚守二十二年的贞处。她睁眼望着鼓起的窗纱，觉得这才是自己，这才是她的存在！她坚毅和神圣地微笑，手指在皮特曼头发里轻轻摩挲，那是一种挣脱一切束缚后获得的轻松愉悦的快感。

接下来几天，他们游览了故宫、长城、天坛以及鸟巢、水立方，当然也去了王府井和西单，参观了国家大剧院与长安大戏院，沉浸在一个个兴奋的冲击波里。他们走进故宫，穿过道道门槛，看到被红色城墙层层包围着的金色宫殿，而那些宫殿无不坐落在层层洁白的石坛之上。各例宫殿门楣、廊柱、门窗无一例外绘制着蓝色、绿色、红色为主的纹饰，虽然一时间看不明白，但一定与维护皇权有关。一切在阳光下放射夺目光辉，光线和色彩使整个形制活泼起来。那些被称为龙的神化动物成为宫殿装饰的主角，凶恶且灵活，遍布在各处绘画、栏杆、窗棂和神道中央。原以为中国是个封闭的国度，但这些宫殿形制居然成就于近六百年前。跳出眼界就突破了心胸，超越了局囿就可以克服众多限制，想想那时的中国已具备这样的胆略胸怀，现在他们所做的不过是重新唤起古老的尊严和自信。莉莉不由更加喜欢这个国家。皮特曼对这些宫殿除了惊讶就是打哈欠，因为昨天他折腾了整晚。皮特曼明白莉莉是个清高的女孩，赢得她的欢心比欣赏这个国家和这些建筑更为重要，这也是他愿意来中国的真正原因。

　　——爬长城的时候赶上一个阴雨天。皮特曼赖床上不想走，莉莉死活把他拽起来，二人在雨中爬上举世闻名的万里长城。一条蜿蜒曲折的大墙像巨蟒一样伏在山脊之上，不，它不是死的，而是灵活多端，穿梭在云雾里，使本来荒凉无比的峰峦成为它的背景。一方山河被它调动起来，成为人类意志的一部分，成为这个世界里最活跃的海，成为它所拥有的最大活动空间。山上风很大，景区人员在城垛插上无数小旗，旗子在风里呼呼招展，使漫山遍野更加生气蓬勃。"真他妈的中国，这就是中国，太让我意外了！他们一个个那么瘦小，却创造出这么多举世无双的奇迹。""你知道我怎么想吗，皮特曼？如果我没来中国，我这辈子会后悔死的！"莉莉抹着脸上淌下的雨水，空气湿蒙蒙的，她咬着嘴唇说，"我来这里收获很多，仿佛不是自己了，变得强大了、独立了，找回了自我，我知道怎么活下去了！如果可能，我会像个武术高手打败任何挡在我面前的人！""你能打倒我就行！"皮特曼秀秀他的大胸。就在这时，长城上空的云雾突然散开，一条跨越数十公里的彩虹亮相于气象万千的葱绿群岭之上，所有人欢呼雀跃，向城墙最高处跑去。可彩虹转瞬又无踪迹，大风裹挟冷雨重新席卷而来，人们一时无法躲避被浇成落汤鸡。皮特曼把莉莉搂进怀里，莉莉却哈哈大笑。景区人员迅速给游客发放雨披，皮特曼背着莉莉顺台阶往下走，水像瀑布从脚下流淌。当晚莉莉发烧了，服了药静静躺在被子里，皮特曼遗憾地守在一旁，想动又不敢动，终因连日疲劳坠入梦乡。

　　——两人到天坛，莉莉一眼认出它，"这是北京旅游的标志！""Yes！"旁边一位中国人用英语回应。莉莉和皮特曼一起对他说"Hello！"这个中年男人居然脸红起来。两人从下面仰望高耸入天的圆形宫殿，由衷赞叹：

"我原以为要有无数建筑才可以填满天空，坦白讲人类对于如何处理建筑与天空的关系一直没有奇思妙想，不过今天有了答案。这真是一座微妙与高超的杰作，它之所以能把天空装饰得如此完美，因为它本身就无比完美！你想想看，无论阴晴圆缺，无论晨晖晚霞，它都可以以不变应万变置于背景，使天空和周围环境浑然成为它的衬托。这种借势借景不正是建筑学中最好的美学观点之一吗？""嗯，的确是美轮美奂的宫殿，融入了中国人对于皇权和宗教的情感与思考。同玛雅和希腊的神庙相比，它讲究秩序、礼仪、规制，与凡尘无关，是神灵和灵魂栖息的场所。""我相当欣赏它的色彩运用，最纯净也最切题。黛蓝的天空、晶莹的云朵、遍地的翠柏，还能有什么比这更让人心旷神怡！皮特曼，我们就是神仙了！"两人走向回音壁，皮特曼对着墙壁轻轻叫道："莉莉，甜心，嫁给我吧！"莉莉另一侧听到后，向着镜子一样光滑的墙壁笑道："滚吧，皮特曼，一切还早着呢！"皮特曼随莉莉到了外面，莉莉有些生气："别再说这个，我带你到这里的事没有告诉妈妈，她知道你的情况一定不会同意。""我知道你妈妈，我在总部会议上见过她。她那么神气，只专注于发言，对我们正眼不瞧一下！""别废话，还是多讨论下此行你的感受，我更想让你讲个笑话什么的。""你就把它当成笑话好了！""绝妙地应用了声学原理，让神灵在此聆听人间，真是绝妙的主意！中国人用实用技术服务自己，所以我想他们的飞行器飞出银河系不成问题！"

　　——他们参观鸟巢和水立方。这两处体育设施专为举办 2008 年夏季奥运会修建，随着那烟火般瑰丽短暂盛事的结束，已经改造为文化游乐设施和旅游胜地。时隔几年，莉莉通过与北京人接触，发现他们仍然对这届奥运会念念不忘，说到这个脸上充满喜悦和自豪。那次奥运会开幕式莉莉通过 CNN 转播看到了，演出场地人山人海，近千名战士扮演的雄壮武士以及他们整齐变换的队形令她印象深刻。还有那幅徐徐展开的橙黄色画轴，伴着黄钟大吕向世界诉说古代中国文明的演变。当然还有他们在赛场取得的成绩，他们意想不到地把俄罗斯远远甩在后面，并同美国展开金牌大战，并最终夺得金牌第一的骄人业绩，创造了新的历史。这对于中国可以说是一个戏剧性的历史节点，整个过程与他们在现实中的进步神奇巧合。一切似乎告诉世人，中国已经完成对众多对手的超越来到世界前面，这场奥运会是它融入世界的一个加冕礼。这不是莉莉自己的看法，世界很多媒体都这样评价，这也使得她对北京和中国印象非常深刻。而听到妈妈告诉她中国的 GDP 已经超越日本时，虽然与她没多大关系，她还是感到惊讶。并且她身边的华裔面孔越来越多，美国每个大城市几乎都有唐人街。超市货架上摆满中国生产的五花八门的商品，国会围绕中国事务的议题越来越多，媒体上关于中国的新闻报道也成倍增加。每届两党和总统选举，无不把中国列为重要话题。如果政界人物想像好莱坞明星那样出名，就必须想方设法与中国挂钩。是的，每个美国人都在有意无意关注中国，包括莉莉自己。历史与社会的演变诸如气候与地形，不以意志为转移地影响现世各人，使他们不能置身其外。

北京饭店向东不远是北京著名的购物中心王府井商场和东单。莉莉和皮特曼参观那些琳琅满目的工艺品时，皮特曼和一个中国女孩子开起玩笑。那女孩说同意把自己嫁给他，前提是皮特曼买够她二百美元的东西。皮特曼的恶行招致莉莉的鄙视，她转身到了别处。皮特曼过了好久才追过来，手里拎着事后被证明里面全为伪劣珠宝的塑料袋。两人还在位于故宫西侧的西单大悦城魔术教学馆玩了一通。从里面出来时，皮特曼嘴里塞着爆米花。"在另一个国家学魔术连自己是真是假都犯迷糊！"他感慨道。两人肚子饿了，寻到附近的灵境胡同，学其他人要了老北京卤煮。皮特曼当时就吃吐了："什么东西臭臭的！"他夸张的表情引得满屋人哄堂大笑。

北京作为一座历史悠久的古城，属于正南正北的方形格局。现在它的城区和重要功能区大致由五条环路隔开。天安门是故宫的正门，它的南边就是著名的天安门广场。天安门广场是整个北京城的中央。来北京如果不看天安门，就像到美国不看自由女神像、到法国不看埃菲尔铁塔、到英国不看大本钟一样。广场东西两侧分别是人民大会堂和中国历史博物馆，其中人民大会堂是中国的议院，每年在这里召开两会。两座方形石质建筑巧妙融合中西风格，顶部同时镶嵌金色琉璃图饰，使建筑整体耀眼明艳。这个世界面积最大的人工广场几乎天天游人如织，人们特别喜欢以天安门城楼和人民英雄纪念碑为背景拍照留念。每天清晨和傍晚，都有一帮战士根据太阳升降时间举行庄严的国旗升降仪式，而在场的所有中国人都会热泪盈眶。这是中国人最热衷的行为礼仪，作为一种集体情结的最好表达，饱含他们深切的爱国情怀。莉莉细细揣摩其中真义，感受这是来自十三亿人民的力量，让她觉得自己无形中也被吸卷进去。她目睹了公交和地铁上年轻人主动把座位让给老人和孕妇，也亲眼看到交通秩序和社区安全志愿者如何面带微笑应付繁重的工作。从这些微不足道的小事她以小见大，宁肯认为过去关于中国的各种说法大都是谎言和误导，从而认为在中国人小小的胸腔里，其实比那些大个子的欧美人更为宽广包容。

莉莉和皮特曼后来还同时发现，东二环向东是北京人引以为傲的CBD，以三幢黑色大厦、中国国家电视台、北京最高楼——国贸三期以及规模宏大的立交桥体系为地标，耸立着北京最为密集的高楼大厦。由于毗邻使馆区，可看作是中国对外的"形象工程"。——北京流传着一种说法，看老北京在二环以里，看现代北京就到二环以外。现在二环路以明清城墙范围为基础，里面保留大量旧式民宅、胡同和官员府邸。认识现代北京除了国贸CBD外，还有位于西北三环的中关村地区。中国人自称那里为"中国的硅谷"，聚集着中国众多高科技企业，诞生了不少中国新式富豪。他们受过良好教育，年纪轻轻利用银行和政府提供的孵化政策创办企业，又被政府、媒体和社会大力宣传，吸引更多心有不安的年轻人来首都奋力一搏。这里有经典的发财梦，是整个北京乃至全中国最具活力和吸引力的地方，大批毕业生宁肯住到地下室和远郊简陋的公寓里当"鼠族""蚁族"，也不愿离开北京。据说北京一个城区的人口就相当于北邻蒙古国整个国家的人口。这是中国诞生梦想也是可以实现梦想的理想之地，莉莉看着那些不修边幅、鼻毛钻出鼻孔的年轻面孔，想想这些人就是自己今后的合作伙伴和竞争对手，再看看皮特曼，他衣冠楚楚，信誓旦旦要成为政要，心中落差急剧加大。行走在北京夏日的街头，皮特曼只是走马观花，莉莉则像个爱钻牛角尖的学生用放大镜看清每只蚊子的腿毛。二人来这里的目的大相径庭，莉莉要深入了解这个国家的肌理，皮特曼错把此行当成谈情说爱的旅程。于是莉莉终于忍无可忍，把皮特曼从床上推下。

"对不起，皮特曼，我有点受不了你！"

皮特曼从地上爬起："莉莉，我弄疼你了吗？"

莉莉哭起来："皮特曼，你他妈疯了吗？你不是真爱我，你就是来玩弄我的！"

"我真心爱你，我要带给你快乐！"皮特曼试图再次爬上床，莉莉用枕头把他打下去。皮特曼抱着腿坐在地毯上。

好一会儿才挨过疼痛，莉莉喝了点水，汗涔涔告诉皮特曼要和她约法三章才准上床：第一，不能随便挑逗那些中国女孩；第二，只能在她允许的情况下发生关系；第三，不许他再碰自己的乳房。皮特曼厚着脸皮答应，打着哈欠爬上床。第二天他们计划去中国国家大剧院观看演出。这个建筑像只史前动物的巨卵，又像一粒晶莹透亮的水银，当然也像一颗硕大无比的水珠。顺台阶赶往下，抬头忽见屋顶如穹庐宽广深邃，心眼之门顿时打开，精神为此焕然奔放。这里正在举办歌剧节，他们赶上了朱塞佩·威尔第的歌剧《弄臣》。莉莉更希望欣赏到原创歌剧，她打听到有一部《山村女教师》，讲述中国贵州省一个师范学校的女学生，毕业后放弃留在大城市工作的机会，自愿回贫穷山区的家乡任教。女主角杨彩霞由享誉中外的著名歌唱家迪里拜尔扮演，她看了剧情介绍热泪盈眶。却因没在档期未能如愿，这多少让她的北京之行留有遗憾。——到北京当然少不了关注京剧，北京旅游资料上介绍这是"中国的国粹"，大概就是最具代表性的文化美食了。两人赶到长安大戏院观看演出，里面设施非常好，每天都有京剧界的大角们轮流演唱。可惜观众不很多，但演员们演得认真，这给莉莉留下良好印象。当天她看到的是《霸王别姬》，讲述一个柔弱美丽的女子为了不给她的英雄丈夫拖后腿，而在敌军攻入营帐的时候选择悲壮自杀的感人爱情故事。观众席里不时发生稀稀拉拉的叫好声，据说这是真正的看客，他们经常来这里，人数不多、年龄偏大却相当忠实，所以这里长年不断的演出实际只为这几百号人服务。这正是中国京剧目前的窘况，没得到年轻人的青睐。它太唯美、太含蓄，在现代化方面出现了问题；它在道具和形式上是夸张的，在表演上却是内敛的，这既是它的优势也是它的致命缺陷。几天下来她对于北京和中国的印象其实与她对京剧的印象出奇相似，而她也明白了中国人为什么要提出改革开放。看来他们做得不错，但仍须做得更好。

真是收获巨大，好像满载而归，感觉意气风发，像无数植物从土里冒出尖。十天过去，与整个北京乃至中国的接触像了解一个人一样，现在就要离开了，莉莉真有点不舍。她正襟危坐，双手叠放膝上，眯起眼睛，显得紧张拘谨，在大堂口沙发上从太阳镜后打量经过眼前的每个人。皮特曼结算完费用过来，将墨镜从头顶按到鼻梁上。

"该走了，宝贝！"

"再等会儿好吗，让我歇一会儿。"莉莉用只手点着太阳穴，神思混乱。"我有点头晕。"她吃力地说道。

"宝贝，又不舒服了？"皮特曼想靠近她坐，她慌忙躲开。"让我安静会儿，皮特曼！"——皮特曼只得溜到另一边，跷起腿颠脚，咬着指甲，假装不在意的样子。

"你觉得这次中国之行怎么样，皮特曼？"

"你已经问过好多次了，很好！"皮特曼揉着鼻子换上另一只脚。女服务人员过来清洁地面，皮特曼给她拍了一张照，然后发在脸谱网的朋友圈。

"我有点失望。"

"失望？这从何谈起，我觉得很好。我认识了中国，改变了过去的很多看法，我认为收获很大。"他看看前台墙上的钟表，"我们什么时间离开？说实在的，待在这里很爽。"他歪歪鼻子，侧脸冲莉莉坏笑。

"这不是我想要的，我想清楚了。"

"你想要什么，又想清楚什么了？"

"这远不是中国，它太大了，就像我们看到的故宫，一切处在云雾里。"

皮特曼大笑起来："想不到你这么多愁善感，这可一点不像理科生。"他差点说她是"石化女"，"我连美国都没搞懂，这里更不可能！不过这里人好多，我好像来到《天际浩劫》的外星球！"

"皮特曼，我喜欢这里，所以想了解更多，你懂吗？"

"莉莉，这还不够吗？就因为几张图片，你对这里突然产生了好奇心。不就是和我们稍有点差别的另一群人吗，值得你这样大惊小怪？富家女，真有你的！"

"你觉得是那么回事吗？"

"不是吗？我至今没有猜透原因，就像我看到一个龙卷风，绝不会想着钻到里面去。你就不一样了，比一个追风者更胆大。"

"这就是这些天你对我的了解？"

"算是吧。"皮特曼翻翻眼皮，舔舔嘴唇。墙壁上中式的壁纸吸引到他，他琢磨花纹的构图。

"你这么说真让我瞧不起！你应该明白我说什么，我的心里很空旷。"

"莉莉，你一直高高在上，总有些想法与众不同。坦率讲，我追求你

11

很累，就像从阿拉斯加跑到佛罗里达。我像个傻瓜，就跟阿甘一样，不过我没有他那么多乐子。"

"皮特曼，你是个猥琐卑鄙的人。"

"我还以为你完全接受我了。"皮特曼留心莉莉的脸色，变得小心起来。

"不可能！我说过只是邀请你陪我一趟，我没有答应你其他。"

"你不是很高兴来这里吗，离开时怎么变成这样？"

"皮特曼，快乐就要过去了，我又得回去面对一切。"莉莉把头埋在手里，痛苦地摇着。

"你家势显赫，成绩优异，根本不用为生活发愁，一切水到渠成，你活得养尊处优。太顺利是不是容易让人失去动力，像卖石油的阿拉伯人？——我们不讨论这个行吗？"

"你和我说的不是一回事！"莉莉喊了出来，周围的人都停下来朝这边看。皮特曼把腿放下来，抱歉地看看众人。

"好吧。"莉莉把 LV 手袋拿到怀里，"告诉你我真实的想法：我还要来这里，皮特曼。这些天我们不过是看场热闹，很多都是表面和静止的，包括故宫、长城、鸟巢、京剧等等，它们孤零零待在原处，任何事物一旦失去它实际的用途，就变得与展示品没什么区别。它们是死的、没有生命的东西，皮特曼，我不喜欢这些，它们成了摆设，它们不是完全真实的东西。我更想感受鲜活的东西，那些有生气、有生机的东西。皮特曼，我还会来这里，要了解真正的北京、真正的中国。"

"可这就是中国，你接触到的中国人有说有笑，他们能加工矿石、生产卧具、圣诞树，他们在同我们竞争，他们不是机器人，更不是外星人，他们在拼命学习英语，这些多么有趣！"

"我们的了解太概念化了，就像我们身体内部每秒都发生数以亿计的化学反应，每个器官和细胞都在马不停蹄地工作，这保证我们身体的正常运转，可这一切从表面上根本看不到。——我爱上这里了，包括这里的人！"

"你喜欢中国人？是谁，他吗，她吗，还是他？"他指出离自己最近的几个中国人问莉莉，眼睛瞪得圆圆的。旁边的人同时转过来看着他俩。

"是他！"莉莉突然指着不远处一个年轻男子说。虽然只是一个快速掠

过的侧影，但那人一袭青袍从后面飘扬而起，整个人如踏风而来，一股仙气勃然而生，整个大厅都放射他的仙光宝气，如湛湛青天不染红尘。在莉莉手指向他的瞬间，他同时无意间朝这边一瞥一笑，只见乌发在顶上高高束成一个髻子，插只通体莹碧的簪子，恰似画中人，剑眉星目、面若桃李、胆鼻朱唇，看罢令人神清气爽、不自担当。

皮特曼也看迷怔了，但很快清醒过来。"他妈的，你连他面都没见就喜欢上他，你疯了吗？嘿，你们知道他是谁吗？"

"是位道士。今天我们这里开一场中医保健研讨会，他一定是参加这个会的。"为他们搬动行李的小伙子说。他满脸红色青春痘，礼貌地帮客人把行李搬到门外出租车上。

"道士，什么道士？"

"中国人信仰道教就像你们信仰基督教，而道士就像你们国家的神父一样。"

"听到了吗，莉莉，他是个神父，你不能喜欢他的。"

莉莉眼睛一直没离开那个道士，直到他走进会场。皮特曼的话不知道她听到没有，只见她果断从座上站起，对年轻侍者说道："可以走了吗，再见。"莉莉一阵风似的离开，皮特曼赶忙追出去。摇起车窗的那一刻，莉莉眼睛里已经弥漫泪水，一种她从未体验过的分舍之痛袭上心头。单薄苗条的侍者在后面对着快速开走的出租车致敬并大声告别："Welcome to Beijing again！"

她拿出凭记忆描摹出的中国男子画像，陶醉地微笑起来。那种美妙的感觉令她如坠云雾，身子像在一团乳白的光曦中飘移。世界原有这般可爱之处、可爱之人，让她激动和喜爱不已。不久她变个姿势，把左颊换到右手，继续如醉如痴欣赏画中人物。它把她重新带回中国，对那人想入非非。此时对她而言，北京比天堂更祥和美好，这个男人则无疑是天使！

左乳一阵剧痛，打断她思绪。她猜自己患上可怕的疾病，虽然害怕得要命，之前却选择置之不理。这就好像成了她的致命缺陷，使她完美无瑕的形象受损，而这更为她母亲万万不能容忍，所以她对包括母亲在内的任何人没讲过半个字。她只是把视线投向窗外，这成为她缓解疼痛和放松神经的奏效方式。她不搭理边上一个不识时务、圆鼻头、贝氏鸡冠头的男生

写给她的纸条，一股脑把纸团投入纸篓。而自打她北京之行邂逅那东方男
子之后，求生的欲望重新被唤起，对病情和健康须臾在意起来。她感到离
死亡不远，于是打算偷偷到医院做一次检查。她把画像小心放回原处。那
是 P. Ring 和 P. Schuck 合著的《核多体问题》，个头比得上西部铁路的一截
钢轨。这个专业破例由她选定，倒不是她对应用物理学感兴趣，只是觉得
越与母亲要求相距甚远，越是一种喜不自禁的胜利。她已经到了上大学的
年龄，决计不再受母亲左右。她背叛了妈妈，为此以后的日子充满苦头。
甚至在她洗过澡连吹干头发的时间都能听到妈妈训斥自己。但她一点不后
悔，一想到母亲发怒的样子，心里就有种说不出的轻松。——时间紧迫，
她再不敢耽搁，翻开书籍认真研读查找，密密记录。这也是怀特教授特别
器重她的原因。他认为从当代校园里找个专注学术的人，比找个处女难上
百倍。他深为专业领域后继乏人而担忧，打算让莉莉毕业后留作助手，但
莉莉清楚这事由不得自己，而是取决于自己那个伟大的母亲——玛格丽特
·伯纳德夫人。她取出块比芙巧克力，并不打算吃它，只在唇上碰碰，算
是安慰和犒劳自己。

　　手机震动起来，她以为是爸爸，却是皮特曼。从北京返回后，她就把
他甩了。她清楚地知道，如果让妈妈知道她私自结交了男友并且这人出身
平平，自己一定会被爆头！可这个皮特曼也非善茬，并不罢休，隔三岔五
骚扰她，她烦得要命，都不知道怎么应付他。而他总是歪头咧嘴呵呵笑的
傻样，让她没法狠狠骂他一通。她当众摔翻过他送上的情人节蛋糕，然后
不认识似的绕开走掉。他一点事也没有，被朋友簇拥着到操场练长跑去
了，可能与他们打赌赌输了。近来他担心毕业后失去她，所以攻势更猛，
有事没事缠着她。莉莉想拒他于千里之外，却已是不可能。她盯着手机想
了好一会儿，才到走廊接起电话。

　　原来皮特曼有好消息告诉她：他已正式成为纽约州民主党总部实习
生，从明后天起他将为奥巴马先生的第二任总统竞选服务。他的事情不
少，主要负责民意调查和制作网上视频。他激动不已，说话声音兴奋得像
穷人家的娃娃接受奥斯卡主持采访一样。莉莉听后嗤之以鼻。

　　"宝贝，晚上品尝韩式辣酱奶油牛排怎么样？之后……"他想邀请莉
莉与他庆祝今日成功，并借此向她证明自己了不起。

"爸爸回国休假，我今晚必须早点回去。"她把巧克力送入嘴里，白皙的颊上立刻像胶皮那样凸起来。

"哦。"皮特曼像折尾椎骨了一样失语。良久后慢慢地再问："真不能见吗？"

"除非你能帮我一个忙。"

皮特曼像抢橄榄球一样迫切回答："什么忙，我愿意效劳。不会又是要出国吧？"

"你可别想其他！——你知道我没有男朋友，假扮我的男友如何？"说这话时，她大脑一片空白，凭着感情用事，意念里又将了妈妈一军。何况，她真不知如何对付皮特曼了，那种高人一等的怪念头作祟，她觉得皮特曼这样的人可以任意支配。话已出口，她想了下，觉得并无不妥，甚至为此有点小得意。

"哦，莉莉，就不能是真的吗，你知道我对你……"

"不要得寸进尺，这对你是多大的荣幸！"莉莉有些生气，他还要还嘴，还敢讲条件?! "他必须心甘情愿，这样我就没有做错事的负罪感。"她心里同时想。

"好吧，我同意，不过我们可否正常约会？"皮特曼非常关心这个，说话不免结巴。他有些怕她，她像宠物店里长满硬刺的白化针鼹。

"你浪费了我五分钟！"她心里升腾起一种拒绝人、折磨人的快感。

"哦，宝贝，晚上真不能见吗，我真的准备好了一切！"

皮特曼还想说什么，莉莉快速摁掉电话。不假思索地拒绝和高高在上地蔑视他人，早已是她的一个日常习惯。她眼睛转向别处，脸上现出一丝猎人蛛般的狡猾。是的，在别人看来，她是多么幸运的女孩：出身名门，家境富裕，就读于老牌哥伦比亚大学，更别说惊为天人的美貌，聪颖过人的智慧，众多非富即贵的追求者，整个纽约再找不出第二个她这种出众的妙人。可正如幸福的根源是她的家庭，不幸的根源也在于她的家庭。这种痛苦像麻醉药一样长期侵浸她，使她对周围一切人事麻木不仁又敏感异常，并长出防范和伤害别人的尖刺，动辄以冷傲和刻薄示人。她的性格只适合出现在古怪大师的作品里，真实的命运在现实世界只能像惹眼的花朵过早凋零。——透过新经典主义风格的窗格，她看到校园里的情侣们出双入对，有的在校园台阶上玩飞盘，有的在草坪中间聊天，卿卿我我，好不

热闹。目睹人家的亲热劲，想到背后自己被称作"石化公主"，她心里很不是滋味。"我也有男朋友的！"她悻悻对自己说。发呆片刻后，她扶扶眼镜，把头发扎成马尾，目不斜视回到里面座位上。

黄昏时分，她抱着书本，一袭白衣，甩动发辫，一身轻松，走出图书馆。她一心想见到父亲，提前半小时收工。经过文印室，黑人小伙像大鱼似的张开嘴冲着她笑，她心生傲气，瞪了人家一眼。到了外面，她拿掉耳机，再次打量校园：难得天边有落日余晖，空气蜜蜡般黏稠，小径两畔鲜花绽放，喷泉折射金色夕阳，水花潺潺动听；无数人进进出出，再难看的脸也因晚霞映衬变得可爱起来；一群亚裔留学生正在草坪聚会，她从未想过加入他们，就像她不会参加得克萨斯州长角牛王比赛一样；房檐下、树枝上见不着云雀的影子，耳朵却被它们吵得生疼；离这里五分钟路程，有她钟情的哈德逊河。虽值春季枯水期，仍传来泠泠水声；稍远处，圣约翰大教堂似巨神俯瞰人间，但老而安详。校门外，西114街果然塞车。她皱皱眉，小心躲开行人，迅速找到停车场，驱车驶入晨边高地狭窄的楼际间。

听到女儿进门，阿杰夫系着围裙出来。房子位于帕克大道，虽然仅住着三人，却大得像俄罗斯彼得堡皇宫。周围邻居非富即贵，皆算纽约乃至美国各界的名流翘楚。但玛格丽特夫人一家依仗自身身份和地位，连这样的邻居都不看在眼里。到目前为止，莉莉只同隔壁一对五六岁的孪生女儿打过招呼。那是一个雨后黄昏，姐妹俩每人抱只泰迪熊在彩虹下荡秋千。莉莉从小全凭一只泰迪熊陪伴长大，触景生情不禁流下眼泪。她在原地站着看了好一会儿，直到她们的父母把她们抱走，她们看她时那种纯净眼神让她至今难忘。至于别的人，都像是布郎克斯动物园的北极熊一样稀罕却遥远。——父女俩有如在莫斯科红场相见，扑上去先来个大大的熊抱，然后撒开身子含泪望着对方。

"半年不见，我女儿愈发像玫瑰娇艳了！"父亲像剃了胡子的圣诞老人那样笑着，眼睛蓝莹莹的，拉着女儿的手上下打量。

"做梦都盼着您回来！"莉莉哽咽了下，"不瞒您说，因为急着赶回来，都忘记给您买礼物了。"

"哦，你比什么礼物都好！"父亲对女儿看不够。

"其实我只能买得起两百美元的小玩意儿，您不会笑话我吧？"她破涕为笑，支过下巴，耸着肩膀细声说，把这当作不大不小的糗事告诉父亲。

"这不像你，你可是个精细人呢！"父亲冲她挤挤眼，又拍拍她肩膀，表示意会了她的意思。

莉莉突然左右使劲闻闻："爸爸，我今天有口福是吗？"她兴奋得像只小猫。倒不是她喜欢美食，而是向往父女间那种浓浓情谊。

"你钟爱的煎虾，文莱蓝虾！"爸爸抬起胳膊，贴近女儿，示意她感谢下。莉莉在父亲额上响亮亲下，然后笑盈盈在原地打转。

"快去换衣服，父女晚餐即刻开始！"父亲像所有法国人那样单纯地笑，又像演出后场的艺术总监那样拍手提醒女儿。

"爸爸，我不是在做梦吧！"莉莉捂着脸哭笑了一阵，心里涌起无限酸楚，"我都等不及了！"莉莉怕搞砸局面，重新变得高兴起来。她侧着身，提起裙子，蹦蹦跳跳跑上楼。父亲从后面扬起头望着她，叹口气奔向厨房。

莉莉散开头发，换了件白色汗衫，出门前又对着镜子拍拍脸颊，以使脸色红润些。她不想让父亲看到自己的憔悴样。还没进餐厅，她就见爸爸从操作室里出来，手捧只盛满食物的大盘子，脑壳油亮的，肚子浑圆的，围裙雪白，哼着曲子，像极《人间喜剧》中的福尔松老爹。

"法国厨子是世界最了不起的，法国菜也是世界上最美味的，对不对，宝贝？"父亲眨着眼冲她说。

莉莉扶着餐室木门一通大笑。看到已经上桌的美味佳肴，她眼睛冒光。"好久没吃到您做的东西了，爸爸！"她连忙坐过去，像孩子似的趴下，津津有味地赏鉴。身下檀木桌像英超足球场一样大，三年前从缅甸订制并海运过来。

"核桃鸡汤，卷心菜包肉，牛排烩土豆，还有色泽诱人的红酒煎虾。够了吗，我的小馋猫？"

"上帝让您做我的爸爸真好！"莉莉这边瞧瞧，那里嗅嗅，幸福得有点鼻塞。

"有你这样的女儿也是我的福气哩！"爸爸用围裙擦干手，坐到女儿对面。"算我弥补你的，宝贝！"他眼神真诚地说。

莉莉绕过桌子抱住爸爸："爸爸，多待些日子可以吗？"

"哦，我的乖女儿！"阿杰夫顿顿头，一边拍拍女儿搭在他肩上的纤纤玉指。

"真希望天天这样！"莉莉像情侣那样把头搁在爸爸肩上，眼里噙着泪花。

"我们又团聚了，该高兴才是！"

"一会儿就好！"莉莉哭了起来，像微风吹过开阔的湖面。

"啊，哭了就尝不出美味了！你看，是不是胜过米其林三星大厨的手艺呢？"阿杰夫是个乐天派军人，回家最怕哭哭啼啼的场面。

莉莉收起眼泪，却没松手。她想多抱会儿父亲，这情景多少次出现在梦中，她生怕一去不复返。父亲是这世上最爱她、最了解她的人，就算是她对父亲撒个娇吧。

"宝贝，别这样。"

"我爱您，爸爸！"

阿杰夫光头被蹭得很舒服，却不断地说着"对不起"。他拎起绿边金丝的白绢擦鼻子，颧上、鼻上亮澄澄的。

几分钟后，角落里瑞士金钟响起，回声像此刻外面苍茫暮色中的圣帕特里克大教堂一样意味深长。莉莉回到雕着玫枝的黑胡桃木座椅，眼泪汪汪地问爸爸："爸爸，您真打算当一辈子兵头吗？"

阿杰夫没有马上回答女儿，表情却严肃得像甲板出操一样。"我会考虑的。"他淡淡地说。

"您要是在家，妈妈或许不会天天往外跑。"

"看你说的，你妈妈可是个大忙人！"

"我是认真的，爸爸。"

阿杰夫看看女儿，盯着盘子，保持沉默。这是他久做军人形成的素养：关键时刻不做过多解释，意志如铁。

父女俩都不再说话，开始专心用餐。过了好一会儿，阿杰夫关切地望望着女儿，觉得她像只病猫那样可怜。"味道怎么样？"

"爸爸，回答我刚才的问题好吗？"

"每次你都要提这个问题！我只能说，现在还不能。"阿杰夫心里有数，即使女儿求情，他照样铁石心肠。

莉莉凉了心，对食物没了兴趣，手腕软沓沓地切一块牛排。

　　阿杰夫看出女儿不高兴，马上换个话题："吃过饭看个电影如何？上次看电影还是《时时刻刻》呢。你妈妈认为你比妮可·基德曼更漂亮，可见我的女儿才是世上最漂亮的。"

　　"您知道我不关心这些，她怎样与我无关！"莉莉狠劲用叉子戳盘心，把气全部撒在那些无辜的食物上。

　　"你到了约会年龄，别那么古板。"

　　"我就待在家里，哪儿也不去。"莉莉混泪咽下一口牛排。这时候，她早把下午与皮特曼的约定抛到九霄云外。

　　"是啊，忘了你是个乖孩子。"阿杰夫摇着头说。

　　"她该早点回来，你们可以亲热一下。"莉莉看着雪白的台布，红着脸说。

　　"哈哈，你敢开父母玩笑了！——到家前我们通过电话，她正陪一个巴西佬在阿波罗剧院听《图兰朵》呢。"

　　"她才从意大利回来，居然一点不需要休息！她明明知道您今天回来，却和别人听歌剧去！"莉莉有点说不下去，望着父亲替他难过。

　　阿杰夫不理会女儿，一心只想逗她发笑，干脆撤开椅子，抢起身段，学普拉西多·多明戈七上八下唱起来：

> 无人入睡，无人入睡！
> 公主你也是一样，
> 要在冰冷的闺房，
> 焦急地观望那因爱情和希望而闪烁的星光！
> 但秘密藏在我心里，
> 没有人知道我姓名！
> 等黎明照耀大地，
> 亲吻你时我才对你说分明！
> 用我的吻来解开这个秘密，
> 你跟我结婚！

　　这真把莉莉逗乐了，她动手切块牛排喂给爸爸，笑得手腕都软了。阿杰夫嘴里叼着肉大快朵颐，鼻子哼哼，胳膊来回抡着，像长距离游泳那样停不下来。直到他语无伦次喘着气唱完，莉莉趴在桌上几乎起不来了。多么欢乐的时刻，歌声、笑声回荡在死气沉沉的空房子里，像一阵强烈阳光把集聚里面多时的阴霾驱散，世界像百老汇的舞台充满欢声笑语。莉莉知道此刻来之不易，像珍惜爱情和贞操一样，把这场面记录在心。

"你们在一起的时间太少了，她快把您忘掉了。"莉莉闭着眼难过地说。她为爸爸抱打不平，甚至有点恨妈妈。

"她不喜欢法国人，不喜欢军舰，不喜欢我满身的鱼腥味，不喜欢法式幽默。还有一点，我老了。"阿杰夫用餐巾拭去嘴角的油，一副对现状满意的样子。

"您才不会老，您是世界上最帅的男人！"莉莉大声叫起来。

"这话让你妈妈听了非笑晕不可！"

"那她为什么嫁给您？"

"这你得问她。"阿杰夫爽朗地笑出声，"不谈这些吧，好歹有你我就非常知足了。"他耸下肩，仰起下巴喝掉酒，之后打个很响的嗝。

"爸爸，我爱您。"

"我也爱你！——怎么宝贝，身子不舒服吗？"他身子摇晃着，看样子喝多了。

"没什么。"莉莉赶忙摇头。刚才乳房又针扎一般疼，她想着一定抽出空去检查。她忘不了那个东方人，想再次见到他，并相信所有状况都会随之神奇地好起来。这是她迄今为止人生最大的隐秘。她用皮特曼做幌子，就像在稻田里插个稻草人。

"你脸色难看，是不是这段时间过于劳累？"

"大概是吧。没关系，见着您我不知多开心呢！"莉莉强挤出一丝笑，故意显得很迷人。她为自己的盘算沾沾自喜，那疼痛也的确减轻了不少。

"不说我也知道，你妈妈对你过于严厉。"

"不是的，爸爸。"莉莉这时不想谈及妈妈，所以连忙否认。她认为，妈妈给予了她一切，也破坏和剥夺了一切。她全部活在妈妈管控的现实中，像在修道院里修行遇到一位黑心修女。

爸爸轻轻点头，却误会了女儿意思。"你一直很优秀，这归功于你妈妈。不管怎么说，这么多年是她在照顾你，我愧对你们。"他替女儿剥只虾递过去，看着她吃掉。——莉莉从餐桌里看自己，眼睛大得像纳帕山谷的葡萄。她提醒自己吃多点，以尽快恢复健康。"想好毕业后做什么了吗？"

"怀特教授让我做他的助手。"

"你妈妈她同意？"

"不知道，这个问不着她。"

"还是要听听她的意见。"

"爸爸，您以为她会听吗？她从来就没有真正替我着想过！"莉莉要发火，可手抖了会忍住。

"我们不能背后议论她，毕竟她是我们的亲人。"

"您和她真不是一类人，您是天底下最善良的人。"莉莉这句话明显在影射妈妈，同时也讽刺爸爸。可她脸上发烧，不好意思说下去。

阿杰夫觉察出女儿尴尬，故意笑得很大声。"你马上要毕业，可我不担心你的学业，而是你的身体状况。"他吐出一截牛骨，"我会和你妈妈好好谈这件事的。"

"爸爸，如果不是您，我想我会绝望的。"——爸爸的善解人意令她感动，她好像抬头看到五亿光年之外天幕中的一个亮点。"可是我还是担心妈妈不同意。"想到妈妈她又泄了气，滑到椅子后面。

"你这样子让我心疼，我为你做得太少！"　　阿杰大忧伤起来像只苏格兰折耳猫一样让莉莉着迷，莉莉奇怪母亲为什么总看不上他。

"爸爸，您真能说服妈妈吗？"她心提到嗓子眼。

"试试看。"

"爸爸，要我怎么谢您！"——真是父亲最知女儿心，莉莉几乎等不及了，她想拥着他跳贴面舞。

"你得高兴点，把这些吃的全干掉！"父亲指着满桌食物说。

"保证完成您的任务！知道吗，爸爸，妈妈每晚只许我吃一个苹果、喝一杯橙汁，有时夜里我要到厨房偷东西吃。"她像印度人那样动起手来，看得爸爸哈哈大笑。她已经好久没这么舒心，像她完成论文样稿那样放松。

"想好做什么吗，你真打算做教授的助手？"父亲边问边舔手指，"文莱蓝虾，世界上最洁净最美味的虾类！"

"以我的状况，还有比学校更好的地方吗？"她说得凄苦，不过也是实

情。倒不是自己做不了事情，而是她会得罪许多人，也会被众人伤害。

"有机会到日本来吧，那里很不错，有点像美国，人们也很谦和。"

"能见到您吗？"

爸爸摇头："不行！"他习惯性地用军人语气生硬否定，之后有些后悔。

"那就算了，我还是待在我的学校里。"

"我们都好好想想，无论如何你的形象与专业不着边。你妈妈到现在还在生你的气，我也一个劲没想通。"他挑起一条眉毛淡淡说道。

"我会对自己负责，我知道自己在做什么。"

"但我们从来没有得到你的解释。"

"那重要吗，爸爸？"莉莉放下餐具，眼神像窗户后的刺客一样可怕。

"宝贝，你从小猫咪变成非洲猎豹，我头一次见你这样，你变了。"爸爸伤心地停下吃喝，用绢子擦眼睛。

"您不必担心我，我想只能如此了！"莉莉咯咯笑起来，像一个枪手收好武器潜回人群中。想到自己大胆又天衣无缝的计划，她觉得单独做一件事情真过瘾。

"好吧，随你了。"爸爸突然有点看不透这个女儿，再次意识到她已经成年了。过去他做不了妻子的主，现在又做不了女儿的主，只能对她们百依百顺。

"爸爸，我没做错什么吧？"

"什么错，你不该再被管着了。"看到女儿小心翼翼的样子，阿杰夫话题一转，"还记得以前吗，就因为我俩喜欢吃土豆，你妈妈都不让我们上她亲戚家。"

"好像他们认为乡下佬才吃土豆。"

"法国人和当兵的在他们家族不受待见，可没有我们这些效忠国家的人，整个美国都不会这么太平无事。"

"她是唯恐天下不乱的人。"

"她与一些人是短视的：他们天天喊着削减军费，军队对于他们像用得着却又瞧不起的奴仆。"

"这符合妈妈的思维习惯，什么都得按她的来，她就是上帝！"

爸爸抠抠鼻孔，"似乎所有美国人习惯如此，我们被上帝宠坏了！"他说着很响地擤鼻涕，"啊，洋葱放多了！"

"爸爸，我发现自己越来越厌烦周围的一切。"

"长大的同时，也意味着快乐行将消逝。愁也好，烦也罢，世事就是如此。"父亲又一次一饮而尽，"怎么样，宝贝，来上一杯？"爸爸觉得酒是用来消愁最好的东西，"想你们的时候我就用这个在舰上打发时间。"

"哦，妈妈知道会骂死我！"莉莉吓得花容失色，刀叉又撂到桌子上。

"趁你妈妈没在家，我们爷俩索性喝个痛快！"阿杰夫一副天地不管的样子，就像一个懒惰的胖子压瘪沙发却无人奈何得了。

不容女儿抗拒，阿杰夫已给她斟上酒。"法国干邑区香槟，世界上最好的牌子！路易十三是个暴君，人们却以他的名字命名最名贵的美酒，多么奇怪和有趣！干杯吧，为了我们父女重逢，为了今晚的好时光！"

莉莉和父亲碰过杯，仰头把酒喝掉，却马上咳嗽起来。阿杰夫笑得合不拢嘴，再次给她斟上，嘴里夸她像战士一样勇敢。接着他唱起几支法语歌曲，然后换作雄赳赳的军歌。莉莉手擎在空中，笑得前仰后合。最后他拉起女儿，跟着林肯公园乐队的曲子跳舞。过了不知多久，两人同时筋疲力尽跌坐在椅子上，脸都是红扑扑的，眼睛亮晶晶的，笑个不停。

"爸爸，从您上次离开，我再没这么开心过！"

"我也是，宝贝！如果你妈妈看到我们今天的样子，肯定会把我们赶到东河里洗冷水澡！"爸爸像唐老鸭一样晃悠，结果一下摔进沙发，跟着整个人立刻响起带着法语尾音的鼾声。

莉莉身体里翻江倒海，笑过之后迷迷糊糊仰起头，觉得像光脚走在阿拉斯加冰原上一样寒冷与孤独。她突然想起《圣经》中的一句话："谁有祸患？谁有忧愁？谁有争斗？谁有哀叹？谁无故受伤？谁眼目红赤？就是那流连饮酒，常去寻找调和酒的人！"可转而又想起："好饮酒的，好吃肉的，不要与他们来往！"不久，她无声落泪，泪滴坠入一英寸厚的红色波斯地毯。

早上8点钟的时候，莉莉被窗外的画眉鸟和邻居家女儿的钢琴声吵醒。平时这个时候，她该去学校了，可今天头痛欲裂，浑身没一点劲，于是双腿夹着泰迪熊，赖在床上不起。又过一会儿，用人第二次敲门通知她用早餐，她才不情愿地起身下楼。用人是钟点工，只负责按时做饭和打扫卫生。之前的那位菲律宾女佣，在莉莉发现她偷用妈妈的名牌口红后，被妈妈一怒之下赶出了门。现在这位来自战后南斯拉夫，身材像练过铁人三项的运动员，满脸黄斑，表情永远刚强坚毅。由于妈妈事先告诫过莉莉，所以莉莉很少搭理她。这个女人也性格倔强，从不主动与雇主搭话，所以虽然双方已存续两个月的雇佣关系，见面后仍互不理睬。莉莉打着哈欠下楼，父母已在餐室等她。爸爸冲她心照不宣地笑，妈妈则和她一样只穿着睡衣，大早敷着面膜，像具万圣节的骷髅。莉莉感到那只面膜后面的眼光又阴冷又可怕。

莉莉坐在爸爸旁边，心咚咚地跳，悄悄把椅子往边上移了移。

"你昨晚喝酒了？坐得离我近点，别那么看我，好像我会用巫术害你似的！"——女佣把餐巾铺好，指节钢筋一般粗壮。"动作轻点，当心把餐布弄坏！——你早该把这些做好！"玛格丽特夫人开始就扯着嗓子叫道。

"如果海丝莉小姐早些下来的话，我这里没有问题。"女佣绷着脸回话，转身去取食物。玛格丽特夫人把餐巾绞在指上，从后面死死盯住女佣看。

"我还是困，宝贝，你怎么样？"

"你大概已经习惯被波浪摇着睡觉了，就像婴儿喜欢躺在摇篮里。你有很多习惯不能让人接受，阿杰夫！"

女佣把早餐端上来，草草说声"请用"便离开。玛格丽特夫人在她后面小声骂了句"顽冥不化的东欧人！"

莉莉眼睛看着妈妈，小心地撮着面包吃。爸爸则响动很大，像只大狗逮住骨头一样摇头晃脑。玛格丽特夫人忍不住停下，生气地看他。餐室里偶尔发出一两声响动，一家三口在桌上沉闷地用餐。

"你的事情我同意了。"

莉莉一下没明白妈妈说什么，迟疑地看看爸爸，又看妈妈。玛格丽特夫人无奈地对丈夫摇摇头。

"你妈妈她同意了，你可以自己选择毕业后做什么。"爸爸补充道。

莉莉这下连刀叉都滑下去了，"妈妈，您同意了?!"

"没错，我同意了！我可不想我的女儿比别人差，她必须各方面都是优秀的！"玛格丽特夫人咽下一匙汤，"知道吗，你将来可要做纽约名媛，至少不能被那些黑人比下去。我没有种族观念，但我说的是事实，提起这

蓝鸟与玫瑰
Lanniaoyumeigui

我就郁闷！"

"黑人不如白人？黑人跑起来可比波音飞机还快！"

"还不如说他们搞女人更厉害，看看皇后区里除了流鼻涕的孩子还有什么！——我的话你听到了吗？最好把头发别起来和我说话！"

莉莉慌忙别起头发。"谢谢妈妈，我会照您说的去做。"她眼睛不敢抬起来，生怕妈妈变卦。

"那是当然！看看你给自己选的专业，难道你要上月球炸岩石去吗？你要走向社会了，不长见识的女人像关在屋里的长毛狗一样不被待见！"玛格丽特夫人扬起鼻子，显示出一贯的固执和强硬。

"你总是逼她！为什么不让她自己做决定，她已经是个大人了！"

"她是个大人？瞧她那傻乎乎的样子，我一点没看出来！"玛格丽特夫人左右看看，莉莉像躲避枪口一样。

"玛格丽特，你不能总是强词夺理，她可是我们的女儿！"

"轮不到你教训我！自从生下她，你有几天尽到做父亲的义务？今天倒教训起我来了！"

"我们不过谈她毕业后的事，你动不动打击她，这样她怎么会像你说的名人那样优秀！"妻子崇拜的人物太多，他一时不知举出哪个为好。反正都是一个圈栏里的羊，她拎出哪只都肥得很。最后他不慎将一粒豌豆掉到盘子外，妻子盯着他好长时间没说话。

"这个她还做不到！"玛格丽特夫人良久像缓过气来一样生硬地否决，"那样优秀的角色还轮不到她！"她再一次重申，"建议你投入政界或商界，而且必须留在纽约，我可以指导你。"

"不，妈妈，求求你别这样！"

"玛格丽特，你出尔反尔！"

"是的，我压根就没有同意过。昨晚我那样说，只是因为太累了。"玛格丽特夫人停下正色道。

阿杰夫欲言又止，他不想与妻子在餐桌上吵架。不管怎么说，他有点心疼她。或许由着她性子来是让他向她赎罪的最好方法。

"自然伦敦也可以。"玛格丽特夫人生气了，快速撕下面膜，皮肤惨白，"文明人就应该到文明社会，那里和美国一样发达。现代工业文明起端于那里，民众也很热情，你在那里找一打情人我都不介意！"

"为什么不去巴黎？那里是全世界有名的浪漫之都，男孩子很会哄女孩子开心，他们的吻技堪称一绝！英国嘛，一个死气沉沉的帝国，总感觉工业革命后只剩乌烟瘴气。"

"请不要在我面前提法国，提那个出产臭奶酪和风骚美女的国家！"

"我不喜欢英国！"莉莉不知哪来的勇气拒绝妈妈，同时把一块冷牛肉在盘里切得咯吱响。

玛格丽特夫人吃惊地瞧着女儿，很快又没事了。"瞧你那点出息！"她鼻子哼哼，矛头又指向丈夫，"如果听我的话，你早该是高级指挥官了，起码会在五角大楼里天天喝咖啡聊天，就是当着国防部长面放屁也没人介意。"

"妈妈，求您不要这样说爸爸！"莉莉话出口又把自己吓一跳，放下刀叉直视妈妈。妈妈轻蔑地瞅瞅她，同样放下刀叉，把猩红的睡衣整理下，转过身："煎蛋在哪里，难道你忘了我要的煎蛋？"她冲厨房喊，"你还要收拾多久，你在修理俄罗斯人失事的坦克吗？"

女佣像战士一样从里面出来："夫人，下次您得给我涨薪水！"她几乎是把煎蛋扔在桌子上，并且站得靠玛格丽特夫人非常近，近到双方能看见彼此眼角内的红肉。

玛格丽特夫人惊讶得张大嘴，像不认识眼前这个人似的。"听听，她在说什么！多么缺乏教养，到了文明世界没一点改变！这算什么，是在给我下战书吗？理由是什么？"她语气里透着嘲笑和挖苦，声音又尖又细。——南斯拉夫女人也不说话，看样子一点不介意打一架。

"算了，我们答应你！"

"我去工作了，记住夫人，不能像唤只狗那样唤我！"没等玛格丽特夫人脸色变过来，南斯拉夫女人已经铿铿往里边去了。

"你只会出卖我，阿杰夫！——刚才我说到哪儿了？绝不许你去做别的，更不允许离开我半步！"玛格丽特夫人在椅上往舒服挪了挪。她越来越感觉女儿不受管教。以前瞒着她擅自选错专业让她至今耿耿于怀，现在又由着性子找工作，她怎么能容忍。如果女儿入错了行，无异于她把着犁头翻过的地没长出甜菜却结出了土豆。"你倒说说看，你到底想做什么，每天对着那些金属仪器祈祷发现宇宙定律吗？去做科学家？他们大都一事无成，虚担盛名，怎么能有商人和政治家风光！"她头发变成火苗，好像里面住着会喷火的科摩多龙。

"我希望研究中国文化。"

"哦，天哪，你省省好不好！听到中国这个字眼我就耳朵疼，贸易委员会起码有三分之一的函件与这个国家有关。真有意思，越不想听到越有人提起它！"她把那个煎蛋翻过来看看，因为她喜欢吃煎煳一点的。

"现在全世界都争着与它做生意，所以他们强化军事力量也在情理之中！"

"只要有你在，能把任何场合变成战场！"玛格丽特夫人把一块面包强塞进嘴里。阿杰夫又生气又无奈，向莉莉眨眨眼、摆摆手。"这里是纽约，听到这个词都会觉得眼前满是金子！"

"不是，妈妈，我喜欢那里！"

"打消你这个念头！你连家里的规矩都搞不懂，还研究人家的文化？"玛格丽特夫人差点笑喷，像鄙视一个穷光蛋一样用脚尖把他们支开，"你还是好好研究下你妈妈的良苦用心，难道她没有事事为你打算吗？这些年她花在你身上的心思，就算是石墨也该变成金刚石了！"

"妈妈，中国是个非常神奇的地方！"

"等他们把你盘里的食物抢光了，你哭都来不及！"玛格丽特夫人像要连盘子切碎了吃掉似的，她的牙齿功能出奇的好，口腔发出令人毛骨悚然的声音。"你的想法和中国人一样怪。"她把东西咽下去，很享受地待了会儿。

"今天还要出去吗？"

"如果人类进化到可以不用进食，我就留下来陪你。"

"你说话可真刻薄啊！"

"那你就回来照顾这个家、照顾我们。"

"我是说：你的工作可真重要啊！"

"当然，我要去为美国创造财富，维系其庞大的体量！而你们，你们呢？"她摊开手，敞开的睡衣露着半拉松懈的乳房。

"无论如何军事是为经济服务的，这一点倒是事实。"

玛格丽特夫人放声大笑起来，丈夫总算说到她心坎上。阿杰夫这边让她满意了，对于女儿她也必须争出个输赢。"总之你要听我的，只能照我说的来！知道吗，你像蟑螂一样让我讨厌了！"

莉莉低下头流泪，她想反抗妈妈，却没一点勇气。昨天晚上她还心里发狠，如果妈妈拒绝她，她将做一番彻底抵制。但妈妈这咄咄逼人的气势，把她像摩苏尔人一样被打败了。

"强者是不相信眼泪的，你就是没出息！"

"好了，她只是有点任性而已，你就放过她吧！"爸爸转向女儿，"宝贝，早点去学校吧。"

"爸，妈，我告辞了。"莉莉喝光咖啡，放下杯子，提着睡裙站起往外去。

玛格丽特夫人一边切开煎蛋的焦煳部分，一边对着门口白了下眼。"她可真没教养，二十年都学不会用餐礼仪！——我说你能不能轻点，你认为你赔得起那些东西吗？哦，上帝，那些白瓷炊具可是史密斯先生从加拿大捎回来送我的！"她冲厨房里发火，厨房里马上安静下来。

"你今天打算做什么？"

"不知道！"丈夫打着饱嗝站起来，腆着肚子离开。

玛格丽特夫人慢条斯理地吃着，开始想一天的行程安排。她连想几个，但都否定，她可真是头疼。她一直怀疑：如果纽约没有了她，还会像瑞士金钟那样转动和准时吗？她犹豫不决，抬头冲墙上的伊丽莎白女王一世画像吐下舌头，但这不是她调皮，而是不小心咬着了。

不久，南斯拉夫女人出来收拾残局，两个中年女人再次隔着餐桌相互敌视：用人站在对面，手里拿着一只盘子；玛格丽特夫人提起刀叉，连嘴里的咀嚼也停止了。二人僵持着，像两只随时会跳起来斗架的火鸡。

第二章 陈梅和斯特林

　　莉莉为什么选择去中国，一个重要原因是怀特导师的学生中有位叫陈梅的中国人。莉莉性情孤傲，生活中几乎没什么朋友，学校里唯独陈梅对她很好。陈梅和她一样用功，为人谦虚友善，见面总是主动微笑。这个东方人长得并不美，却有种独特气质，像春天篱笆里一朵黄色月季优雅自得。与此同时，这些年她身边的中国人也越来越多，几乎转身就能在人群里发现他们。他们五官平平，皮肤像旧锡纸一样发暗，但参与意识极强，爱与人搭讪聊天，几乎对一切感兴趣。他们脸上总洋溢着孩子般单纯和幸福的笑，每个人身上都有种与生俱来的亲和感和号召力，这在其他任何国家的人身上找不到。莉莉对政治不感兴趣，但电视、报纸关于中国长篇累牍的报道，她不可能充耳不闻。当她刚萌生出国念头的时候，恰好旅行社又将暑期中国游的宣传册递到她手里，于是她当即打定了主意。"中国人很善良，待人友好，他们不遗余力建设自己的国家，想让生活过得好一点，这有什么错！"这趟中国之行彻底改变了她的一些看法，她再也忘不了那里，好像重新受到了启发，生活重现了生机。她满怀欣喜，整个人如同从冬眠中苏醒，世界不再阴冷黑暗，像从地下洞穴来到外面阳光地带，一切温暖明媚和生机盎然。她不再无动于衷，对这个世界心生爱恋，一心想接近拥有它。

　　这天下午，莉莉从怀特导师办公室出来，鼻子红红的，脸上留着泪痕。她刚同教授吵过，只因他对她的想法大为惊诧。从开始他对她抱有特别希望，她在论文答辩会上的出色表现令他相当满意，他仿佛感到重生一般。她是个天才，才情媲美自己，而那出众的美貌，更给她的智慧王冠嵌上一粒亿年宝石。他满怀欣慰，今天找机会把自己对于将来的设想毫无保

留说给她。他口干舌燥、语重心长说了整个下午，她却拒绝了他，提出要转到东亚系研究东方哲学。这真好似一次车祸要他的老命，要知道他对这专业的热爱即便是性和家庭也不能撼动。他大发一通脾气，气愤至极点爆了粗口。他彻底失望了，像被医生通知绝症已无可救药。到最后他再说不出一句话，坐在那里像死去一般。莉莉来到外面，一边走一边想自己得罪了教授。而这边还有妈妈，怎么能够翻越她这道高墙呢？她对自己的境遇哀伤不已，人们都在赞美和羡慕她，却忽略了她比谁都艰难。

正在这时，她看到不远处陈梅正穿着学位服留影。陈梅可能在争取美国的就业机会和绿卡，所以暂时留在校园。陈梅也看到莉莉，鼻上沁着汗珠跑过来，眉眼弯弯地冲她道："如果有空的话，可否参加我主办的同乡派对？"莉莉没有回答，却用微笑表明态度。小个子的陈梅挽起大个子的莉莉，一起朝派对地点——陈梅的宿舍走去。陈梅沿途与很多人热情地打招呼，莉莉暂时抛开刚才的不快，开心地随陈梅走。是的，她已经完全生出对中国人的一种好感，他们像《喧哗与骚动》中的凯蒂从恶魔变成一个个天使。

傍晚时分，陈梅请到的客人都到齐了。当然以中国人为主，个个像参加新生联谊会一样带着羞涩又机敏的笑容。陈梅用那种中国人与生俱来的、毫不受环境影响的热情接待大家。尽管身材瘦小，但她似乎想把一切置于管控之下。她与每个客人都来个大大的拥抱，好像要把他们举过头顶。虽然在美国待满学年，但她仍在学习和适应美国，努力变成一个地道的美国人。她提前到卫生间打扮一番，换件白底碎花旗袍，蹬双硬革黄色皮鞋，涂着亮彩唇膏，只可惜脸色发暗，所以看着反比平时老态。好在精神头十足，一口来纽约后变雪亮的牙齿很是抢眼，说说笑笑招待客人。怀特夫妇也应邀参加，不过怀特没理会莉莉，好像已经把下午的不快忘掉了，被几个女孩子围在中间，兴奋得假牙闪闪发光。莉莉第一次参加中国人举办的派对，有点不知所措。房间里布置很花哨，悬挂着彩带和彩灯什么的，还有两只圆圆的红灯笼，另外播放着蜻蜓点水般的中国民乐。陈梅提前准备好食材，今天大家一起包饺子吃。屋里的人个个亲热得不得了，热热闹闹忙乎起来。之后怀特教授单独与两个中国留学生聊天，饶有兴趣听他们介绍中国的情况，不时点点头。他的妻子梅伦在一边坐着，她的脖子有些问题，所以注意力很难集中。

"莉莉是我在班里最要好的同学!"陈梅一边擀饺子皮,一边回过头希望莉莉验证。"不,你不是我最好的朋友。"莉莉摇着头说。陈梅脸色迅速变难看,擀杖下的饺皮没了形。其他人都不说话,来回望着两人。"因为她每次从我手里抢走最高的奖学金,她学习太刻苦,害得我经常被怀特教授责怪!所以陈梅,你是我最好的竞争对手。"莉莉绕着弯把话说完,气氛重新活跃起来。被一位身居主流社会、拥有显赫家庭背景的本土人氏赞美,对于任何一个旅居美国的留学生都是莫大荣耀。面粉糊到陈梅脸上,人们看到她就是一通大笑。——怀特教授这边正在与两个中国男留学生热烈地交谈着。

"教授先生,您光顾过中国吗?"

"很遗憾,我还没有拜访过这个伟大的国家,但我应该去的。"

"您用伟大这个词,您一定非常喜欢我们国家了。"两个男生像抢得比特币一样笑出声,那种快乐几乎是不修边幅、带毛茬的。

"没错,那是个了不起的国家,我一直在关注它。我父亲就曾到过上海,在那里他是个水手,一年中有半年在出海,所以我要记起他就得多看照片。上海是当年的东亚经济中心,他在当地认识一个美丽的舞女,其间差不多有三年时间没给家里寄薪水。母亲把我送到外祖母家,亲自到趟上海,然后三个月后我就见到那位可爱的父亲,他已经胡子拉碴,肩上松不啦唧挎着吊带裤,垂头丧气跟在母亲后面。我没有问过他们发生了什么,但从此以后父亲总是按时寄薪水回来,并且待我也好许多。啊,上海,有生之年我一定要去一次,听说那里变化惊人!"

"怀特,我居然头一次知道这个秘密!"他那妻子梗着脖子难受地说。

"算不得秘密,只是对你有些难为情而已。并且你操持家里,我又忙着工作,我们很少有时间坐下来谈些与生活无关的事。"教授拍着大腿,好像非洲原始部落酋长敲击长柄鼓一样。

"好吧,还不知道你对我隐瞒了什么。"——她的声音太小,没人能听得到。人们继续饶有兴致地热聊,老妇孤独地坐在一边,像只停在海边岩石上的螃蟹。

"您一定要去那里,它可以媲美纽约!"

"哦,那真是太了不起了!如果可能,我要待上一段时间,看看那个把我父亲迷了魂的地方到底有什么魔力。"

"教授，我就来自那里。"陈梅踮着脚擀饺皮，好像怕被忘记了一样回过头提醒导师。

"我当然知道，否则我对它不会印象那么深刻。毕竟我父亲在那里没做好事，这点从他和妈妈的关系就看得出。事后他们分居了，妈妈与一个卖油漆的男邻居好上了，父亲则终身郁郁寡欢。你让我改变了对中国的很多看法，你在我的学生里表现非常抢眼。"

"教授，您过奖了，我没您说得那么好。"陈梅谦虚了，就像考试拿了满分却说是无意的一样。

"你的勤奋给我留下了深刻印象，如果多几个像你这样的学生，我会像圣诞老人一样快乐得永远不想死。"

"她还是我们的头儿，平时像大姐姐一样照顾我们！"其他人在一旁附和，陈梅愈发脸膛发红，有一刻低下头看着鞋子笑。

"想想看，现在几乎每个美国人都光临过中餐馆，中国人已经成功征服美国人的胃；美国上至总统府邸下至黎民百姓，任何一个家庭都要购买和使用中国生产的商品；中国还是美国最大的债权国，双边贸易差额持续拉大；中国人到底有多聪明看看陈梅就知道，中国人生存能力有多强看看世界各地的唐人街就知道。我喜欢和你们这样聊天，好像夏天泡个冰水浴一样舒服！"

"陈梅，遇到教授你真幸运！"

"而且，现在我宣布一个重大决定！"怀特教授说着坐直身子，把那鲜润的嘴唇舔舔，同时意味深长地望眼莉莉，似乎他的决定与她有关。可惜莉莉一直避免与他对视，她正欣赏一个个捏好的饺子，它们像中央公园湖面上停歇的一排排天鹅。除了她，其他人都停下一动不动等着教授宣布决定。

"我要让陈梅留在美国，选她做我的助手！"

"哦，陈梅，真是天大的好消息，馅饼掉你头上了！"

"你早就知道了，就是要等到这一刻，是不是？"

"真是太棒了，你可以留在这里继续深造，而我们又能经常见面了！"

陈梅一边接受人们道贺，一边激动地抹眼泪。最后，她来到莉莉旁边，眼睫上挂着珠泪，嘴角抱歉地弯弯笑起，轻声说句"对不起"。

"哦，不，陈梅，为什么向我说对不起？"

"真的对不起！"

"你把我搞蒙了，你应该感谢教授才是。"

"知道你就会原谅我。"

"啊，我要是移民局官员就好了，现在就给她发绿卡！"

教授夫人又在一边发话了："你还是克制些好，怀特，这个场合不适合讨论这样的话题。"

"好了，不说了，马上开饭！"陈梅深情望下莉莉，返回接着忙活。

怀特教授采纳了妻子的建议，呵呵笑几声聊别的去了。虽然有刚才的小插曲，但莉莉的情绪并没有受到影响。教授选择谁做助手与她毫无关系，她只管按着自己的兴趣来。至于妈妈，现在这么好的气氛不去管她。现在拥有这样一些心无芥蒂的异国朋友，就像来到一处春天的花朵与鸟儿中间。甚至有一会儿，她的心又飞到中国，猜想那位蓝鸟一样漂亮的男子在做什么，他是否料到此时一个美国女孩正在大洋彼岸想他？虽然她与皮特曼有肌肤之亲，但皮特曼充其量是她的解闷道具。她真正喜欢的是他，虽然那只是一面之缘，却也是一见钟情。想一会儿之后，她就像彻底接受过洗礼后精神焕发地回到现实。她待在这里很舒服，享受这些中国人提供的至高礼遇，心情像一块芭蕉林蓬勃热烈。等陈梅和朋友们把热气腾腾的饺子端上桌，派对随即进入高潮。中国人喜庆宴会的主角一定是饺了。人们鼓掌和欢呼，共同举杯祈福祝愿。陈梅被朋友们轮番劝酒，不久便晕晕乎乎。怀特教授尤其被女孩子们迷住了，把妻子丢在一边，边喝酒边纵声高论。这些年大学教授离婚率居高不下，很多人与女学生暗地生情，最终踢开糟糠之妻另筑爱巢。怀特夫人已白发苍苍，行动缓慢，走路颤颤巍巍，看着丈夫与年轻女人嬉闹，却没有一点办法。或许思乡之情勾起人们太多东西，人们酒喝得很多，吃得却很少，一个个笑得空洞无力。吃喝说笑一阵，怀特教授开始夸赞陈梅。

"她是我见过最聪明的学生之一，我对她的喜欢超过其他人。她是个天才！是的，如果你是天才，就可以拥有世上任何的特权，什么国家、种族、性别、肤色、信仰，各种各样的限制，对于天才都是不存在的！如果她不介意，我完全可以把她当作女儿。"

"怀特教授的三个女儿都非常优秀，她们生活在美国各地，从事体面的工作。"陈梅晃着身子在边上补充。

"别在这儿耍酒疯，你什么也不是！"妻子在后面插话。人们都友善地朝她笑。

"人人都可以当总统，这就是美国。不过她说的是真的，我只有我的专业，我的实验室，还有自家的花园。"

"那花园不是你的，怀特，那些花是我培植的。"

"她说得没错，那些花是她养大的。"怀特舔舔嘴唇，"想听听我和她的故事吗？"他几乎没看妻子一下，"我认识她三天就搞到手了。她是我的学妹，傻乎乎就跟我好上了！我爬山摔断了腿，她对我不错。我当着护士的面把她搞怀孕了。我不得不娶她，不得不和她生活了一辈子。是不是，怀特太太？"他抓住妻子的手亲下，梅伦却迅速抽回。

"你该庆幸没被我控告，否则一辈子待在监狱，现在的一切无从谈起！"

"她说话历来这样，委内瑞拉人的简单与直白。"

"如果接下来没什么事，我想我们该回去了。"天色向晚，梅伦眼睛费劲地看着丈夫，丈夫傻笑一阵，站起由妻子帮他穿上衣服。

"看来没什么好说的了，待会儿记得替我问候月亮，据说中国人比我们更懂得浪漫。"他指指窗外正冉冉升起的金色月亮。

众人把教授夫妇送到楼下。怀特教授挽起妻子胳膊，二人走在洒满月光的校园小径上，就像儿子陪着母亲散步。

校园随毕业生的离去变得冷清，像家庭由于子大离开沦为空巢。图书馆灯光零星，河滨教堂钟声空荡，被丢弃在宿舍阳台的衣物轻轻晃悠；美洲知更鸟在草地上蹦蹦跶跶，一点动静就令它们惊鸣不已；暮色中沉寂多思的智慧女神，小径空无一人，院子空空荡荡；校园台阶空自散发余热，树木像一个个类人猿头颅；饱含离愁别绪的风铃草，还有草叶上银色的亮光和建筑脚下庞大的蓝色阴影……

大家同时抬头，月亮正像枚空灵的镜子。很快有人抽泣起来，接着是更多的人。——这天晚上，当一群中国留学生对着月亮伤心的时候，莉莉则对未来的爱情充满设想与期许。

如果没有那次中国之行，她的生活还会像过去一样死气沉沉，她会被笼罩在各种不快形成的可怕压抑中。她很少想到将来，它已像花草进入秋季，季节正宣告它们的死期。她的生命注定昙花一现，她就是那个多灾多难的帕里斯！种种不幸和痛苦都是长期的，这造就了她的孤僻和独立。快乐何曾属于过她，内心的苦闷只有自己知道，自己对自己的那点温情和怜悯管个屁用！那个神秘东方男子的出现改变了她的一切，好像将她生活的废墟重新复原成王宫模样，里面灯影憧憧，人欢马叫。她禁不住在想象里与他一次次偶遇，并耳鬓厮磨，床笫交欢，美乐无穷！这使她一边内心亢奋着，一边对外继续装作冷若冰霜。

她与皮特曼的关系很快演变成了假戏真做，她把现实中的皮特曼假想为梦境里的中国男子。结果表面上皮特曼真的成了她的男朋友，她有点离不开他了！但这很快就被玛格丽特夫人察觉到，她像围堵猎狗一样，把女儿关在房间里一整天不准出门，还命令南斯拉夫女人只给女儿送少量的水和食物。她又把皮特曼叫到家里好生数落，让这个野心十足的小子像搬运工一样站她面前汗流浃背。可当她极力羞辱皮特曼是个穷小子的时候，他一下不干了，变成狗扒脸，呼吸急促，挺直腰身，对着端坐窗户前那只飞船控制椅一样的按摩椅里的玛格丽特夫人高声正色道：

"夫人，您的观点与您的身份极不相称！长辈们的财产不是留给后代而是应该留给社会。这个社会的年轻人全部是穷光蛋，那才又正常又光荣！如果年轻人都从上辈那里继承到足够财产，他们还会自己奋斗创业吗，这个社会又靠什么成功和进步？二百多年前，美国先驱们来到脚下这片热土，他们身无分文，凭着血气方刚和大无畏精神，在区区二百年里创造了人类史上最殷实、最强大的基业！请问夫人，如果他们是一群脸色苍白、只懂咬文嚼字、说话奄奄一息的贵族哥，还会有今天我们为之骄傲自豪的美利坚帝国吗？骄逸奢侈绝不是美利坚民族的血液，永不服输、喜欢新奇、追求卓越才是美国民族精神的精华所在。夫人，贫穷和身份并不随血液遗传，创业和奋斗精神却在世世代代美国青年身上闪光！你说别的什么我都可以接受，唯独这个不行。说我穷，我不以为耻反以为荣，因为这是我上进的动力、成功的基础。"

"这在你倒成了好事？可无论说什么，不许你再接近我的女儿！你可以有自己的梦想，但我女儿也有她的梦想。她条件比你优越得多，我不能把她的将来寄托在一个没根没底的穷小子身上。她本可以一步到位，凭什么跟你从头受苦？——我的话就说到这儿，门就在你身后，推开它就可以

永远关上。"

"夫人，既然我来了，就要把话说清楚。在美国没人可凭身世和血统评价他人，这涉及美国的核心价值观！夫人，如果我是选民，绝不会把票投给您。"

"我只是告诉你，你配不上我女儿，就这么简单。"玛格丽特夫人眼睛往下看的同时，也降低了身体高度。

"我怎么配不上她？"

"总之你不配她，你太平庸了！"玛格丽特夫人直起腰，她有点累了，像花了三天追赶一只狡猾的跳羚。刚才跑步机上显示她又重了二十五克，心率也比以前快三下，她烦得很，马上觉得自己走不了路。

"我怎样才能配她？"

"你说呢，小伙子？你忍心让她和你一起住蹩脚的公寓，让她从今起买份商业保险以便支付将来高额的医疗费用，让她参加一个名流云集的派对却没有名贵首饰佩戴，让她想看凯瑟琳·迪安娜·芭特尔的演唱会却只能买得起二层楼座，让她因你操劳生活天天吃三明治而看上去老十岁？你一心想俘获我的女儿，可我要保护我的女儿。别打你的如意算盘了，乖乖回去上学，毕业后找份送意大利甜饼的工作，这个一定适合你。"她捂着嘴笑了下，"对了，别和外人讲我曾把你请到这，说出去都丢人！"玛格丽特夫人说过又狠狠瞪眼女儿，她当时就在边上，吓得像遇到天敌一样收紧身子。

皮特曼赖着不走，目光转而求向莉莉。

"我之前和你说过不可能，皮特曼！这全赖我，如果我当初拒绝你就好了！"看到皮特曼被妈妈折磨得死去活来，莉莉对于自己与皮特曼交往后悔死了。

"你不喜欢我，却又约我上床，那算怎么回事？"

"看看，口香糖粘到鞋底甩不掉了吧！"玛格丽特夫人不忘嘲笑女儿。看到女儿无言以对，她冲皮特曼嚷道："她无辜善良，见个乞丐就撒子。你对她穷追猛打，她才不小心失身于你。"

"你和我在一起只为打发时间，对不对？"

母女俩同时不说话，坐在各处绷着脸：妈妈中意地欣赏手上某位要人前天送给她的一只白金手链，女儿则低头咬着指甲看楼梯口巨型水缸里逍遥的热带鱼。电视里正直播一场真人秀，里面一位田纳西州种甘蔗的小伙子要离开了，队友们哭哭啼啼上前相送。皮特曼回过神，无奈点点头。"好吧，我现在离开！可是莉莉，不管怎样，我都不会放弃。"没等莉莉说话，他已经扭头跑掉，身后的门像对蝴蝶翅膀无力地扇动着。

玛格丽特夫人站起来，望着女儿："你把自己像件打折品一样糟蹋了，让我失望至极！"她叹着气离开，发愁那二十五克怎么办，而史密斯先生知道她变胖，不知怎样变本加厉地讽刺她。

莉莉黯然神伤坐着没动，她没料到事情居然败露。只怪皮特曼非要约她看《巨人杀手杰克》，两人通话被老奸巨猾的玛格丽特夫人听到，她那灵光乍现的大脑迅速猜出真相。她当即遭到妈妈痛打，事情被问个底朝天，甚至连做爱细节也没放过。她早料到妈妈看不上皮特曼，他出身平平，还毛手毛脚，妈妈肯定会当他是只烂水果不待见。但通过皮特曼与妈妈的这次交锋，莉莉对他另眼相看了：他能言善辩，关键时勇敢无畏，像只敢于与狮子叫板的小狗。如果不是他痴迷政治，两人信仰相左，说不定她真会喜欢上他。她有点替自己难过，为什么不能像皮特曼那样勇敢，把想法痛痛快快说出来，而非得像个受气包委曲求全。她小小的诡计失败了，失败的根本不是妈妈，而是她自己计划不周。她只好认输，老老实实服从妈妈。不过也有好消息：那就是她心甘情愿放弃学业了。妈妈为她拒绝怀特教授而少有地赞赏有加，并且苦口婆心论证和展示了她一番远大前程。"你能回避与社会的接触吗，就像你不踩踏曼哈顿岛的土地，不呼吸纽约流动的空气？你不了解社会，又怎么能了解别人？你不是活在中世纪，而是21世纪！你总是沉浸在幻想中，幻想是什么？一堆泡沫，一口气就把它们吹没了！"妈妈说到这儿，使劲往里收腹，然后侧身打量地板上的U形倒影，"你有这么好的条件，我们母女完全可以在纽约大有作为！即使没有克林顿·希拉里那样的成就，起码不能有辱我们祖上的门风！我是决定这样做了，你要跟上趟，否则我所做的一切全是徒劳！为什么不往前走，为什么听命于命运，活着就要像绣眼鸟叫他几声。老天慷慨地给予了我们不凡，我们却将它们作废，这是多么愚蠢无知啊！东亚文学，中国哲学？这些能帮助你吗，那些古老陈旧的知识只会使人发霉！做个现代的人好不好，为什么迷恋变回一个恐龙？公开做一切都是合理的，包括偷情；私下做一切都是值得怀疑的，包括恋爱！这就是你加入社会和拒绝社

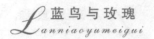
会的两种结果……"这也算好消息？是她自己放弃和投降了吧。可有什么用，妈妈最后的两句话尤其戳中她心思，她缺乏经验，比较幼稚，远远比不上母亲世故老练。妈妈告诉她已经委托史密斯先生替她找份工作，后天她就得上班。她记起沃尔特·雷利在《自然在牛奶里洗手》的诗句："钢和铁锈制成的时间，把雪、牛奶和丝都变成了灰尘""那尽善尽美的女人就不复存在了"。她虚惊一场，松了口气，意识到有必要深入真正的人间了。

　　毕业不到一个月，莉莉就参加了工作。现在她要去见东非政策研究中心主任，妈妈要她"穿得漂亮点，既像个做事的，还要有点女人味！"莉莉提前如约来到第五大道的意大利服装店，店员向她热情推荐，她觉得像虫子聒噪一样受不了。花了整个上午，她拎着大包小包出来，坐在咖啡店里透口气。大街像是天堂进出口，人们个个乐呵呵的，这让她搞不懂。当她在试衣间里打量自己时，感慨青春即逝，满心悲哀。——"你就是只土鸡，永远变不成凤凰！"妈妈穿着红色内衣，站在栗木衣橱前，头发别只红色卡子，看到女儿选的衣服就失望，当即骂了她。

　　这是位于羊头湾的一处独栋公寓，地理位置相当隐蔽。皮特曼把撅屁股的老爷车停在满是腐叶的空地上，笑着对她说："这纯粹是母兔一年四季可以无忧无虑生宝宝的地方！"莉莉下了车，皮特曼掉转车头离开，他要赶回聆听一位离职政要造访总部的演讲。莉莉独自走向房子，幸亏她提前通知了对方，所以门铃响便会有人开门。是个身材臃肿、操一口佐治亚方言的老太太，用满脸瘀斑和一双热情的灰眼睛欢迎她。老太太甚至不用看路就动作敏捷地穿过工作区，把莉莉直接带上楼。斯特林先生房门洞开，老太太侧身给客人让出地方。斯特林先生从桌后来到前面，张开双臂："你好，纽约的白雪公主！——史密斯先生就是这样称呼你的！——玛丽，快给海丝莉小姐煮杯你拿手的咖啡！——来杯咖啡怎么样，加糖还是别的？"他鬓角有些灰白，但精力充沛，言语调和着气氛。莉莉礼貌谢过，同斯特林先生一道坐下。玛丽很快端来咖啡，站在莉莉椅子旁，像家里来了客人的小女孩，笑盈盈等着有趣的事情发生。"你比你母亲还要漂亮，她可是个了不起的人，纽约到处有她的崇拜者，当然算我在内！"斯特林先生指下自己。他体格颀长健美，头颅睿智，薄薄的头发贴着头皮，花白胡茬儿很有型，蓝衬衫配一对白袖口十分晃眼。莉莉觉得他不像政客，更像个时装经纪人。"你是来接替玛丽小姐工作的，她这几天就到退休年龄。——真奇怪，不知不觉我们已搭档十年！——玛丽，从你辞掉图书馆工作到这里，我们差不多像半路夫妻，是不是?""一点没错，斯特林先生，遗憾的是你一直没讨老婆！"玛丽双手搭在前面，双腿和双脚规矩地并在一起。"本来考虑返聘她，可她收养了个孩子，孩子太小需要人照顾。""是的，海丝莉小姐，她只有两岁，正是需要人照顾的时候。她是我从东非一家孤儿院领养的，办手续花了很长时间。我是红十字会人道主义救助志愿者，我猜她父母不是死于战争就是种族仇杀。"她侧头望着主顾，小拇指将头发塞上耳郭。斯特林先生吭哧下，眼睛不看玛丽。"我没结过婚，但我有五个孩子！"玛丽撑开巴掌给莉莉比画。"是的，玛丽，你真了不起！作为美国公民，你的女性生育能力没为美国服务，实在太遗憾了！""我在为全人类服务，这还不够吗?""如果你不介意，我想单独和海丝莉小姐谈会儿。""记住海丝莉小姐，他不坏，可他永远只有十七岁。以后你会理解我这句话。"斯特林先生笑笑，把穿着黑裤子的一条长腿换到另一条上。"我已听史密斯先生介绍过你，情况不错！你知道这里做什么吗?""大概知道一点。"莉莉如实相告。"好吧。这里重点收集和研究东北非地区情报，但不限于此。东北非目前仍不是美国战略的重点，但迟早会是的。"说到专业，他来了神，站起过去拉开帘子。墙上镶嵌一幅巨大的东北非地图。他用手指着上面，

"这就是东北非，像只木楔直插阿拉伯海。这是扼制苏伊士运河和控制整个非洲东海岸的战略要塞，中东运往世界的石油非得经过这里，所以这里是地球上举足轻重的能源通道。近年索马里海盗更让它成为世界焦点，各国都在寻求对这一地区的军事存在。这是个非常重要和特殊的地区，以亚的斯亚贝巴为原点，可以监控包括地中海、红海、两伊、也门、西印度以及整个非洲东北部、半径800公里内的战略区域。试想如果你是彼得大帝，站在高高的埃塞俄比亚高原俯瞰面积近千万平方公里的土地，那感觉会是如何? 自然妙不可言！我们所做的东北非形势报告和关于该地区安全状况的评估，为美国的全球战略服务。在两伊战争期间，我们曾发挥过重要作用。美军以此为据点与阿拉伯亲美力量保持密切接触。那时我本人就在亚的斯亚贝巴，临时招募很多人工作，一度达到三十人之多。招

募来的雇员同各种各样的人打交道，有朋友也有敌人。我的重点是与当地官员接触，要么收集情报，要么收买他们。我们工作的另一个重点就是防范恐怖主义蔓延与极端势力渗透，试图对其中任何细节做到了如指掌。我们天天研究堆积如山的资料，所以伊拉克战争在军事和外交上胜利了，里面有我们的功劳。也就是从那时起，我们得到国防部的年度预算资金，日子比以前好过多了！"斯特林先生目光如炬，双手伏在桌上，像只随时准备跳起捕食的豹子。莉莉听得恍惚，像从一个墙破洞里观望外面波光粼粼的大海一样犯迷糊。"你怎么想，海丝莉小姐？""好像让我看水力发电机的电路图一样，斯特林先生！我的意思是我感觉这很难，我不去想那么多，只想做您吩咐的事。我不是个政治家，以后也不会是。""不，不，不对！"斯特林先生听得直摇头，"你到这里工作，必须了解这些，必须明白我们的目的和意图。你要把自己培养成战略家、军队将领那样的人。你不再是个学生，不能只懂时装和《破产姐妹》那样的喜剧，要培养对时政的热情，即使不是个野心家，也要成为忠诚美国的公民。政治是件很刺激的事，让我一个月不碰女人可以，但让我一个小时不问政治不可能！要让政治成为你生命中的一部分，就像你妈妈那样去做。玛丽小姐你见过了，她外表多么不起眼，却是埃塞俄比亚总统府最受欢迎的人！所以海丝莉小姐，我十分看好你，前提是你能喜欢这里，喜欢和我一起工作。"斯特林先生摆了个造型，像发情期的雄雉向异性展示魅力。莉莉回避他直勾勾的眼神。

"海丝莉小姐，今天就能上班吗？"

"哦，玛丽小姐不是还得几天吗？"

"说实话，和年轻小姐一起工作，我会更有激情。"斯特林先生在地图前伸展下腰肢，坐回办公桌后看着莉莉。见莉莉沉默不语，他拿起电话找玛丽。电话没人接，却见玛丽已经从外面进来，

"斯特林先生，你在说我坏话，小心我把你在办公室手淫的事告诉别人！"

斯特林先生嘿嘿笑了："那些天为争取酋长忙得焦头烂额，没想到被你撞到了。"

"你和海丝莉小姐谈好了？"

"没错，她今天就算正式上班，你要教她一些东西。"

"好的，先生。"玛丽转过来对莉莉，"请！"然后迈碎步挺胸往外走。莉莉站起来那一刻，瞥见斯特林高深莫测的眼神，他正盯着她的某个部位目不转睛。

到楼下，玛丽把一堆事情交代给莉莉，然后掩门而去。其他人当她不存在似的，整天没打个招呼。莉莉趴在电脑前昏头涨脑熟悉工作，斯特林先生从楼上催要资料，她慌得电话掉在地上。她到卫生间哭了几回，从镜里看哭花的脸。同事面无表情从背后经过，她感觉自己到了机器人世界。她拨打皮特曼的电话，他却关了机。好不容易盼到下班，出门时手袋钩上门闩，她差点摔到台阶下。皮特曼准点赶来，手扶方向盘，腰身板直，面貌崭新，精神头十足，看样子见面就给莉莉来篇长篇大论。莉莉上车就哭，催促皮特曼快点开车，皮特曼一言不发照做。

晕晕乎乎过去十来天，莉莉不断偷偷与皮特曼约会。尽管害怕被妈妈发现，可她实在找不出第二个人排遣苦闷。但见过就后悔，因为她总忽略一件事，皮特曼和斯特林先生一个德行，离了政治他们就活不了。他待着不是谈论政党就是说道竞选，莉莉感觉像撞晕了墙。皮特曼见莉莉不断与自己约会，以为上次说动了她，心里很是得意。这天，在一家泰国餐厅里，他问莉莉是不是这样，莉莉轻蔑地瞅下他，继续涂抹指甲油。皮特曼厚着脸皮支着胳膊，继续说道：

"这次有好几千人参与电子投票签名，这可真棒！"他激动得眼睛放电，使劲咽唾沫，"这是我进入总部以来的一次突破，得到了部门的认可。我找到感觉了，就像打球知道了怎么有效投球！"他像坐在跷跷板上一样来回动，"知道吗，莉莉，我得好好研究下心理学，你可以帮助我，因为这和琢磨一个恋爱中的女人心思一样有趣！"

"你不是做得很好嘛。"莉莉没好气地回答。

皮特曼没注意到莉莉生气，又说道："如何说服人的确需要技巧，以前我没重视这个，现在起我要加强训练。莉莉，你认为我口才如何，是不是和床上功夫一样棒？你想我了吧，我会是美国未来的……"

"你能不能吃快点，吃完好走人！"莉莉刀抓着筷子像击剑一样，手颤抖得厉害。

"你想和我上床，又不好意思承认。"皮特曼卖萌说。

"那又怎么样！"莉莉不耐烦地把头扭向一边。对面烛光里一对情侣，男孩像布拉德·皮特一样帅气，正在给女友喂哈根达斯冰激凌。这场景她可以欣赏，却绝对做不到。连她都觉得自己像个蜡像，为此她真有点佩服皮特曼。

皮特曼擦拭嘴角，像匹受惊的马快速吞咽食物。莉莉只想呕吐，皮特曼嘴角的沙拉汁让她联想到他每次排泄出来的大量精液。

两人回到莉莉家，没那么多废话，马上关门开战。上了床皮特曼就不再怜香惜玉，出身低贱的人往往迷信通过性爱暴力，摧毁横亘于婚姻前的身份和道德障碍。两人如饥似渴，迫切需要一场痛快淋漓的性爱解决问题：莉莉要释放心里苦闷，皮特曼则庆祝爱情凯旋。二人不顾对方感受，闷头苦干，直击对方最幽处，试图在这样一场残酷较量中等对方先败下阵来。最后皮特曼倒地不起，莉莉枕着他塌陷的肚子，屋里陷入死一样的安静，像战争结束后狼藉的战场。是的，与他们短暂的欢爱一样，纽约脆弱的灯火也是一堆假象，铁的实质是黑暗中人们的生死与纠结，就像同一时间内表面平静的罗斯福岛已经在薄薄的地壳上震动了几百次。

早晨，皮特曼到浴室洗澡。莉莉从门缝看到他钢铁一般的屁股蛋，却对昨晚的快乐一点回忆不起来。皮特曼凌晨又弄醒她几回，她几乎麻木了。皮特曼发现莉莉偷看他，故意亮出宝贝，又扭又跳唱起黑眼豆豆的歌。莉莉看到那玩意就恶心，赤身翻仰过来，决定等他洗完澡立刻让他滚蛋。皮特曼兴奋地叫喊着，鬼哭狼嚎一般难听。

"你能不能不要糟蹋黑眼豆豆！"莉莉有气无力地抗议。皮特曼却根本听不到。"该死！"是的，以她这段时间对皮特曼的观察：他不坏，喜欢当下，诚恳务实在做事，对她特认真也足够耐心；他乐观憧憬未来，像只肥猫享受午后阳光；他追随扬基棒球队，赛季会跟着他们转场。可他过分着迷政治，出身不好的人总想通过权力改变境遇。一边是无处排遣的寂寞，一边是驴唇不对马嘴的爱情，莉莉对于今后如何与他相处备感困惑；两人只能算性伙伴，谈婚论嫁不可能。——皮特曼从里面出来，她赶忙用被子蒙住身体。明天是星期天，她打算向神父全盘托出心事，把心里积攒许久的苦水倒出来。主意一定，她立刻取消与皮特曼前往布莱顿海滩玩耍的计划，把要赖皮的皮特曼支走，然后窝在宽大的沙发里，再次回味那次玄机无限的中国之行。

次日没到 6 点钟，莉莉就起了床，赶着参加 8 点开始的教堂聚会。这是她这些年几乎唯一参加的社交活动。她早年出生在布鲁克林区，十七岁时随父母搬至曼哈顿上东区，但因喜欢那个叫贝尔的老神父，所以坚持回原地做弥撒。教堂地点位于一所 19 世纪后期的褐石建筑地下室，时过境迁，里面破旧不堪。等她小心从陡峭的台阶下去，仪式已经开始了。十几个人背对门口站着，前面圣坛烛火耀眼明亮。神父像只年老体大的骆驼，在坛前有条不紊带领大家履行法式。仪式只用半个小时就结束，照例有人哭红眼离开。等其他人走光，莉莉到门口迎住神父。神父的腋下夹本《圣经》。

"贝尔神父，可以和您谈谈吗？"

"你好海丝莉，谢谢你还来这里！你母亲已经很久不来了，她一定嫌我这里寒酸，不用说我也知道。"

"不是的，她的确很忙，连我见着她都难。"——莉莉仔细想想，觉得自己说的是实话。

"哦，现实压力不堪重负，人们明白时才需要上帝！瞧见刚才那些人了吧，他们现在比谁都虔诚，他们活得很难，只能到这找上帝帮忙！——不过你妈妈是名人嘛。"老贝尔拧起板刷一样的花白眉毛逗莉莉。

贝尔神父请莉莉回到里面，自己摇摇欲坠坐到她对面。他六十多岁，身形像年迈退役的 NBA 球员；长方形阔脸，为数不多的花发，一双机警却艰难转动的眼睛；戴只小便帽，半个头落在罗马领里，脖下永远套件不新不旧的祭披，腿脚像打了钢钉一样行动不便。他是教区资历最老的神父，为人和蔼风趣，喜欢与任何年龄段的人开玩笑，有人称他"布鲁克林区的祖父"。原先的教堂已经拆除，他租个地下室做弥撒，以节省开支。很多人选择离开，只有极少人继续留下，不为别的，只为他身上那种"罕见的真诚"。玛格丽特夫人好几次挖苦莉莉："瞧你去的那地，危险又寒酸，你不是爱上那老头了吧？他和伯纳德·路德·金一样好色。"莉莉没理会妈妈的话，她出生时就由贝尔祖父施礼。如今那双大手已经青筋暴露、霉迹斑斑，但莉莉仍感觉它们和过去一样温暖有力。

"你有什么事？"贝尔神父揉揉松果一样的红鼻头，打个很响的喷嚏，"对不起，吓着你了吧。"

莉莉摇摇头："我心里有点乱。"她顿了顿，"我厌恶别人和自己，就像厌恶大便一样！"

"哦。"神父表情正经起来，声音拐个弯，"这是怎么回事？"

"我感到很憋闷，看到什么都想发火！"

"感觉你提前到了更年期。"他开起玩笑来。

"我是认真的，神父！"

"我也是认真的！小姑娘，别紧张，放松些。"

"我找不到可以说话的人，纽约所有人于我都是陌生的，我感觉像被抛弃在冰天雪地里。"

"你是说你被抛弃了？是谁抛弃了你，能说上来吗？"

莉莉迟疑地看着神父，一时语塞，同时担心自己说错话。

"我说真话你愿意听吗？如果情况真是那样，那问题一定出在你自己身上。"

"不可能。我对所有人都好，没伤害过任何人，就是找不到一个可以诉说衷肠的人！除了爸爸，这话我只能对您讲。"——贝尔神父点点头，等她继续说下去。"我总感觉与人格格不入，连妈妈也不喜欢我。我找不到男朋友，现在有个叫皮特曼的男孩追求我，可我根本不爱他。"莉莉捂住嘴说不出话，眼睛含泪瞧着别处。

"在神的眼里，世上没一个坏人。你不知道吧，刚才那些人有嗜毒多年的瘾君子，也有因打人受惩罚的治安警察，有虐待妻子的野蛮丈夫，有半年找不到工作接受救济的失业者，有长期受职业病困扰的女工，有街头玩杂耍的流浪艺人，更多只是为活着而活着、忙碌在生命跑道上的凡人。这些人你关注过他们吗，知道他们长什么样子、心里又想些什么吗？说到底，你和他们的问题是一样的。他们和你一样无处诉说，上帝是唯一能倾听他们心声的对象。他们双脚沉重地迈进来，然后步履轻松地走出去。你从始至终躲在角落，脸上没有任何表情，连一个微笑都很吝啬，说明你对感情过于轻率。你不在意与人相处，从没把他们放在眼里，这可能与你的出身有关。我知道你的家庭情况，母亲对你管教严格，正所谓你受到过良好教育，具有上佳修养。但这能说明什么，说明你可以不与别人来往，可以不与这个世界接触？孩子，对人好没有问题，礼貌也没有问题，关键这不是交流本身。交流是什么？是性情、思想、情感以及信号、信息在眼与眼、心与心之间的交换互动，这样心才会有宽度和高度，心的秩序才能建立起来，你才能拥有冷静的性格与高超的智慧。就是你自己与自己也缺乏交流。一个心智澄明的人总对自己认识得非常清楚，他可以剥离和分化自己，并在角色之间自由轮换，这样的性格才会多元，情感才会丰富细腻，对别人方可包容大度。就是那些人，如果我告诉你他们的身份，你一定拒他们于千里之外。但上帝不会，任何一个人在他面前都是平等子民，都等着他疼爱与救赎，所以你看这些人不管犯了多大的错都愿意向他坦白。"说到这儿他歇了歇，用绢子擦掉口角唾沫，接着说下去：

"你母亲对你严厉，这造成你们母女间隔阂，但这是问题关键吗？你主动与她谈过你的感受吗？你是不是觉得躲避才是解决问题的有效手段？你把自己逼到了死角，现在没有出路，心像困兽那样咆哮。包括你的男友，满世界都是阳光男孩，他们像港口上空的风一样自由快活，你却说没人追求你。说实话，连我做弥撒时都会多看你几眼。你这么美，怎么说没男孩子喜欢呢？你从没留意自己在人群里的表现和反馈，你只管做你自己，别的一概与你无关，或者总认为别人对你用心不专或别有用心。把你的心门打开，让你的良心说句公道话，不要总被别人误解，也不要误解别人，不要去向尖尖山顶，只一条绝路。"

"纽约最孤独的人是我！"莉莉自己可怜自己，控制不住源源不断的泪泉。

"你应该坦白心声，上帝喜欢他的子民把话说出来。"神父向着上帝画像在胸前画十字架，"你希望我帮你解决问题，是不是？看看现在吧，为什么大家都这么不快乐，一贯的乐观、自信哪里去了？越来越多的人暮气沉沉，信心和荣耀像美元一样贬值，人心开始衰老了，负面的东西就见得多。当一种体验登峰造极之时，从它的最高处往往可以看到最里面，就像站在阿拉斯加的麦金利山上看天际正悄悄升腾起的黑暗。根源在哪里，内耗、磨损、懒惰和停滞，最快的落下了最慢的，而最慢的放弃了最快的，一部高速运转的机器哪怕掉入一粒沙子都是致命的，这样的情况迟早会发生。在这个时候，如果你不是个特立独行的人，不是个自找乐子的人，很可能终生会灰暗、失落和平庸。我这么说，你接受吗？是不是说动了你而你又愿意为之改变呢？"

"是！"莉莉似懂非懂，但用力点头。

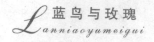

"每个人生来就有罪。"

"神父，我犯了何种罪？"

"原罪。"

"这和我有关吗，我才是受害者。"莉莉听着脸发烫。

"是这样的：只要我们存在就会妨碍和侵害别人，我们自己满足就会令他人得不到满足，我将之定位为原罪。人们只知道生而平等，却不知道生而有罪，这东西像胎记一样人人都有。如果不是这样，人们就不知道善恶，也不会从善如流。这样的罪促使我们一生都在反思和改进，这反倒成了好事。"

"您这样解释原罪。难道我妨碍了别人？"莉莉吃惊地问。

"当然，每个人都感觉不到自己有罪，除非因罪大恶极受到惩罚。就像我们每个人身体都潜藏着疾病，但不到发作时我们都认为自己是健康的。很少有人正视原罪的存在，认定和承认它需要站在自己的对立面。不以自己为中心，而以他人为中心，这个他也包括你心里其他个自己。——你承认吗？人都喜欢遮丑，对待问题很多时候不诚实。这说明什么？恰恰说明我们有罪。有罪和有错是一回事吗？不，有罪这一点你无法改变，你试图弥补罪过却没能做好，这就有错。你现在只是做错了，只需改正就好。"

"我的痛苦和我的罪过与错误有关？"

"千真万确。你不爽有两点原因：一是别人在对你犯罪，二是你对别人和自己犯罪。这里的原罪更像一个专业术语。"神父欠身笑笑，"这里就是法庭，上帝就是法官。"神父擎起双手示意给她看。这只是间地下室，但在他看来好像光辉满厅的天堂。"所以大家来这里忏悔，为自己伤害了别人而赎罪，也为求助上天保护自己。你今天来这里找我，你是对的，是好样的。作为一个忠实于上帝的年轻人，上帝一定会帮助你。"神父以为自己就是上帝，把《圣经》放在莉莉头上，那样肯定地说。

"如果我没这样想，是不是就违背了神旨？"

"你不能这么想，没人能拒绝上帝，世上只有他能告诉你什么是正确，怎么做有益于自己及别人。要按照他的指示改变自身，回归正确的道路上来。你要了解自己和别人，让自己灵敏地反映外界，之后才会意识到错在哪里、更正它们。——上帝以这样的方式告诉你一切，你将不断从他那里得到启发。"

"我做自己喜欢而与人无关的事，这样总没错吧？"

"你可不要把出格理解为犯错。天主教与诸州法律关于善恶对错的描述十分清晰，违背它们会受到严厉惩罚。做出格的事，我的意思是突破既有的你自己，重新建立与外界的联系，清楚如何与人相处，从中获得平和幸福。"

"神父！"莉莉扶住神父，亲下他捧在手里的《圣经》，同时紧张得像小偷一样望着他，"去年我去趟中国，喜欢上了那里和那里的一个人。他身上有种迥然不同的特质，见过一次我就忘不了他。还有他的宗教，并没有给人定罪，这怎么解释？"——这个问题融合了她近来对于道教全部的了解。这段时间，她上网查阅了很多资料，也从亚马逊书店订阅了相关书籍。"我在这儿过得很痛苦，在那里却像苏醒了的种子！"

贝尔神父笑了："孩子，你是身在福中不知福了。你的痛苦来自你自己：你和自己玩过家家，不小心转晕了头。记着：清楚自己所想，学会找乐子给自己。"

"神父，我要走了，要回去好好想想。"莉莉眼神迷离地说。

"突破你自己！"贝尔神父像耳语般对她讲，同时好像在昏暗的地下室里对整个世界说。

"突破你自己！"这句话在莉莉脑子里像空谷回音那样响着。她把车开得飞快，像粒射出去的子弹，丝毫不顾忌公路上潜在的危险。海上阳光的力量无比强烈，利刃般割裂横亘纽约上空的云帷。这给了她怦然而动的力量：如果下定决心，她将充满力量，至少现在心里已经蠢蠢欲动。

贝尔神父又在地下室独自待了几分钟，然后咧着嘴，从嘎巴作响的椅子上站起。"她明白我的话了吗？现在的人都怎么了，都不愿意相信神父的话。"手机响了，他从衣兜里费劲把它取出来，

"哦，亲爱的，我这就回去。放心，没谁会拐走我这个老头子，只有你喜欢我！"他摇着头摁掉妻子的电话，扶着椅子慢慢走。"真可恶，她的肚子怎么那么争气，这已是第四胎了。"他重新把《圣经》夹好，像只年迈的加拉帕戈斯象龟慢慢爬上台阶。

第三章　玉真其人

　　大清早，北京白云观的道医馆已经忙碌起来。——白云观位于北京西便门外，是当初唐玄宗为奉祀老子而建。明清之际易名白云观，并基本形成现在的规模。历经几兴几衰，渐成道教全真第一丛林、道教全真三大祖庭之一。近年由于国家实施宗教信仰自由政策，千年古刹重焕生机，香火道业十分兴盛。道医馆设于白云观西侧，单为一处四合小院。院中央生有一棵一抱粗的大柿树，正值盛夏，上面枝繁叶茂，结着青绿的果实。一只浑身肮脏的老猫爬上屋脊冷眼向下观望，它的表情永远奇怪和陌生。正北主殿内供奉昆阳王真人像，人形消瘦，着帽着袍，像是刚从外面采药回来。主殿外檐下台阶，摆放几盆月季、二月兰和马蹄莲什么的，令小院看上去生机盎然。院子两侧厢房全为诊室，由观里的道医们轮流坐诊。道医中有位玉真大夫，年纪轻轻，却已声名在外，拥有整个道医馆最多的患者。他每逢星期二、四、六出诊，其余时间用来修行和研习医术。今天由他当班，道医馆里外熙熙攘攘像个早市。助手小罗忙前跑后，帮他维持秩序和登记叫号。

　　先认识下这位玉真大夫。他年方二十六，真名隐去，法号玉真，父母在他六七岁时同时溺死在自家承包的鱼塘。父亲是村里养鱼能手，起早贪黑赚了钱，在村里第一个盖起瓷砖小楼，由此招来嫉恨。一些人想方设法迫使他放弃鱼塘，为防不测，他冒死住进窝棚。妻子担心丈夫出事也住过去。不曾想一个山洪暴发之夜，夫妻二人蹊跷淹死塘内。乡派出所接到报案进行调查，却没有证据显示他杀。鱼塘很快易主，玉真从此再不吃鱼。直到他做了道士，渐渐学会化解仇恨，谨记万事慈悲为怀，这才了了这心结。——跟着他辍了学，尽管支教的老师动员过他，终因他交不出学杂费

48

作罢。他独住在父母留下的小楼，每天撒腿四处讨吃喝。不过有一点，再穷再饿他不偷不摸，这点让村里人钦佩，至少他能讨到他们用作喂猪的锅巴。这样到了第二年春天，一个道士化缘到了他家，问清他情况，最后问他：

"愿不愿意跟我走，孩子？"

"跟你去做什么？"

"像我一样，做个道人。"

"什么道人，《射雕英雄传》里的丘处机大侠吗？"小玉真来回摆弄桌上早已断成两截的电视天线架。

"是啊，你是个聪明孩子，与道有缘。相信你也看到了，丘处机怎样惩恶扬善、维护人间公平正义。"

"他是武功高手，他的剑术很厉害。"

道人笑了。他清瘦丑陋，大概长期缺乏营养脸色蜡黄，颔下一绺胡子寥寥无几，好在笑起来不难看。他精神饱满，声音像村里喇叭一样响亮。"我不勉强你，但要向你说清楚，道教是咱们中国的宗教，不是装神弄鬼的东西。"小玉真听后停下，因为宗教从小在他脑子里就是牛鬼蛇神之类的东西。"可是你看，我是吗？"道人站起来，在地上转了几圈，"宗教不是用来害人的东西，而是帮助人实现意愿的。它是祖祖辈辈传承下来的东西，用来驱除我们头脑里的污浊之物。"

"脑子里会有脏东西？"

"比如偷盗、抢劫、杀人、妒忌等，人全是因为先有这样的想法，才会做出后面的坏事。"

"就像有人眼红我家的鱼塘，就去毒死塘里的鱼？"

"可以这样说，但说话要有根据。没有根据去妄断事情也是不对的。"小玉真低头听道人讲下去，"道教告诉人们如何生活得更好，怎么样避免做坏事。要对别人好，首先自己做个正直善良的人。"

"为什么会有坏人？"

道人抻抻胡子笑道："我说你聪明，你果然聪明！以你这样的年纪问出这样的问题不得了。——因为人都不是圣贤，常为一时一己之利犯浑。人生来就有七情六欲，每个人都想过得好些，可自己过得太好别人就不会好，就像我争你的饭碗你就没得吃；本来是你的东西被我抢了你就会同我争，我若不给，这仇恨就结下了，我若给你，自己又有诸多不便。万事都是这样的道理，每个人都与别人或多或少发生纠葛与争议，所以天下总不太平、总有不公。道家主动退出世事纷争，专门清心寡欲修行，就是要替世人找出救济之路，让大家和睦共处，化解郁结，凡了心事。这是一件永远要做并且要做好的事。"

"你们不怕饿肚子吗？"小玉真想起电视里道人住在简陋的房间，只吃青菜和白饭。

"道家追求清静无为，主张简单的生活。如果人们减少对穷奢极欲的追求，世上很多纠纷就可避免，人间就会太平许多。很多错误和犯罪，包括战争在内，都由小矛盾累积而成。只要人们心若止水，就能避免这些痛心疾首、追悔莫及的事情发生。"

"你们做到了吗？"

"没有做到，但努力在做。听过愚公移山的故事吗？一个老头为寻找出路开凿一座山，做了好多年才做成这件事。有的事情能够马上做好，有的事情则需要上百年、千年，甚至一辈辈做下去。"

小玉真陷入思考，道人停下来等着他。"我不吃鱼，可我喜欢吃肉。你们现在和我一样讨饭，和叫花子有什么不同？"

道人仰头大笑，整座小楼都像在摇晃，吓得小玉真直往他怀里钻。道人拉过小玉真摸着他的头，"我们不是叫花子，这是我们的生活方式。你应该尊重别人，对待别人像对待自己。即使做坏事的人同样也有善良的一面，他们内心一样渴望公平正义，这种潜意识里对公平正义的需要非常必要和重要。"

"是这样吗？为什么我想上学他们不要我，为什么有人想把我从房子里赶走？"小玉真愤怒地昂起头说。

"一心为了自己的人也有爱心和同情心，但往往仅限于自己和身边的人。人不能将爱心普及开来，这是造成人们彼此不和睦的主要原因。另外，人的生命和精力有限，爱心自然也有限，这样只能先顾及自己和身边的人，这点于你我也是一样。"

"怎么才能做个道人？"

"你看，"道人举起一只小铃铛，"这是只不起眼的小铜铃铛，是我师父传给我的。他告诉我：每当心有邪念时，拿出它晃一晃，就能冷静和清醒起来，重新思考下一步该怎么办。"说过他轻轻摇动小铃铛，小铃铛立即发出清脆悦耳的声音，让小玉真寒噤地抖了几下。道长把小铃铛交到他手里："你愿不愿意接过它？"小玉真把小铃铛接过摇了摇，抬头蹙眉看着道长，道长也俯首认真看他。

"我愿意。"他小声说。

道长把他揽入怀里，两人许久不说话。"你要做好准备，要一生一世摇这个铃铛。你要吃很多苦，要失去很多东西。不仅要化解自己心里的仇恨，还要帮助别人化解矛盾与仇恨，以及这世上所有的矛盾和仇恨，你做得到吗？"

"比现在还苦吗？"

"是的，但也比现在快乐很多。你不会生活在惶恐中，内心平静，面对任何事情都能坦然接受。你的心要像个巨大容器，把世间所有生老病死、喜怒哀乐炼成仙丹一样的东西。——看过《西游记》吧，里面的太上老君正是道教的开创者。他有个铜炉用来炼丹救人。其实那丹药是被神化了的药丸，是我们平常的中药。所以成为道人后，你还要学习中药，用它治病救人。"

"我知道中药，以前妈妈用它给我治过病。"

"成为道人后，你既要为世人医治他们的身体，还要清洁他们的灵魂，世上没有什么比这更高尚、更伟大的了！"道长低头看着小玉真，皱起眉头，"但你不能谈恋爱，不能结婚，这会分化你的心神，让你陷入混沌与错乱。你必须专心做个道人，倾尽心力研习教义和思考未来，这样才能修成正果。你明白我说的吗？"——小玉真似懂非懂点头。"恋爱会是你修行中最大的劫，很多人因为没过去这道坎无果而终。如果想成为高人妙士，从现在起就要学会控制自己的欲望，让它成为你的驯马，而不是你成了它的奴仆。"

小玉真被说动了，眼睛看看房间四处，那台电视屏上一个劲闪雪花。他寻思道：反正自己不想待在这里，没人问，没人疼，没人喜欢，没人怜悯，每天梦到爸爸妈妈，醒来却只有自己，不如去做道人，比在这里饥一顿饱一顿、受人欺凌强许多。于是下定决心道："道长，我现在就跟你走。"

道长替小玉真处置了房产，带他到离村子几百公里外的武当山。来到山下，小玉真抬头望去，只见群山巍峨，云环雾绕，高处山脊反射太阳金辉，山腰点缀深浅不一、晕染交织的丛林，景色美妙非凡。走进里面，树林如水世界清凉静谧，寒气逼人；头上林鸟啾啾，树巅长风呼号，仿佛隔空有人传话；脚底涧水如练，发出金声玉质；路畔繁花似锦，争奇斗艳，美不胜收。偶尔云气荡面，似水滔天，人处其中神智恍惚。小玉真拉紧道长的手，怕被丢弃一般。道长胸怀全境，心有定杆之簧，带小玉真穿山越岭徐徐疾行。沿路拾级而上，光线明暗不定。直到天快黑下来，山形一转，前面现出一座不起眼的小观，道长指着说道："就是这里了。"

"这就是武当山？"小玉真看看周围。

"没错。"

"我们今后就住在这里？"

"是的。"

"这里的道士很多吗？"

"当然，武当山有十几座道观，居住着上百个道人。他们潜心修行，先参悟自己再感化别人。这里有很多传说，很多意想不到的事情曾真实发生在这里。道人们坚信一切原已存在于自然，因而一切以自然为师。刚才我们经过的地方说不定就有隐形人，身上落满松针鸟粪，采集自然灵气——领悟天地让人智慧圆通，而神通自然背后的玄理，把它们移植于人类社会，有百利而无一害。"道长扔块石子，石子一路滚入深崖。道长看它消失，说道："其实这并不简单，同样奥妙无穷，只不过我们没有参透。"他扯起一束草含在嘴里，满口喷香道："大自然最神奇、最慷慨，我们永远生活在它的篱缚之下。我们不得不遵循它，像敬仰祖先一样，它才会给予我们更多。"道长分一点草药给小玉真吃，小玉真看着道长嘴角流淌的绿色汁液和被染绿的牙齿有些胆怯。"这是鱼腥草，吃下去助你清风正气、消浊除重。"——说话间已到小观前，小玉真回望来路，但见晚霞如锦，山林似火，道长通身变幻得金鱼般透明。

一个年轻道士为两人开了门。老道长像黑暗里的鱼游进去。进屋瞬间，他头上的灯泡增亮一倍。房间矮小昏暗，但东西摆放得干净整齐。贴墙放一张竹床和几只桌凳，对面书架完全用青竹制成，叠压着一摞摞发黄的书本。木桌上搁只小香炉，里面燃一支细长檀香，红红香头上竖一道直直的烟线。一些铁锄、镰刀、铲子、背篓、箩筐之类的东西置于柴门后，其他地方则全部摊晾着采摘不久的新鲜药材，整个屋子像极陈列武当山珍稀生物的博物馆。年轻道人似乎知道老道长要回来，早备好饭菜端上。两人狼吞虎咽吃掉，中间老道长给小玉真夹菜，小玉真也给老道长夹菜，老道长满意地点头。吃过饭，年轻道人搬入一只木桶，里面盛着浸泡草药的热汤。老道长又往里面加几样草药，然后脱衣跳入桶里。年轻道人拉小玉真到自己房间，洗漱后拽绳熄灯，两人同睡一只单被里。就着月光，小玉真看到年轻道人正望着自己笑，眉鼻清晰，眼亮齿皓，从心里喜欢他。小玉真挪向年轻道人，抓着他的手坠入梦乡。

等小玉真睡醒，窗外已天光模糊，年轻道人早不在身边，却听见院里传来阵阵"霍霍"发力之声。不一会儿年轻道人回屋，周身热气腾腾。见小玉真睁眼，又是豁亮一笑。小玉真穿好衣服，随他到老道人房间。三人一起吃过东西，老道长把小玉真叫到跟前，问道："孩子，是否喜欢这里？"小玉真迟疑地点下头。"你要真心回答我。如果愿意，以后就生活在这儿。你要遵循这里的一切，按我和你师兄说的去做。"小玉真知道老道长所说的师兄就是身边的年轻道人。他开心地看师兄，师兄也望着他笑。"好孩子，你要是同意，从今天起，法号就叫玉真。你师兄叫玉竺，我是这里的方丈智山。"智山指着外面，"这里是过云观，明朝起就有了。前面殿里供奉神农氏，他尝遍百草，验明药性，为苍生除病去劫。你看，我们就在这样的环境里从过去坚守到现在。这里虽小，但在武当山无人不晓。我经常下山给乡亲们瞧病，很多人是我的俗家弟子。他们从武当山和道教获得有益的启迪，自愿恪守残砖破瓦里的清规戒律，以身作则实践和弘扬着道家精神。他们很欣喜做这一切，包括你师兄玉竺。他比你年长十岁，也是六七岁时我带到这里。他家孩子多，父母抚养不过，便托付给我。"——玉竺听到这里，连忙给智山施礼。"我已年过六十有七，周边的人都称我'山王'。知道为什么吗？因为我一生在武当山采药行医，熟悉武当山就像熟悉我的身体一样。"

"我早上听到师兄在院里习武了。"玉真得意地看着师兄。

智山和玉竺同时笑了："习武只是为了强身健体，可武功不是这里最厉害的。"

"啊，还有比武术更厉害的？"玉真吃惊地叫出来。

"这里有比武术更好的东西，就是医术。"

小玉真犯难地挠挠头。智山、玉竺两个又同时笑起来，并一起冲他点头。"以后你就会明白。现在你愿意学习比武术更厉害的东西吗？"

"比医术更厉害的东西你要不要学？"玉竺在一边问。

他更惊讶了，比医术还厉害的东西那是什么？

"是道家的道术，也是道家的思想，用它教化人，可以让天下像一家人和睦相处，可以让世间没有误解、仇恨、冲突和争斗。"

"但这事需要坚持不懈做，也不可能由你我今生完成，要号召和发动天下所有人一起来做。"

"也就是方丈告诉我一辈辈要做下去的事，对吗？"

"没错，可首先我们自己要弄明白、想清楚，然后才能教授给大众，达到最终目的。——所以我们需要修行，修行不是与世隔绝，而是心怀天下、身效世间，让天下人只做善事、好事、美事，让人间变成天上，不仅我们自己做神仙，也让百姓做神仙。"

"玉竺说得极对。道教包罗万象，是我们取之不尽用之不竭的宝藏。"道长指指收音机，"我们虽闭关修行，但不能封闭，因为道教不管追求多么至真至纯的东西，最终都要回归世俗。它必须与现实生活紧密相连，不拖沓也不懈怠。把世俗比作一个病体，唯有时时关注病情，才能确切了解变化，也才能真正施术救人。"

"道长，我都要学！"

"强体是为自己，医病解黎民疾痛，治心则化解天下郁结，疏通世间茅塞，让天下成为一家。"

小玉真听完重复一遍："强体是为自己，医病解黎民疾痛，治心则化解天下郁结，疏通世间矛塞，让天下成为一家！"

"没错。只要有病人的地方，就需要我们治病救人；只要有冲突与不和的地方，就需要我们去调和化解。这需要我们一点点去做。人的生命有限，即使一生中只做成功一点，我们的努力就有意义。"

智山、玉竺带玉真到神农像前焚香磕头，玉真又向智山及玉竺行礼，从此留在武当山潜心学习。当他渐渐领悟到中医和教义的博大精深时，已对这两样东西沉迷不醒了。玉竺对玉真呵护有加，向他传授太极拳、打坐、经义等知识，还带他采集、研制和试验各种草药、药方。智山定期下山巡诊，并把接触到的病情由玉竺一一记录。他真是有远见卓识，甚至要求两个徒弟学习英语。"这对你们用得着，或许将来你们要出国去，让更多人了解道教，让中药和道教造福全世界的人。"——他们简陋的书架上就有《许国璋英语》和《走遍美国》，智山让徒弟二人跟着收音机和电视机自学。当徒弟二人通过学习英语获得关于整个世界的更多知识时，他们感到世界之门徐徐向他们打开。两人视野不再狭隘，思想不再封闭保守，像走到春天的室外感受阳光风雨。

闲暇之余，玉竺讲给玉真一些故事，这像零食一样吸引玉真。

——"道教是中医鼻祖，没有道教很可能没有中医。中医把人看得与自然界一般，自然界有风水土火木，这些元素不调和，就会出现各类灾害危险；人体有五脏六腑、血脉经络，它们对应风水土火木，相互牵连、无比神奇！中医调理腑脏、疏通经络，令体内风调雨顺。与西医重果治果不同，中医重因消因。这就要求人做到守内正身、心态平和，避免情绪起落，保证脏腑正常运行。长久以来，人们都在寻找不死之药，但这几乎不可能。大自然和宇宙无比广大，人类实在太过渺小，就算宇宙飞船，在渺渺太空也飞不到头。""我听过嫦娥和小兔子的故事。""那也与咱们道家有关：相传古时候，天上同时出现十个太阳。后羿为与妻子嫦娥团圆，决心射落太阳。他找到一张神弓，又请一个炼丹道人制作射日用的箭。炼丹道人用九百九十九颗巨蟒心、九百九十九对麒麟角、九百九十九颗金毛犰的肝为他造出这样的箭。之后还从宝葫芦里倒出三粒花生米大小的白色小丸，让他吃下有力气射日。——你看，如果不是道家相助，后羿或许永远见不着嫦娥，而我们也永远看不到这个美丽的月亮。当然这只是个神话，却说明中药与道家有关。"

——"知道吗，如果没有道教，或许不会有日本。""日本？""对！那算是秦朝的事了：秦始皇一生贪功求大，统一了六个小国。有了这样的业绩，他自然想永生不死。徐福是当时山东半岛的道士，对秦始皇粗暴统治非常痛恨。他故意迎合秦始皇痴心长生不死的想法，找人为秦始皇炼制长生不老丹药。秦始皇对他十分信任并委以大官，这下徐福有机会逃离秦始皇暴政。他带领众多童男女东入大海，到达古代夷洲和亶洲，在那里繁衍生息，以后形成日本这个国家。""原来是这样。""这只是传说，但也不是无稽之谈。"——玉真突然明白为什么一次听爸爸讲：日本侵略中国是"外甥打姥爷"，原来答案在这儿。

——玉竺还告诉他："中国人喜欢吃豆腐，可豆腐就是汉代道士在炼丹时发明的。现在它不但是佛道两家和素食主义者的最爱，也是百姓们日常安身养命的重要食材。""还有中国人烹饪食物时喜欢加入各种调料，这不是口味问题，而是人们调和食物性状，解决体内阴阳缺失和平衡问题。——这里面的学问就更大了。""这也是道士发明的？""这个不好说。但道士们惯于尝试和探索的精神可能会影响到民间，激发了百姓们的创新思维，转而成为他们创造新鲜事物的经验和技能。所以你看到中国食材因地域环境不同，有各式各样的加工方法，中华美食因此成为我们奉献给世界的又一重大创举。"

……

总之，玉竺无论讲什么，总有办法让玉真相信道教有多么重要，从事道教事业有多么了不起，让他了解到中国日常生活中的很多东西与道教都有渊源。玉真因为玉竺更加喜欢道教，玉竺和智山也成为他代之父母的至亲。学习道医可不是件简单的事，不仅光凭大脑要记住上千种药物的名字，还要熟知它们的特质药性，更要了解它们之间相生相克、相辅相佐的关系，最后研发出能够治病救人的特定药方。但让药性与人体腑脏器质及其变化对应，就像在高空走钢丝一样，需要灵敏的心思和高超的技巧。他必须上山观察和收集药材，从大自然的一次创造中进行二次创造。这样的难度非同小可，因为大自然有时着实吝啬。他同样还得研究人体自身，虽然人类产生繁衍数百万年，但迄今对自身的认识仍然肤浅，很多机理、器性尚不知悉，更多时候只能病后医病，至于什么时候生病、会生什么病、为什么个体会有差异，疾病与年龄、气候、性格、环境有着怎样关联，都令人如坠云雾，尚需时日一点点剥开。这是项浩大工程，就像要发现宇宙最深处的黑暗，须以时间为经、精力为纬艰难寻找。这给玉真的感觉像走上通往云端的一条路，只能一个台阶一个台阶逐级攀登。他专注沉浸于此，像磁石吸附能量，对传授的东西不仅很快记住和领会，偶尔还能提出新的问题。——三人个个聪明绝顶，特别是智山所拥有的超级经验智慧，使得这深山老林成为中华医药理论和实践创新的重要基地，源源不断向中医行业输送新鲜知识，中华医药在这里悄然传承并经久不衰。世界应为拥有这样的人类感到幸运和骄傲，他们珍贵得像大鲵，在苛刻的环境中偏安一隅，却能在最清寒的岁月里仰头发出笑声，应当向他们致以最崇高的敬意。

　　玉真十六岁那年四月，整座武当山像个十七八岁的少年英气逼人。山巅鹅黄的嫩意刚泛上枯了一冬的草尖，山脚已似一座巨型的美丽花园。各类鸟儿炫技似的轻巧盘旋，从这个山头飞向另一座山头。流水经过整冬的沉闷变得格外响亮，像一帮春节过后踏上大路外出打工的青年。岸上、坡上各种花香混杂着草味，沁醉人的心房。就在这样一个美好仲春的黄昏，玉真、玉竺正从地上收起晾晒的草药，突然院中古树"咔嚓"坠下一根枝条。玉竺警觉叫道："不好，有事！"扔下东西迅速跑向智山屋里。玉真随后跟去。智山房里，只见他像只老蝉蜷缩床上，浑身晶莹剔透。玉竺在旁边跪下，轻声唤着"师父！"智山慢慢睁眼，脸上的笑像最后一个见面礼，舒透、博大和温暖。"我要离你们去了，不要为我难过。——怎么会这样呢？说走就要走了，好像提前说好一样。"他伸手拉住两个徒弟，"死没什么可怕，就像从这个房间走到另一个房间。只是不能再像以前做事，以后要靠你们自己了。现在你们看着我、答应我，要把事情继续做下去，绝不能半途而废。"他叹口气，"谁让我们选择做道士，谁让我们甘心情愿做这样的事，牺牲自己的青春、父母、婚姻和家庭，为的却是别人的快乐和幸福。就当我是武当山上的一片叶子，也算值了。""师父，我们一定按您说的做，不让您失望！""那么多的道义真谛在等我们悟透、传播和点化，那么多人在等着我们祛病去难，那么多药理还等我们验证，武当山成千上万的道家弟子都在努力，你们要牢记职责使命，绝不能弃之不顾！""师父，我们记下了！"智山再次微笑，银须放出微弱的光，更凸显他的慈祥。"这我就放心了。记着带好玉真，他是个好孩子，要把他培养成才。"他又转向玉真，玉真跪前几步。此时与他见到父母死时那种撕心裂肺的疼不一样，这次像做错什么似的有种绵绵之恨。智山微微摇头："孩子，你我有缘。我一生收留过很多孩子，他们一个个长大了、离开了，你是我收留的最后一个弟子，将来也会离开。在这群孩子里，我最喜欢的就是你。你有一副仁净之相，有与生俱来的静气，不焦不躁，心地温存，做事专注，宽人薄己，只要按你师兄说的做，将来必有好业果。可惜你一副好容貌，不能恋爱结婚，不能生儿育女，冤枉你了。——师父要走了，你要听师兄的话，他在如我在。"玉真急忙点头。"生儿育女不是什么可耻的事，可对我们来说就是戒律。要专心做有操守的事，不要做让自己后悔和遗憾的事！"他再次艰难地笑笑，"死是一种告别方式，在我看来是透明的，不要悲伤难过，我把这里留给你们。"话音落下，他缓缓闭上眼睛，像烛火燃尽释放出一股清澈的烟雾。整个房间非常安静，智山仿佛真的从自己房间到了另一个房间。师兄弟二人异常神穆，像把一件珍爱的东西转送给需要它的人，全然一种慷慨平和、无私大度的心态。智山浑身散发药香，却像婴儿般柔软，玉竺抱起他去往后山。武当山诸峰清风吹过，沉寂一如千百年前。

智山去世三年后，玉竺带玉真参加在北京白云观召开的全国道医工作会议，并最终决定让玉真留下深造。北京是中国政治文化中心，也是道教事业中心；设在白云观的道学院则是中国道教最高学府，每年全国众多年轻有为的道士被选派到此进修或攻读学位。临行前，玉竺把智山生前写好的推荐信交到玉真手上，然后二人沿石径往山下走。

"师兄，你怎么办？"

"傻瓜，必须有人留在这里。你到北京要学习更多的东西，不能总待在这里，否则我们会迂腐的。"

"你一个人怎么生活？"

"师父就在那里。"玉竺回身看着半山腰的过云庵，"你也在这里。"他点点玉真脚下，"你们都在我这里！"他指指自己的心脏。

"找个人陪陪你吧。"

玉竺点点头："师父怎么做我就会怎么做。我已经想好了，找更多的孩子到庵里学习和修行！"

"师兄，你和师父一样对我好。"

"我和师父一样喜欢你！去吧，需要你做的太多，拜托你了。"说过，又从怀里掏出一样东西，正是智山与玉真第一次见面时的那只铃铛。"师父让我一直替你保管着，在你离开时交给你。"

"师父，师兄！"

"拿着，不要忘了你的承诺。"

玉真跪下，流着泪接过去。"不管发生了什么，我定会遵守在神灵和师父面前的承诺！"玉竺扶他起来，二人执手到了山下。玉真坐上长途汽车离开，玉竺站在高处许久送行。

以后三年玉真就在白云观生活和学习。他对社会的认知放大到无数倍，能从更宏观看到更具微。他像件衣物被熨平了，重新焕发光彩；又像把五平方米蜗居换成三百平方米的别墅，那种感觉像乘电梯在一秒钟上升了八十层。现代文明与当代意识在他面前呈现出一幅精彩绝伦的沙画，他被惊叹和折服。但同时，他对道教的认同和坚守没有丝毫动摇，即使身处天安门广场的人流中，内心那份热爱也是鲜明的。他觉得道教仍是被束之高阁的一本书，一边需要重新阅读和解析，一边需要补充和续写下去。是的，经过十多年相濡以沫，他与道教不能截然分开，他就是道教，道教就是他。他因循宗义，苦钻医道，认为道教是项伟大的事业，必须在理论上有所建树，就像把老旧宫殿翻新为现代建筑。他喜欢把不同医学理论做对照和联络，就像从不同方向打通隧道，使孤立割裂的世界连成整体。

毕业前夕，玉真征求玉竺意见，玉竺坚持让他留在北京。玉竺在电话里几乎说一不二，玉真只得放弃回武当山的想法。玉真留在白云观道医馆工作，为玉竺寄回二斤果脯和一件羽绒服，以示对玉竺的感谢。道医馆馆长法号智海，是智山的师弟，也是白云观常务副方丈。当初智山的推荐信就是写给他的。他五十出头，环眼鹰鼻，个子高大结实，一副凶神恶煞的样子，观里道士都怕他。他最了不起的地方就是游走于世俗与道家界线，却能将二者斩钉截铁分开，处理事务清明果断。他医术十分了得，是北京地片上的中医名家，许多领导及其家属和社会名流常邀他出诊。他对下属管束严苛，动不动就发火，各项事务管理得井井有条，大家因此佩服他。——他对玉真偏爱有加，不仅因为玉真是师兄的弟子，更因为玉真实是道家百年难遇的奇才。越是爱，越是严厉，玉真在他手下吃了不少苦头。就在这样一种环境里，玉真像棵珍稀的乔木渐成气候。不到三年，他名声就飞出道医馆，先后两次接受电视台养生堂节目专访，屡次应邀出席学术研讨会，从上至下都对其寄予厚望。

"贝蒂母女约了吗?"虽然已连续工作两小时，瞧了二十多个病人，但玉真没一点疲乏之态。当中医耗神费力，没好的体力支撑不住，这也是为什么中医特别注重养生的原因之一。

"约好十点到，应该快了。"

玉真听了不再说话。工作中他除了过问病情，别的一概不理会。他来到外屋，立刻有人围起来。

"玉真大夫，该轮着我了吧，腿肚这几天老抽筋。"

"好。"玉真只轻轻说一个字，然后开始针灸。玉真看病时一般将病人分为两拨，一拨在里屋号脉看病，一拨在外屋拔罐针灸，每半小时轮换一次。针灸室其实是外屋三个小隔断，里面各置一张小床，患者按号入内，每次治疗三到五分钟。小罗帮玉真推着小车，车上放着各式银针及酒精灯、碘酒和消毒棉签什么的。玉真像走杂技似的运针，把病人们看得瞠目结舌。病人每次都很多，但玉真始终保持良好的耐性，看不完病人绝不下班。遇上人满为患，他甚至整个上午不休息、不喝水，连卫生间也尽量少上。为照顾经济困难的病人，他经常贴钱给他们抓药。另外为方便外地病人，玉真还安排他们住进自己家里。他的好医德和好医术经病人口口相传，年纪不大已在京城声名鹊起。——一个年轻人把一位双腿瘫痪的中年人从轮椅上抱起。中年人脸色清瘦苍白，胳膊不住轻抖。

"您这是什么病啊？"

"肌肉萎缩。"年轻人替中年人回答，"去过好多医院，都说治不好。有人介绍这里，今天过来试试。"——人们同情地望着中年人。

玉真动手给中年人腿上扎针，中年人没有一点反应。

"大夫，我爸的病能治好吗？"

"只能缓减。"

儿子听了不说话，眼圈发红，扭过头擦泪。一会儿玉真把针收起，嘱咐儿子几句。

"儿子，走吧。"中年人试图自己坐起来，但努力几次都失败。儿子只得弯腰背起他，到隔断外再把他小心放入轮椅，然后推着一言不发走掉。人们看得鸦雀无声，既为儿子的孝顺感动，也为得病的父亲感到惋惜。

"小罗，那病治不好吧？"

"不好治，这种病等发现就已经晚了。"——大家眼睛齐刷刷投向玉真，玉真微微皱眉没说话。"玉真大夫遇上这种情况也急。你们不知道，他天天往自己身上扎针，就是为给大家伙瞧好病！"——屋里所有人沉默。

"贝蒂来了！"小罗刚叫出来，就见贝蒂妈妈领着女儿从外面进来。

"贝蒂，你还好吗？欢迎您，夫人！玉真大夫刚才还问起您呢。"小罗用英语流利地问候。

"谢谢你们。"贝蒂妈妈腼腆地笑着，与她的身材极不相符。

"贝蒂你好呀，还认识我吗？我是林奶奶，记得吗？"——贝蒂蓝色晶莹的眼睛里有些困惑。"贝蒂乖，别怕，奶奶就是喜欢你，吃块糖吧！"林奶奶说着从袋兜里掏出粒糖递过去。贝蒂妈妈皱起眉，贝蒂直摆手拒绝。——北京人有点过分的热情有时让人难堪，但这绝对阻止不了他们下次还这样。"外国人不远万里来到我们中国看病，得让着他们点，别丢咱中国人的份儿！"

贝蒂妈妈礼貌地谢过。

小罗带母女二人到了里屋，贝蒂开口道："鱼（玉）真数数（叔叔）好！"

"贝蒂你也好，这些天感觉怎么样？"

"鱼真数数，我不喜欢那些苦苦的药！"

"是的，闻起来味道很不好，但似乎有点作用。"贝蒂妈妈用外国人毫不掩饰的率真如实相告。

"疼痛次数减少了吗？"

"是的，我们做了记录，从原来每天最多的十一次减少到目前的七次。非常感谢你，玉真大夫！现在怎么能让这些药味道好一些，这样孩子可以更好地配合。"

玉真点点头，翻看贝蒂眼皮内侧："饮食怎么样？"

"她是小馋猫，吃得不多。"贝蒂妈妈抚摸女儿的头，贝蒂毛茸茸的金发因为静电关系飞舞起来。

"睡觉安稳吗？"

"贝蒂，昨晚睡得好吗？"

"我做了好多梦，妈妈！这里是中国，美国和中国有很多不同。"

"什么不同？"小罗歪头问贝蒂。

"不知道，但我喜欢中国！是吧，妈妈，你也这样说！"

"是的，孩子。"贝蒂妈妈直起身，抱歉地看着玉真和小罗，"玉真大夫，你们对我的贝蒂很好，我们很幸运！我回去向我的中国邻居表示谢意，我们相处得更融洽了。可是中国人就是中国人，美国人就是美国人，像水与油一样截然不同。到现在我也不明白你对我讲的那些理论，我的前夫也不相信，他仍然反对我带女儿到这来！"贝蒂妈妈低头搓着手，"贝蒂，你爸爸并没有错，是他还不了解。可是不来做下尝试，又怎么了解事实呢？"

贝蒂转身抬起头，"妈妈，我想让爸爸陪我到中国来。"

"他已经有了新的家庭，要照顾家人。"贝蒂妈妈面露难色地说，眼圈有些发红，"好了，不说了，宝贝，你的病能治好妈妈就安心了。"

"你们总说爱我，现在我病了，却说不能陪我！你们大人总是有那么理由搪塞我！"贝蒂说完，背过去把手搭前面噘起小嘴。

"玉真大夫，怎么样，可以了吗？"

"脉象平滑，肺腑气力不足，身子很虚，需要进一步调理。"

"这真的管用吗？"贝蒂妈妈拉着贝蒂的手问道。

"很多问题我们必须面对。当我们的认识、技术和手段达不到一定程度时，我们只能是努力。贝蒂妈妈，你的心情可以理解，我正用另一种方法尝试，看对缓减病情是否有所帮助。"

"尝试，你是说在尝试？难道你对治愈她的病没有把握？"

"她的病确实少见，成因复杂，一时找不到入手的办法。"

"哦，我的天！"贝蒂妈妈捂住脸痛苦地叫了声。

"贝蒂妈妈，现在孩子不是好点了吗，你不必这么难过。"

贝蒂妈妈点点头，接过玉真递过的药方。她带着贝蒂来到外面，贝蒂在人群中跑来跑去，然后停下和一个小男孩大声说话。他们言语不通，两人都争着让对方明白自己。

"贝蒂妈妈，有什么需要尽管说。"

"好吧，小罗。可是我告诉你，贝蒂的病并没见大的好转，我想孩子那样说，是因为她喜欢这里。她的情况我很了解，上次她爸爸带她到医院又做了检查，情况很糟糕。小罗，我不想失去她，她是我的全部！"她扭头难受地捂住胸口，"不瞒你说，如果不是孩子非要来这里，我也许再不会来中国了。她爸爸打算为她预约美国最好的医院和大夫，我们可能会到那里去治疗。对不起小罗，不是我不信任你们，我们希望对孩子的病情有更清楚的了解。美国的医学是世界上最发达的，不是吗？——当然，我也不会放弃这边。"

"我很抱歉，我们尊重您的选择。"小罗勉强点点头。

贝蒂已同小男孩面红耳赤争执起来，连续大声说着"NO，NO！"贝蒂妈妈过去问怎么回事。

"妈妈，他没礼貌，他用手掐花了，把那朵花像掐虫子一样掐死了！"贝蒂妈妈看到小男孩手里提溜着两只黄月季。

"别说了宝贝，妈妈预订了下午的飞机，我们得抓紧时间回去。"

小罗生气地对小男孩爸爸叫道："怎么管教自己的孩子，怎么能让他摘花呢？丢中国人的脸！"小男孩家长没当回事地笑着，小男孩转身继续玩自己的。小罗瞪了几眼转向贝蒂妈妈："您最好留下联系方式，中医对治疗这样的病方法虽然不多，但至少可以配合西医治疗。"

"你们都是好人，我想这也是贝蒂喜欢上这里的原因。"贝蒂妈妈在小罗本子上写下联系方式。

"再见，贝蒂妈妈，下次到我家里，给你们做鸡蛋韭菜馅饺子吃！"林奶奶看过病出来向贝蒂母女发出热情邀请。

贝蒂妈妈不知如何是好，慌乱地点点头；到药房抓了药，然后带女儿匆匆离开白云观。

第四章　二度结缘

"小罗，结婚了没有，大妈给你介绍个对象？"

小罗把溜出的头发别进发卡里，红脸曩曩道："三十五号，该你进去了！"——三十五号病人应声而起，乐颠乐颠钻进诊室。

"人家小罗还用得着我们介绍，早有人追了是不是？"满脸红疙瘩的三十四号妇女从里屋出来，玉真刚用梅花针给她脸上排毒美容过。

"小罗，真的啊，那可太遗憾了！我介绍这位正经在国企上班，大专生，拆迁补偿了两居室的房子，结婚就买车。就是性格内向些，三十好几没谈上对象。"大妈像炫耀自己儿子似的说。——对于外埠在京的务工者而言，户籍和住房已成为他们区别北京人两个最重要的界限和门槛。现在在北京有户有房就像清朝的王公贝勒爷一般体面，而如果没有了户籍，即便二环以里胡同里，腆着肚子做环卫工人和公交司机的光头大哥，也比你外地董事长、总经理牛三分。

"倒让小罗自己说啊，我们别掺和。小罗，说真的到底有没有对象？现在和别人合租房子贵不贵？"

"对象碰得着就找，碰不着就等呗。"小罗低头玩着手机说，"我和同学合租，大家都来北京不久，都做好了吃苦的准备。"

"多懂事的孩子，多好的姑娘！"几个看过病、正在晾汗的病人同时啧啧称叹。大家还要说什么，三十五号病人和玉真从里面出来，大家见了玉真像见到领导视察似的自动站起。

等最后一个病人走掉，已到下午一点。玉真活动下筋骨，小罗对他说道："玉真大夫，又错过饭点了！"

"一忙就想不起来了。你快去吃吧，让你跟着受累！"

"怎么会呢,玉真大夫,您那么辛苦都不说什么,我跟您进修求之不得呢!"——小罗老家河南,前年从北京卫校毕业,不愿意回去就留在北京。玉真看她简历里得了不少证书和奖励,关键是英语非常棒,就把她选进来。

玉真开机,里面跳出一条短信,智海留言让他过去。

"玉真大夫,我先走了,您快去吃饭,注意休息!"小罗换下工作服,摆摆手出门推自行车出了道医馆院子。

玉真稍稍打坐一会儿,好像告诉智山:我今天做到了!

玉真匆匆来到白云观东侧一个小院,院前耷拉着成堆藤萝,墙内一株大杨树几乎覆盖整个房脊。进院后,他停在门前垂手而立,听里面像注满水的湖底一般安静。

"师叔,您在吗?"他敛声轻问。

"进来吧!"智海滴水穿石般的声音轻缓有力。——智海年少时曾在福建武夷山学习修行,他与智山的师父是位奇人隐士,被当地人认作神仙下凡。师父用武夷山自生自灭的草药和藕丝般的银针为乡民医病,可惜后来进山采药不慎坠崖而死。师父的学识随他的死化为缠绕江山万年的轻雾,在群峰间时生时灭、若有若无,让智海至今悲恸不已,发誓把师父遗落的世界寻找回来。后来他因政策原因还俗,考上北京一所医科大学,在那里系统学习了各类医学知识。毕业曾参加一段工作,在二十七岁那年列席全国道教会议时认识了现在的白云观方丈,被方丈一番讲义感化,于是重新皈依道教并留在白云观,以后一手创建了现在的道医馆。时光荏苒,白云观和道医馆在他和方丈的共同经营下,在全国道教界已具重要地位和影响。

玉真推门进去,智海合眼盘坐榻上。

"今天又晚了?"

"病人多,这才忙完!"

"没吃饭吧,喏——"智海把头一转,桌上盘里放着三只菜团子。——玉真一阵激动,赶忙作揖。"你先吃,还有上好西湖龙井,是位山东客人送的。上午他捐了我们五万,要求单独给他做个法场。"

"师叔辛苦了!"

智海苦笑下，缓缓收功，眼睛睁开，双腿放下。"这哪里够啊，离建道医院还差十万八千里。本来想让你参加，可你过不来。以后这样的事还是要多参加，不但要会治病，其他方面也要加强锻炼。"

"师叔费心了！"

"我费心倒没什么，关键你要长进。你是这帮年轻人里我最欣赏的一个，对于你我寄予厚望，可不能让我和方丈失望！你先把东西吃了，下午三点统战部召开宗教工作座谈会，你和我一起去。——中午有人非要请饭，硬被灌了三杯，我同你说话醒醒酒，再去一趟方丈那里，然后我们动身。"

"师叔要我做什么？"

"我们不能只盯着观里的事，还要充分了解外界形势，知道自己做什么、怎么做。玉真，我发现道教很多时候被误解了，不是别人，正是我们内部一些人。我一直反对愚昧和错误地对待宗教，把落后的东西看成道教必不可少的部分，甚至是精华，有人不惜以命拼争，煽动信众挑衅闹事，这绝对是不可取的！我们供奉的神灵只是信仰寄托，是人们心里至真至诚、至善至美的化身。说到底，我们追随和敬仰的是至高无上的精神境界，是一种理想化的无害共生原则，而不是填充在泥胎里的麦秸和泥巴。我们置身其间，要做积极的参与者、建设者，而不是消极者、破坏者！"

"一些人躲在深山老林自称修行正果，多么荒唐可笑！他们一定是心存障碍的一类人，不愿意接纳这个新世界，不愿意主动与人打交道。这种装神弄鬼、自我封闭的人自称高人，可世上哪有什么高人，真知灼见都是从现实生活中提炼和升华而来的。只有在世上经过淬砺和体验，才能真正达到心智饱满，真正出污泥而不染。自闭、逃避、拒绝和厌世的人绝不是在真正信仰和维护宗教，而是在愚弄和损害宗教！真正的宗教一定是开放的，不是被我们这些道士道姑垄断的。它一定是发挥积极社会作用，一定是得到大众普遍认可和接受的，这样我们才有存在的基础和理由。它对其他学科和科学也持欢迎开放态度，它的立场非常鲜明，它不是一套统治和禁锢个人思想和社会进步的枷锁，而是一套在人们内心建立良好道德秩序的方式。它不应该被神化，更不应该被异化，而应该是生活中再普通不过的一样东西，像水、土豆、牛奶和桌椅、扳手或电脑什么的，一点不神秘，一点不可怕。所以，开放和接触、理解和分析、接受和改造，这样才能让道教走得更远、更好。"

玉真听得入神，停止了吃东西。

"喝些茶吧，别噎着。"智海提醒他。

"我饱了，师叔。"玉真站起来。

"时间不早了，就说到这里。按我说的准备一下会上发言。我现在去方丈那里，回来我们就动身。"

玉真恭送智海离开，然后坐下整理思路并罗列出提纲。一时间他脑里山移水转、云开雾合，智海一席话让他受益匪浅。

智海找到方丈，两人各坐桌子一边。桌上燃一炷香，什么时候燃尽了，他们的话就说完，这是二人约定好的。方丈左手托茶盏，右手向智海承让。

"方丈，山东那人捐了五万，求您开个道场，之后再追加五万，您看怎么办？"——方丈紧闭双眼，端茶微微漱口。"这的确有些难为方丈，可我们筹建道医院、修缮藏经阁、扩建东院、捐慈救济、改善人员待遇，这些处处要钱，观里财政吃紧，还望方丈三思！"

"那人调查过了吗？"

"调查过了，在济南开家皮毛外贸公司，专向日本、韩国出口皮毛制品，经营还算正路，公司和本人都没有什么违法经营记录。"

"观里捐来的每分钱都要有来路、都要干净。那些贪赃枉法、来路不明的钱财如果用来被我们建成殿堂供奉神灵，神灵也不会答应我们的。这样的钱捐得再多，我们也不能要。这人你下去继续了解下，如果的确没什么问题，倒是可以考虑。"

"看他人还老实，在老家捐建所小学，在当地颇有名望。"

"不管怎么说还是要摸清底细，不能轻易相信表面的东西。其他我不说了，你自己办就好，到时通知我一个结果。——新建道医院的手续报上去了吗？这个事情要抓紧，我专门在政协会上交过这个提案，政府及民委都很重视，答应研究此事。"

"上月已先报卫生局和民宗局，随后转到发改委，他们还要进一步研究。据说会特事特办，我随后再催。"

"一定要把事情落实好！这件事无论对于发展祖国传统医学，还是弘扬道教道法都很重要。区委、政府及有关部门对白云观工作非常支持，我们要知恩善报，积极履行职责，发挥好宣扬真善美、净化社会环境、教心育德的功能作用。"

"方丈高见，记下了。"

"这些年你为白云观忙里忙外，我都看在眼里，也要注意身体。今天下午我接待一个外地访问团，市统战部的会由你参加。要把观里的意见不折不扣带到，辛苦你了！"

"方丈，我打算带玉真去。"

"同意你的意见。他最近表现怎么样？"

"十分上进，难得的人才，可塑性极强。方丈，我们要照着未来方丈的目标培养他。"

"这话你已经说过三次了。他的确是个不错的孩子，可是不能让他知道半点这事。将来的路很长，如果他真的非常优秀，或许还有更重大的任务让他完成。"

"更大的任务？"智海端起茶杯又放下，"什么意思？"

"到时再说吧，做白云观方丈说到底是个人小事，根本的事还是把道教在更大范围推广普及。记住两点：第一，道教不仅属于白云观，也属于全中国。道教不仅要服务于中国的信众，还要争取造福于全人类。第二，道教是无害而有益的，尽管它的思想被看作简单和朴素的，但简单和朴素的背后却深藏和孕育着世界上最不可解读和复制的玄学，就像我们仰望头顶深邃的夜空，它不只是几颗星星那么简单，那里面是宇宙，连地球和人类也处于其中，谁又能说它简单和朴素呢？"方丈说到这儿，见香灰已断成两截，便不失时机敲下木鱼，合眼再不多言。智海也不再问，悄悄退出房，找到玉真后，两人立即赶往东城区台基厂开会。玉真和智海在会上的发言极为成功，尤其是玉真，受到了与会各方的重点关注。

又过了些日子，智海把玉真找过去。大概道医院的事有了些眉目，他看上去十分高兴，邀玉真到道学院的银杏树下纳凉。师徒之间很久没有谈过心，他摇着蒲扇，面色酡红，话题自然离不开那几桩事，这几乎是他当下生活的全部。

智海谈兴渐起，所有东西像已经装在脑子里，只是照着说出来。

"社会上，中医更多被人当成谋生手段，而不是一项事业精心经营。中医大夫几乎一个人就是座医院，包治百病，什么病都是风火虚湿；个人为先，各自为阵，全在单打独斗，研究、分析、治疗都很分散、主观和随意，导致中医不可信、走不出去、也走不下去。我行医白云观多年，看过病人不在少数，但也多凭个人经验。凭主观的东西一定会出错，因人而异的治疗方法只在个别人身上出现奇迹，不适合大众。中医在某种程度上靠个别人和个别案例的成功被宣传得神乎其神，《黄帝内经》《本草纲目》《伤寒论》等说到底算经验总结，不是理论阐释。所以一定要整合力量、集中资源、制发标准、形成体系、成建制发展中医机构，中医才能强大，才能取得应有的地位……"

"道医院将来要建成正规医疗机构，纳入卫生系统统一规划，接受整体指导。我们要打开大门办医行医，以道医、汉医为主，引入蒙、藏、维、壮、苗、朝等民族医科，它们本身就是中医在历史上的分支，现在重新对它们整流合并，把它们作为中华医学的共同部分加以推进和发展。还要加强与其他道观，包括日本、韩国以及东南亚等国家和地区的僧医交流，制定统一研发标准，对重大课题集中攻关。当然还要关注西医最新成果，加强学习，做到取长补短、相得益彰……"

这是他平时思考的结果，倾注了他极大的热情与精力。

"宗教并非神秘主义，它是探索宇宙和人类心灵的另一种途径，包含某一人群在此过程中的经验和体会，以另一种方式观察验证人类对于过去、现在和未来的认知。在全部事实没有完全清楚之前，没有人可以否认和否定宗教，这是宗教存在和发展的余地，也是宗教的特征和魅力。宗教研究的成果和结论会给人类其他思想、观念、学科提供借鉴和方法。我痴迷宗教，是因为我深刻理解了宗教。玉真，你冰清玉洁，一定要替道家守住这块净土，造福万世千秋！"

"师父，我做得远远不够。"

"不急工，不赶趟，时间净成就些个好人物。你要学习和揣摩那些已经得道成仙的人，耐着性子往下做，将来成就一番大事业！"

玉真认真点头，听头上蝉响虫鸣，嗅凉亭假山旁阵阵花香，感受智海一番开魂化魄的金玉良言，好比水洗白沙清新自然。真的是身轻眼亮、浑身舒坦！他不多言，知道智海话兴正浓，只专心做个带耳朵来的好学生。

智海话题一转：

"每人秉性、气质和能力决定了他能做什么。钢铁可建万丈高楼，泥沙只能涂抹墙皮；山累势而就高，水去形而触低，一切质定器形。——玉真，我没让你出去开门诊，你怎么想？"

"弟子明白，师父是为了我好。"

"这有些为难你。我知道很多人在两头干，可好歹他们在行医济世，只要不出什么乱子，我就依了他们。可对你我不能这么做，只能言传身教、正言直行、严加管教。人非圣贤，孰能无过，顺天得道，逆天成魔，我不强求你，但要规劝你，如果你能听进去，为师甘做垫脚石。你要放弃个人得失，舍得一时之利，坚定走一条清贫、苦闷、寂寞、漫长的路。"

"师父，我一定听从智山师父和您的教诲，下决心做那更大、更宏伟的事，绝不辜负你们的心愿。"

"修道就须身心合一、心神一体，不受情绪和环境影响。所以至高者，一定不涉七情六欲，坐怀不乱，铁石心肠。我遁入山门，早已立下不二之志，愿为道教奉献毕生之力。玉真，为师对你严厉，但全无私心，是为你修成正果，将来像丘祖似的名传千古、业兴八方，受万代膜礼。"

"师父，弟子怎敢与丘祖相提，弟子只尽心做就是了。"

"心里想着道才能得道，依理入辟，依道而为。丘祖得道也是经过千难万劫，但他参透其玄妙，不以苦为苦，只以乐为乐，道教在他那里中兴光大。现在道教同样需要一次中兴，因为它具备这样的时代条件，你要做好化石成斋、蹈火赴汤的准备。"

"常念生死知生死，也道辛苦不辛苦；读书开得万年窍，磨难融通智慧结。"

智海听了点头不断，亲自给玉真倒茶，慌得玉真连忙起身作揖。这时，其他学生也从楼上下来，围着智海听他说讲。智海谈兴不减，直讲到晚饭时间，众人还是不走，智海便轰他们走。玉真陪智海起身，偏巧一只蝴蝶飞落玉真肩上。智山看到心里咯噔一下，难道玉真的劫这就来了？这一天迟早要来，可说来就来吗？他一时陷入沉迷……

七月中旬的一个早晨，一层淡淡薄雾笼罩京城。白云观还没对游人开放，道士们照例在做早课，神殿里传来阵阵丝竹和诵经声。彩色山门静静伫立，两侧大石狮浑身被夜雨打湿，泛着黝黑光泽，与梦幻般流淌的白雾动静相宜。券门石阶上，正坐着一位红衣妙龄女子，双臂抱膝，头微微后仰，靠着门柱向上观望一棵枝杈纵横的老槐树。一切在凉爽的晨意中构成一幅恬淡的水彩画，有点像老北京炸酱面似的传统风味。

石阶上坐着的正是莉莉。她于昨天下午抵达北京，临走留张字条在自己卧室。但妈妈可以发现墙缝里一只正在孵化的母蛛，却未必瞅见床头赫然放着的字条。她决定重返中国，打算进一步了解中国、了解道教，更希望再次遇到那个年轻英俊的道人，他的形象已如雕版刻在她心上。她知道这事让皮特曼背了黑锅，可神父说了，可以做出格的事，于是就心安理得了。她又不顾斯特林先生的怀疑，向他请了一星期病假，放下假条快速离开，这像打了他一记耳光一样解恨。——一出机舱门她就感觉"回来"了，到处看不够，恨不得多长出一双眼睛。中国人是全世界最善良、最友好的民族，这不是她的个人感受，而是所有与中国人接触过的人的共同感受。再返中国她犹豫了很久，最终神父的话鼓励了她。她从网上查阅了北京所有的道观，向机场工作人员打听清楚路线，租车找到北京乃至中国最负盛名的道教圣地白云观。

到了白云观门口，小保安见她是外国人，破例允许她进院等候。八点三十分，白云观准时开门，她随人流入内参观。整个白云观亦观、亦院、亦宅，坐北朝南纵深三重，附带两个侧院，规模不算宏大，但重重构建、主次有序、左右连通、内外相扣。观门外立一堵赭红照壁，通长十几米，顶部和四角镶嵌金黄与墨绿双色琉璃，正中白底黑质落"万古长春"四个大字。正门为一座高大精美的牌楼，柱子高高托起两重金色檐顶，整体神峻飘逸、气势不俗，在晨辉里熠熠生辉。第一重院子算个小广场，长几棵上年份的老树，沧桑枝干撑向晴空，周围是流通法物的店铺。第二重院子则由灰色券门与前院隔出，莉莉刚才就等在这里。券门右侧有只浮雕小猴，说法是"神仙本无踪，只留石猴在观中"。第二、三重院子皆四合院布局，也是整个白云观建筑群的重点。中轴线上，神殿高大且富丽堂皇，一律坐落在方形白色石基上。这是中国古代建筑的惯用手法：一是克服中国古建通常低矮的缺点，二则突出和增加建筑整体庄重威严之势。殿前甬道中央通常放置一尊铜制香炉，香烟与殿顶松柏枝柯相互缠绕，分层悬浮于天井。左右皆栽种丁香、松柏或柿桂，树木荫护着空阔院落，调和了宫殿的肃穆之气。两侧厢房檐下，都种养各式花草，显出人神共处、天地和宁。主殿由南向北，依次是玉皇殿、老律堂、丘祖殿、三清阁等，规模逐渐扩大，主要供奉道家主神和先人。厢房和侧院则按左神右仙布局。其中右侧主要供奉被神化的杰出人物，诸如比干、孔子、华佗、孙思邈、八仙等，当属中国历史上著名的政治家、思想家、医药学家、文学家、艺术家及性格叛逆者等。他们因杰出的专业贡献和特立独行的性格被置于神灵地位，吸引后世刻苦发奋、修炼成仙。所以说这里并非神鬼禁堂，反是祭奠祖先的馆所，可以理解为人们常说的"得道升天"。所有神佛都像长者或智者，顺眉垂目，神态祥和，是聪睿的倾听者和接纳者。

游客很多，莉莉身心放松，随人流缓缓行进。一只大斑啄木鸟与一只蓝翡翠在晴空里啾啾清鸣，树身在四角高挑的殿檐上投下阴影，前后左右树草旺盛，淡淡点点繁花乱眼。许多人在神前焚香膜拜。大殿内大多光线昏暗，隐隐若若的灯火营造出私密世界。道士们一律穿着制服，周正的面孔，健康的肤色，在殿内认真执勤。香客跪地许祷的一瞬，角落里铜磬像水波一样荡开、沁人心脾。一切和谐相融，让人意志归顺、欲望平息，闹中取静，自求内心统筹，实现万物九九归一。——观里还有许多趣事，比如第二重院里有张弓形小桥，桥洞内悬一枚古钱样式的铁砣，用换购的铁片往空心里投，据说投中者会拥有好运；西侧院中立一只铜兽，莉莉认为它是马，可文字上说是"特"，传说中一种神兽，骡身、驴面、马耳、牛蹄，具有奇异功能，人哪儿不舒服，先摸摸自己，再摸摸它的相应部位，即可手到病除。莉莉也摸了下，希望自己的乳疾早日康复。但最让她印象深刻的是亲眼所见的一个仪式。在走近一座叫老律堂的神殿时，里面弦乐阵阵，像炎炎夏日里森林流出的股股清泉，令人心旷神怡。她和很多人一样被吸引过去。驻足往里瞧，殿体高大宽敞，灯火灿灿，恍若彩霞满堂。神仙端坐龛中，四面是色彩艳丽的经幡罗幛。几个乐手秉持乐器，神色庄重，不紧不慢演绎并不繁复的音乐。另几个华服加身的美男子，吟唱着悦耳的曲调，踩着某种独特舞步，坦然如徐徐踱步。他们不时跪下叩拜，然后把焚香放入鼎式香炉。香客们伏身神前，虔诚得像身置世外。莉莉莫名被这仪式感动，觉得它能够修复人生，帮她找到原已缺失的东西，如触摸婴儿和花朵，感受最真实的存在与质感。仪式结束她没有马上离开，而是若有所思仰望头上微微摇动的枝柯，获得一种空前平静。对于过去和现在，她没有后悔，也没有惭愧，带着某种希冀寻求与世界的高度契合。她感慨这是个多么伟大的民族，千百年来始终追求极致包容，每个中国人都是怀柔和绥靖政策高手，先纳入，再融化，最后混为一类或一体。他们如从容不迫的高山长风，轻松逾越芥蒂与仇恨，着眼于当下和未来，让世界共和、共生、共存。正是以这样的民族心理和民族性格为主导，他们对人心包容，对人性包容，成为世上最善良、最开放、最自知的民族。是的，如果有来生，她愿意生在中国。——想到这儿她愣了下，这个幻想能实现吗？

在白云观后面一个院子里她睡着了，做了个奇怪的梦。梦里来到一个奇香扑鼻的庭院，几只蝴蝶在一些盛开的牡丹、芍药上翩翩飞舞。这些蝴蝶奇大无比、色彩斑斓，她以前从未见过，于是动手去抓它们。蝴蝶在院里绕了几周，突然飞向高空。她着急去抓，明知不可为而为之。恍惚间蝴蝶消失了，一个似曾相识的身影出现在一扇窗户后，正微笑着品读一本书。她情不自禁上前，马上看清他的脸，突然脚下一绊，紧接着天地转换为夜晚，银河群星灿烂，像条耀眼的纱练横亘长宇。那些蝴蝶又出现了，黑暗中熠熠生辉，一会儿组合一会儿分开，似字非字，似图非图，变化着也变幻着，好似留给她不解之谜。一阵风把她吹醒，她意识到是场梦。她曲解难通，犯着迷糊往外走，没多远见前面有个小池，里面栽植十几杆翠竹，像团绿云左右飘忽。竹竿摆动露出一块匾，上书"白云观道医馆"。她一下记起，在电脑上看到过它，兴致一下重起。馆外冷冷清清，进去才发现满院子是人，都在耐心等着看病。众人见一个外国女孩进来，纷纷打量她。她有些难堪，正想扭头离开，忽瞥见窗前正坐着那个梦中青年！她暗叫一声"My god"，与梦里情景一模一样，他正是与自己在北京饭店遇到的那个人，而自己来中国寻的也正是他。

出神之际，又见一个金发碧眼的小姑娘从屋里出来，八九岁的样子，额上柔软的头发被风吹起，两只大眼睛流露出与年龄不符的忧郁，脸色苍白，下巴尖尖。小姑娘同时也看到她，似乎对在这里看到和自己一样的人感到吃惊。小姑娘脑后扎条蓬松的大辫子，穿着灰绿格裙，眨眨眼，神情有些害羞。

"嗒！"莉莉主动与她打招呼，然后报以一个甜美微笑。是的，见过莉莉的人都说她与女星妮可·基德曼有几分相似，尤其严肃起来的样子。所

以玛格丽特夫人走到哪儿都向人炫耀，她有一个和电影明星一样漂亮的女儿，没人轻易配得上她。

小姑娘腼腆笑了下，伸过一只小手，腕上戴只中国景泰蓝手镯。

莉莉碰碰小姑娘可爱的小手："你叫什么？"

"贝蒂！"

"贝蒂？我是海丝莉！"莉莉看到小姑娘另一只腕上系只红纱绾成的蝴蝶结，一下子想起梦境里的蝴蝶，心再次动了下。

"你也到这里看病？"

"不，我到这里旅游！"

"哦。"贝蒂看上去有些失望，可能她觉得这里所有的人和她一样是来看病的。她低下头，眼神黯淡下来。

"贝蒂宝贝，你在哪儿？"话音刚落，一个人高马大的妇女从诊室出来，其实她用不着抬头，因为整个院里数她个子最大。她神色疲倦，焦急地寻找着小姑娘。"你在这里做什么？妈妈不是告诉你随时待在我身边吗？"她在贝蒂前面蹲下来，抓起女儿双手放在颊上，"宝贝，现在感觉怎么样？快点好起来，别让妈妈担心了！"她眼睛红红的，看得出不知哭过多少回。

"女士，你带孩子到这里看病，这里是医院吗？"

妇女摇摇头："孩子得了一种非常罕见的病，医院大夫搞不清怎么回事，疗效非常差。一位中国邻居推荐我到这里，他们从小依赖中医。为了孩子，我只能相信，以前我是不会相信的。"

"现在怎么样？这里能治好贝蒂的病吗？"

"不知道，还在试，不过贝蒂非常喜欢这里。"

"贝蒂你喜欢这里，为什么？"

"不为什么，这里的人都很喜欢我、逗我，我心情好了许多，妈妈，千真万确！"

"嗯，这是位神奇的大夫，大家都这么说。好了，女士，尽管我不知道你的名字，不过我不能在这里和你多聊。"

"可是……"贝蒂似乎不愿意离开。

"好了，宝贝，同这位小姐再见。我们要到药房抓药了，再见女士，很高兴见到你。"

贝蒂被妈妈拉走了，她一直回头盯着莉莉看，用系着红纱蝶的手同莉莉告别。莉莉很快听到贝蒂妈妈用生硬的汉语同屋里的人大声讲话……

莉莉好奇地走进青年所在的诊室，里面不到六七平方米，居然等着十几个人。里屋与外屋用一块布帘隔开。透过帘子缝隙，莉莉看到他正专心给人瞧病。那一刻她脑子空白了：他头发乌黑光亮，肌肤梨花落雪，两道浓眉剑出金鞘，双唇似玫瑰饮露，周身上下虽无珠光宝气，凛然气质却与常人超然不同。他端坐椅上，气纳有序，浸浸在自由世界，恰似神仙回返人间。他集西方俊朗与东方神逸于一身，如不亲在眼前，莉莉只觉得他该是天才画家的笔端奇人，兼具神韵和诗性。片刻后，青年微启眼帘，黑松石般的双眸顿时流光溢彩。紧接着和声细问，质如玉磬，人心入耳。总之，青年气质凛然，如峰如林，既与美国人截然不类，也与众多中国人不同。有他做对照，莉莉才知道何为凡夫俗子。用不着名牌服饰陪衬，用不着豪宅名车烘托，他周身气场足使小屋明澄如水，像阳光照进水晶洞穴。莉莉一时出神，竟没听到背后小罗同她说话：

"小姐，如果您要看病，先到隔壁挂号。"

莉莉慌乱应道："对不起，我在外面等会儿。"她强忍狂喜来到外面，看上面天蓝树绿，看周围喜气洋洋，看地下草青花艳。那个女护士居然讲一口纯正伦敦腔，虽然语法有些问题，但令她吃惊不小。

贝蒂和她妈妈早已不见，莉莉在窗边塑料椅上闭眼养神，脑子晕晕乎乎，不再觉得累和饿。她暗忖："天啊，一切是真的吗？我喜欢上这个东方人，居然还找到了他，难道这是天意？"事情像部经典电影耐人寻味，她不禁长吁短叹："这次难忘的见面到底有什么玄机，它将会影响我的一生吗？我仅仅因为忘不了那神奇几秒的相遇，就兴冲冲再次来到中国。他奇迹般地出现，符合我教科书一样严格的择偶标准，像中央公园那棵最为笔直清秀的柏树。虽无深入了解，但我已认定他就是我的爱人。他是中国人，是个道士，不会去酗酒、嫖妓、赌博，不会举止粗鲁、言语冒犯，不会耍小聪明，不会使阴谋诡计，不会嬉闹无度，天然有种正直在骨子里，一种风气在行为中，言谈举止与内心浑然一体。他皮肤光滑细致，这由性情滋养而来，由内而外透出精神。他音色朗朗清湛，传递出与人交往的诚心。他只吃蔬菜水果谷物及清淡的食物，身体没有糜烂，天然自带清香，好像花朵吸引蜂蝶采撷。他以气质和气势服人，不粗暴，不争辩，天降随

和，亲近有为，那种从古到今的民族性情，在他身上已具生物学意义。我与他在一起有种特别安全感，丝毫没有与皮特曼在一起的无聊，与史密斯在一起的紧张，以及与斯特林在一起的纠结。是的，整个中国就像个好客的客厅，里面充满鲜花、水果、香气和笑脸，还有比这更好的地方吗？这里大概就是《圣经》所称的天堂，而他就是里面迎候我的天使，我们共同受着神的指引开始一段宿命！"她美滋滋又发愁地想下去，"可这有现实可能性吗，毕竟他是东方人。在我身边，一个中国人嫁给美国人司空见惯，可一个美国人嫁给一个东方人闻所未闻。我能得受得住这些压力吗，我真的要在这里等他吗，难道就这样冒昧见面吗？我怎么向他开口，这分明是我主动示爱！——老天啊，我在做什么，如果让妈妈知道了，她会往我脸上糊一大堆东西！——那么，要离开这里吗？只当什么事没有发生，赶紧回到美国去，向妈妈和斯特林道歉，与皮特曼重归于好，一切按设定好的发展，结婚生子，相夫教子，或者像妈妈纵横江湖，生活衣食无忧，人前光鲜体面。——可这多无聊啊，我怎能安心？"她明知故问好多回，却没半点离开的意思。"先拍些照吧，存在手机里，留着以后慢慢看……"

莉莉在外面胡思乱想，小罗和玉真在诊室忙得不亦乐乎。照样人满为患，大家把这当成棋牌室，彼此之间谈天说地。小罗不时停下来向大家宣布纪律，可人一旦熟起来，老头老太太根本不把她说的当回事。

"小罗，别生气了，大妈这回和你说个真事！"——小罗把身子背过去，嘴噘得老高，"大妈上次和你说的事上过心没有？"

"什么事啊？"

"哎哟闺女，这事你也敢不当回事？就是对象的事！告诉你，我已经和人家联系了，人家听了你的情况，要和你见面呢！"

"大妈，您逗我呢！我一外地人，人家能看上我吗？"

"胡说，这孩子我了解，人好着呢！"

"小罗，你是个好孩子，可不能把自己看瘪了！外地人怎么了，外地人也是人！"——自然有替小罗打抱不平的。

"谁说不是！这年头北京多少外地人啊，二环以里就没真正老北京了，要有也就几个京郊老农民，算不上份的！"一个瘦老头站起来，学着晚清旗人端鸟笼、玩把件的架势，"瞧见没有，这才是北京真正的爷！"——其

他人酸着脸看他。

"小罗，我说的这家刚拆迁完。嘿，你瞧怎么着，一套两居室到手，下辈子都不用发愁！"

"人靠谱吗？现在年轻人可不比我们那会儿，什么八〇后、九〇后的，个个鳖精似的坏着呢！"——大家帮小罗问。

"长相普通，地铁司机，工资不高，但人踏实不乱。小罗，就等你一句话呢！"见小罗低头不语，"那就是同意啦？得嘞，我现在就给你联系！"大妈掏出手机，当着满屋子人的面给男方打电话。

小罗脸红得像刚蒸熟的大闸蟹。对她来说，在北京安家落户实是想都不敢想的事。她工资低不说，大半都用来付了房租。自留了北京天天省吃俭用，连内衣都买过街天桥上的地摊货。家里人都以为她在首都过得多好，把她作为骄傲在村里宣传，她有什么委屈也不敢对他们讲。她有个弟弟，每月还得汇钱回去供他上学。现在突然有人给她正儿八经介绍北京对象，她以为狗屎运砸她头上了，乌鸡变凤凰，一时真转不过弯来。当初她只有大专学历，在北京没有任何关系，正规医疗单位进不去，只好七找八找到白云观道医馆当实习护士。玉真对她挺好，她生怕失去这份工作，没日没夜加班苦干。父母守着几亩薄田活了一辈子，她也发愁一辈子只做个小护士。过去的姐妹陆续返乡或嫁人，刚留北京的雄心壮志早没了，过天混一天。一大屋子人拿她开玩笑，她借口到卫生间出来透气，脸冲大晴天，心里喊道："老天爷，你总算开眼了！"用湿手擦掉眼角的泪，转身看到莉莉坐在一边。

"您好，挂号了吗？把号牌给我。"她关心地问莉莉，同时看莉莉脸上没一点血色，感觉问题很严重。

莉莉没有回答小罗，出神地看脚下几只凤仙花。

"有事就告诉我，我告诉玉真大夫。"

"玉真大夫什么时候结束？"

"还得一个小时吧。如果您感觉不好，可以让他提前给您瞧瞧。"

"不，别打扰他，我在这里等他。"她用眼神感谢小罗，之后重新闭上，好像疲惫得连说话的力气也没有。

小罗满腹疑惑进去，里面的大妈见她就吵吵起来："小罗啊，刚才你出去了，联系上了，他明天正好倒班。怎么着，你们互留个电话，到时自己联系?"小罗不吭声把电话写在纸上递过去,心里像揣只兔子。

"小罗,你们可得好好相处,大妈等着你的好消息!"

"是啊,办喜事可别忘招呼大家伙喝喜酒!"一老头跟着老太太起哄。

"看你们说的,还不知道人家看得上看不上我。"小罗翻着本子,看外面窗户下正经的老猫。它一点不怕她,走路都不让道。

"这猫好肥,比自个家养的狗还大!"

"玉真大夫和其他道人常给它买猫粮吃,现在它都不肯离开了。"

"玉真大夫菩萨心肠,肯定会修成正果的。"

"大家准备一下,玉真大夫马上出来针灸。"小罗重新确认了顺序,大爷大妈抻胳膊蹬腿脱衣服,等着轮到自己。

又过半小时才算忙完,玉真想喝口水,一个老太太非让玉真顺便给老伴把把脉。她老伴不合时宜地穿件军绿布褂,倒八字眉不时咳嗽。小罗犯难地对他说:"大爷,您得提前挂号。"

老头露着掉了槽牙的牙龈笑道:"玉真大夫是好人,就再做次好人呗。"

小罗还要说什么,玉真已让老人坐下,换手把脉,问道:"是不是吃什么补药了?"

老太太在一边想,老头把话接过去:"孩子们买了孝顺我的,两只东北大人参,听说夏天进补最好,提前壮身子。"

"回去就停了吧。身体没什么,以后不要乱进补。"

"听见了吗,玉真大夫说没问题,回去想吃什么吃什么!"老头冲老太太耳朵喊,老太太斜着脖子冲玉真竖大拇指。两人费劲穿戴好,千恩万谢出去。

"现在商家天花乱坠鼓动人们补身体,很多时候只要有个良好的饮食习惯就行了。"玉真无奈地摇头。

小罗点点头,突然想起来:"玉真大夫,外面有位外国女子等着您呢。"

玉真放下水杯:"快让她进来。"

小罗到了外面,莉莉坐过的椅子却空着,院里也没有人。小罗又到别的诊室和挂号室去找,最后确信她已离开。

"她不在了,估计离开了。"小罗回去向玉真报告。

玉真到外面洗手回来，把诊室收拾妥当准备离开。按照安排，下午两点别的大夫过来接着看病。

"现在越来越多的外国人开始相信中医了，这可是件大好事！"小罗激动地说。

"是啊，中医是中华文明中的瑰宝，要让它造福全人类！"

"我们是不是专门针对外国人开个诊室？"

"现在还没有这个必要。"玉真晃下铃铛闭上眼。——小罗不敢去打搅他，自己也在一边闭上眼。

"刚才那个外国女的脸色很难看，真有点担心她。"——时间到了，二人同时睁开眼，算一个上午的工作正式结束。

"她一个人来的？"

"是的，只看到她一个人。"

"但愿没什么事。"

"可她没有挂号，刚才我问挂号室的人了。"

玉真看眼小罗，小罗像没做好事情似的低下头："她说过要找你。"

玉真不再说话，心里却对这个病人特别重视起来。他说不出为什么，但有种强烈的感觉，甚至像有点遗憾后悔，就像错过一次与熟人见面的机会。这是一次神遇，他心里浮现出一个影子，是个美丽的外国女子，向他深情微笑。现在她离开了，此世今生还有谋面的机会吗？

小罗带上诊室门，接着与房顶的老猫摆手。她心情格外好，期盼包里的手机马上响起来，接到那个改变命运的电话。可一边又担心那个男孩是否满意她的条件，这样的机会凤毛麟角，她能否落定北京可能就在此一举了。

玉真看小罗跨上自行车离开，独自往白云观外走。不知是天气燥热还是心情受刚才谈话影响，他有些烦躁不安。好在多数道友已经午休，他不出声走在墙根阴影里。转过一道月亮门，迎面撞见一女子，坐在药王殿门外槛上，穿件红色衣裙，金发从后面扎起，系两粒白色珠子，白皙娇美的脸上映着桂树的斑影，正微微闭起眼，里面偶尔滑动一下，露出新瓷一样的洁白。看上去她像睡着了，但眉心紧蹙，手搁在胸前。玉真心里一动，慢下脚步，这不正是脑子里一直浮现的那个人影吗？他像喝了迷魂汤，脑子空了，不管别的，鬼使神差走了过去。

"你好!"他用英语向她打招呼,声音轻柔得像父亲触碰新生儿的脸。

莉莉慢慢睁眼的一刹那,眼睛放出光来。她急忙坐好,拢拢头发,羞涩地把脸往树荫里藏。刚才因为胸痛,她到外面安静了一会儿。

"你也好!"

"你看上去不舒服?"

"是的。"莉莉点点头,眼睛大胆地盯着玉真。

"需要我帮忙吗?"

莉莉摇摇头:"不,不用了。"她回应着,离心爱的人近在咫尺,话都说不好了。

"你出汗了。"尽管中午天气炎热,但她的汗出得不对劲。

莉莉没说话,紧绷的神经突然垮下来,鼻子和眼里酸酸的,一种特别想哭的感觉。

"跟我来!"玉真像打伞赶考的许仙,莉莉则像被他途中救下的小蛇,二人又似宁国府内宝黛初遇,续一段机缘极巧的戏文。

玉真扶莉莉朝道医馆走去,虽只短短几十米,却觉得花了五六个小时才走完。这是他长大后第一次接触女性身体,好似捧一掬晶莹剔透的初雪。连他自己都不相信自己在做什么,不仅惦记上这位女子,而且与她零距离接触!她身体散发着如兰似荷的体香,熏蒸着他醉醺醺的,如春嗅新花、夏赏水霁、秋照珪璧、冬拈妍雪,怎叫一个赏心悦目、足健身盈!相互间没有一丝不适,好像约等在那里;是道经里一段奇曲隽妙的文字,是药典里一味性和味甘的冷药,被他突然解悟和发现,令他美意翩翩。一注热汗灌脊而下,丹田蓦然万缕豪热升腾而起。——莉莉这边则好似白菊带霜,娇娆不胜风力。转脸见这位目不斜视的男子,认定他完全可以代表中国人在世界的脸,是连数值和公式都计算不出的美。她本打算回酒店休息,可当二人眼神对上的一刻起,乳房神奇停止了疼痛。——"像被他爱抚一样舒服。"她一边暗想,一边贴紧他身子,贪婪吮吸他的雄性气息,头脑里乱作一团……

"请进。"

莉莉像小猫一样乖,坐里面椅子上,然后问道:"还记得我吗?"

"你?!"

"是我!"

"像在哪里见过。"

"你还记得?"

"你是来看病?"

"两年前开始,我的乳房莫名开始疼痛,像被猛击了似的。"

"去医院检查了吗?"

"去过一次,他们说没什么问题。"莉莉深切地望着玉真。——上月她到医院做检查,当时上面留着与皮特曼做爱被咬的青斑。大夫盯着她乳房一个劲摇头。

玉真脸微微发烫。他是道人,这里是道医馆,患乳疾的女性忌讳这里,所以他在这方面研究不多。他只觉得这女子眼熟,像在哪里见过,一时间却想不起来。

"胳膊伸出来。"他为她把脉,脉象并不明显。他面带愁容,"再做一次检查吧。"

莉莉本想拒绝,却听自己说:"我听你的,在中国做好吗?"

"可以,我帮你联系医院。"他说得那么自然,像是她的亲人。

"你叫玉真?"

"对,你名字能告诉我吗?"

"海丝莉·伯纳德,美国纽约人。"

"我想起来了!"玉真眉毛动了下。

"你知道我来干什么了?"

"不知道,但看得出你很善良。"他前半句是假,后半句是真。

"还以为你猜到了。"

"我开药方给你,你回去调理身子。"

"什么时间做检查?"当听玉真说"明天"时,她马上要求:"不,如果可以,现在我就去。"

"我陪你。"

"不,我自己去。"她说得坚决,其实想让他陪着去,可说出来变了味。恋爱中的女人总有点怪,应该是激动、害怕或任性使然。

"那么明天见?"他看了下表,另一个大夫快要来了,他必须带她离开。

"明天见。"她看出他有事,知趣地同意。

　　玉真当即给莉莉联系到一家著名医院，然后去外面为她叫辆出租车。说过再见，莉莉坐在车里，捏捏手背，确认一切都是真的。上帝没让她失望，她在这里成功找到他并察觉到他内心，更加认定他就是自己要找的真爱。他是上帝专为她设计的一款，她激动得心都快跳出来。她着急到医院检查，不想他为自己担忧。现在她倒真希望自己有病，那样会得到他更多关心。

　　玉真目送莉莉离去，同样不相信刚刚发生的一切，好像做一场梦。几个月前他到北京饭店参加道家养生讲座，在门口无意间看到她，虽记不甚分明，但那影子常出现在脑海。现在奇迹出现了，她本人突然来到面前，唤起他的记忆，让他更加深信：一切皆缘。夏雨说来即来，刚刚还是晴空幽蓝，现在却升起几块生姜似的积雨云。雨点沙沙洒落，地上荡起阵阵轻尘。一片银杏叶像只彩蝶随风飘来，他接到手里，仰头神秘微笑起来。

第五章　酒吧歌手

　　莉莉拿到诊断报告单，脸色苍白，身子禁不住发抖。上帝把刚给她的一切又要回去了，她体验到了大得之后必有大失的痛苦。她打算一走了之，找个所有人找不到的地方独自死去，但最终想到玉真就没了主意，于是赶来告诉他结果。她红肿着眼睛，等所有病人走光，才怯怯进去。小罗热情地接待她，弄得她更加难受。

　　"结果怎么样？"玉真闻声迎出外屋，满脸焦急。

　　"原来你们认识啊！"小罗在俩人面前各放一个纸杯。

　　"他们告诉我已经到了晚期。"

　　"怎么会这样？"玉真像当头挨记闷棍，痛苦地晃动了下。他接过诊断单仔细看，看了几次才看清楚。

　　小罗倒过水，暗暗退到一角，观察二人的奇怪举动。

　　"作为医生，这是你最不愿意看到的结果？"

　　玉真再次像被电击。他分明喜欢这个外国女子，只是不能说破。——他没理她，把诊断单紧紧攥在手里，汗水很快把纸湿透。

　　"女士，您是来瞧病的吗？请抓紧时间！"小罗提醒和催促莉莉。她没能猜透二人关系，更想不到他们一见钟情。

　　玉真心里像十字路口发生车祸一样混乱，事情大大超出他预料。这是一种泰山压顶的痛苦，上万吨重量瞬间倾覆身上，每个细胞都在挣扎和呼救。他与这女子风尘中相遇，不能克制地爱上对方。他从未如此动情，一时说不出任何话，舌根都是苦苦的。

　　"你认为我来只是告诉你结果？"莉莉略感生气，她原想玉真听到结果会抱抱她、安慰她，他却在原地无动于衷。她强忍泪水挑衅似的看他，像

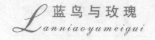
刚从拼命的奔跑中停下来，无意间打量路边一棵亭亭玉立的树。

"女士，你怎么这样说玉真大夫！玉真大夫不是那样的人，他对每个病人都像亲人！"

"小罗，你先回去，这里交给我。"

"好吧，我先走，您一会儿记着锁门！"小罗像有股斗志似的对玉真说。她对这位外国女子又好奇又生气。临走又特意看下她，出门没忘把门带上。——那两人都不说话，甚至没看她一眼。

小罗到了外面，深换口气，感觉刚才的自己很好笑。她像担心玉真大夫被抢走似的，不容那女的那样对他。风一吹她冷静下来，心想：玉真大夫像天空或风景，属于任何人却又不属于其中任何一个。——她今天除了要交清房租，还赶着约会。事情不多，她却有些手忙脚乱。房东要在下午一点前拿到房租，她先去银行打款。房东已搬到河北香河，脾气变得很坏，说话像跟谁怄气似的吵吵。——另外就是地铁公司的小伙子昨晚打电话约她，二人定好在国贸附近一家麻辣鸡锅店见面。大清早她里外换了衣服，又喷了三十块一瓶的香水。病友们发现她的变化后和开她玩笑，只有玉真忙得团团转没注意到，而香水经过一上午挥发也已变成馊味。她看看表，不敢耽误，跨上自行车直奔最近的银行。

"我为自己的无能为力感到痛心。"只剩下玉真和莉莉两个，玉真垂着头说。

"你不能说点别的吗？"

"别的？"

"是的！"莉莉直视着玉真，生气强化了她对他的感受。看到玉真回避，她心如刀绞，知道难以得到想要的答案，但仍不甘心，像在法庭上索要她应得的东西一样。

对方目光步步进逼，玉真意念步步退让，最后只得痛苦闭上眼睛，好像战败一方等对方屠刃。

"你把我当作患者找你治病，是不是已经盘算如何用你的草药为我治疗，是不是觉得世界又多了一个病人而你又多了一份责任，是这样吗？"莉莉没得到想要的答案失望至极，于是变得像戏剧中的人物一样激动，也感到是一种巨大屈辱。"我相信你猜出我在做什么，相信你明白我们之间是什么关系，我无权指责你，但希望你能面对它！你有难言之隐，这个我可以理解却做不到，我已经无法自拔！我像个乞丐一样找上门来，多么荒唐和不可思议，但伸出去的手却是空的。"

"海丝莉小姐，或许诊断有误，建议你回国重新做一次检查。"

"你还没有回答我的问题！"她暂不关心自己，只是赌气似的倚重情感和情绪。病情引发她对这份感情更加严重的依赖，她觉得现在是生命中最重要的时刻。对于化验结果她怀疑过，可也想得很清楚，她要在生命最后一程看看上帝能否能眷顾她，能否满足她的要求，许她相爱的人一路作陪，让她死而无憾。

"我对一些东西不确定。"

"傻瓜，你现在还这么冷静，难道连一个拥抱都不给我吗？你知道我到这儿干什么来了，你知道我要死了！"她在绝望中有点泣不成声。

"你要让家人知道情况，别让他们担心。"

"除了你我谁也不告诉，他们什么都不知道！他们都在忙自己的事，他们才不会真正关心我，所以我才找到这儿、找到你！别人分担不了我的痛苦，只有你能！如果我不是冒失，你就别让我失望！——我已经把话说得够明白了！"

"一切来得太突然，我要好好想想。"玉真几乎想夺路而逃。

莉莉坐回椅子哭了一阵，然后抬头抹干泪，像癫痫刚发作过一样镇定。"我是不是有些发神经？对不起，把你吓着了。我们本没什么的，是我要求过分了，请你原谅。"——没错，她一时失控，在放纵中有些夸张。现在冷静下来，仍然渴望他的同情与安慰，希望他为自己心碎。这会让她满足，让她把病看得很轻。她就要死了，有权在爱的人面前任性，然后带笑泰然离世。

"你应该告诉他们，美国医学那么发达，你得赶紧回去治疗，哪怕一线希望也不放弃！听到吗，一线希望也不放弃！"他尽量不外露情绪，心却大面积受创流血，大声对她讲。

"最后的希望在哪儿，你告诉我！"莉莉又一次生气起来，"我哪儿都不去，我就在这儿，我知道自己要什么！我的生命不长了，想在最后时候活得有质量、有尊严，让它真正属于自己！"

"我不能够爱上你！"玉真拿起桌上的小铃晃了下，把身子背过去，"第一次见面我就感到我们之间会发生什么，对于这次见面我一点不惊讶。

我预感到生命中的劫要来了，我要经受得住考验！"他昂着头，努力保持平静。

"是你的劫？"她笑了，"我只在这里待三天，明天就回去，然后接着上班。玉真，我的事不想让别人知道，他们知道又有什么用，他们帮不了我！我不是在顽皮，我是认真的。我一直在寻找真爱，那会让我活出光彩。这就是我找到你的原因。"

此时的莉莉让玉真想起《聊斋志异》里那些美丽的狐女们，她们和她一样到人间寻找真情。不是她们的错，而是这人间规矩磨难多，缺少一份对她们的痴心与真爱。

"我想多了解一些你的情况，我会记挂你。"

"有用吗，我站在你面前不是更重要吗？我不是来破坏你的生活，我是循着某种感觉和信息来的，这种感觉和信息是你给我的，是上帝给我的，明白吗？"

"求你别说了，我只能这么做。"

"你放心，我会很快离开。你还会跟从前一样，日子水过无痕。"

玉真沉重地摆头："我也很奇怪，感觉回忆起很多。和你在一起没有丝毫陌生感，好像你是我夏天握在手心的一本经书。我不仅惦记你的病情，更关心你其他，看到你我血都是沸腾的。我不能医好你的病，却想对你有所担当。这一切源于纯属偶然的一瞥，而疯长于从昨日到今天的二十四小时。你的灾难就是我的灾难，你的痛苦就是我的痛苦，心再也无法与你分开！我们好像在意志里结成一体，你感受到的就是我感受到的。"他不再顾忌羞涩，继续说道："你刚说的我都懂，我坦言自己陷入爱情。既然落在水里，我就准备湿透全身！我爱你，这是我能对你说的；但我只能做到这一步，只能在这儿停下，这是对我自己说的。听到刚才的小铃吗，它是师父留给我的，我对他有言在先。"

"够了，我要的已经够了，谢谢你！"莉莉泪流满面，"现在，我确认来这里是对的！你说你爱我，我非常高兴！"

"爱在心里，也在天上，就像我们莫名聚在这里。"他看着上面，好像那里隐藏着关于二人爱情的密码，"我给那么多人看过病，包括官员和他们的家属，你现在排所有人前面，好像一下成为我生命中最重要的人，我都在怀疑自己！"

　　"刚才我还与你大吵大闹，现在却发作不起来。"莉莉从后面抱住玉真，玉真没有拒绝。

　　"你哭了！"

　　"我他妈的哭了，我原来想要的只有这么点，得到却这么难，我真可怜！"

　　"你得到了，我也得到了。"

　　"我们不能结婚，甚至做爱都不可以，是吗？"

　　"是的。"

　　"这是他妈的什么爱情！"她晃着脑壳破涕为笑，"不过，我没来错，我找到一生中最想见的人了。你他妈的原来躲在中国，事情不发生打死我也不会相信！"

　　"无果的花，唯有香和美丽传人间。"玉真把莉莉胳膊松开，"我们不可能在一起的。"

　　"以后告诉我这些，现在我只想和你待会儿。"

　　"以后的事我们一起面对。"

　　"夏天已过一半，秋天很快就来！"莉莉趴上窗户往外瞧。——玉真听她这么说差点哭出来。"你说我还能看到下一个春天吗？"

　　"当然，一定能！"玉真鼻腔热热的，感觉在对自己说豪言壮语。

　　"鬼才相信！"莉莉笑中有泪、泪中有笑，坚强地摇头，"我真希望现在就死，让你看我死在你面前。"

　　"不必试探我，也不要埋怨我。死不可怕，死是从这个房间走到那一个房间。对于我来说，死了和活着是一样的，因为你在已住在我心里。如果你活着，我会高兴，活着就意味着经历现在，活着就意味着还有将来。我们的缘分远远未尽，我们的爱不会终结到现在。如果你死了，我在心里为你设坛，天天祭奠你、怀念你。当然，我希望你活着，永远活着，这样我能看到活灵活现的你，真切感受你的存在。"

　　"我只是个病人，你想多了。"她把头从窗户光线里拧过来，笑好像霜天里的花。

　　"还不打算告诉我你更多的情况吗？"

　　"我要走了。"

　　"你真是说到做到。——别恨我。"

"你让我无所适从。我说话算数，你也是。"

"我取车送你。"

"用不着。看见外面的风吗？它们把我送来，还会把我送回去！"她酸着鼻子半开玩笑地说。

"你还有心开玩笑！——我是医生，你要听我的。"他严肃对她讲。

"无所谓！"她故作轻松，从内心已经彻底不打算治疗。"我爱你。"她伸手摸下他如脂如玉的脸，轻轻说。

"听我的！"他音量陡然增大，震得自己耳朵都嗡嗡响。他转过身，尽量约束胸膛里那个急红眼的心魔。

莉莉大笑一阵，突然头埋在手里。"我不是个小孩子，你吓不到我。你看着我离开就可以了，不许再说话，听我的。"她伸手堵在玉真嘴上，"你英文很棒，会唱英文歌吗？跟着我一起唱碧昂丝的 *Single Ladies*！"

"你走了，我呢？"他有种永远再见不着她的害怕，泪眼莹莹地问道。

她摇头："别为难自己，我们一起唱，然后你看着我离开。"

说着她轻轻唱起来，然后一步步往后退。玉真要上前送她，她连忙摆手阻止。两个人声音都很小，却非常清晰。玉真看着莉莉到了外面，风把她头发吹起来，她的身体在树下显得瘦弱娇小，却绽放满脸笑容，同他挥手依依惜别。他闭上眼唱，几度哽咽失声，断断续续。等再睁眼时，她已经不见。他追出去，牌楼下空无一人。盛夏骄阳下，他心和眼睛像被挖去一般。

玉真第一次感到自己这么没用和无能，过去的自信骄傲像堵老墙轻轻被推倒。他拥有位于附近小区二室一厅的房子，从 2008 年到现在价格翻涨一倍。他薪酬可观，轻松达到五位数，单从收入看他早是名副其实的中产阶级。他享受副处级待遇，这放在整个北京城算不得什么，因为这里的处级干部多得像什刹海红鱼。可别忘了他只有二十多岁，过了几年，就会被推荐为政协委员或别的什么。总之他经济宽裕，同时极具政治前途和事业造诣，加之极高的情操修养和出众外表，许多身外物能够轻松获得。但放弃爱情与婚姻是他唯一要坚守的红线，这是他在神仙和师父面前许下的愿，也是早从心里阉掉的孽根。他一直认为自己做得很好，认为他的世界像精心修葺过的院子，爱情的野草绝不会蔓延进里面。休息时他会像艺术家一样把头发从后面束起，也会换上钟情的斯米尔或范特华特牌子休闲鞋去天宁寺散步，或者身着自由漫步、柒牌、迪尔·马奇或七匹狼牌子的外衣逛西单书城或与道友约谈。他喜欢凤凰传奇、筷子兄弟和汪峰的歌曲，下载到手机边戴着耳机听边看书。他也去北京游乐场玩刺激游戏，蹿到万达广场看新上映的电影。他的个人世界一点不封闭、不枯燥。他喜欢韩寒和陈柏霖，最爱《英雄联盟》。每晚他都会在客厅为世界和平打坐祈愿。这是他全部真实和快乐的生活，打透围墙的花园，里面应有尽有。他早几年就是白云观重点培养的对象，却依旧保持简单低调的姿态，同时以精益求精的精神在中医药领域不懈钻研进取。就在他以为一切完美自足的时候，莉莉突然出现，让他的生活顿时像猪小弟的房子被掀掉屋顶一样。仅仅一眼之缘、一念之想，他就情不自禁，心怀喜悦，像手捧淡香有韵的康乃馨，从一个街角拐到另一个街角，去赴一个安排好的约会。一切来得突然与意外，没有依据，没有理由，无意从一个方向望了下另一个方向，就从一个世界走入了另一个世界！她来了，又走了，像个美梦降临了，又消逝了。他像一条逆流而上的鱼，沿河流的方向寻觅来世今生。现在她离开了，他像遗失一件至为尊贵的信物，一腔男儿泪潸然而下。

　　玛格丽特夫人对女儿不辞而别大发雷霆，把她喊到跟前好一通冷嘲热讽，就差抓出去游街示众。直到累了她才踹门出去，赶着参加一场关于枪支管制的辩论。层出不穷的枪击事件让全体美国人丧失了安全感，这样重要的活动她必须到场。她对女儿的管教像她忙活的工作一样，完了也就完了，如同一个琴手结束一场演出奔赴下一个场地。这是她的生活节奏，也是工作节奏。过了几天，她早把女儿离家出走的事忘了，在餐桌上盯着《华尔街日报》上一则新闻使劲看。"真是见鬼，经济形势怎么这么糟糕，失业率还在上升，贸易逆差接连攀高，美国从没有这么丢人！"她又特意把那则新闻重看了一遍，然后把报纸丢在桌上，咕噜咕噜转一通眼睛，咕咚咕咚喝下咖啡，擦擦嘴扔下蓬头垢面的女儿，去处理新的事务。——妈妈一走，莉莉感到身边一颗定时炸弹被拆除了，马上快速吃起来。随后她把一片狼藉留给南斯拉夫女人，到妆台收拾一番，匆匆上了车。出车库拐弯时，差点与邻居撞了车，男邻居摊开方向盘上的双手直摇头，两个小姑娘含着棒棒糖盯住她看。她抱歉地让出道，过了好久还在想：邻居一家过着一种怎样的生活，他们的日子有乐趣吗，他们活着的意义和目的何在，

做爱和生儿育女是光景的全部吗？她实在想不好，再看看周围的房子，它们都像石像似的肃穆。车子贴在路边，她摇下车窗，钻出头吹吹风，让自己精力集中一些。

她本想一回家就把病情告诉妈妈，可打进家门起，就没能找着机会，而且还被狠狠训斥一番。她对妈妈害怕极了，唯恐避之不及，最后宁肯选择隐而不说。妈妈对她中国之行的反应像阵雷雨过去了，生活又恢复老样子，她按部就上班下班，忍受斯特林先生别有用心的安排。母女俩各忙各的，像手指碰不到脚趾，日子过得无聊乏味。其间她多次拒绝皮特曼约请，好像坚决为玉真守身如玉，觉得这样才算真正爱他！晚上她常常一个人哭个通宵，既为自己身患绝症不久于人世，也为难与相爱的人厮守到老。她天天吃不香睡不好，脸色和精神都很差。这一点连南斯拉夫女人都瞧出来了，她在饭桌上提醒玛格丽特夫人，玛格丽特夫人却用石灰球一样的眼睛朝女儿看，好像一只石斑鱼看一块衰老的珊瑚。玛格丽特夫人心在别处，绞尽脑汁考虑如何维护纽约和美国的商业利益。美国经济像只倒立不安的三脚猫，她急得火烧眉毛，捋起胳膊既想证明自己，却苦于无处下手。对于女儿从中国回来的变化她格外粗心大意，直到一天看到女儿眼睛肿得只剩条缝，当即横眉立目指责道："你总是哭哭啼啼，还以为自己是个孩子吗？我在你这个时候早生活自立了！你住在纽约最豪华的房子，竟然天天愁得像个苦瓜！为工作还是为男人？真搞不懂你，你这样的条件应该一抓一大把，用得着这么劳神费力，这点比起你父亲差多了！你最好在这上面多动动心思，想想怎么抓住男人的心，让他们对你忠诚不贰！你真是个傻瓜，精力只需三分之一用在工作即可。千万别再找皮特曼那样的，用他们的甜言蜜语哄骗你！如果想继承我现有的一切，就应该把自己像件圣诞节礼物送给全纽约最有用的男人，这就是聪明女人在纽约立足的诀窍！——你真得开开窍了，这个时候还假惺惺扮什么淑女，满世界的人会笑掉大牙！"莉莉被妈妈说得脸蛋通红，低头想皮特曼那只丑陋的阴茎，为当初失身于他后悔得要命。妈妈的话戳到她痛处，她感觉自己欺骗了玉真，不知道如何向他证明自己。

玛格丽特夫人的理由和逻辑总是无比强大，任何人休想挑战。包括女儿在内，只能像只小狗听话才有狗粮吃。她把持女儿的一切，容不得半点出格，同时又希望女儿能在工作或恋情方面带点业绩讨她欢心。可女儿既不懂事也不省心，这让她寒透了心。这不，这天她从史密斯嘴里了解到莉莉在斯特林先生那里的真实情况，不由得火冒三丈，甩开史密斯缠在腰里的手，像得到情报去抓捕罪犯似的，一路赶回家。她径直来到女儿卧室，正要发火，却见女儿像只病猫卧歪倒床上，形销神枯没一点人样，一时良心发现，提脚轻声过去。女儿正在看一本书，她一把抢去，像倒拎只青蛙似的皱眉问道：

"你在看什么?"

"《热烈的罗兰》。"

"这又是什么?"

"《庄子》，一本中国古代的书。"莉莉刚才完全专注书里，丝毫没察觉到妈妈进来。她慌了神，想保护那书却已经不可能。

"看这个做什么，对你有什么用?"

"里面阐释中国人的生活哲学，特别有趣生动。"

"别和我说这些，你他妈的中了中国的毒了！我今天要问你一些事，听史密斯先生说了，斯特林先生不买你的账，这到底怎么回事?"她到底没忍住，连油带火一气往女儿身上泼。

"不是这样的，斯特林先生——"

"别想糊弄我，斯特林先生和史密斯先生可都是绅士，他们不可能乱说什么。如果斯特林先生看上你，正是你绝好的机会！"

"不，妈妈，我绝不会喜欢他！"

"不就男女那点事吗? 如果他真喜欢上你，就说明你和我一样优秀了！——快把这个扔了，别让我第二次看到它！"玛格丽特夫人要把书丢进垃圾盒，莉莉上去抢过来。玛格丽特夫人没想到女儿这么凶，投降似的举起了手："用得着这样吗，瞧你那个傻样！"她在房间里转悠，停下弯腰拾起一样东西。

"这是谁?"她捡起一张纸，上面是一张东方人的脸。

莉莉吓得灵魂出窍，那画像是玉真。她本来把它夹在书里，可争抢时不慎落出。她马上反应过来："是书里插图！"

玛格丽特夫人对着画像认真瞧了会儿，揉个团扔了。"你要敢嫁中国人，我就从自由女神像上跳下去！"她轻描淡写地一说，抬头挺胸视察女儿卧室。"记着，如果斯特林先生再讨好你，你最好从了他。要不是史密

斯先生替你求情，我这会儿就把你亲自送到斯特林先生床上去。他和美国政界的关系非同一般，你攀上他就等于进了半扇白宫的门。多少人向往那里，世界权力的中心，我做梦都想到里面去！"

"可惜爸爸不是总统。"

"我干吗自己不当总统，美国想当总统的人多去了，只有你甘于平庸！"玛格丽特夫人没像路上想的连续发火，看女儿神惭形秽，还真有点难受了。她不想把女儿逼急了，否则会适得其反。女儿是条乖小狗，可也长了一嘴锋利的牙齿，她不是没领教过。那时莉莉还在上小学，因为做错一道试题被她狠狠揍了。她当事情很快过去，没想到当晚莉莉乘她睡着时，往她胳膊上狠咬一口，十几年过去那几个牙印尚清晰可见。有时她会盯着那几个牙印，再看看柔弱似水的女儿，怀疑这是不是女儿干的。那个场面太深刻了，她床单上渗着血，还有莉莉惊恐万状和仇恨万分的眼睛，至今她没有忘记。

莉莉对妈妈的粗暴行为敢怒而不敢言，等妈妈一出去立刻跳下床，找出画像并摊平。还好画纸没有破损，她如释重负。

"对不起，差点把你毁了。"她轻声对画上的玉真说，好像他就在眼前。看了会儿，再次把它小心夹回书里。她已经画了好多张玉真的画像，这张是她最喜欢的。刚被妈妈无故搅和一通，她没心情再看书，把它放回枕下，闭眼又开始回忆与玉真在一起的情景。每晚她都这样，以使自己忘记白天的不快和病情，并且不把它们当回事，也只有这样才能让越来越频繁和持续时间越来越长的疼痛减轻许多。

她在床上翻来覆去，为爱情绞断心肠。心里对玉真说着话，就像真的和他坐在公园或咖啡厅谈情说爱。想到自己患上不治之症，上次见面很可能是最后一次，从此二人生死两茫茫，她伤心得直流泪。她神形憔悴，拿起什么上面都见着玉真的影子，可越看越模糊。日子像坐在海盗船上旅行，她甚至想不起一天做过些什么。她买来大量有关中国的书籍，放弃一切外出娱乐和聚会，如饥似渴阅读它们，那劲头像又回到学校。她还买了许多中国影碟，看累书的时候就欣赏中国电影。她脑袋变成一只霸王龙的铁胃，对所有有关中国的东西咀嚼、消化和吸收。中国的一切把她迷住了，再走在街上看到其他美国人时，发现他们全成了绿巨人。她每天只睡三到五小时，上班不停犯困打盹，接连出现几次失误。斯特林先生蹑着腿在桌后看她，眉毛拧成个毛球，她连忙装出无辜的样子。就像玛格丽特夫人从史密斯先生了解到的那样，斯特林先生对她上心了。他有事没事看她都是色眯眯的，这让她想到猫捉老鼠的游戏。可她毕竟不想成为斯特林先生的猎物，装得像受到威胁一样害怕和躲避他，用这种方法让斯特林先生即使她犯了错也没法批评。而且她不断从玛丽那里听到有关他不可告人的传闻，对他的印象一下子像从客厅来到卫生间，觉得光鲜的外表真不能作为评判一个人的可信依据，甚至连身份、学识在内，都可以与人的内心完全是两码事。

莉莉身体每况愈下，心情沮丧到极点，但仍坚持工作，这一半是做样子给妈妈看，另一半是让自己对玉真的思念喘口气。每早出门她都要诅咒工作、诅咒道貌岸然的斯特林先生；坐进办公室里，心怀仇恨地看桌上的办公设备，没干活就想趴下休息。从早到晚，她应付那些源源不断、枯燥透顶的数据，真是烦得要命。

"玛丽小姐，刚才斯特林先生说的我没明白！"她有点激动，轻轻咳嗽一下。——玛丽小姐坐在桌上等莉莉说下去，一边专心修剪短得不能再短的指甲。"为什么我们总喜欢与别人作对，为什么我们总在琢磨和利用人家！天下是有弱肉强食的道理，但那样的结果是天下不得太平、永无宁日！我原以为到这儿只是干些打字、校对、发送传真、收集资料之类的事，或者是给办公室人员煮咖啡和送报纸这样的活，万没料到让我参与这些。不，玛丽小姐，这些恐怕我做不来。"

"这个话可不该从你嘴里说出来，海丝莉小姐！或许你出生在政治家庭，从小耳濡目染得太多！没错，这些就是一个个游戏，想着怎么玩死别人乐和自己。你是个善良的美国姑娘，但现实就是这样，总有一帮人在捉弄另一帮人，这好像也是社会分工的一部分。你在研究别人别人也在研究你，大家都在明争暗斗。这可不是随便就能玩转的，必须有足够的智慧和热情。你呢，智慧不用说，只差一点热情就够了。对你这样出身的人来说，做任何事总缺少兴趣和动力，这是个通病。我这么说你不要生气，像我把工作当成谋生手段，而你只当成消遣方式。但你无法跳出这圈子，假如这房子里都是刽子手，你算其中一个。"她的灰眼睛里含着笑，"多少人想来这里，可斯特林先生眼光太高。你知道长得帅又有头脑的男人干什么都像挑选配偶一般，不过他那活不怎么样，我试过。"玛丽小姐在桌上拧拧身子，把一块方糖放到舌尖喙，对所说的丝毫没有难为情。"告诉你个真相，我收养的孩子就是他和东非女人生的，那些身边总飞着苍蝇的女人他居然也看得上！"玛丽说到这仍面无表情。莉莉张了会嘴，但想想特立独行、神秘莫测的斯特林先生，觉得他做出这种事也没什么奇怪。她继续做手头的事，装订一份刚从叙利亚传来的民间情报。

"没办法，我偏不喜欢政治。我纠正不了别人，但自己可以不参与。"

"你真这么想？我能说句真话吗？一个对事情不了解却依着性子贸然做决定的人这辈子几乎不可能成功。"她用修炼到家的笑看看她和其他人，让莉莉想不清、看不透。

"我可不这么想。"莉莉把资料放入一只蓝色夹子，然后上面写好文件名，"我把东西送上去，玛丽小姐，你自己弄点喝的。"

"好吧，等你下来接着聊。"她盯着莉莉小巧的屁股，想象斯特林那只大手狠劲捏着它，心里又恨又痒。她今天来找斯特林要孩子的奶粉钱，长期以来她作为他的地下情人，却没得到任何包括名分、物质在内应得的东西。只因她太迷恋他，不惜降低人格甘做他的情妇。但他移情别恋，现在又追着眼前这个女孩不放。她有点悔悟，但一时仍无法从他编织的情网中脱身。她找各种借口回到这个地方，哪怕只呼吸这屋子里他的气味，也会让她的身体分泌液体。还好，女孩对斯特林先生瞧不上，这让她对女孩保留一点好感。

莉莉敲开斯特林先生的门，斯特林正脱下一只鞋子抠脚心。莉莉把头扭到一边："斯特林先生，这是您要的时事资料。"

斯特林点点头："他们真是无事可干啊，可正好符合我们的需要。帮我放到桌子上，谢谢。"他把脚从桌上拿下去，"还在为刚才的事生气？"

"不，没有。"

"你和你妈妈一点不一样，真的。"

"这没什么奇怪，我们本来就是两个人。"

"生活在一个房子里的母女俩，却是迥然不同的两类人，真有意思！"

"如果没什么事，我先下去了。"

"你在和玛丽交谈吗，她没说我什么坏话吧？"斯特林先生盯着莉莉乳房，她那单薄衣服里小小的肉团让他心旌荡漾。他打小喜欢女人乳房，各种尺寸、肤色的小小肉球对他充满魅惑，是世界上最饱满、最韧性的东西，以致使他想和无数女人发生关系。

"这个你最好问她自己！——斯特林先生，请不要这样。如果再这样，我只好从这里辞职。"

"我什么也没做，海丝莉小姐。你是个好激动的女孩，只是长得太漂亮了，男人们不免心旌荡漾。"

"您的工作和您的为人都让我厌恶，斯特林先生。"

"晚上我有个应酬，从华盛顿方面来了两个人，他们要听我关于中东近期的形势分析，你可以跟我去。"

"对不起，我不想去，我对那些不感兴趣。"

"你错了，这不是兴趣的问题，而是你的职责所在。"

"您再逼我，我现在就辞职！"莉莉转身跑出斯特林先生房间，对他说的任何话都自动排斥。

斯特林先生待在办公桌后，眼睛像蜥蜴一样骨碌碌转，然后眼神空蒙地望着地图上辽阔的阿拉伯海。这段时间他很寂寞，因为莉莉的出现他与别的女人减少了约会。如果不是中间隔个玛格丽特，莉莉上班的第二天他就发动爱情攻势。她是他迄今见过的最漂亮、最规矩的女孩，符合自己各方面的要求，简直棒极了！他喜欢挑战看似不可能的事，莉莉生硬地拒绝他，让他更加斗志昂扬。他不可能让她辞职离开，想到这他拨通电话。下面玛丽接起电话，他早料到如此。

"海丝莉小姐还在吗？你要劝劝她，她可是玛格丽特夫人的女儿！"

莉莉并没打算真辞职，如果她真这么做了，妈妈头一个不会放过她，她将像头发怒的狮子咬碎自己身上每块骨头。

"海丝莉小姐和我喝咖啡呢，我正和她说一些事情。"

"好吧，随她吧！"他故意语气强硬地说。挂掉电话，他兴奋地挥几下拳头。有玛丽在，莉莉不会真的离开。他对这个老情人格外满意，想抽空去看看她和那个婴儿。他拿起桌上的文件看，心里却想着莉莉耐人寻味的身体。

"你留在这儿不会错，海丝莉小姐，不要事事生气，把男人当苍蝇挥手赶走就得了，他们没你想的那么可怕，何况斯特林先生的确是百里挑一的精品男人。"她边说边暗暗观察莉莉。见莉莉毫无反应，心中窃喜。"他

现在非常认可你的工作，这可不容易。他喜欢把周围的东西都据为己有，他就是这么霸道。说实话，他真有那么一股子劲，让女人争着往他跟前挤。他越是不屑她们，她们越上赶子追他。——还在生气吗？笑一笑吧，你这么漂亮，任何男人都会动心，这可真难办啊！"

"是啊，可真难办。真担心哪天会被他——"

玛丽大笑起来："这个你大可放心，他绝不是那样的人。他对爱情的耐心就像豹子不惜花一个星期跟踪猎物，关键是你自己不能动心。"

"怎么会，他可不是我的菜。我只想搞懂自己到底在这做什么，为什么不仅仅是工作？"莉莉带着点忍无可忍的咆哮，同时感到自己越来越有点神经质。她明白这种变化是拜皮特曼和这份工作所赐。

玛丽示意她坐下，用手整理稀疏的头发。"可生活中不只有工作，还有别的乐子。你不是抱怨工作没意思吗？喏，有人追求你，你又烦他。——大概你有男朋友了，所以才这样。可别让他知道，他那个劲上来会找人家决斗的！"

这回轮到莉莉笑起来："哪跟哪啊，他不会真那样做吧？"莉莉学着调整自己的情绪，不想被目前的状态弄成疯子。

"那可说不准，四十岁的男人和二十岁的男孩没什么区别。"

"玛丽，同你说说话好多了，要是你能常来就好了。"

"哦，那可不能！我还要替他抚养他的作品呢，一部糟糕透顶的烂作品。"她摇摇头，"说到这儿，我得马上走了，她现在刚学会走路，像侵略者到处破坏东西，你知道我的财产本来不多。——记住我说的话，安心在这里工作，他不是个特别坏的人，只是有那么一点喜欢你。"她冲莉莉挤弄眼睛，"我得走了，剩下的你来办，有什么问题可以求教我。"

"再待会儿吧，求你。"

"好吧，三分钟。谈点什么呢？"

"什么都行，有你在我就不害怕了。"

"瞧你说什么呢。这里是情报机构，总有那么点神秘感，就这点与别处不同。"

"玛丽，我不仅觉得这工作不光彩，而且身边卧只老虎，我实在难以安心工作。"

"你这样的女孩去哪儿都会惹是非。这里像大脑的一部分，需要的就是专业和安静。其实我们的分析报告不仅服务于联邦政府，还服务于很多大型跨国公司和知名企业。我们所做的真的很重要，就像到别人房子里找到钱放在哪儿一样。"

"然后我们或者美国政府和公司派人去偷和抢？"

"你说话直来直去，就是这么个理！"

"斯特林先生靠这个赚钱，还赢得世人尊重？"

"世上总有这一行。对美国来说，斯特林先生是个有用的人，也可以说是个英雄。"

"上流社会尽是这样的人！"莉莉打开电脑接收西非发来的情报，报告也门一名恐怖分子小头目潜伏到埃及的行踪。她联想到妈妈、史密斯及她认识的更多所谓纽约杰出人士，打心里瞧不上他们。

"我想加入还不够资格！平头百姓拥有社会的道德高地，上流社会则把持财富与权力，两座山头永远对立。你是上流社会的人，又与他们太不一样！我就是太善良了，三十五岁离婚遇到斯特林先生，到现在痴迷他，却什么都没得到。他像个华尔兹高手，用高超舞技把所有女人转晕了，占了她们的便宜她们还傻呵呵谢他。"

"明知道不可能和你结婚，又图个什么？"

"当然是他的钱，没有他付的薪水我不会过得这么悠闲。"

"你还是离不开他。"莉莉把文件压缩打包，存储到专用硬盘里，然后把原文件删掉。

"这个你说对了，女人痴迷爱情就像小妞妞迷恋玩具一样。好歹他不讨厌我，我们有时像母子，有时像姐弟，有时就在办公室或汽车里疯狂做爱。做爱时我们像两只狗，恨不得把对方吞进去。"玛丽抹抹眼泪，强作欢颜，"不过那都过去了，他再不会对我这样了。"

"他的确很听你的。"

"是吗？他得给我钱，否则我不会帮他带孩子。我还等着他将来照顾我呢。"玛丽说不下去了，不与莉莉告别就拎包往外走，姿势像冰上打滑。

暂时没事了，莉莉拿一些数据看，实际在走神。门被风拉开条缝，来回摆动。窗户外面的藤叶行将变红，地板和鞋子上落满兽牙似的碎光。墙角壁纸上洇出一个斑痕，像极美元上的富兰克林头像。旁边的同事个个神情阴郁，脸色发绿，在位置上闷声干活。斯特林先生规定部门间不许打听情况，更不能随便聊天，把这里管理得像数控机床一样精密，现在莉莉都叫不上同事们的名字，何况她本身不爱搭理人。房子静得有些瘆人，她甚至产生幻听，听到自己手臂皮肤下血液流动的声音。她恨妈妈，为什么非让她来这个鬼地方；恨自己，活得太窝囊，无主见又无能，成为任人摆布的棋子。她涉世不深，绝症缠身，生活中的不快比比皆是，活得无所适从、身心疲惫。上层社会把她当成异类嘲笑挖苦，下层又觉她高高在上、不可理喻。如今她只想好好谈场恋爱，做份简单差事，过与世无争的生活。即便真如斯特林先生所言：她不算个好公民。那又怎样，她就是这么个人。她坐在椅里哀伤，有种不祥预感，不由倒吸口凉气，偏偏斯特林先生突然现身，吓得她尖叫一声站起来。

"在想什么，连我下楼都没注意到。"斯特林先生下巴方方正正，剃得十分光滑，身上发散切维浓牌子的香水。

"哦，对不起，斯特林先生，我有点不舒服。"

"我又没说你什么，犯不着那么紧张！我在上面犯困了，下来看看你。——玛丽小姐回去了吗？"他揉揉眉心，之后四处打量房间。

莉莉不知怎么应付他。

"喜欢上这里了吗？"

"说实话吗？不，一点也不。"

"是吗？"斯特林先生微笑起来，把手指节捏得"咯咯"响，"可我很欣赏你，觉得你做得很好。"

"不，我做得不好，这点我很清楚。"

"好好做事吧，很高兴与你共事。"见莉莉不回答，斯特林先生又说，"介意上去帮我收拾下房间吗，这似乎应该是你做的。——玛丽小姐这方面做得比你好。"

"哦，当然。"莉莉听这话不舒服。她不喜欢斯特林拿自己和玛丽比，她觉得玛丽是个风流娘儿们。她像喊救命时听到有人来，快速绕过斯特林跑上楼。她全身出汗了，受不了斯特林火辣辣的眼神，像颗想从太阳系逃逸的行星。上楼梯时，她腿直发软，像踩进棉花堆。斯特林和史密斯一样是情场老手，令她难以招架。上班前夕，妈妈语重心长告诉她：能被上司喜欢是件好事，女人就得靠天分才能上位。莉莉穿着价值不菲的时装，像去卖身一样难受。妈妈一把把她推出门："哪那么多事，被成功男人搞是件快乐的事，不被他们喜欢才是你的悲哀！"莉莉想起这话泪水直打转。斯特林先生的确是个让女人无法拒绝的男人，他是那种哪怕女人根本不爱他却愿意跟他上床的人。

莉莉上了楼，知道斯特林先生还在下面揣摩她，担心他冲上来。她没有主意，不知到时怎么反抗他。

斯特林把手放在鼻下闻闻，他有上过卫生间闻手指的癖好。他眼睛像傍晚城市升起的雾气，里面的东西看不透、说不清。坐到莉莉位置上，他闭上眼鼓起肺叶，用力嗅她留下的味道，像野兽寻找猎物遗留在空气中的讯息。

莉莉害怕极了，这时想到皮特曼，赶紧给他打电话。皮特曼那边声调都变了，保证半个小时内赶到。"快点，下班我就要见到你！皮特曼，我爱你！"她骗他，脸发烧心加快，想不出还有谁能救她。她摁掉手机，长时间擦抹那只桌子，像摁住可怜的猫拔光它的毛。她在斯特林房间里磨磨蹭蹭，尽量不到下面与他碰面，同时提防房门突然被打开。中间她看到桌角摆放一帧照片，里面一位老妇人抱着个孩子。老人眼里尽是慈爱的光辉，孩子眼神纯净，莉莉看得竟有些入迷。她猜那男孩应该是斯特林先生，今昔对比他变化可真大啊。她正揣测，桌上电话响起来，吓得她捂住心口。等接起来，那边已经挂掉。放下电话，她庆幸地笑笑，没想房门猛地被推开，几乎同时她藏到沙发底下，可一瞧原来是玛丽。

"你怎么回来了？"莉莉趴在地上惊魂未定。

"我有些不放心你。怎么回事，你在打扫卫生？"玛丽随行的布兜里全部是奶粉、尿片、水壶和小孩衣服什么的。她双鬓头发汗涔涔的。

"你吓坏我了！"莉莉在地上喘息，"这是他妈的什么工作，成天像防贼似的！"

"工作就是这样，像守着性无能的老头！"玛丽嘿嘿笑着，露出两排细小的牙齿。

"玛丽，我一天也不想在这儿待了，他简直是个魔鬼！"

"嗯，他是个戴着面具诱骗女人的魔鬼！"玛丽做了鬼脸，"他没在楼下，也没在这里，出去了吗？"

"鬼知道他哪儿去了，刚才还在楼下。"

"他有这个习惯，不打招呼就出门。"玛丽肯定地点点头。

莉莉没理会玛丽，把手机当镜子使，不想让玛丽看到自己的狼狈样。

"斯特林先生没把你怎么着吧？"玛丽突然表情邪性地问。

莉莉瞪起眼睛看着玛丽，与她僵持了会儿。玛丽耸耸肩，又窃喜又失望地摇头："不知道他搞什么名堂，不过他的确让人不放心。"她认真端详桌上斯特林先生英气逼人的照片，不知对莉莉还是自己说。

等皮特曼赶到时，玛丽已告别多时。事情有惊无险，或许干脆是她神经过敏，总之看到皮特曼时，莉莉有点后悔通知他过来。他一来，以后她就打发不掉他了。

如果不是今天情急给皮特曼打电话，莉莉真快把他忘了。皮特曼坐在副驾上，莉莉只管开车，一言不发，小心看前面的路。皮特曼抠摸胡须重重的下巴，想怎么打破尴尬。

"宝贝，没等久吧！"

"没有，你来得很及时。"

"你好久不理我，我还以为我们完事了呢。莉莉，我天天都想你，都快想疯了！"这是表达衷肠最无用也最实用的话，显示一个人的忠诚老实。

她故作镇定地开车，盯着前面林立的广告牌，好像有什么新奇商品吸引到她。其实她在想怎么拒绝他，让他不要往那方面上想，但开不了口。

"莉莉，晚上在一起好吗？真想你了！"——皮特曼清楚莉莉几乎天天自己一个人住家里，他动着坏心思，想用这个打动她，"还记得我们在中国的疯狂举动吗？"

"我不想说那个。"莉莉脸色铁青，想到那个她就后悔生气，不是对皮特曼，而是对自己。"皮特曼，和你说真话，我从没真正喜欢过你，我和你在一起只因为我寂寞。你明白我说的吗？我们分手吧！"

"不，莉莉，再给我机会好吗？"轮到皮特曼激动起来，"莉莉，你总是说好又推翻，有意思吗？你明明知道我喜欢你，还这样捉弄我！我明确告诉你，我不想和你只做普通朋友，日后我要娶你为妻！我知道你没爱上别人，这个时候你找到我，你不知我内心多么激动！"平静一会儿，又说，"你也顾忌我的出身和家庭？你们这样的家庭永远改不了这样的通病！如果我是上流社会的子弟，就用不着低声下气了！"他像走投无路要哭出来似的。

"请原谅，我欺骗了你。"

"关键是我们在一起很快乐，这比什么都重要！"

"如果你是上流社会的子弟，你就不会追求我了，对不对，皮特曼？"

"你他妈的这是什么命题，现在说这个和我沾边吗？我只是说，我爱你，我不管其他，只要你接受我！"

"可我接受不了你。"

"除了我没钱没势，哪里比人差？"

"不是那回事。"

"那是哪回事？莉莉，我要帮你改掉一些东西，否则你的好高骛远让你一生找不着幸福！"

"我的天，我好高骛远，我这辈子不会幸福？"

"是的，我就是上帝派来那个改变你、并让你幸福的人！我效忠你，给你别人给不了的真爱！"皮特曼挥舞手臂，像背诵竞选讲稿那样叫喊。

莉莉没办法不被皮特曼逗乐："你他妈的别说真爱就是疯狂地做爱！"

"至少我们很亲密，至少那会很爽！"

莉莉不吱声笑起来，心情好比秋天早晨的花，在中午重新苏醒斗艳。有人逗总比沉闷强。她加快速度，努力把全天烦恼抛开。

"我争取五十岁当总统，假如我们结婚，你就是第一夫人。我到国外访问带着你，电视报纸天天都报道你，莉莉，听到这些你不激动吗？"

"皮特曼，我什么都不要，只想平静地活着，不想折腾。"莉莉逐字逐句说，头仰在车枕，脸上映着红红的晚霞。滨海路两边，松树晃过乌黑镀金的树冠，好似艺术体操运动员手里曼妙的缎带。灰红色的河面开阔无比，几只黑色海鸟跃于昆斯保罗桥上，夕阳正掉落天边。

"这些我都可以给你，没有任何问题！"皮特曼身子完全冲向莉莉，"难道总统先生的生活就不平静、不愉快了吗？宝贝，两人心在一起，就什么都在一起了！"

"关键是我身子不对付你，它和你在一起没感觉。我只想找个对的人，直至老死别无所求。"说到死，她心里立刻痛起来。

"一切我都能满足你！如果一个总统连自己的家庭都搞不定，又怎么可以搞定政敌、军火商、罪犯和异教徒？我们还能保证我们的后代个个冰雪聪明！"皮特曼绝非诳言，他觉得凭自己的雄心大志和好学多才可以搞定一切。

"别说了，皮特曼，你吹牛不脸红！"她把车停在路边，"你答应吗?"然后认真看皮特曼活跃的脸。

"我已经和妈妈说了，毕业后第一件事，就是娶海丝莉·伯纳德为妻。她激动得接连几天失眠，盼着早点见你！"

"天啊，又扯出你妈妈，这和她有什么关系！"

"我和你一样，都从娘胎里爬出来的！"皮特曼调侃并忍着懊恼自谀。

皮特曼像风城芝加哥人，擅长自吹自擂。莉莉盯着前面褪色的云霞不说话，等皮特曼表态。

"明天是你生日！"

生日？莉莉扭头看着皮特曼。他咧嘴笑，又重复一遍。夕阳映在莉莉泪光里，像两团明暗不定的火。"该死皮特曼，提这个干吗！"她泣着低声说，手抓住他。以前她对过生日并不在意，现在不同，她就要死去，这个生日像她的终点。如果皮特曼不说，连她自己都忘了。

"送我回去。"——皮特曼没回过劲愣着，莉莉大声同他说道，"送我回去！"

皮特曼忙下车和莉莉换了位置，并且专心开车不再说话，赶在天完全黑下来之前把她送回家。莉莉拒绝让皮特曼进家门，皮特曼像只居心叵测的狼，在外面徘徊许久才离开。一进自己卧室，她就扑倒床上，直哭到午夜时分。疼痛准时来袭，她不停打滚，被折磨得筋疲力尽。世界像火星一样寂静，她多想妈妈此时出现身边，哪怕就在隔壁也好，让她感到些许人间温情。她竖起耳朵听，决定只要听到开门声，就跑下去告诉妈妈她的病情。可妈妈像纽约港上空的星星难觅踪影，感觉比地球另一半的爸爸还要遥远。整晚莉莉和衣带泪，独自度过漫漫长夜。

第二天傍晚，皮特曼开车来接莉莉。莉莉二话没说，开门坐进里面。她知道前些日子妈妈参加了史密斯的生日派对，还精心给他备了礼物。据说他们举办了化装舞会，整个通宵都在狂欢。现在轮到女儿过生日，她连个面都没露，电话问候都没一个。莉莉早上一个人病快快吃早餐，南斯拉夫女人在边上悄悄忙活，离开时冲她淡淡说句"生日快乐"。莉莉当时愣在那里，眼泪夺眶而出。至于南斯拉夫女人如何知晓她生日，她不去追究。皮特曼对新淘来的二手车一点不在乎，甚至和别人赛起车来。一个体重超过二百磅的卡车司机伸出头骂道："傻瓜，破车，找死！"皮特曼非但不生气，反而有点神气。

"宝贝，介意吗？"他扭头望着莉莉笑。

"这是你的新车？"莉莉的确觉得这车和司机寒酸，却没好意思直说。

"是的，花掉了我暑假挣的一千美元，五成新，不错吧，我喜欢蓝色！"他屁股颠颠，吓得莉莉叫起来。皮特曼纠正领结，扯扯衬衫袖口，乐呵呵说："这样你就喜欢坐我的车了！"莉莉没理他，把他伸来的手拿开。

两人到日本料理店吃寿司，皮特曼放多了芥末，接二连三打喷嚏，莉莉光看着皮特曼吃，自己几乎没怎么吃。晚九点半，皮特曼的朋友陆续赶到，不由分说往车里挤，后排居然装了五个人！莉莉尽管单独坐前面，但仍觉浑身不舒坦。她想反悔回去，皮特曼死活不干，声称为她准备了意想不到的礼物，她只好作罢。不久车里爆发争吵，一个女孩声称有人动她屁股。她就坐在男友怀里，浓妆艳抹，发型怪异，嚼着口香糖，暴露着乳房，生气地骂人。所有男孩都在笑，其中一个像吹牛老爹说个不停，别人听得笑出流泪，莉莉却觉得像踩进牛屎堆。车开了一路，众人闹腾个没停，莉莉心烦意乱。一个男孩边玩手机游戏，一边冲皮特曼说道："嘿，皮特曼，怪不得你穷追不舍，莉莉小姐真够魅的！"焦点聚到莉莉身上，可她的情绪像旋涡把大家的热乎劲泄走了。大家说话明里暗里冲她，但她一点听不懂。布鲁克林式英语在她像西班牙语，多是怪里怪气的词汇和严重不合规矩的语法。

几个人找到联合广场，大家争着下车，像着急着床的精虫。皮特曼的车打个喷嚏，好似马失前蹄！"该闹腾起来了吧！"男孩们抱起女伴大叫。"纽约像上了栓的帅哥，女孩子们等着投降和尖叫吧！"皮特曼用身子挡住莉莉，担心她受不了这帮朋友的乌烟瘴气。他今天特意穿上深色正装，以示对这个日子的重视。他们进入大名鼎鼎的莉莉酒吧，不得不说这安排别出心裁，莉莉感动得要哭。听说里面来了个很会唱歌的歌手，皮特曼猜这也对她的心思。

里面已经上了座，乱糟糟全是人，烟气飘浮在灯光里，像章鱼排出的股股精液。热场音乐震耳欲聋，醉汉似的冲撞路人。一些人忍不住跳进舞池，晃动脑袋和头发，好像暂时用不着它们似的！有两个敞开领口的小子在吧台拼酒，把高度酒精饮料往喉咙里灌，然后互相望着呵呵傻笑，看他们像基佬。调酒师一般都很帅，这里也不例外，玩杂耍似的调制冒泡的酒液，然后由侍者分送客人。里面像开裂的洋底，空间狭小，昏暗无比，充斥着高温，弥漫着说不出名堂的味道！七个人找位置坐好，侍者居然是个老妈子。一个朋友盯着她乳瓜样的垂胸，看得撇嘴摇头。"她都快可以当我的老妈了！"皮特曼要了好多酒，看来打算一醉方休。DJ师冲他迷人地微笑，皮特曼举起胳膊回个暴亮的手响。

"二位自己聊，我们到边上去！"朋友们识趣地离开，那个挖苦过皮特曼的小子对他竖竖中指，皮特曼同样回他个下流手势。莉莉以往多出入家里、学校、教堂、剧院、书店及上流社会派对等场合，很不习惯出现在这种嘈杂环境里。她有些紧张，像患着感冒打不起精神，随时准备逃离。侍者送酒过来，皮特曼拿来顺喉咙一气灌下，把罐子扔到一边。

"莉莉，开心点好不好，我和朋友们在为你过生日！"他吐个酒花说。

"皮特曼，我很开心，真的。"

"真的吗，喝一个怎么样！"

"以为我不敢吗？"莉莉接过去喝，刚一口就呛出来。

皮特曼把她揽进怀里，"傻瓜，谁让你真喝！"皮特曼把她剩下的拿过来，仰头喝掉。

"皮特曼，今晚别管我！"

"今晚整个世界都是你的！"

"是我的？"

"是你的！"

莉莉晃头笑起来，和皮特曼碰杯干掉。朋友赶来凑热闹，一起坐下别的不干专门喝酒。莉莉很快头晕起来，笑个不停，不断说自己醉了。皮特曼一边扶住她，一边蹲下帮她穿鞋。朋友们发出怪叫，皮特曼把他们赶去一边。过会儿莉莉睁眼，问皮特曼要水喝。皮特曼招呼侍者送水，那个老年侍者满脸担忧地望着莉莉。莉莉喝过水，感觉清醒许多，无意回头，发现年老侍者正背过手从远处看她。场子里几乎全是年轻人，乐声巨浪滔天，个个放浪形骸，只有莉莉心里寂寞无边，这大概就是酒后再醒的寥落凄凉。玉真此刻干什么？她要死了，他一定比她还痛苦。二人相爱却不能相守，天各一方，空自垂泪。皮特曼继续喝，莉莉不管他，反正不爱他！她想笑但笑不出，伸手夺过酒杯，皮特曼抢下，二人争执起来，莉莉最后把酒泼到他身上。年老侍者过来，皮特曼红着眼示意她走开。老侍者一言不发离开，莉莉停下与皮特曼对峙。一些人在酒精作用下开始胡作非为，皮特曼朋友把手伸进女友裙底，女友像藏只猫似的扭动。另一个则迅速搭上一个其貌不扬的单客，把她带到角落里很响地接吻。莉莉耳朵贴着皮特曼脸蛋，听他心脏像安了起搏器似的剧烈跳动。她把手指堵在他唇上，不让他说话。皮特曼先用额头慢慢拱她，再用嘴喂她果汁、葡萄，两人嗅到对方体内熊熊燃烧的欲望。夜越来越深，以往的一切在莉莉脑海里变得依稀。人心隐藏之欲望，正如滴血的红玫瑰于午夜依时绽放。死亡一天天临近，莉莉欲哭无泪。

不知何时场子安静下来，女歌手拖一袭白裙款款走上小小舞台的中央。她纤腰袅娜，双乳挺拔，长裙上的水钻及饰物闪闪发亮，似只美人鱼游到众人面前。乐手们手叉在腰间盯着她的背影，女歌手转过去冲他们礼貌致意。他们也一齐献飞吻给她，看上去全像她多年的水手情人。她头发顺一侧披下，额前流苏整齐光滑，两只眼睛烧灼过似的发黑，嘴唇红艳无比！她一上台，下面所有人停下来望她。她站着来回踮脚尖，又抬手腕摆摆，算是和大家打招呼。

"嘿，宝贝来个什么？"

"你想听什么，哥们？"她换一只脚站着，风情绰约。

"唱完跟我走怎么样？"有人故意诓她。

"怕你的小弟太嫩！"她哼哼笑起来。

"我上车就把你干了！"另一个醉醺醺嚷道，"完事把你扔下车，让你光着脚回去！"他怪笑着，其他人跟着叫嚷。

"下车我会给你带件礼物，就是你的脑袋！"

乐手们互相使个眼色，乐曲响起来，女歌手很快投入其中，随旋律摆动腰肢。她在演绎阿黛尔的 *rolling in the deep*，那种能把灵魂沥出水分的歌声，好像人走在纯光的世界里，说不清是醒着还是糊涂，反正生活就是这样，不算慵懒也没办法勤奋，在寂寞中煎熬，在无奈中习以为常，自己就是演员，演的也正是自己，一切都无所谓，没满足欲望也无所谓，像老男人们欣赏镶金边的古巴雪茄，老处女迷恋胡须花白的一夜情人。女歌手朦

胧地微闭眼睛，只在换脚时睁开一下。她的世界里只有她：她在流浪，在散步，在花园里欣赏常开不败的花；她有冠心病，脚底有五个鸡眼；她在空旷的街上找云层里的太阳，可约会时被告知正式分手；把六十一美分拼成苹果图案，它们不够她买一只心爱的粉色假发；给妈妈戴上红色浴帽，远房表哥下午给她打来十年中第一个电话，她总算找到亲人了……总之她歌声所表现出的没有憧憬只有回顾，既不去抵制痛苦也不急于追求极乐。她唱完了，睁开眼，人们表情错愕地仰视她。她晃晃头和手，"为什么不给点掌声？"

贝司手和鼓手在后面一阵龙盘蛇卷，场里响起几个单薄清脆的掌声。

"好吧，就这样。其实我知道，你们中间有人非常寂寞。"她边说边点头，转头往下面找。

"我知道你说的是我！"有人突然哭起来，灯光打在他身上，他从座位上站起来。"关掉那该死的灯，还没看够我的笑话是吗？把话筒递给我！"

"哦，男士，我想说不是你。"

"你无非是在钓鱼，你个婊子，你在捉弄我！"

"你没找到乐子不怨我。"

"我是没找到乐子，那乐子他妈的哪去了，像尿一样顺着便池流走了！我一点不痛快，像憋着个屁放不出来！"他哭声难听，人群却在发笑。

"他是墨西哥人！"黑暗里有人喊道。

"对，我就是墨西哥人，怎么样？"他情绪明显激动，头发和胡子像羽蛇神那样卷曲和浓密。"我来美国两年了，再找不着工作就饿死街头了！你们没有一个人对我好，我本想找份事做，可你们一听到'墨西哥'就他妈的连看都不看我一眼！小姐，我今晚宁愿花掉身上最后五十美元干你，你说，五十块够不够？"

"没人说墨西哥人不好，不过你就是把墨西哥城送给我，我也不会和你做。我是梅达小姐，靠唱歌养活自己。你没有理解生活，最好别抱怨它。"

"你们把墨西哥人当作有毒的仙人掌，可他们做的玉米饼世界一流，他们唱歌跳舞也是世界一流。"他自卑、倔强和凶狠地往前站，好像怕别人看不到他似的。

"有个墨西哥人撬开门偷走了我室友的睡衣！"一个大学生说。

"莫非那睡衣是金子做的?"

侍者架起墨西哥人往外走,墨西哥人挣扎着骂道:"Shit,你们要做什么,要把我赶到哪儿?你们都是臭狗屎,一定会为你们的傲慢付出代价的!"

墨西哥人被抬出去了,乐队奏了支欢快的曲子,场子里又恢复了原样。

"一个小插曲,生活中就是充满这样的小插曲。"女歌手笑笑,"我的话没讲完——真正有灵魂的人在这里会寂寞的,他追求一种很大、近似完美的东西,对现实持有强烈的不信任感,总想换一种活法,可也因愿望满足不了显得呆板。如果有人这样,刚才那首歌就献给你,希望你从心里喜欢、接受它。"底下有人摇头取笑。"你们不相信是吧,这就是我喜欢唱歌的原因。我的歌会让你们疲乏,让你们正儿八经地紧张和发愁。"

"你不是来表演脱口秀的,也不是什么圣女!"

"我知道我不是,可醉生梦死之余,别把灵魂当成没用的月经水!——我还是唱歌吧,这才是我最喜欢干的事。"她仰头冲上面发出几声干笑。

灯光缩小到只有一个冬天的月亮那么大,人们边歇场边歪头等女歌手唱歌。皮特曼一行中的女孩坐上两个男孩的腿,三人在酒精作用下失去理智,相互亲吻抚摸。皮特曼满嘴酒气,偶尔怪叫一两声。萨克斯手、贝斯手、鼓手猛然像赛车手发动引擎,音乐顿时轰然而起。女歌手则像坐着过山车,剧烈甩动头颅,下面的人过会儿才反应过来,全部站起,随节奏跳跃、叫喊和拍手。女歌手像飙车一样,疯狂地要毁灭自己也毁灭世界。台下一切都被她忽略,脑际一根蓝色细抛物线直贯云霄,眼神里孤注一掷,同时充满期盼渴求。是的,一天生活结束了,二十几年生命过去了,该死的工作与争执结束了,她暂时能够放松了,各样想法被囫囵塞入旅行包,手机电脑全关掉,走在回家的马路上,马上与三月大的婴儿和年迈的父母团聚!她要对自己好点,临行稍作打扮,一天只有这短短半小时真正属于她,她最自私、最自我。生活被重置成塔,销声匿迹多年的东西重现和活跃,全世界的人来到酒吧为她跑龙套。一切松弛下来,一切随意许多,新宇宙在极速旋转中诞生爆发!女歌手对于情绪和技巧把握极好,极高的声线、极宽的音域和纯净音质把她想表达的东西全部以高清质感呈现出来。

灵魂走到镜子前，或伤痕累累，或倦容沧桑，但无论如何，它又看到自己，又回归了自己。

"我知道她在说我！"莉莉含糊不清地对自己说。

"你说什么，宝贝？"皮特曼换个姿势，和朋友一起吞云吐雾，"她唱得不错，长得也不赖，男人们都想上她，有人为她开过枪。"

"我们都喜欢阿黛尔！"

"我也喜欢！听她的歌，觉得她不再是烂货，是个好女人。"皮特曼说到这儿，不顾朋友们耻笑，把他们塞到他屁股下的香蕉吃掉。"我也是有灵魂的人！"他冲莉莉点点头。莉莉像不认识似的看会他，继续关注女歌手在台上同观众打趣。

"嘿，难道我们整晚听这个妞唱歌吗？"同行的女孩开始厌烦，她想让男孩快点带离这里。她身上到处留着他们的吻痕和掌印。

"今天就是冲她来的！——莉莉，算我送你的生日礼物，喜不喜欢？"皮特曼转而告诉莉莉，据说女歌手出身贫寒，十五岁从小石城来纽约闯荡，在这一带不起眼的小酒吧唱出名气。她离大红大紫不远了，在贫寒下贱中造就出的能耐，将让她可能成为美国耀眼的新星。——皮特曼这个礼物不得不说别出心裁，没花什么钱却非常奏效。莉莉有点感激他。"谢谢！"莉莉轻轻说了句。

"难道就没别的了吗？我累了，快带我走，找个房间休息！"那女孩不乐意起来。

"货给你们，你们自己去！"皮特曼把一些东西塞给朋友。

"什么，你俩不随我们去？真他妈有意思，玩那种游戏人越多越刺激！"

"对不起，十一点前我必须回家的。"莉莉牢记妈妈戒规，嘴纹因消瘦形成僵直锐角，让她看去像个刻板的修女。其他人相互看看，都不吱声。

十点半的时候，皮特曼把大家带出酒吧。朋友们急着往汽车里挤，皮特曼费力地把他们拽出来，大家对皮特曼怨声连连！皮特曼向他们宣布："今晚聚会到此结束，剩下是自由活动！"

"不会吧，皮特曼，你真打算把我们撂这儿，自己和海丝莉小姐单玩？"

皮特曼在驾驶座行个礼："是的，今晚就是这样。"

朋友一起冲上来踹车，皮特曼赶忙发动跑起来。朋友在后面追了好一阵，然后站在马路中间破口大骂："皮特曼，我们会报警，你酒后驾车！"

皮特曼从汽车里钻出来："别生气，哥们，钱算在我头上！"

"他们要干什么？"

"嗑药！本来我也想来着，可你一定不愿意。算了，送你回家！"

"天啊，你们做这种事，然后——"

皮特曼笑起来，点点头："别那样看我，只想尝试一次！"

"你们生活中原来是这个样子！"

"莉莉，知道吗？其实我特喜欢你说话的'范儿'。"皮特曼手打算放到莉莉腿上，"今晚能在一起吗？算我求你！"

"你朋友怎么看我？"

"他们很待见你，觉得你他妈真牛逼，生来就拥有他们梦寐以求的一切，全是老天白送。可他们只能白手起家，拼命一辈子未必拥有。"

"我和他们在一起不知说什么、怎么做。"

"这就是你上流社会的'范儿'，这就是你名门望族潜移默化出的东西！美国再民主、再自由，等级观念仍然存在。知道吗，他们仰视你！"皮特曼说了真话。

"我不是故意的，皮特曼。我很想和他们相处，我并不讨厌他们。"

"他们像从门外打量屋里的你，你根本觉察不到。你有背景、有地位，对他们的喜欢高高在上，这对你很自然、不算什么，可对他们就不一样。你看不上他们的，你圈子里全是权贵、名流。"

"一说这个你就没完，就像我妈妈说的，你也是政治动物！"

"宝贝，不说这些了，喜不喜欢今天的礼物？"

"你要跟我回家吗？"莉莉猛地这么提议，像没过脑子一样。

皮特曼眼神更加温顺，莉莉说过就在车上睡着了。两人回到莉莉家，玛格丽特夫人果然没在！皮特曼一阵窃喜，没开灯就抱起莉莉冲进卧室。

莉莉抱着皮特曼的头，皮特曼第一时间脱光身上所有衣服。

"皮特曼，靠近点！"

"做什么？"皮特曼腿跨莉莉身上，下面已硬当当准备好。

"今晚，我就是那个梅达！"

"我只有五十美元！"

"我干！"她反骑皮特曼身上。

"你他妈的真贱！"他吻着她，扒掉她内裤，朝上猛地一顶，刺刀似的进入了她。莉莉痛得几乎晕死过去。

两人像发情期交媾的蛇缠绕着，一句话也不说，只闷声干，像要把对方吞下去！皮特曼像匹湿淋淋的公马，在战场上纵横嘶鸣。

"怎么样宝贝，爽不爽？"皮特曼呼着热气，兴奋地说。

莉莉乳沟里淌着汗，左乳由于皮特曼用力撕扯感到尖锐疼痛。她伏在他上面不说话，等着疼痛快点过去。她抓住皮特曼头发。

"嫁给我，宝贝！"皮特曼哼着鼻子说，再次把那话儿强塞进她里面。

莉莉像在暴风雨中死去一样喘息，"不，不行，皮特曼！"

"你说什么不行，不让我搞还是不愿嫁给我?!"他发着狠，动作更大了，莉莉感觉整个床垫都被浸湿了。

"搞我！"

"你就是个骚货！"

"我就是个骚货！"

"嫁给我！"

"不！"

"为什么，是不是受你妈妈警告?"

"不为什么，我不爱你！"

皮特曼在最后一刻咆哮出来，精疲力竭像匹执行完任务站着甩尾巴的马。他停下来时，脸色陡变。

"对不起，皮特曼，算我向你道歉和补偿！"

皮特曼一把把她推开，穿上衣服，点上一支烟，欠身放了个屁。

"莉莉，真他妈的扫兴！"

"你走吧。"

"我昨天看见你妈妈了，就在时代广场边上的咖啡厅，她和一个男人在一起。"

"你想说什么？关你什么事！"

皮特曼不动声色笑了下，"没什么，只是随便说说！"他把一个烟圈吹出去，转过身道："宝贝，你是我的，谁也抢不走！"说完他下床穿好衣服，头也不回地走了。房间又恢复安静，莉莉酒劲全消。她愣了会儿，发现不对劲，吓得赶紧坐起来……

第六章　惊人消息

　　莉莉走后，玉真像突然陷入真空，从生理到心理都极不适应。莉莉像水一般灌满他日常生活的每条罅隙，各种情分如种子滋生出嫩芽。夜里醒来，仿佛她就在身边，温度还在，影子还在，用特别的微笑关注着他。他急切想再见她，像千年信物失而复得。失忆过的情景历历在目，每个场面都像《阿凡达》震撼心灵，甜蜜与痛痒并存，使他痛心疾首又热泪盈眶。他仿佛经历一次短暂迷失，像图像受电磁影响失真又复真。这是人生中的劫，他必须清晰面对。上班时，他开始走神了，次数与日俱增。大家都以为他没白没黑工作累着了，怀着好意问候他。只有他自己知道怎么回事，对他们愧欠一笑。他觉得对不住智山，对不住方丈，对不住智海，对不住玉竺，更对不起神殿中的诸神列仙。可对她的思念已变为一种奇特的快乐和甜蜜，像某种特别味道的糖果，化解舌上郁抑时久的苦涩。他暗自体会这快乐，是一种吃饱喝足、没受过任何伤害或威胁的孩子舔齿举足的快乐，是一场结局明了却艰辛异常的战斗，终有一天像一场高烧自行消退。他想得很明白，不能接受她并不意味着不能给予她爱。从道家角度看，他与她有段孽情。现世今生，她找来了，生命即将殒去，希望重续前缘。

　　想到没能亲自送她，他十分懊恼。那时急风乍起，他在原地站会，便急忙折回里面，屏声静气，和衣正冠，逐个到各殿叩拜。值班的道友躲在殿里回避外面的骄阳，见他来了纷纷起立。他不理他们，只管到神前焚香行礼，跪下掐诀念咒。白云观宫殿大大小小二十多座，他一处不落拜过，一心替莉莉祈福请愿，盼神仙早发慈悲，将她从劫难中解救。他最后到药王殿，敲着木鱼长跪不起，默诵救苦宝诰一百遍，以示诚意。道友伶俐地守在一侧，于要紧处轻轻击磬一下。直到白云观关门用膳，他才来到院中，舒展下疼痛的筋骨，任向晚的凉风噬干身上黏汗。此刻，从西北张家口方向移来的黑色积雨云像岩石攒压京城上空，几乎挨到楼顶。他出了白云观往家走，街边刺眼的灯火投到空中被重重弹回，黑暗与光芒对峙，仿佛有场不可避免的刘战。更多山风像穿越历史入侵而来的匈奴人，在街道和胡同肆虐横行。莉莉真的走了，真的像场风说来就来说走就走。他无奈地淌着泪，形单影只地走在黑洞洞的天地间，任雨点拳头似的砸在身上，却浑然不觉。一辆特5路从黑暗中呼啸而过，他梦呓般颤抖下，赶忙躲上人行道。

是夜，他难以入睡，焚香三炷供至客厅孙思邈像前，然后翻阅有关癌症方面的书籍。稍晚，他对着镜子往身上扎针，直扎得前胸像刺猬一样。从这天起，他对照资料在自己身上试验治疗乳腺癌的针法，直至找到他认为最管用的那种。

莉莉非但没能把皮特曼从生活中赶走，反而被他黏糊上了。两人在一起的时候越来越多，为方便起见，有时他们干脆把车停在东河岸边，整晚待在里面。她喜欢一边做爱一边看缎面似的大海，更钟情地狱门水道彻夜不停的水声，以及渡轮拂面而来的昂昂汽笛，让她感受生命的存在与无情流逝。妈妈多次警告她不要与"底层贱男"来往，她却屡屡犯戒，所以如果被妈妈抓着她必死无疑！她不时想起生日那天，赶走皮特曼后才发现他错把她抱进妈妈卧室。她大惊失色，着手恢复原状，之后迅速摸回自己房间。第二天大早，她还在睡觉，就被楼下吵声惊醒。她揉着眼睛，光脚来到楼梯口，见妈妈背后手，脸像凶神恶煞，正冲南斯拉夫女人发火。

"你说，是不是你？"

"不是！"

"你还说'不是'，要把我气死！"

"我说过的，我没那么做！"

"你们这些人，嘴里怎么会有实话！"

"你在污辱我！"南斯拉夫女人忍耐着，像冬天受冷打不着火的发动机那样喘息。

"看来有必要重新考量一下移民政策，必须把那些正派、忠诚于美国、对美国有益的人引进来。我以前一直对克林顿先生发动南斯拉夫战争持中立看法，现在我觉得他错了，因为他把危险带到了美国！"

"你这样说等于羞辱我的国家！"南斯拉夫女人晃动肩膀和头颅，鼻子和嘴拧在一起。

"你那么大声做什么，难道在这房里比主人还有理？"

"你这么说与你的身份一点不符，你冤枉好人，还捎带上我的国家！"

"哦，那你说会是谁干的，难道是我的女儿？"妈妈笑起来，"绝对不可能，没有我发话她连只苍蝇都不敢放进来！这样吧，如果你承认是你干的，我会把这星期的工钱提前付给你。我的时间宝贵，不能和一个小时工为了一根阴毛争论不休！"

"我没做，你也不能解雇我，也必须发给我全额薪水，我十五岁的孩子还等着用它上学！"

"一根男人的阴毛躺在雪白的羊毛毯上是多么耀眼，就像干净的盘子里放一截又黑又臭的粪便！难道是上帝干的？兴许他乘我不在光临我家，兴致所在就与夏娃在我床上发生了关系？听起来多有意思，可笑却不可信啊，女士！"她说"女士"这个字时眼睛死死盯住南斯拉夫女人。

南斯拉夫女人已经忍无可忍，拳头几乎捏碎，身躯像火山爆发前那样颤抖，双眼通红，牙关紧咬，又像古罗马剧场随时挣脱铁链的斗兽。玛格丽特夫人则以安第斯山脉似的高姿态迎接南斯拉夫女人挑战，她认为这些务工者再凶也不过是只蚊子，她经风雨见世面，关键她是美国人，是人上人，她的权威不容挑战，她和她的美国可以让任何一个移民臣服。

"说吧，是带你的丈夫还是别的男人来这里的？你偷情居然偷到我这里来！"

猛听得南斯拉夫女人一声狂吼，在原地捶胸顿足，房顶的吊灯似乎都动了下。

玛格丽特夫人抬头看见女儿。"莉莉，看看这个女人在我家做了什么！"她语气明显带着嘲讽！莉莉一下慌起来，仿佛一只没来得及躲避被狐狸抓着的小鸟。她用脚尖轻轻走路，来到楼梯中间。南斯拉夫女人看到她停止了尖叫。

"莉莉，她在我卧室里偷情，被我发现了证据！"玛格丽特夫人把一根装在透明袋子里的黑毛举起来，"就是它，一根男人的阴毛！——你倒是说话呀，你害臊是不是，如果让你的丈夫知道这件事，她会不会把你揍个

半死!"她得意地大笑起来,把那东西故意在南斯拉夫女人脸前晃悠。南斯拉夫女人不再说话,像突然泄了气,头埋在两乳间,手不自然地搓捏衣服。

"妈妈,是我干的。"莉莉不知哪来的勇气,主动承认了事实,说话时连自己耳朵都嗡嗡响。

妈妈笑容和胳膊同时僵住,然后不到三十秒的时间,顺手操起桌上一只果盘,像铁饼运动员在地上旋转三周后,把它带着响抛上楼。莉莉慌忙躲开,玛格丽特夫人又以一百一十米的跨栏速度跳过几样东西追奔过去。让她在一个不起眼的人面前丢大脸,不管是谁她都会把他撕碎。

事后妈妈把皮特曼找来一顿臭骂,皮特曼不甘示弱,和妈妈据理力争,但不到十分钟便被赶出去。莉莉从窗户里眼泪汪汪望着受伤的皮特曼,皮特曼故作轻松向她耸耸肩,带着满脸抓痕灰溜溜坐进汽车开溜。

妈妈当然没有就此放过莉莉,把她追得满房间跑,直到她绊倒在地。妈妈在地上走来走去,骂着不解气,又摔了通东西才罢休。莉莉真想跳下楼,却在地上动不了。

"妈妈,昨天是我的生日!"她捂着脸低声说。

玛格丽特夫人再次举起的手停下了,"哦,是吗,你的生日?"可她马上正颜,"你的生日就可以胡来吗?你把自己毁了,也把我的宏大计划毁了,你这个法国佬生出的十足傻瓜!"她依旧没把女儿生日当回事,不依不饶折磨女儿,直到女儿跪在地上对上帝发誓。

又一日,她猜妈妈不会回家,便约皮特曼再到东河边待了一晚。两人酣战三小时方才罢休。皮特曼在旁边睡得像死猪,她则听着哗哗的水声想心事。第二天天刚泛亮,她便叫醒皮特曼送她回家。她不想让妈妈发现自己没回家,也不想让南斯拉夫女人再替自己背黑锅。路上两人都累得不说话,皮特曼不住抠鼻孔和抹眼屎。沿途车子闹了几次情绪,莉莉下去帮皮特曼踹它几脚,它居然没事了。皮特曼笑着说:"它认你!""它就是个贱货!"莉莉回句皮特曼。每次和皮特曼约会后,她心情都会降至冰点,像犯下十恶不赦的罪行!这事情就像身上起个脓包,穿刺后再次鼓起,形成恶性循环。莉莉摇下车窗,迎着凉意习习的海风,看纽约雾霭中的楼群渐渐变得清晰和雄壮。到了房前,皮特曼不干,一定要送她进门。莉莉拿他没办法，他是个不折不扣的爱情赌徒！开门的不是南斯拉夫女人，而是披着衣服的玛格丽特夫人。她什么都没说，照着皮特曼后面的莉莉头就是一拳。

"你要急死我吗，怎么还和这个人在一起?!"

"夫人——"

"这里没你说话的份，你还在纠缠我的女儿，你拐骗她、搞她!"玛格丽特夫人不顾只穿着胸罩就冲出来。

"什么事，亲爱的?"从里面传出一个男人的声音，紧接着史密斯先生睡眼惺忪探出头来。天啊，莉莉看到他赤条条一丝不挂，那玩意儿在下面钟摆似的晃荡。

玛格丽特夫人没料到史密斯会跟出来，心里直骂他愚蠢。她有点慌乱，一时不知怎么圆场。史密斯先生看到莉莉和皮特曼，却像在自家一样从容。他那么轻浮地笑着，好像因为帅就可以犯什么错都不当回事。

"对不起，我还以为送报纸的!市场忧虑全球经济和欧元区债务危机，各项数据惨淡。美股继续等待本·伯南克先生的讲话，如果不是进一步宽松，则不排除有震荡。我们要做好准备!"

"是吗，史密斯先生!"皮特曼听到感兴趣的话题立刻来神，他想从史密斯先生这里得到进一步的消息。——男人就是这样，脱下裤子是发情的野兽，扯上裤子就成了政治动物。旁边莉莉痛苦万分，尽管她对妈妈与史密斯的关系一直有所怀疑，而且拼命为他们开脱，可看到史密斯这样有恃无恐，还是觉得无法容忍。她把目光转向妈妈，发现她头发零乱，眼圈发黑，脸色憔悴，应该整晚没有休息好。

"史密斯先生，我看你还是回避一下为好!"玛格丽特夫人回过神，嗓子发干。史密斯把那玩意儿挠挠转身回去，莉莉从外面看到他多毛、结实和浑圆的屁股。皮特曼伸着脖子往里瞧，遭到玛格丽特夫人白眼。

"是这样的，"玛格丽特夫人镇定下来，"昨天我和史密斯先生谈事，时间晚了他就留宿了。他喝了酒不能开车，他的眼神也不太好。"

"你们谈什么?"

"政治上的事、国家的事、纽约以及生意上的事，都是你不感兴趣的事。当然，还谈到你的事。"

"我的事?!"莉莉冷笑下。

"当然！"玛格丽特夫人受到女儿冒犯再次凶起来，她抓到别人把柄就毫不留情予以反击，"我们在谈你工作的事，在为你筹划将来！可你看你在做什么，仍和这样一个人来往，拿自己的将来不当回事，太让我失望了！这样的丑事最好放到家里说，难道要让邻居们听到满世界笑话吗？"——她乘机回去，把莉莉和皮特曼截在门外。

"我该走还是留下？"

"莉莉，相信没什么的，史密斯先生和你妈妈都是体面人，要不是你急着回来，就什么也不会发生。"

"这事还赖我头上？上帝，皮特曼，你们男人是什么逻辑！"

"哦，宝贝，难道要让你妈妈出丑，难道让全纽约知道她养了个情人，你想把这个不堪一击的家拆散伙是吗？"

"爸爸远在万里之外的舰上，他无辜又冤枉，什么都不知道！"莉莉哭起来。

"还是回里面说，这里住的可不是普通人，他们的耳朵比俄罗斯雷达还灵敏！"

两人进了房子，却听到玛格丽特和史密斯先生在房间里大吵。莉莉待在客厅，感觉家里到处是史密斯的影子，她甚至想打开窗户把他留在空气中的体温和气味轰出去。她哭得像听到爸爸死讯一样。皮特曼从手机上查《纽约时报》今天刊出什么重磅新闻，政治家都唯恐天下不乱，如果没那么多大事发生，他们就一文不值，这是皮特曼观察整个政坛领悟到的。

"莉莉，哭没有用！他们的事情说不清，或许只是互相安慰，或者互相利用！还是把小家子事放一边，看新闻说什么！"他惊讶地大叫起来，"第二季度国内生产总值增长1.7%，高于此前预期的1.5%的增速……"

莉莉哭得花落泥沼，才没心思管这些，只为妈妈羞耻、爸爸叫冤。"这和我有关系吗，我自家都要完了，你还让我管别的！"

"哦，不，莉莉！怎么能不关心国家大事呢？这可是很久没有的利好消息，不仅是美国，整个世界都会为之一振呢！"

"所以即使你看到我家里现在这样也还兴奋得像个骡子，是不是？你走吧，皮特曼，让我静一静！"

"我还是陪陪你！"皮特曼翻看手机赖着不走，他等玛格丽特夫人和史密斯先生从上面下来，把后面的戏看完。

上面停止了争吵，不久史密斯先生从楼梯上下来，还像平常穿戴得整整齐齐，脸上保持着那个能帮他化解掉一切问题的微笑。皮特曼率先站起来，以他目前的社交圈，能见到这样一位分量十足的人让他激动不已！他迎上去和史密斯先生握手，史密斯先生只碰下他手指头，好像他只是只一闪而逝的飞鼠。史密斯先生别有深意地看莉莉，莉莉想冲过去责问他，却瘫在沙发上动不得，眼睁睁看着这个破坏她家庭的政坛流氓从面前经过。

紧接着玛格丽特夫人出现在楼梯口，她镇定自若往下看，那神情好像一个罪犯说：没有证据你们能把我怎么着！

"难道要等南斯拉夫女人来了把刚刚发生的一切告诉她吗？快去做事，没人喜欢上班总迟到的人！"

"妈妈，我想和你谈谈！"

"有什么好谈的，难道天塌下来了吗？说不定你爸爸正开着军舰追赶海面上跃起的大鱼，他不知多惬意呢！——你呢，居然还留在这儿，快滚回你的学校，毛没长全就来搞她！"

"夫人，我非莉莉不娶！"

玛格丽特夫人破天荒笑了："要想成为我的女婿，就要对今天的事情守口如瓶！你不是想成为美国总统吗，做不到这点就不算真正的政治家。最好的政治家都是傻瓜、白痴，别人问什么他们都一问三不知！"

"这个我不傻！政治家只从一定高度鸟瞰世界，而不是用放大镜观察节肢动物！"

"说得好，可你真不知天高地厚！我不和你废话，总之我同意你们先处着，如果你胆敢对她有什么不好，我会像掐死只臭虫一样灭了你！我说话从来算数，你信吗？"她接着说，"除了拿我这女儿没办法！"她顿了顿，"她可不是个简单人，有起主见来别人都得让着她！——我说的话你没听到吗，准备好去上班！"她突然一声狮吼，吓得莉莉从沙发上跳起来跑进卫生间。皮特曼则待在原地，空气好像凝固了，他手机里正放着艾米莉亚·怀德堡的《大大世界》。莉莉整个早上以泪洗面，哪怕吃饭、洗漱和准备上班都是这样！最后皮特曼开车把她送到长岛，下车时她眼睛早哭肿了。

莉莉一到办公室马上煮咖啡给斯特林先生。斯特林先生全部生活好像

绑定在闹表上，每天分秒不差提前十五分钟到办公室。莉莉还为史密斯生气，她把斯特林也当成史密斯。

放下咖啡她准备出去。斯特林先生从资料堆里抬起头，额上攒着一堆皱纹，脸洁净得放光："行头不错，你越来越有眼光了！"

"您有什么交代？"

"没有，你做得很好。"

"谢谢！"莉莉更加鄙夷他，明明自己只是按玛丽小姐交代的照猫画虎地做，"我没有玛丽小姐做得好。"

"你才来两个多月，多么优秀自己都不知道！"

"这我可不敢当，很多东西都是玛丽教我的。"

"嗯！"斯特林先生双臂搁在脑后，身子向后仰去，脖子像截光滑的桦木，前胸两块三角肌如同银色机翼。"对最近局势怎么看？"他像在没话找话，莉莉拿他没办法。这种公对公的问话是假公济私的幌子。

"局势，什么局势，什么怎么看？"莉莉不知道他要问什么。

"你这些天送我的资料，里面都是关于西亚的战局，你有什么想法？"

"我对那个地方没兴趣。"

"是吗？那土耳其呢，埃及呢？"——他明显刁难和留住她。

"我不能不说吗，斯特林先生？"莉莉头疼得要命，好像街头突然被问及一款理财产品的满意度。她大脑一片空白，看到斯特林贼溜溜地瞄自己，恨不得撂挑子不干。"我还是谈谈中东国家的总体局势吧。"

斯特林坐直身子，咬着笔，扭着头："愿闻其详。"

"不管怎么样，我认为那里的政府不会垮台。"

"这是什么逻辑，你凭什么这么说？"

"不凭什么，我没有认真研究过那些资料，回答您只凭直觉。"

"直觉？这很好！"斯特林先生摇摇头，带着点不解。"难道仅凭直觉？不过我赞同你的观点。"他坐正说。

这下轮到莉莉吃惊了，斯特林先生对她这样笑笑，露出一对虎牙。"我们的研究必须有新观点，这样才能引起联邦政府的重视。其他智囊团主张推翻现任政府，如果我们能提出相反观点并言之有理且符合美国利益，这就是我们的作用和价值。你的观点很好，有时对一些模糊的东西需要一点直觉。能说下你的直觉吗，为什么你这么认为？"

"美国可以解除一些国家专政独裁的毒瘤，那是因为强权统治下的民意被瓦解了。但现存的那些政府是这种情况吗，是否还拥有大多数民意支持？任何明目张胆地支持阴谋篡位都行不通，决定其前途和命运的力量只能是这些国家的人民自己。"

"为什么不说它们是美欧中俄角力的棋子，毕竟解决问题的不是靠它们，而是各自背后的支持者。"

"为什么你们总是这样认为，为什么你们总把一个国家自己的问题绑架到别人身上？我始终认为任何国家都不会被某种外来力量真正消灭或另行创造。维系一个国家存在的根本力量是其自身的人民和意志，其他根本左右不了。退一步讲，即使被消灭，那也是一场新混乱的开始。这种事世界有过成功的先例吗？我们不可能收获民主的春天，只会给自己播下仇恨的种子，就好比在自己走的路上埋下炸弹！事实上，我们没有赢得过任何真正意义上的胜利，偷鸡不成反蚀了米，这是我们作恶多端的罪证，可我们还在炫耀胜利，这是不是可笑？"

"你的结论未必正确，但给了我一定启发。如果不是亲耳听到，我会以为在同一位资深人士谈话。"斯特林又走到世界地图前，他未必真的看上面的东西，只是情绪激动的一种表现。

莉莉从斯特林先生后面关上门，到楼梯口痛快地跺下脚。刚才被他这么一折腾，她倒把对史密斯的不快忘了许多。她到卫生间打量自己，觉得刚把斯特林先生蒙到了，也蒙到自己了。她从镜子里良久注视自己，忽然对妈妈的一些话似有所悟。斯特林先生像只口味刁钻的山羊，他对雇员要求极为严苛，随时会对他们提出各种稀奇古怪的问题。他精力过人，每天都要过目至少几公斤的纸质文件。做他的助手不易，他随时索要资料文件，头埋在那里面拣珠拾贝。莉莉每天楼上楼下跑二十几趟，有时刚喝进去咖啡也要吐出来。

进入9月后玛丽来得更频繁了，好像不来这里她就没事干。她还把那个埃塞俄比亚小女孩带来，放到车里，头上扎满辫子，塞一只奶嘴堵到嘴里，自己和莉莉聊天。莉莉看到那个哭一阵笑一阵的小女婴，心里酸酸的，以后便与玛丽小姐疏远起来。今天10点钟的时候，玛丽小姐又独自来趟办公室。她只向莉莉问候一声就消失在斯特林办公室，直到一个小时后衣衫不整地出来。莉莉没去管她，继续忙自己的。午餐加上休息只有半小

时，斯特林先生和她要了汉堡，他们在各自地方啃掉。等喝下午茶的时候，再想起史密斯与妈妈的事，就觉得那是很久远的事了。

临下班时，斯特林先生又到楼下找莉莉，表情疲倦又有些犹豫。依据莉莉理解，他一定憋着坏！她尽量缩在电脑后，假装忙工作，只当他要出门。

"你完全可以上《纽约客》的封面！"他歪着身子，手插在裤兜，面部是个似有非有的试探性的笑，老生常谈。

"您说什么？我有事得在下班前完成。"

"我在夸你。——陪老板说话也是你的工作。"

莉莉看眼斯特林先生，手忙脚乱往表格里录数据。每天下班前她都要统计全天工作，制成报表上传给斯特林。

"打搅你工作了是吗？"没等莉莉回答，他又问，"史密斯先生怎么样？"

"我不喜欢评价人，你们之间比我更熟悉。"——他可真是哪壶不开提哪壶。

"是这么回事。"斯特林想了一下点点头。

"你妈妈怎么样，她最近好吗？很久没见到她和史密斯先生了，有一些话想对他们说呢！"

"斯特林先生，现在是工作时间，我不想闲聊。"

斯特林摇着笑："我溜差了！不过听我说完：你今天让我刮目相看了。"

"衣服？"

"纽约的女人像秋天蝗虫一样多，可她们吸引不了我。"斯特林先生鼻子囔囔地说，"不对我的胃口。"

"因为我早上的话？我胡说的，你居然相信。"

"很久没和女士一起共进晚餐了，不知今天有没有这份荣幸？"

"哦，那个女士可有福了，祝你们愉快！"

"不要和我打马虎眼，你知道我说的是你。"

"不行，我妈妈不会同意的。"

"你是说你约会还要经你妈妈同意？"

"您的表格！"她把表格打出来递给斯特林先生。

　　"她会同意的，她会十分同意的！"斯特林先生接过去报表，转身把它拿到楼上。

　　莉莉盯着斯特林先生适合撑杆跳的长腿移动上楼，坐下来琢磨他。他有种不容置疑的气场，让人感觉什么都属于他、他什么都是对的，如果他问一句"你是不是二氧化硅做的"，对方迟疑一会儿也会相信真是这样。他消失前又在楼梯口闪下身，莉莉躲避不及，像做错事被发现一样脸发烫。不一会儿斯特林打电话告诉她可以离开了，她一边关电脑，一边惴惴不安：如果不知道他底细，他一定是个值得嫁的男人：英俊、简洁、健美、有激情、有教养、做事专心致志，是那种你愿意把他当作崇拜对象的人。但相处后你会发现他并非一个血肉之躯，而像是一段削尖的椴木制成的木头人。他适合做墙壁上的广告画，是纽约作家擅长描写的那种不切实际的人物。她出门上了道，戴上耳机听贾斯汀·比伯的歌，现在起突然喜欢上了这小子。

　　过了一星期，莉莉打开邮箱，仍没看到爸爸回复的邮件。她之前连发两封给他，里面向他大倒苦水。但里面跳出了陈梅发来的邮件。"她从不给自己发邮件，会是什么事？"她犯着嘀咕打开，还没看完就叫出了声。天啊，三天后陈梅要与怀特导帅结婚，这怎么可能！她拍拍额头，觉得这世界彻底颠覆了！反复看了几遍，确信没看走眼，拿起电话打给陈梅。还没等开口，陈梅那边已经说话了："不要责怪我，我已经接到一百个这样的电话了。就是担心你们接受不了，我才发邮件的。"

　　"你怎么这么做？我不是因为你破坏别人家庭而生气，我是作为朋友为你惋惜。"

　　陈梅在电话那边顿顿，轻轻说声"谢谢。"不过马上笑起来，"我知道你们都会惊讶，我自己清楚一切。"

　　"我还是不能理解，留在美国对你那么重要吗，他到底对你做了什么？"

　　"我要留在美国，美国有我想要的一切。"

　　"一切？包括你要嫁的这个糟老头？即使你想留下来，也没必要非得嫁给一个老头，你年轻聪明又讨人喜欢，美国很多男人喜欢你！我不会站在导师那边，他不是个男人！"她几乎是喊出来，好像嫁给导师的不是陈

梅，而是她自己。

"他是个德高望重的人，嫁给他对我是个不错的选择！"

"难道是你主动？"

"怎么说呢，他一直喜欢你和我，希望我俩传承他衣钵。"

"那又怎么样？"莉莉打断陈梅，"这和婚姻是两码事！"

"你没有选择他，那就只有我了！其实早在毕业前，他就和我在实验室发生了关系，我难受好长一段时间，后来慢慢适应了。没什么的，为了生存我可以这么做。"

"你说的是真的？"

"是的，我看到他皱巴巴的屁股，他那么卖力，一定提前吃了伟哥什么的。其实还是我自己的原因，我抵抗不了他，他的知识、声望、背景，这都是我在美国立足需要的。"

"就一点没有别的选择吗？"

"有吗？"陈梅轻叹着反问道，可以听出她的无奈和沉重，"我们所从事的课题只有美国才具备研究条件，离开美国对我毫无意义。"

莉莉一时无语，不过她仍对陈梅惋惜至极、对导师恨之入骨。她松松垮垮支着头，喝着没有放糖、苦不堪言的咖啡，对陈梅的婚事百思不得其解。最终她决定亲自去怀特教授那里把事情搞清楚。

过了下午茶时间，斯特林先生还没有出现，莉莉拨通他电话请假。斯特林在电话里支支吾吾同意了，他不面对本人说话时总像患感冒一样有气无力。莉莉挂了电话，越来越觉得斯特林外强中干，弄不明白为什么有人欣赏他。时间关系她没继续往下想，而是简单收拾下出了门。她了解陈梅志向远大，丝毫不掩饰留在美国的想法，但全部责任在怀特，一切都是他搞的鬼！她不敢想象一个三十不到的女孩与一个满嘴镶嵌假牙、年近七旬的老头同床共枕，想到这些她就不禁要呕吐。同时她担心那个头发白得像信天翁的梅伦怎么办，难道让她守活寡？一切都乱了，她对导师和陈梅的印象坏到极点。这本与她无关，她却义愤难膺。

大约一小时后，她来到怀特家。下了车还在想：这是一笔肮脏的交易，陈梅毕生的幸福会被断送，她不能放过此事，这事关人的尊严与体面。她像警察一样出现在导师家门口。导师住在校园附近顶好的一幢公寓里，门口是导师太太辟出的一个花园，那是她后半生的全部基业。自从女儿相继成家离开这里，这些植物倾注了她全部心血。天气仍旧暖和，里面五彩缤纷。莉莉不请自入，导师正慢吞吞吃西瓜。他放下西瓜，歪头看她。导师家的狮子狗从地上弹起，晃动耀眼的毛发冲她大叫。两个人都没马上说话，只用眼睛看着对方。

"你来这儿做什么？"导师率先打破沉默，侧身用半截胳膊支起脸，好像牙疼一样。

"你知道的。"莉莉朝里面走，第一次没对导师畏惧。

"你来得够早，还没到晚饭时间。有什么问题请教？"——那只狗扭头看看这个，再看看那个，毛发挡住眼睛，看人十分吃力。

"为什么抛弃师母，为什么迎娶陈梅？"——现在莉莉好像才是这屋子的主人，导师只是接受讯问的罪犯！她周身充满正义，眼睛冒着火。

"你生这么大的气，就是为这个？"导师出乎意料的平静，灰色眼睛里闪着冰霄一样的光。狗要跳到导师怀里，他粗野地把它打开，小狗叫唤着向里面跑去。

"导师太太呢，她还好吗？"

"估计还在床上，她吃坏了肚子，到现在没有好。"

"我一直尊重您的人品，您却抛弃师母与陈梅结婚，我实在想不通。"

"我本打算和她偷偷结婚的，她还是把事情说出去了。不过纸包不住火，好吧，有什么就冲我来吧。"导师到房子中间坐下，也不看莉莉，点燃那只像加农炮一样的烟斗。他吸烟的动静很大，嘴巴喉咙同时发响。他甚至没对莉莉说"请坐"，自行其是吞云吐雾。莉莉有些乱阵脚，像面对一个无赖感到束手无策。

"你应该向所有人解释，这不是君子所为！"

导师深凹进去的脸颊静止不动，身体随咳嗽轻轻晃动。莉莉敏锐注意到这个细节，重新振作起来。她看到他像只泄气的橡皮球使劲收缩，露出与年龄不相称的慌张与胆怯。

"我没有别的办法，只想把学术延续下去。在这些学生里，她是最优秀的，其次是你！你浪费了我的时间和精力，让我失望透顶！"

"可问题是没有感情基础的婚姻，只是个畸形怪胎！"

导师佝偻的身体隐藏在他吐出的烟雾中，莉莉明显感到他已经激动起来。"你不能理解我的心情！我并不情愿，可我想不到更好的办法。陈梅

是无辜的，梅伦是无辜的，我伤害了这两位可爱的女性，所有的错都在我！原谅我的自私，我只想完成那个试验，完成我后半生的梦想。我宁愿做个恶人，哪怕是下地狱！"

"你并不是真正爱她，你亲口承认了？"

"我没有必要隐瞒，尤其对你。或许这样你更能理解我的处境，理解一个导师对于错失一个天才的惋惜与痛苦之情！你就是太任性了，生活中的一切你都不在乎。你真以为自己拥有很多吗？其实没有一样真正属于你，没有一样你可以值得你骄傲。"

莉莉被狠狠还击了一下，她果真发现自己人生的布袋里空空如也，她是一个开不出支票的冒牌骗子！"我替陈梅打抱不平，这对她不公平！"她语气明显软下来，她帮不了陈梅，因为陈梅一心想留在美国。

"我可以给她梦想的一切！一旦确定了这种法律意义上婚姻，我就是她合法的丈夫，她可以得到她希望的一切！"那只狗再次要跳进导师怀里，导师厌恶地把它挡在一边。它没有逃走，在导师脚下摇晃尾巴，鼻子油哼哼的。"看到了吗？其实人和狗一样，只要你施舍它，它就会依赖你！"导师用烟嘴敲打小狗的头，小狗躲到不远处嗷嗷叫。

莉莉掩上嘴，像目睹一场谋杀："导师先生，你怎么这样对它？"

"它就是条狗！"导师狞笑着，倒三角的眼睛突然露出凶光，"我们都明白是怎么回事，不过是在相互利用！你倒跑来瞎掺和，除非你答应再回来，否则事实只能如此。"

"别说下去了，我不想听！你这是在扼杀一个人！"莉莉害怕地直摇头，对于导师说的话越来越震惊。

导师略带得意地笑了，在桌角用力磕掉烟头里的灰烬。

"唉，怀特，又让我提醒你，怎么能在一个女士面前没礼貌呢？"导师太太颤巍巍从里面走出来，穿一件发旧的睡袍，"为什么不开灯呢？还是开灯的好！"她过去开了灯，又打开窗户，"怀特，我容忍你几十年了，是不是？"

"是的，可我们照样生活在一起。"

"你没有一点羞耻感！"梅伦点点头，回到屋子中间与丈夫坐在一处。她想把那只狗揽进怀里，狗却卧在地上没一点反应。她伤心地摇头，开始啃一块西瓜。

"师母，您还好吗？"莉莉看着这个年纪一大把的女人头发飘浮在空中，有种强烈的窒息感。师母居然像个小女孩留着齐齐的刘海儿。

"我没事，谢谢。"她独自诉说起来，"我比他大三岁，却像他母亲！过去四十年里，我天天用心照料他。他能吃能拉，像头阿拉斯加公牛。他是个不近人情的家伙，不了解他的人感受不到这一点！他是个工作狂，总是待在实验室，一个月见不着他也正常。他要和那个女学生结婚，他还问我怎么样！——我很好。"她转过去对着莉莉，皱巴巴的脸堆着笑，"你要原谅他，他就是这样的人。"她嘴红红地说。

莉莉站在原地不知怎么办，她想她该走了。

"移民美国那年我只有十六岁，被父母和朋友们宠爱着，整天快乐得像只吐皮亚尔鸟！那是最幸福的人生时光，日子像新鲜蜜汁一样甜美透亮！"导师太太眼里放出光彩，好像回到从前。莉莉眼里也泛起霜花。

"那时她是校园里出了名的美人，整个学校男生都在给她写情书。我那时还在二年级，成功打败包括高年级男生在内的所有对手，把她搞到手。想知道我怎么做到的吗？"

"他骗我说他父亲是个大农场主，开一家奶牛养殖厂，养着三千五百头牛！关键是他答应帮我父亲投资建设一家大型现代化农场。我什么没问就相信了他，事后才发现他父母不过是普通农民，因为经济危机倒欠一屁股债，日子困难得黄油都问邻居借。他高中毕业开过几年拖拉机才上的大学。我稀里糊涂嫁给他，在这里侍奉他，给他生儿育女，直到他拥有了一切。那时他穷得只能娶起我这第三世界的女儿。"她打量起周围，不住地擦眼泪。

"我给她一笔足够二十年的花销，而且她可以继续住在这里。除了她不是我合法的妻子，其他一切照旧。"

"这样你就心安理得了吗？我再不会尊重您了，别指望我出席你们的婚礼！"莉莉说完夺门而出。

事情无果而终，她狼狈地跑出来，坐在车里呜呜大哭。导师太太出来送她，伤心地对她说："他只关心他的学术和名声！说什么好呢，除了他不再爱我，我什么都没变。"她扶着莉莉车窗，身后是茂密的花丛，转过去说："这些花草是我的全部，你应该夏天来这儿，这里比中央公园还漂亮！"——那只狗不知什么时候溜出门立在车前叫唤，"别理它，它是个负

心鬼，连我也叫唤。——他们是一伙的。"她指指里面，诡秘一笑。

莉莉勉强笑笑，同导师太太告别。她不愿再看这个受伤害的老女人，更不愿再提及事情整个过程，以至开动车子一段时间后，才从反光镜里看导师太太。她又开始侍弄那些植物，而关于她的经历、故事、时间和精力像肥料一样埋在那些植物根部，供它们发疯般生长。其实她离开校园不过三个月，却发现这里已完全陌生起来。

莉莉最终没有出席两人的婚礼，陈梅在电话里哭了！想到导师无比开怀的样子，她做什么都没心情。妈妈受邀出席纽约时装周上的发布会，莉莉想不通她和时装周有什么关系，不过到时她一定会挽着史密斯胳膊参加。妈妈留住她帮着挑选礼服，她在镜前板起脸，身子像扳钳一样发僵。妈妈从后面使劲戳她，"女人靠什么混，还不是她们的机灵和美貌？你的机灵劲哪儿去了，把你对付我的机灵劲用来对付男人，加上你不可匹敌的青春美貌，怎能不成为纽约上流社会的新宠！你就是心不用在这上面，天天只想着和我作对，对不对？"

"如果你愿意，穿着它们嫁给史密斯先生吧！"说完这句话莉莉就后悔了。这些天惹恼她的是导师，她不该拿妈妈撒气。妈妈当下就愣住了，摔下衣服恶狠狠骂她"没良心的兔崽子！"然后丢开她气哼哼迎到外面，原来又到了新快递。妈妈近来采购的衣物足够十个越南家庭整年的支出，莉莉心里难受极了。

她不得不说出病情了！她还有的选吗？身边只有皮特曼。她本来就缺朋少友，现在导师和陈梅结婚又少了两个。斯特林先生算不在内，两人这辈子有缘无分。皮特曼利用周末回趟加利福尼亚了解舆请，说好一下飞机就过来找她。隔夜结层露水，几只麻雀在草坪上同一只灰喜鹊争食。流浪猫躬起身子伸懒腰，昨晚它们又悲伤地叫了整夜。附近房子和玻璃窗户上都覆上一层薄薄的银灰，路面被车胎辗出清晰的印痕！秋意渐起的日子总显得很安静，她穿好衣服等皮特曼，希望自己能像妈妈说的，用女人楚楚动人的姿态拨撩男人的心思。

皮特曼一下车就搓手喊冷，在地上踩出几个野人似的大码脚印。

"纽约比加利福尼亚冷多了！"

"你该学会照顾自己！"莉莉嗔怨皮特曼。

皮特曼一下有点不认识眼前这个人了。"哦，是的，我应该想到！"以前莉莉不冷不热，现在体贴入微。

"你不能早点吗，我在外面都快冻僵了！"她伏在皮特曼肩上撒娇。

皮特曼真的被速冻了，只有眼球能动。

"皮特曼，我喜欢你！"

"你喜欢我？是的，这个我知道！"皮特曼大脑像超级计算机高速运行，不过依然没有结果。

"皮特曼，我病了！"她低低说出来，声音像猫踩在霜地上。

"你病了，感冒吗？"

"很严重的，我要死了！"她哭花了妆容，"抱我回去！"

皮特曼没头没脑，像个只会眨眼的玩具胡迪。

回到里面，莉莉把皮特曼拉到身边坐下："我患上了乳腺癌，这是诊断报告。"她把诊断书递过去。

皮特曼仍憨头憨脑，诚实可爱："你要我怎样？"

"你说呢？"她抹着紫色泪水，"你还会爱我吗？"她故意躲开他，离一只摆件很近，那是只精美的中国瓷器。皮特曼伸手够她，她一挡，皮特曼碰翻了瓶子，它摔在地上碎了。

"哦，它可值两万美元，皮特曼你闯祸了！"她哭成面条，腰都直不起来。

"什么，两万美元！"

"是啊，史密斯先生替妈妈选的，她先摆在这里欣赏几天，然后要用它办大事的！"

皮特曼转转眼睛，舔舔嘴唇，他听莉莉说过玛格丽特夫人正在争取国会议员，这瓶子一定是用来让史密斯先生通关的！他有点慌神，身上的汗很快冒出来。

"莉莉，我不是故意的！"

"我知道你不是故意的，可妈妈那边怎么办，她会断送你的前程！"

"莉莉，替我想想办法，我千万不能得罪她。"

莉莉仍直着嗓子号，皮特曼急得要尿裤子！刚才他在外面冷得受不了，现在却像坐在火堆上。

"你拿什么赔啊，还是我来替你扛，谁让我们相爱呢！"

"莉莉！"皮特曼喜泪盈盈，记得她刚才用的是"喜欢"，现在是"相爱"！他颤着声音说："以后我会买更好的送给夫人！"

"那不是露馅了吗，皮特曼！"莉莉脸上挂着泪珠，"你说，你不会嫌弃我吧？"

"打死我也不会！"皮特曼直摇头，"这只会让我更爱你！"

"我选你是对的！"莉莉激动得涕泪横飞。

"世上再没有比我更爱你的了！"皮特曼也嘤嘤啜泣。

"皮特曼，我们去找贝尔神父好吗？"

"找神父做什么？"

"我有心事对他讲。从现在开始，不许你离开我半步！"

不容皮特曼再说什么，莉莉拉他到外面。皮特曼回首地上那只破瓶子，想到它值两万美元，心底直发虚。

贝尔神父房子租在布鲁克林区和平林区，这是被大多数人遗忘和歧视的另一个纽约。里面建筑明显比外面破烂，公用设施陈旧落后，墙上到处是涂鸦，满世界的垃圾，建筑密度和混乱程度在纽约首屈一指。街巷里一些孩子正往墙上的简易篮筐里扔球，无所事事的老人从窗口神情恍恍往下看：他们活够了，却不想死！小伙子们对于外来客的眼神无一例外的疑惑、轻蔑、仇恨；躲在僻静角落的暗娼抱起胳膊寻觅单身男士；拉着黑妈妈手的小女孩永远穿着鲜艳、发型怪异、对一切好奇；人车缝隙里不时有滑轮或滑板一跃而过，人们相互瞧不起，动不动因小事瞪眼吵架……总之这里像极一部打破常规、杂乱无章的现代剧。

贝尔神父一家是住在这里为数不多的白人。皮特曼找好车位，贝尔神父已迎出在外，他看上去不像在教堂里那么自然。回到里面，贝尔太太正在厨房收拾卫生，一群孩子在客厅占山为王。贝尔神父热情招呼客人坐下，顺手接住飞来的一只网球。他显然对这帮孩子无计可施，不断训斥仍不起作用。孩子们见有客人来，闹腾得更欢实了，神父只好塞给那个最大的女孩五美元。只见她手放嘴里打个响亮的口哨，所有孩子立刻在她带领下一秒钟内全部消失。不一会儿头上天花板打雷似的轰隆隆响起来，整个房子摇摇欲坠。贝尔神父对两人摊摊手，大象般的身躯受限于狭小的客厅空间。

"你是个不幸的孩子，你要求的我全满足！"贝尔神父甚至没去问莉莉，从壁炉上捡起《圣经》吹掉土，把它放在莉莉额前绕了绕。

"皮特曼，我要你在神父面前发誓！"莉莉说出此行的真实目的。

"以上帝的名义，我今生只爱莉莉一个，无论怎样都爱她！"皮特曼乖得像只学舌的虎皮鹦鹉。

贝尔神父又把刚才对莉莉做的动作对皮特曼重复一遍。"这就妥了！"他直起腰来，"你会说到做到，不是吗？"

"神父，我该怎么办？"

"你病了，对吗？"神父大脑死机一样没跟上趟，"是这样的。"他在空中挠挠手，"不管怎么样，要好好过日子。"他把袖子往上一撸，样子好像上帝也只能如此。"人生就是这样，生与死不是我们能解决的问题，而是我们如何面对的问题！你是个较真的好姑娘，也是个傻姑娘。你要是像那别的女孩子就对了，想怎么做就怎么做，摆脱那些患得患失的念头。"

"你还是先把家里的困难解决后再给别人说教吧！"贝尔太太腆着肚子从里面出来，她面容丑陋，和客人招呼不打一声，开口便训斥丈夫。大概她生育孩子过多和抚养他们过于辛苦，她比实际年龄老出十多岁。

"家里很久没来客人了，你就不能担待点吗？"贝尔神父摊开双手冲妻子嚷嚷。又转身对莉莉和皮特曼说，"中午留下来吃个便饭，海丝莉小姐难得赏光！"

"不打搅吧，我们聊几句就走！"皮特曼代莉莉回答，莉莉没置可否。

"哦！"神父没过多客气，手摸着胸前的十字架。

"神父，我犯下好多错！"莉莉紧张地说。

神父使劲摇头："从根本上讲，世界上没有任何对错之分。现在错的东西，千年后再看未必是。对错是问题的结果，而不是开始。不管好奶酪还是坏奶酪，上面都有苍蝇飞。现在的情况太复杂了，连我都搞不清什么是对什么是错。坐监狱的人未必就该坐监狱，没有坐监狱的人未必比坐监狱的罪孽少，与其如此还不如回到老路，该做什么就做什么。记得我和你说的原罪吗？这和我现在说的一点不矛盾！所谓原罪，就是把别人当作镜子看自己。一个是怎么认识的问题，一个是如何处理的问题；一个是自己的问题，一个是别人的问题。"

"我明白您的意思!"皮特曼说。

"你呢?"贝尔神父问莉莉。

"我要死了,上帝要把我带离人间!"

"我们都爱你,尤其是这位先生!您的尊姓大名?"

"叫我皮特曼好了!"

"真是一位彬彬有礼的先生,真替您高兴。"

皮特曼感激地望眼神父,这边捏起莉莉的小手。

贝尔太太等在门口,她提早穿上坚硬的猪皮坎肩,眼睛吊死鬼一样看着客人,显然在下逐客令。

"家家有本难念的经。"贝尔神父哭丧着脸,像发了霉的铜件。"购物对她来说是件求之不得的事,就像过节放假一样。"贝尔神父在出门时对两个人讲。

与贝尔神父的见面就这样结束了,莉莉直喊冤枉,她觉得什么都还没说,见面就匆匆结束了,甚至连向上帝哭诉的机会都没有!她一出贝尔神父家的门便晕倒,皮特曼赶忙把她送往医院。

第七章　母婿苟且

莉莉住进癌症医院的时候，玛格丽特夫人正找到史密斯先生，一进他办公室就尖叫起来："亲爱的，今天的拜访活动只能取消了。"她声音因生气仍在发抖。

"怎么回事？"史密斯先生永远慢条斯理，这和他与女人交往频繁有关。

"那只瓶子碎了，一定是莉莉和那个皮特曼干的！"她没法把这件事栽赃到南斯拉夫女人身上，因为事发时南斯拉夫女人在放假。

"哦，反正那人已知道你的想法了，他会考虑的。"

"不，史密斯，我要确保万无一失！我担任州议员太久了，我得有新进步。"

"好吧，不过最好把你那急性子改改。"

"你还要我怎样，像日本艺妓那样拿着扇子哄你们男人高兴？我都焦头烂额了，你还拿我开玩笑！"

史密斯在那边大笑起来："那瓶子我本打算自己留着，我是骗你的！"

玛格丽特夫人一时不知道怎么回击史密斯："到底你喜欢它还是喜欢我？"

"我都喜欢，也都要。"

"你真无赖！"玛格丽特夫人脸红一阵白一阵，坐在史密斯腿上。

"放心吧，你会达到目的的。"

"这可是你说的，如果事情不成当心我找别的男人！"

"你只要不冲我叫嚷就行。"

"就这么简单？"玛格丽特夫人少女般娇媚转眸一笑。

史密斯凑过去亲她，她敏感地哆嗦下。

"昨晚和你老婆还好吧？"

"你总是这样问！"史密斯撤回去，他反感玛格丽特老问这种问题；即使他不爱妻子，也不容旁人窥视家庭隐私。

"今天不去那人那里，打算做什么？你整天泡在女人堆里，也该做些什么。"

"我做得还少吗？"史密斯先生对她动手动脚。

"史密斯，我说正经的！如果如愿以偿，我能做很多事情。次贷危机把美国拖入经济危机，现行的经济刺激政策效果有限，公司利润普遍下滑，公司员工收入减少，正是我们有所作为的时候！"

"你目标远大啊，美国像部跑在前面的车子，要被其他国家撞上屁股喽！"

"这有什么好笑的！欧盟、中国、印度、巴西、俄罗斯和南非，它们都盯着美国呢，巴不得我们像过去的英国那样衰落。"

"我是个静观其变的人，但你说的我会全力支持。"

"谢谢你，所以你一定要帮我这个忙！现在有人退休空出位置，而我的工作大家也都认可！史密斯，我觉得自己可以做到国务卿这个位置。"

"你的野心真是越来越大！还是希望你稳扎稳打，玛格丽特。"

"那你还爱我吗？"

"国务卿的情夫？这个就算了，我想过安生日子！"

玛格丽特夫人坐久挪挪身，喉咙吭吭了几下，"一切交给你了，什么时候想见我都行。"

"现在就想！"史密斯下面热起来，他是个听到女人声音就挪不了步子的人。

"史密斯，我在为莉莉婚事发愁！"玛格丽特夫人把她自己的事情摆平，接下来谈女儿。

"你希望她嫁入名门，可高处不胜寒！其实看看我俩就知道她将来过什么样的生活！"

"你觉得斯特林怎么样？"她故意说漏嘴，试探史密斯对莉莉的态度。

史密斯果然叫喊起来："你替她相中了斯特林？！"

"是啊！"她摩挲着修长的手指，好像主意已定。

"你最好打消这个念头，斯特林就是个骗子，他性无能！"

"我不明白你说的，别以为我不知道你的鬼想法，史密斯！"——他可真行，毫不隐讳！玛格丽特夫人有点生气。"斯特林是资深幕僚，他虽在社交界不活跃，但对制定外交政策有一定影响！他只有四十岁，年轻英俊，谈吐不俗，看上去是个顶正经的人！这样的人容易招致别人妒忌，因为他们有个特点，就是不同流合污！沿袭上流社会老少配的传统，莉莉嫁他再适合不过！"——而她话里想说的是："哼，你这样中伤他，巴不得把莉莉搞上床，让我们母女同床服侍你！若不是我有求于你，现在就和你翻了脸！"

"好吧，我告诉过你的，你愿意把女儿往火坑里推是你的事！我喜欢莉莉像喜欢自己的女儿，你真是俗不可耐和无可救药！"

"自己的女儿？"玛格丽特夫人心里又把这话想了一遍，冷笑几声。他和自己上床时，难保想的不是莉莉，亏他什么话都说得出口。

"我早打算好了，在万圣节正式谈这件事！"

"哈哈，随便你！下次见到更合适的，你还会把女儿再许一次！纽约的政要和富豪多的是，你到底要把她许给谁？"

"如果你有更合适的推荐，我也不反对！只是那个人不是你就行。"

"好了，不说了，再选一只瓶子吧，有人喜欢收集中国瓷器，他可比我实际！"史密斯先生拉长声音说。玛格丽特试图把一双酥手放进史密斯怀里，可多情自被无情怨，史密斯冷冷推开了她。

当玛格丽特夫人得知女儿身患绝症的消息后，就知道自己的如意算盘打空了！

她含泪赶往医院，进了病房头发仍然纹丝不乱。她身后跟着院长、主治大夫及护士，他们个个表情严肃，好像处理一次重大医疗事故。"他们刚才已向我说明情况，这么大的事，怎么不告诉我？"她义正词严，好像慰问养老院里的失明者。看到女儿面如死灰，她不免动真情。"现在好点了吗，宝贝？"

"我们尽快给她安排手术。"

"尽快是什么意思，我要一个准确时间！"

"这个星期内，我们要做准备工作。"

"您是主治大夫，契普夫是你吧？"

"是的，夫人。"契普夫五年前从俄罗斯签入美国，他的名字像那条伏尔加河一样长，现在身上仍有股天真烂漫劲。

"救活我的女儿，我给你十万美元！"

"您的心情我们理解，但这是不允许的。"院长代契普夫回答。

玛格丽特夫人黑着脸："非常感谢诸位，如果没有其他事，我想单独同女儿待会儿！"

院长脑袋瓜像被割草机割过一样干净。契普夫大夫打着哈欠，改不掉俄罗斯人的顽皮和慵懒。黑人护士凯瑟琳的眼睛像圣诞树灯泡一闪一闪。他们说不上伤心还是失望，礼貌地点头退出。"我们会尽全力为令爱治疗。如果有什么需要，我随时候命！"院长补充道。

院长一行人离开。玛格丽特夫人在床边椅子坐下，椅子是皮特曼专门为她搬过来的。"莉莉，到底怎么回事，为什么瞒着我，难道这么容不下你的妈妈？"她冲莉莉抱怨，莉莉眼泪汪汪不敢看她。"你不相信妈妈，这世上你还能指望谁！"

"夫人，您别难过，我可以替您照顾她。"

"闭嘴，关你什么事！——莉莉，我生气是因为我作为一个母亲的尊严和威信受到挑战，我不能容忍你这样刻薄仇恨地对待你的母亲！知道吗，听到你生病的消息，我立刻天旋地转！幸亏梅根先生和我在一起，他照顾了我一路！"

"您是说纽约那个最大的家具加工商吗？"皮特曼听到梅根这个名字，立刻打起精神。

"当然是他，还能有谁，难道我会让流浪汉坐进我车里来吗？"玛格丽特夫人极端厌恶地瞥下这个野心勃勃、蹄蹄爪爪需要修理的穷小子，仿佛对公园里一只尿臊气十足的小公猴训话。——"你不知道我多担心你，推掉手头的事就赶来了，你在这里受罪我在心里哭！"她使劲揊鼻子，把鼻子几乎扯长扔出去。"你就知道哭，你就是个没出息的土豆，你居然得了这么个让人说不出口的病！"她叹气道，"你让我很为难！"她伤心靠后椅子背，仿佛又要晕厥过去。

"莉莉现在多可怜呢，您别再指责她！"

"你还说，就是你害的！"玛格丽特夫人像在人群里认出凶手一样大吼，皮特曼被抽了鞭子一样缩起身。

"夫人，这怎么和我扯上关系！"他小声嘟囔。

"一个未婚女子得了这样的病，怎么让我对外说得出口！一定是你欺负她了，把她气成这样！我恨透你们这些男人，总不把女人当人！"

"夫人，您在说什么啊！我没有对她那样，以上帝的名义，我对她真的很好。"

"抽空我再找你说话，现在给我滚到外面，跳进牙买加湾也洗不干净你身上的腥味！"——皮特曼被踹出来一样到了病房外。出来也好，可以自由些，刚才他差点钻床底下。

玛格丽特夫人这会儿真掉泪了，泪瓣掉入女儿手心里。"宝贝，你个没良心的，怎么就病了呢？你看你，还是不理妈妈，看不到我为你心力交瘁吗？是我对你的教育出了问题？怎么会，我一直把你往正路上引，我有什么错，天下哪个亲娘会陷害自己的孩子？"她撸把鼻涕摔在地板上。"我们母女相依为命，为什么会像死对头！事情成了这样，我说不得你了，你把我的生活全毁了！"——莉莉同样抓住妈妈的手泪如泉涌、泣不成声。"你有个好将来对你多么重要，对我又多么重要！你可以出人头地，接替我的地位、名声和影响，把我们家族的影响和实力像肯尼迪家族一样传下去！我大半辈操劳全为这个，这时候你却生病了，你让我怎么办？"——她把探病变成批判会，"你不听我的话，越来越任性，儿大不由娘，不是我要管着你，你总要明白我为什么管着你！你外祖母是有英国皇室血统的高贵家族，我们不是叫什么'铁匠''山头'之类的村野人家！"玛格丽特夫人像襁褓中的婴儿一样发出微弱的哭声，这哭声带着幽怨和委屈像从深夜的水边传来。而莉莉躺在病床上，像只被冲上沙滩的海蜇，见到风和阳光立刻融化了。

母女俩正痛不欲生的时候，护士凯瑟琳颤动两只腮帮子进来。

"夫人，海丝莉小姐不能被长时间打扰，她需要休息！"

"这个我知道！"玛格丽特夫人不悦地站起拢拢头发，心想这丫头的祖辈刚被贩卖到美洲时不知丑成什么样！"我要和你们谈谈下一步的治疗方案，现在就去。"

"非常愿意效劳，夫人！"凯瑟琳开门，领玛格丽特夫人出去。

"你来自哪里？"玛格丽特夫人盯着凯瑟琳沥青一样的青脖子问。

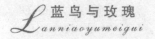
"威斯康星州！夫人，你要先见大夫吗？"

"不，俄罗斯人只会说大话，给他们一瓶伏加特他们敢睡到太阳上去！"

"好吧，夫人。"

"你的口音得赶紧改改，让人受不了！"

"我觉得挺好，夫人。"凯瑟琳胸脯起伏澎湃。

玛格丽特夫人没有注意到凯瑟琳的变化，目光像只大罩子扣在凯瑟琳这只小虫子上。外乡人对纽约人同样硬邦邦，仿佛扛枪的火枪手不怕狗咬！"洒了多少香水都改不了她的出身！"玛格丽特夫人率先从过道经去，把门板似的背影留给凯瑟琳。凯瑟琳知道惹不起她，心里恶毒地诅咒她。这些特权派在她看来像池塘里的蟾蜍一样恶心。

经过走廊口，玛格丽特夫人瞅见皮特曼在抽烟，见到她立即把烟蒂弹出去。一股冷风从窗外吹进，玛格丽特抖了抖。她没料外面这么冷，马上皱起的眉头暴露出她的真实年龄。

"你怎么还在这儿？"她挑着眉尖发怒地问。

皮特曼双手插进牛仔裤兜，往边上靠靠。"夫人，无论怎样我都不嫌弃她，这辈子会和她在一起！"

玛格丽特夫人听到皮特曼这么说站住了，她没用过程就跳到结果，眼睛一亮，正色对皮特曼说道："明晚八点，我找你好好谈谈。"她像数着步子往前走。——凯瑟琳赶上超过玛格丽特夫人，像只矮矮胖胖的沙皮狗。

皮特曼一整天腹内空空，刚才又被不客气轰出来，正盘算这事怎么办。现在玛格丽特夫人这样讲，他觉得希望重燃，庆幸自己没赌气走掉！他蹦蹦跶跶回到病房，进去激动地拍两下巴掌："哦，宝贝，我要陪你，一会儿没见就想得要命！"——莉莉把头扭到另一侧，皮特曼的样子让她有口难开。

当天晚上，玛格丽特夫人哭了整宿，以至南斯拉夫女人早上见到她时，差点认不出她来了。当听说莉莉生病住院了，南斯拉夫女人觉得玛格丽特夫人的样子真可怜。

妈妈回去了，皮特曼也离开了，莉莉想起了自己小时候。五岁那年，她晚上独自睡，害怕得在房间里哭。妈妈拿来糖果哄她，睡在她旁边念故事。她趴在妈妈身上，甜咝咝哂吧糖果，妈妈用世上最温柔的声音给她讲述白雪公主与七个小矮人。可这样的情形并不多，随着时间推移，她不再那么幸运，妈妈似乎总不把她当小孩，让她自己玩、自己做功课、自己吃东西、自己处理一切事情。妈妈一边希望她自立，可真当她自己要做什么决定，又会事无巨细地插手过问，这使得她养成了谨小慎微、蹑手蹑脚的习惯。如果没经妈妈同意她擅作主张，妈妈先不管三七二十一断然否定，然后不问青红皂白训她一顿。二十多年来，她从妈妈那里听到最多的一个词就是"傻瓜"。她满腹委屈无人说，不肯轻易相信任何人，背地里只对自己说话。记得十三岁那年，看到自己下面出血，她吓得惊惶失措，连忙跑到妈妈房间，泪流满面告诉妈妈自己要死了。妈妈听后像个没事人："别大惊小怪，这说明你真是个女人了！"手里照样翻着查尔斯·霍恩主编的《伟大男人和著名女人》，皱眉琢磨里面的人物关系。抬头看到女儿没走，妈妈生气了，"没什么大不了的，说明从今天起你可以和男人发生性关系了！快回去洗洗，然后上学！一定是营养过剩让你的青春期提前，我十五岁才来初潮！"她掉过头，像踩着冰走出去。回去蜷缩床上不敢动，生怕流更多的血，而想到与男人睡觉，更吓得哆嗦成一团。那天她破例没去上学，整天躺在房间。妈妈再没出现，到现在她不知道是妈妈放她一马，还是妈妈真不知道自己旷了课。

十七岁时，她已如出水芙蓉，亭亭玉立，双颊如霞似锦。当时外公健在，妈妈带她回去为他庆祝八十五岁生日。外婆与女儿关系糟到极点，见女儿像遇世敌一样。这是个"二战"后重组的家庭，可谓关系复杂。玛格丽特的继父，也是她亲父生前的战友，待她比自己的亲生子还好。他也是英国人后代，却长副穆斯林长老的胡子，是个不会做生意的倒霉犹太人。婚后，他带来个与玛格丽特同龄的哥哥，可这位哥哥从没正眼瞧过玛格丽特。哥哥高大健壮，性情冷漠，貌似独立却离不开家。玛格丽特也瞧不上这个哥，总看他不顺眼，认为他冷酷、虚伪和粗暴。父母婚后又为玛格丽特添个弟弟，这个从小满脸雀斑的家伙，皮肤像泡在死水里那样溃烂发白。他儿时几次摇摇晃晃跑向玛格丽特都被推开，而那位大哥哥也不待见这个小弟弟，多次用巴掌赏赐他！父亲下班回家只顾酗酒，妈妈叼着烟卷独自唠叨，一家人在十几年时间里破天荒第一次聚会。哥哥据说已离婚三次，当天穿着铠甲一样又厚又硬的夹克，头发梳得整整齐齐，却带着不修

边幅、腿细腰长的第四任外省老婆和一个暴徒似的孩子出席宴会。弟弟已
经成年，在一家报社当编辑，至今没有结婚，继续与父母住在一起。玛格
丽特自然是家里最出息的孩子，继父用微薄的抚恤金供她上了哥伦比亚大
学商学院，而她也懂得读书才能出人头地，毕业后全凭自己混到今天。这
次回家为父亲祝寿，本以为会受到隆重礼遇，可已长出寿眉的哥哥仍对她
不以为然，她胸脯都快气炸了！

妈妈算起来是英国王位的第四百一十五名继承人，可她身上那点贵族
气早荡然无存！玛格丽特上大学时从电话里向妈妈求证，妈妈对自己的贵
族身份嗤之以鼻，说自己不过是个纺织工，无论如何与伊丽莎白女王攀不
着姊妹。但玛格丽特非常聪明地利用了这一点，到处把自己说成皇室后
裔，就像给一块土玉做了人工包浆。那个浪漫天真的蓝眼睛法国人阿杰
夫，以前一直没弄清玛格丽特的真实家庭背景，直到婚后才知道自己娶的
不是一位真正公主。少女时的玛格丽特漂亮得晃眼，奶子也够大，法国人
就喜欢骚气十足的女人，于是阿杰夫像现在的皮特曼一样对她穷追不舍。
玛格丽特过着家世败落的清贫生活，但以足够坚强和乐观的性格吸引到不
少追求者。可她为什么最终选择上厕所不关门、洗澡忘洗脚的阿杰夫，只
有天知道！说实话，她对男人心猿意马，因为她始终认为没找到心仪的丈
夫。阿杰夫婚后不久从了军。他是个勤奋聪明的人，抓住一切机会往上
爬，所以玛格丽特对他还算满意。——全家人时隔多年重逢，为那战时没
得到一块勋章的退伍老兵祝寿。多么好的时机，玛格丽特打扮得时髦得
体，挎着意大利名牌包包，领着花团锦簇的女儿，从大城市驾车回到这个
草荒了半院的故居，有心炫耀自己一番。其实出嫁后她只回过家一次，她
要竞选纽约州议员，请记者为自己撰写一篇报道。为让那个口直心快的母
亲少说话，她塞给母亲一百美元。——大家伙在餐桌周围坐好，彼此回避
对方眼神，故作轻松地开怀大笑。玛格丽特夫人想把英国宫廷或美国官场
那一套搬到这里，却得不到大家响应。大哥牛气烘烘，面膛又黑又亮，尽
管只是一家化工厂的电镀工，而且工厂面临关闭，仍不把她放在眼里。那
位嫂子连最起码的礼节都不讲，出席宴会还以为在自家花园摘豇豆角那么
随便，人堆里就数她声音盖过玛格丽特。那个单身弟弟始终低着头，虽然
坐在她旁边，但浑身上下没一点热乎劲，大概昨天校对出错又受了惩罚。
是的，不管怎么说，这是展示和炫耀她各方面成就的好时候，她要让家人

知道她多么尊贵、多么幸福。她没有与兄弟俩在较量中占得上风，就希望女儿为她扳平。寿宴前三天就反复叮咛莉莉场合上注意礼数，直到快进家门还没停下。莉莉那天穿身精致的套装，本是个美人坯，稍加打扮立即花枝招展。她带着一股仙气走进外公家，引得那个脖子僵硬的外公非要站起来吻她。那个大舅舅眼睛幽幽放着光，舅妈也安静下来，自卑地往裙子里收脚。大舅舅的孩子要冲上去，被大舅舅抓住，他的头像支削尖的铅笔头，莉莉强忍住笑。外婆头发所剩无几，露出粉红色的头皮，近似愤怒地看着她，一如看不惯当年她妈妈一样。小舅舅盯了她一会儿低头翻杂志，努力找出其他编辑的错误。玛格丽特安排莉莉给外公唱首歌，外公穿着玛格丽特特意为他订做的衣服，动作像幼儿一样夸张和笨拙。

莉莉还播放在家里录好的录像，大家看后默不作声。外婆在餐桌上问莉莉最喜欢什么食物，莉莉想都没想说"土豆"，因为"爸爸喜欢，我也喜欢！"玛格丽特觉得自己把一切都想到了，偏偏落下了这个，脑袋当时像飞离身体。这时那个连拉夫·劳伦都让其难以时髦起来的外省舅妈在旁边笑出声，她声言吃土豆最易发胖，而她父母乡下农场猪最喜欢的吃食就是土豆！最可恨的是外婆也跟着点头。"你爸爸长得像个土豆，我每次招待他都用土豆，他百吃不厌！"玛格丽特脸像猪肝，泪在眶里打转，不过仍佯装微笑，忍气吞声说："他们爷俩就爱吃这个！有什么不好呢，布什总统的农庄里也种土豆，可见土豆是个好东西！"玛格丽特搬来布什总统当救兵，她倒想提英国女王伊丽莎白来着，可那会刺激老妈神经，因为女王实际是妈妈世上最恨的人。不知怎么回事，这家人把吃土豆看成一个毛病。即使他们瞧不上阿杰夫，可吃土豆实在不能算阿杰夫的缺点！好不容易等宴会结束，玛格丽特上车就火冒三丈，把莉莉从头数落到脚。莉莉边哭边咳嗽，头发粘在额上，从车窗里看外面连接不断的丘陵、桥梁、加油站和超长卡车。而这就成了妈妈以后训斥她的把柄，一不高兴就拿这说事，莉莉都快死在土豆上好几回了！直到她上大学后才重新吃土豆。"土豆味道其实不差嘛！"她吃土豆时，常有种报复似的快感。

"哦，海丝莉小姐别哭了，有眼屎就不漂亮了！"普契夫和凯瑟琳夜里查房时打趣道。莉莉破涕为笑。她病中也美得迷人。"这几天就要做手术，你要开心些！"他们认真嘱咐她。

还没到晚上七点半，皮特曼就出现在莉莉家门口。他不敢进去太早，守时是人成功的金钥匙。他关了车灯，坐在黑暗里边想心事边往外看。纽约像换上礼服光临聚会的妇人，今夜她又将风情妖娆。皮特曼有种预感，人生最重要的机遇来了，里面既有沙砾般尖锐的危险，也有云翳中透出的强有力金光。他摸出一支烟，想点着又忍住了。是的，眼前这座房子和整个纽约一样，充满不确定危险的同时，也有令人理想破出的希望。玛格丽特夫人多狡猾啊，性情瞬息万变，像条嗜血成性的虎鲨，他要做好准备。他尤其要耐心，像桑地亚哥渔夫把大鱼拖到筋疲力尽，然后弄到船上为止。他脑子在沙盘上做了无数次演练，每次只给自己五六成把握。时间一到他下车走上台阶，屏气按响门铃，然后从自动打开的两扇巨门中间穿过去。他尽量不出声，像个侦探调查一处案发现场。那房子好像个巨大子宫，灯光在他身后投下一个瓦瓦祖拉的黑影。玛格丽特夫人没在客厅，他顺楼梯而上，腿发僵、脚发软！他出汗了，这房子大得像走不到头。终于来到玛格丽特夫人卧室门外，门缝里透出一些灯光。皮特曼感觉不是来会丈母娘，而是私通情人。犹豫片刻，他壮胆推门，却见玛格丽特夫人与他隔只沙发，头发披开，正光着膀子背过去忙什么。皮特曼脑袋里像有飞机飞过。正当他想入非非，玛格丽特夫人突然转过身，吓得他慌忙叫了一声"夫人！"

玛格丽特夫人两只结实的膀子和蝶形肩胛，还有透明蕾丝花边乳罩，给皮特曼看得一清二楚。皮特曼窘得恨不得钻进裤裆，结结巴巴连说"对不起"。

"你怎么未经允许就进来？"玛格丽特夫人倒是镇静，不过她显然要追究此事。

"我敲门了，您没听到。"

"哦，我感冒了，正在找药吃。你这么毛手毛脚能成什么气候！"

"夫人，我不是故意的，现在就出去。"

他这句话把玛格丽特夫人逗乐了，"我当然知道你不是故意，你也没这个胆子。在边上等着吧，吃过药我们就开始。你不介意吧？"

皮特曼赶忙摇头，说话都嫌慢。从听到玛格丽特夫人让他找她，他那直觉就一跃而起：没错，这是改变命运的机会！玛格丽特夫人不慌不忙做自己的事，看样子根本没生他的气，这对他是破天荒的待遇。他之前假想过很多，现在能松口气了，像从泥沟爬回路上。

玛格丽特特意推掉晚上应酬，把皮特曼叫来，有种特别的兴奋。看得出来，皮特曼非常畏惧和崇拜她，剩下一切就皆有可能。她慢腾腾咽下药片，转身换好睡衣，这才正眼瞧下装模作样的皮特曼。他一心想成为她的女婿，如果放在以前，她不仅会棒打鸳鸯，也绝不允许他出现在自己房间。可现在情况变了，莉莉病得要死了，她的许多想法随之泡汤，说她万念俱灰一点不为过！她在医院看到他的表现，尤其听到他一番言语，希望一下重燃起来。如果同意他和女儿结婚，然后让他们尽快生个孩子，一切就又有希望了！想到这儿，她觉得生活迎来又一个黎明。莉莉死了，她会难过，可想到她的大盘算、大事业，便无暇再顾忌儿女私情。她像从高处看下面战场激战正酣，她是将军，只负责发令和指挥，着眼于整个形势、大局和后果，而不为一兵一卒和一草一木所动。

就在今天下午，她给阿杰夫打电话，在窗户前走来走去，像只水鹭在滩涂上来回走动。她大声同大夫争辩："你就不能请个假回家吗，难道没你那支舰队就垮了吗？你那不争气的女儿得了病，得了癌症，她要死了，你居然一点不关心她的死活！我不需要你解释，作为一个政治家，我的战略修养远高于你！你在那里多么微不足道，在军界又算哪根草？!"——电话那边阿杰夫显然也很强硬，拒绝妻子的叫嚣。她一下软下来："求求你，我受不了了，我不能睁眼看她死在我面前，或许你回来对她至关重要，毕竟她没有多少日子了。我是理性主义者，不相信这世上有奇迹，那只是幻觉。她不久就会死，我害怕得要命。与其如此，不如当初没生她！——你在责怪我？这与我对她严厉无关！即使是这样，严厉也是一种爱的方式，对孩子教育的根本错误就是把错误、愚昧、自私、软弱、无能教给他们！管得严总比放任自流好，总比只说不做强！别再充好人了，我受够这一切了，你把她种到我肚里像只鸟飞走，我含辛茹苦把她拉扯大，你回头来给我讲大道理，和我算总账！你就不能安慰下我吗，就不能说句好听的吗？你他妈到底是不是亲娘养的！"她哭起来，像暴雨从天上浇到地上。这是她结婚以来第二次在他面前失声痛哭。第一次是他们婚后回娘家，阿杰夫遭到母亲和哥哥无情嘲弄，回家她便对这桩婚姻悔得肠子发青，撕心裂肺大哭三天。这次她主动放下架子求他，像大多数年老色衰的家庭妇女哀求丈夫，让他们对自己好一点，让他们像初恋那时爱她们！可没几句两人拌在一起，她伤心到血要崩。"你别再推三阻四，一个男人在女人面前哭鼻子算什么，就像亲手把她们往窑子里送！如果你还有一点人性，就赶快回来见她一面，那个该死的女娃稀罕你！"她手机失手摔在地上，转脸过来像七月月亮一样苍白。她明白现在指望不上他，像婚后指望不上他一样。她双眼发黑，没料到丈夫冷血到这一步，竟连女儿都生死不顾！她好像从来一个人在战斗，而胜利的果实却不得不与他分享。她像上辈子欠他的，像狗一样下贱地巴结他。她的宏伟愿望只能靠自己完成了，她绝望地哀号了阵，又一次独自从血泊中爬起，擦掉血继续战斗。她把全部赌注压在皮特曼身上，希望他能够替自己挽救一局。

现在她走到皮特曼面前，像浓艳无比的伊丽莎白·泰勒出演《埃及艳后》。皮特曼则像个没出名前落魄的拿破仑，穿着蹩脚的紧身衣拘束地站在情人面前。这不是活脱脱二十多年前的阿杰夫吗，可他比阿杰夫要聪明乖张许多。她心像有个洇血的伤口隐隐作痛，但表面比超人还刚强。她白他一眼，脖子往长抻抻，"不用那么紧张，我都可以做你妈妈了！"

"是的，夫人，我不紧张！"

其实打他进门起，玛格丽特夫人就用余光观察他，越来越觉得他像极年轻时的阿杰夫，一样狡猾、好性子、机敏和出手大方。这么多年她没有和阿杰夫离婚，为什么忍气吞声放纵他，就是因为他不像别的男人小肚鸡肠、婆婆妈妈，他在婚姻生活的限度内最大限度给了她自由，她从心底对他存有一份感激。都说女儿的情人会像她的父亲，果然如此，这个肌肤紧致、颧额光洁、体格健壮的年轻人，正是个称心如意的情人郎。

"坐下吧，知道我为什么找你来？"

"为了莉莉的事吧，还有别的吗？"

"别的什么？"她脑子闪过几个快门，像肚里有个胎儿踢几下。她眼睛狡黠、锐利地瞅着他，她的职业惯性使然，对一切要弄个底朝天，那小心劲像提着高跟鞋走在浑水里。

"不知道，我在问夫人您！"他听上去不那么虔敬，像袋子里揣只手雷。

玛格丽特夫人摆摆手，她有点烦，像每次做完爱史密斯都要放个屁。她不喜欢人顶嘴，尤其对低她一等的人。"言归正传吧，找你来就是为你和莉莉的事。"她像高贵身份受到冒犯一样，语气变得冷冷的。"你不是喜欢从政吗，我倒要看看你有没有这个脑子。"她一手搁到肩上，一手托只冒热气的咖啡杯，眼睛在他身上打转。皮特曼觉得衣服下面什么都给她看着了。

"夫人是高明的政治家，思考问题富有远见。您希望我做到什么，我绝不含糊。"

"牛吹得好大啊！还行，不是什么言不由衷、表里不一的假话。政治家的每句话都包含许多预设和因果。我只想问一句：你昨天对我说的是真话吗？"

"我向上帝和神父保证过，我真心爱莉莉，无论贫穷还是富有、疾病还是健康——"

"别在这儿给我演戏了，我知道你想什么，什么都别想骗过我的眼睛！你把我们娘俩当成驴子，要骑上我们往上爬不是吗？莉莉并不喜欢你，可你还这样说，一个人如果没有非常动机是不会这么做的！你的目的太明确了，像把头藏起来尾巴还露在外面！我没说错吧，毛还没长全的小小野心家！你在我这里达不到目的的，还是回学校好好读书，然后回到你的怀俄明州找个牧场主女儿结婚，那倒是正经事！"她掩口笑起来，像主子无比刻薄轻佻嘲弄下人。皮特曼脚下动动，眼睛露出一点凶光，但很快被另一层迷雾遮盖了。

"夫人，我没骗您，要怎样您才相信？如果纽约没有爱情了，那么这算最后一个！"他委屈得直掉泪。玛格丽特夫人看他样子很好笑：他和阿杰夫一样喜欢哭，连那腔调都一样呢！她抿口咖啡才没笑出来。

皮特曼这边明白：这时候什么手段都要用上，能否如愿就在今夜。他起先担心自己流不出泪，但那眼泪很配合地流下来。他把心放下，接下来专心声情并茂地表演。他不知道自己一下子怎会如此沉稳老练，好像比他实际年龄老出十岁。他感觉自己像块水漂石，到了深水区咕咚一声就没影了。

"说说看，你怎么爱她？"玛格丽特夫人暗里对皮特曼的喜爱超过之前对他的厌恶，他的每招每式她都想听、想看。

"她被誉为哥伦比亚大学的玫瑰，是全纽约打着灯笼难找的佳丽，如果纽约还剩最后一个淑女，那非她莫属！她有美国难得一见的贵族气质和名媛风范，这像极了您。"

"这是我调教出来的!"玛格丽特像培养出一匹冠军赛马一样,喜悦之情溢于言表。

"能遇上她是我的福气,能站在夫人面前讲话更是我的福分。"

"我不喜欢恭维话,就像我不喜欢甜食一样。"虽然这么说,她脸上密布的云纹还是舒展开,像面团从烤箱出来变成面包。她的声音亲切不少,像空调往脖梗里徐徐吹暖风。

"但我就是这么认为,您让我说真话我就说真话。"

"你和史密斯一样饶舌!"——她脑子闪过史密斯:他一定和某个女人在一起,而她也要找个帅哥在一起。

"恕我直言,您和史密斯先生就像纽约政坛上的一对金童玉女。你们不像别的人老气横秋、缺乏朝气,你们态度明确、意见鲜明,想到什么就付诸行动,很能代表纽约中产阶级的心声,你们前途无量。"

"你怎么看我和史密斯先生?"

"你们生活中是好友,工作中是好同事。你们互相遇到了,就顺便搭个伙。你们应该是一个党派才对,可他是民主党,您是共和党,所以在一起肯定引人注目。纽约的媒体比狗屁鼻子还灵,即便这样不也没抓着把柄?普通民众更不会臆测,他们只想寻个好代言人为自己争取实际利益,别的管不着。"

"史密斯的意见很多时候与我不谋而合,而且他懂女人的心。"

"他是再聪明不过的人,政治家最大的败笔就是风流成性和欠下风流债,可你们清清白白。"

"该死,我怎么和你讨论这个问题!我在问你是否真心爱我女儿,"她沉脸转过身,"你倒什么都敢说!"

"我已经回答您了,如果您仍不放心,我再说一次。她受过世界一流教育,思维精密清晰,像德国造机床一样精准好用;她接受良好艺术熏陶,拥有情感最细致的轮廓与线条;她是可造之才,充满女性灵性和柔情,注定将来不凡;她现在有些叛逆,但与她接受东西太多有关!夫人,她已到女大十八变的关键时候,这点您必须足够重视!"

"我造了架飞机,如今这飞机能飞天上啦?"

"她拥有无敌美貌,这是上帝对她的特别恩宠。美貌是个神奇物件,就像在人的脸上升起太阳或月亮,或者备有美食佳酿!拥有超凡美貌的人可以省下二分之一的智慧，少付出三分之二的体力，之后不费吹灰之力获得庸人一生难求的成功。美貌从古至今都是话题，但即使在纽约和世界对美认识日益分化的今天，莉莉的美仍凝聚共识。她的美如同她的心灵一样，像面一尘不染的大镜，把全纽约的人都照丑了。夫人，您的容貌同样光可鉴人，就像这个屋里同时有两个太阳和月亮一样。"

"谁是太阳谁是月亮？"玛格丽特夫人听得入了迷，她知道自己肯定不如女儿年轻漂亮，可一提到容貌，再宽宏大量的女人也变得心胸狭隘，即使母女也斤斤计较。何况史密斯压着她时，总坏笑着拿她和莉莉比，她敢怒不敢言！——话既出口，她有所反悔，脸上明显不快："不说这些了吧，说说你的打算。"

"您指什么？"皮特曼站在离玛格丽特五米外的地方没挪窝，两人好像隔着第五大道喊话。

"你，过来点！"玛格丽特夫人像扔根骨头，让皮特曼靠近。皮特曼知趣地上前，两人目光碰到一块儿，玛格丽特干嗽几声。皮特曼听到她架子鼓似的心跳，嘴角掠过一丝不易察觉的笑。他听到她说道："话已至此，用不着拐弯抹角，实话告诉你，如果现在让你娶我的女儿，你愿意吗？"

"您让我和莉莉结婚？我正盼着早点娶她呢！"

"现在和之前不一样，你会找个半死的人做老婆吗？就像今天买的瓶子明天碎了，你不是太傻了吗？"

皮特曼咽下口水，"夫人，关键那只瓶子是他的挚爱！最爱的东西哪怕只拥有一刻钟，也会觉得永远拥有它。爱情的神奇之处在于，它可以让转瞬即逝的东西变成永恒！除了您，没谁比我更了解莉莉。这个时候我不能让她、也不能让您失望，我要把世上最美好的感情给她，让她今生不枉做女人。"

"哦，老天，我不是在阿波罗剧院看莎士比亚戏剧吧！你放了这么一通烟雾弹，我都失去判断力了。不管怎么说，我以一个母亲的名义警告你，别和我耍花招，否则我会让你成为阴沟里的孤魂野鬼！"

"夫人，我已经向上帝和您保证过！"

"来点实际的，把你说的写下来，然后我去找律师修正，还要做法律公证。"

"我是个穷小子，用得着这样？"

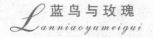
"你害怕了吗？你可以提你的条件。"

"我没有任何条件，只觉得这像玩 MSN 一样。"

"小混账，什么话你也说得出口！你是好面子的人，现在不说以后就没机会了。"

"难道您说的也要经过律师修正和司法公证？"

"我为女儿着想，亏不了你的。等她好一些你们就结婚，然后用最快速度给我生个外孙，之后你就大功告成，得到你想要的一切。"

"我没什么条件。"皮特曼知道自己这么说，主动性就在自己这边。

玛格丽特夫人有些气急败坏："你说假话脸不变色心不跳，被人抹了黑照样神气十足。说吧，说出来我好替你盘算。顺从我我就会给你开个大好前程，你至少少奋斗二十年，否则恐怕你一辈子找不着庙门！想做政治家没野心不可能，不懂谈判和讨价还价也不行，不会逢场作戏还不行，不抓住机会顺竿爬更不行！曼哈顿岛气派十足的高楼大厦里机关重重，你能找得着门道？"她会心一笑，陶醉今昔对比的体验中，早把女儿生病的事搁到一边。"知道吗？你有个致命缺陷！"——一股电流顺脊而下，皮特曼竖起耳朵听。

"你是穷人家子弟，在上流社会像珠宝里混入煤渣！你没钱，别人看不起你，更不会带你玩！"

"穷人也有穷人范，穷人也要活，穷人也有尊严！"皮特曼知道玛格丽特夫人说得对，人受穷好比聚会穿双破皮鞋，转个身就引来嘲笑。但他还是一时性起反驳，像长颈鹿高扬起脖子。

"别以为你偷盗没人知道，警察会抓你！议政大厅里个个是精英，整个纽约人才济济，你在里面算什么，不小心从厕所窗缝溜进来的苍蝇。你父母是工人吧，现在退休了吧？"——皮特曼不吭声，被玛格丽特夫人说到要命处，又生气又无奈。"你能从这样的家庭脱颖而出了不起，虽然如此，但碰不上我们这样的家庭和我这样的人，你还是不行。做生意可以白手起家，搞政治没有白手起家的！你看'二战'后的美国总统和政要哪个是平民出身，哪个是穷光蛋，哪个不是身家显赫？所以你皮特曼不傻，你苦追莉莉就是想攀我们的高枝！我女儿是个没主见的人，轻而易举被你搞上床。可巧她又患病，这样人不钓鱼鱼自上钩的好事让你捞着，你还装个什么劲！你想往上爬，就快点和莉莉把婚结了，过这个村没这个店，这机会对你实是千载难逢。——你怎么不说话?"

"夫人,我在听。"

"你在听就对了,这可是你积累人生经验的好时候!"

"夫人,打死我也没想那么多!莉莉已是我的女人,我不会做绝情绝义的人,不会做丧天良之事。"

"什么都不要说了,猫和老鼠的游戏到此结束!你知道现在最当紧做什么吗?"

"准备结婚?"——玛格丽特夫人不屑地嗤嗤嘴。"还请夫人明示。"皮特曼眼睛向下、耳朵向上。

"关键时你倒弱智起来,我是说你必须尽快从穷小子变成有钱人,必须有一定经济实力,哪怕跟着大佬们做个跑腿也好!说穿了我女儿不能嫁给一个穷光蛋,他得有个听得响亮的名头,否则就是丢我的脸,给我这个家庭抹黑!"

皮特曼一副垂头丧气的样子,继续让玛格丽特夫人戳脊梁骨。"夫人,我该怎么办?"

看皮特曼已经硬不起来,玛格丽特夫人得意地扬起鼻子。"你相信我说的话了?其实很简单,我介绍个人给你,你跟着他做生意。别总想着到党部打工,那里学不到真东西!在美国,一个好的政治家首先是个精明能赚钱的商人,而不像其他国家一个富豪十有八九因为他是官捞。"

"不知道夫人会把我介绍给谁?"

"梅根先生,上午我们还在一起,他正好缺个助手。如果你愿意——"

"我愿意,夫人!"皮特曼像亲手脱光身上最后一件衣服,赤裸裸立在玛格丽特夫人面前。他已经觉不出羞耻,就像贫穷男孩想用卖肾钱买一部高档手机。

玛格丽特夫人把自己包藏在珊瑚绒睡衣里,由于药物和咖啡的作用容光焕发。她身段姣好,腰里赘肉不多,肩不下踏,大衣叉下钻出两只圆润光滑的小腿。"我只帮你开个头,剩下的靠你自己。"

皮特曼用沉默表示感激。

"我所说的,你全听仔细了吗?"

"是的,夫人,一字没落,全听进去了!"皮特曼"幽默"了一下。

玛格丽特夫人得了大满贯似的笑,开出这么优厚的条件,谁不接受才

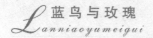

是傻瓜。她像少女似的歪头瞪大眼睛看，觉是整屋春色满园。皮特曼通过了她的大考，乖得像件拿起来就可以穿走的衣服。她完胜了，得意地跷起腿望天花板，对这个年轻健壮的男子有种空前喜爱和冲动！皮特曼像极年轻时的阿杰夫，脸像刚出土的土豆，光溜溜没一点瑕疵。他花言巧语，伪善多情，雄心勃勃，热情开朗，皆像肥料滋养她腰肢舒展、容颜姣美。刚上大学那会儿她虽然五官出众，却因家里穷，追她的人也是一群穷鬼！直到第二年，一个外地转学过来、貌不出众但爱开玩笑的男孩开始追她，这就是阿杰夫。他出身海军世家，父亲在一艘舰艇当大副，母亲是中学教师。家境虽非大富大贵，也算殷实可靠。为了离阿杰夫爸爸近点，他妈妈选择迁居纽约港。她和阿杰夫的恋情发展很快，没一周就成他胯下之物，像猎物在他下面徒劳蹬腿。他学习成绩一般，搞女人却花样颇多。她一边反感，一边扛不住诱惑，稀里糊涂成了他公开恋人。他们的爱情像盛开在公共绿地上的娇艳玫瑰，人人可以看，人人可以嗅。此刻，对于丈夫失望多年、心寒如水的情感和对于史密斯报复似的仇恨加速她的血液流动，她内心像哈德逊河波涛汹涌。她眼里冒着火，在掠过的地方可以烧出两只洞来。"一副好口才，一个好苗子！"她暗暗赞道。女儿成了她的情敌，她有些饥渴难耐了。她像少女似的瞪大眼睛，歪倒头揣测他心思。而他像棵枝条垂落的夏树，等她打伞到下面纳凉。

"你的前途和命运就包含在今晚我们一席话里，不是每个人都可以拥抱到纽约的天空，总有人消失在下面，也有人从未触摸过它！"——她本还想说点别的，却连打几个哈欠，扭动身躯，吸着鼻涕，拍拍肩和别的地方，"吃药了也不管用，浑身疼痛怎么办？"她一脸倦意，像只翅膀受伤的鸟。

皮特曼只剩一张人皮平铺地上，他影子往前挪动下，脑里似有只羚羊飞奔，寻思如何讨好这个汤浓汁酽的女人。她即将成为自己的岳母大人，现在却是个无人光顾的弃妇！"夫人，需要我做什么尽管吩咐。"

"你能做什么，马上就是我女婿了，先把说了的事做好！"她眼睛像侦察兵那样亮，头却无力地倚在一边，"能再近些吗，我都没看清你什么样！"她拿靠枕挡在前面，一具热力腾腾的年轻男性躯体横陈脸前，她有些魂不守舍。她把腿像挂衣架那样弯回去，侧身坠入沙发，不知因为生病还是兴奋轻微呻吟。皮特曼焦急凑上前，神情那么专注，像医生，像老师，像圣父，像兄长，像同事，像亲人，像志愿者，每事皆发自内心，完全出于道义、责任、良知和修养。他那么心甘情愿和体贴入微，流露出男女肌肤之亲前最温柔最感人的一面：眼神如加勒比六月的海水，嘴唇像盛产于泰国的红芒，那颗头颅像西班牙艺术大师手下的作品。她没有躲也没有拒绝，看到他鼻翼上有个陨石坑一样的小疤。她像台实验室尖端仪器在测量、计算、分析和汇总，预测接下来事情发生的概率。皮特曼把手悄悄伸出去，像突然决定偷一件心爱的东西，把它永远据为己有、为己所用。可就在他刚碰到她冰凉的衣服表面时，她突然嚷嚷起来："该死，你什么时候回来啊，回来管管这个家，回来看看你生命垂危的女儿！你真是个绝情绝义的人，一个彻头彻尾的负心汉！"她放声谴责阿杰夫，而阿杰夫绝对听不到，她无异于说给空气听。——听说有一种蛇每次饱食之前都要清空胃，玛格丽特夫人是不是也是这样？她把头发理了理，又把咖啡续上，对皮特曼快速看一眼。他立刻惊醒，身上温度像光屁股走到冬天室外，那个见不得人的念头像蛇蹿回草丛。

"夫人，您需要休息了，我这就告退。"

"要是没特别的事，再陪我一会儿好吗？"她像个乖女孩、白痴、病瘫，像个希望摆脱婚姻噩梦的妻子，像个渴望被雨露浇灌的情人！她在意识里已滑掉最后一件衣服，只等他扑上来，哪怕像艘破船折戟于邪念生成的强势风暴！是的，如果他同意留下，她把一切给他。

"愿意效劳！"皮特曼二话没说答应，干脆劲就像他那上挑的生殖器一下顶进她身体。她一下没反应过来，疼一下痒一下，意识里又是愧疚又是幸福。看来他早算清了账她浑身发抖，上去拉住他。"你要让我高兴，将来一切都是你的！"她兴奋得像吸食了可卡因，母牛一样湿漉漉地舔遍他。皮特曼附和她动起来，他干着那事，耳听得她一声声唤他心肝宝贝，内心怀着某种特别的凶狠和仇恨，一下下像要她的命！很明显他要的不是快感，在她同意的时候，他似乎已身入豪门，这里将变成他的地盘！娶了莉莉又怎样，且不说他真心喜欢过她，他同样也在利用她。政治家的精明要像投资人善于把垃圾股变为绩优股，变废为宝才是本事。他为自己沾沾自喜，不由欢腾起来，玛格丽特像艘激流中的小皮筏艇无助和呼救。——一次两相情愿的交易，各自达到目的，像单簧管与贝斯乐手配合形成一只飞机烟线似的乐调，夹杂酒液刺激与野性欲望混合出的腥涩味道，心脏像在

二百米水下被压缩为一个小小核桃，没一点多余空间与让步。皮特曼今天是来出卖自己的，并且成功出卖了自己。他对女人释放出的情欲那么敏感，像大象可以闻出五十公里外异性的气息。他像马儿一样昂起上身，奔腾不已。这算什么呢，就算对他钟爱的事业以身相许吧。

　　玉真轻轻擦去额上的汗，这段时间他真有点吃不消！临近中秋节，天气转冷，病人开始增多，诊室里每天咳嗽声不断。小罗急得满头大汗，诊室太小盛不下太多人，外面天冷又没法待。道医馆的医疗条件真没法与专业化、现代化的医疗机构比，还停留在过去一成不变的作坊式经管阶段。智海为此着急上火，几次找方丈商量，但都没想出好办法。建道医院的计划早就提出，到现在运行磕磕绊绊。原因是多方面的，但根本上还是中医不被重视。如今中医在世界范围内重新热起来，但各种症结也随之暴露。建设与当今医疗理念和技术水平相适应的现代中医药体系，成为一个时代难题。现在当务之急是取得一个突破点，把现代中医的标杆树立起来。智海咬定做此事，并决心几年内做成。但一切像一个探出枝头的绿苞，需要阳光、温度和水汽的共同作用，才能慢慢积蓄并突破最后一个节眼。

　　小罗隔会儿开窗就通通风，然后不断打热水回来让大家喝着暖身子。病友们其乐融融，老病友给新病友添油加醋讲白云观各种鬼事。屋里人声嘈杂，玉真难以静心，居然几次没察觉病人脉象。事后他胆战心惊，后背直冒冷汗。问题在于：一方面病人太多，另一方面与他休息不好有关，而休息不好又与满脑子想着莉莉有关。莉莉像果蝇寄藏他体内，他那张清秀并略带忧郁的脸瞧着让人心疼。他心像清澈见底的水，莉莉是晃在里面的月亮。他无法自已这种状态，身心处于二十四小时亢奋之中。意念与情愫像春天的草树乱枝蓬生，整个世界拥有无比诗情画意，恰似漫步梅林竹海，满眼多情的花和邪生的树！过去的灵巧变为笨拙，以往的勤奋换作懒惰，心不在事上，事不在手上，意不在心里，心不在观中，浑然一个囫囵毛雪人，白鼻子白眉毛连自己也认不出！莉莉的音容笑貌像刻在石板上，洗也洗不掉，磨又磨不平，平地生出一朵筋斗云，把一个针尖窟窿眼带入混沌大世界！那思绪跨越万水千山，心响泠泠不绝，受地心引力和地形引导执着自流。日子与现实隔开，又与梦境两随，一个人过日子的苦和两个人过日子的闹，全部复写在大脑皮层上。日子不再冷寂，因为有人在边上伴着、看着、说着、笑着、唱着，热闹得像彭州花园！这就是爱情，一本打开就放不下的书，里面徒然只有白字，却看得脸红心跳！过去什么好与不好都了了，满眼只有阳春美色。

"你说过一遍？"病人刚说的情况玉真没听清楚。

"病状已经两年了，以前都说是肾亏，可玉真大夫，我自己有退休金，儿女也不亏待我，成天我和老伴吃这吃那补身子，怎么就肾亏了呢？"

"吃东西怎么样？"

"能吃得很，我儿子都赶不上我。"

"大便怎么样？"

"哟，这个真没注意。"

"你脸色不对，脸不是胖了，而是浮肿，应该是肾气不足、虚火上浮。"

"人都说我缺心眼，怎么这个也缺！"说过他自己也被自己逗乐了。"这些年身子拖累了我很多事，要不然也不用提前退休。"

玉真一时想不起一味药，笔停在空中，这是破天荒的事。小罗恰好进来，看了眼说出那味药。玉真写好方子交出去，一口气喝掉小罗送来的凉白开。喝凉水已成他的习惯。

"玉真大夫哪里人？我从厦门来的，哇噻，厦门美得不得了，还有好多海鲜！你到过那里吗，下次去我请您的客！"

"先生，大夫看病时尽量不要打扰他，会影响对病情的判断。"

"好的啦，没问题。中医就是不如西医方便，动不动要忌嘴什么的。"

"是的，服中药期间不能多吃海鲜。"

"知道的啦。"他脖里的金链子闪闪发光，眼睛不屑地往屋子四处打量。

玉真当没看见继续瞧病，小罗有点看不惯这人。——不相信中医却找上门来，找上门又说三道四，这大有人在。小罗等那人一出门就生气地拉上帘子，玉真宽容地笑笑，小罗有些不好意思：

"玉真大夫，你歇歇吧。"

"没事，吃得消。"小罗想阻止他，他冲帘子外扬扬下巴，"安排去吧，大家都等着呢！"

小罗不情愿地出去，玉真捏捏眉心，迅速调理下气息。病人进来，他

依旧春风拂面。

"超市鸡蛋又涨价了，都五块一斤了！肉也涨，菜也涨，什么都涨，就是工资不涨！"

"钱不耐花了，每天就是过过手。"

"别说人民币，美元也不值钱了！"

"是啊，不知是东西多了钱不值钱，还是钱多了东西涨，反正是物贵钱贱。"

"还有堵啊！您不知道从大北窑往这边有多堵，病都跟着重了！路堵医院堵学校堵心也堵，堵字一箩筐！"

"按说现在不缺吃少穿，有房有车，养老金领着，看病有医保，公交免费坐，生活困难有低保，可怎么还觉着别扭，像刁嘴婆一样不满足！"

"话不能这么说，这就叫人的需求！低端的需求满足了，更高端的就生出来了！过去是小农意识，现在是公民意识，是好事！"

"是这么回事？您肯定是大知识分子！"

"不敢当，粗读几年书。现在我们国家越来越开放、越来越民主，民众对精神和民主需求越来越多，于国于民都是大好事。怎么讲？社会进步了，人得到充分发展！我们应该庆幸赶上这样的好年代，人们能照真实想法活，很多东西公开透明了，社会生活丰富多彩！"

"你说，老百姓活着不就图一乐和吗？别成天光想不好的，多想想好的方面！"

"家和万事兴，别身在福中不知福！发发牢骚可以，该做什么和不该做什么还是要分清！"

"那是！"大家说到国家，个个神气起来。

"中秋节要到了，小罗，白云观发什么福利啊？"

"不清楚。"

"不当家不知柴米贵，白云观一大家子不好当！"

"是啊，智海师父这家不好当，好几百号人呢。"

"有些日子没见着他了，就喜欢听他说道说道，智海师父对观里可是一片痴心啊！"

"别说是您，就连我们见他一面都难。谁不知道他是白云观的大忙人，观里全凭他帮衬方丈。"

"社会要照智海师父说的来，就什么事没有。可你们看，现在这世界乱着呢。"

"各求有福吧，天下太平比什么都好！"——人们一时沉默。

"大家不说这些行不行？这里是诊所，怎么净聊些这个！"小罗站出来说话。

"还得多久啊，我早来了，怎么排在晚到的人后面？"

"怎么会，我都等半天了，你这是插队！"

"我明明比她早到，怎么名单上她先我后？"

"她是预约的，上次就排队了。"小罗解释道，一边出去取东西。

"哪有这样的事，不行，谁先来就该谁先治！"

"不行，我还约莫着去学校接孙子，这可误不起！"

人们在屋里拥挤，像攒在一座孤岛上，不小心便被挤下水。

"我外甥马上下飞机，我不回去他们进不了家门！"身材高大的胖老太太说着站起来，朝里屋走去。那个头发稀疏的瘦老太太不干了，伸手扯住胖老太太衣角，两人你一言我一语争执起来，凑近嘴往对方脸上喷唾沫星子。有人劝架，有人看热闹，诊室一时间像天桥场子。小罗取药包回来，顿时气不打一处来。

"这么大岁数了，这是干什么！"她叫嚷着，把掐架的两老太太喊住。周围的人也全跟着说好话。两老太太争相向小罗告状，小罗把脸一拉，

"什么也别说，放本上登记的来！"

瘦老太太胜利似的进去了，胖老太太可怜地瞧着小罗："我得赶回去给孩子做饭，三年我们都没见面了！"

"大家都守秩序，玉真大夫就会快一些！如果都这么闹，玉真大夫还怎么看病！再说大家都有特殊情况，哪个不想早点看完回家！"

"小罗啊，不是早就说新建道医院吗，怎么还不见动静？"

"哪那么容易，道长和玉真大夫都急着呢！刚才我在外面碰上智海师父，你们的话赶巧让他听到了。"

"哎哟，怎么让他听到了，那多丢人呢！他可不是一般人，要不道医馆不会管理得这么好！——他说什么了？"

"他肯定惦记道医院的事！"

"快些建吧，瞧看个病把大伙憋屈难受的。"

　　小罗"嗯"了声进里屋，忘不了刚才智海驻足道医馆外雕像一般的身躯。

　　冷静和坚毅的背后往往是常人难以想象的苦闷与寂寞。自从智海出家并学习道医，到以后进入声名煊赫的白云观，他的生活就永远禁锢在这二者的交集中。其间有过多少欲望、付出、艰难、恐惧，他都如水中画字，什么都不能阻止他对道教的痴迷与热爱。信仰和理想完全混入他生命历程中，变得不可剥离。他像只焚烧炉可以把所有东西装进去，然后还世界洁净和安全。在他房中间桌子上永远放一只乘满水的碗，每当内心不安或陷入思考，都要将手指伸进去轻轻搅动，借此告诉自己：乱的是内心，而不是外界。道医馆人满为患，他忧心忡忡。方丈着令他加快进度，他一筹莫展。从道医馆返回房中，他本能地将手蘸进碗里，那水立刻像鱼咬着指尖转动起来。在黑洞洞的光线里，水发出轻微呜咽。建成道医院是他此生最大理想，而最令他烦恼的问题是：中医尚未取得社会的完全信任，而这远不是中医应有的状况。中医足可以用神奇二字形容，但在科学化、理论化和现代化上远远不够，几乎完全依赖医者个人的心智与悟性。问题远不止此，拔尖人才的缺乏，转变观念的艰难，现代社会管理方式的理解与适应，审批手续与过程的烦琐，巨额经费的筹集，选址和施工须与周围居民和单位处理的关系，等等，都是道医院建设的障碍。他不敢自比恩师，但常常会怀念恩师、师兄，从恩师和师兄那里获取灵感和力量。方丈把建道医院这件事单独交给他，对他寄予厚望。方丈是位深谋远虑之人，肩负着整个道教及全真教派的传承与发展，所处环境和所做的事要比他更难更大。两人都身挑重担、负重前行，心中既有石墨般的郁黑，更有锥刺般的光明。——他手下动作明显快起来，不知是手在撩动水还是水在推动手，只见顺势一扬，一尾银鱼跃入空中，在屋里顿时形成一个小小气涡，并且瞬间变大，吸收和带动周围空气，在有限空间里无限旋转膨大。过后很久，那鱼才疲惫地躺进碗里，重新变成一碗普通的水。智海定神吐纳，看外面不甚分明的阳光与雾霾，意识到不能再耽误时间，得赶紧出去做事。——刚才只是他人生旅途中一个喘息，而后他继续挑起压得肩膀生疼的担子勇往前行。

第八章　吴玉华一家

　　白云观的中秋节不像外面那么隆重热闹，各人分得几块月饼，然后放假半天。一些道士换上便装上街去逛，玉真哪儿都没去，回家继续看书查资料。他提前收到玉竺从武当山快递来的山货，拿着东西，仰望已经变成芒果样的月亮，勾起无数心事。他落了泪，回头焚香打坐，在蒲团上默默念诵《丘祖忏文》。

　　国庆节，观里备了几份时令瓜果，召开座谈会。方丈听取大家意见后，语重心长提出要求，要大家记着根本一条：道教一定要在做有利于国家、民族和社会的事，每个道家人都要明白自己的目标和职责，将道教真正发扬光大。玉真独自走在回家路上，心绪难平，发誓要举毕生精力反哺道教，让道教实现全新发展和繁荣。他的心狂跳不止，每下呼吸都可能点燃空气！可经过药王殿，他放慢脚步，想起病情危重的莉莉，立即愁苦不已。回到家，他没再耽搁，在灯下往自己身上试起针来。

　　赶巧前段时间有个叫吴玉华的女患者到道医馆看病。她独自前来，告诉玉真自己得了乳腺癌，想结合中医治疗，不想再去住院。玉真猜她除了对病情绝望，家里经济条件也一般。她只来过一次就没再来，玉真决定为她免费治疗。他打电话过去，她在那边听了有些吃惊，不过还是同意了。玉真带几块中秋分的月饼，照她说的地址，乘公交找到位于菜市口和虎坊桥之间路边一栋即将拆除的赭红老楼。他爬上楼，过道里拥挤不堪，公共走廊的窗户玻璃都碎掉了，破损窗台上的泥陶花盆里扎眼地盛开着天天开和波斯菊。一只牙齿锋利的黑老鼠从脚底窜入楼道一侧高高垒起的蜂窝煤。房门一律装着简便防盗门，两边去年贴的对联虽未褪色，但内容已似

一场激情过去。想象的东西永远只是想象，现实让人痛苦失意，这是真的。老楼周边的平房大多正在拆除，一处残存的老院坚持用柱子顶住后墙，房顶被别出心裁蒙块塑料布。加盖的二层小楼上焊接了铁笼子，里面仅有的一只公鸡它的冠子像戴顶歪帽子，对旁边毛羽不全的母鸡正眼不瞧。玉真刚停下脚，几只鸽子扑棱棱从眼前飞过，在北京南二环一带难得一见的宽敞天空里绑着竹哨盘旋，好比这里居民最后的理想和留恋。在挖掘机和推土机挖入地下三四十米深坑的轰鸣声里，让人淌下几滴感人至深的酸楚和温情之泪。那些操着四面八方口音的泥腿汉，对那些仿佛有着生命、虽然衰老却依旧残喘的老房没有丝毫同情怜悯，接到戴着崭新安全帽工头发出的命令，立刻麻木和愤怒地扑向那些土坷垃褙墙的老房，用机器、撬棍和大手把它们夷为平地。一座座房价高得离谱的高楼拔地而起，曾经世代在这里留下体温、影像和欢声笑语的老北京被迫告别祖地。老北京正在消失，能吸溜着吃掉一碗熘肝尖的人越来越少，能咿咿呀呀唱京剧、打太极的老北京正在绝迹。新式的北京人闪亮登场，京城新四少中没一个原籍北京人。北京不再以文化为界别，而是以户籍鉴定身份！故宫和天地日月四坛一如百年前金顶蔼蔼，但在四环内簇拥它们的新式庞然大物中，它们只是几具历史的骨灰盒，仅具象征意义。过去意义的老北京正在消失，新式的北京文化尚未形成，市委、政府评选出的"爱国、创新、包容、厚德"是城市生命的新体征，不算一块幌子，也非刻意而为之，是北京建设世界城市的新风尚。敲了很久才有人来开门，却不是吴玉华，而是一个体胖年高、头顶花白的老太太。大概她的头发很久没染过，头顶像爬只白色海星。"您是谁，您找谁？"

"吴玉华是住这儿吧，我是白云观道医馆来的。"

"哦，是道士吗，怎么看着不像啊？"她用怀疑甚至是恶毒的眼神上下打量玉真，仿佛玉真是个骗子。

玉真正愁怎么解释，吴玉华出现在楼道口。她歪头拎只蓝色塑料袋，里面几棵芹菜挑出头，穿着与季节不符的长衫长裤。看到玉真站在家门口，急忙迎上来："玉真大夫你来了！"吴玉华把玉真让进门，向他道歉，"家里太乱，您别介意啊。"

玉真微微打量：可不是嘛，里面东西堆积如山，连个插脚的地方都没有。

"坐这边吧。"吴玉华腾出只椅子让玉真坐，接过月饼感谢了下，然后背身去沏茶。那个老太太早隐到一个看不见的地方，只偶尔听到咳嗽一两下和喉咙里烧开水似的嗞嗞声。窗户犄角搁一对黑乎乎的老药壶，小得只够容人转身的阳台上正晾着陈香四溢的中药渣。大概是中药渣的味道成功中和掉房里的迂腐之气，里面看不到一只烦人的秋苍蝇。碧绿的茶叶在杯里翻滚，玉真礼貌性地接过放在桌上。那桌面上一块油污居然像极一只蝴蝶，更神奇的是还有两只触角。

"上次洒了药汤形成的，等发现已渗里面了，用洗衣粉、洗涤灵都不管用。原来上面光光的，我婆婆梳头有时当镜子用。"

"刚才是你婆婆？"

"对。我们两代人住在一套房子里，分这房子时我结的婚，住在这里已经快二十年了，一切都习惯了。"她无比发愁地看看周围。婆婆在被褥堆起的小山后响动了下，玉真想起进门时她凶恶的眼神不免胆寒。"她也是个老病号，年轻时坐月子落下毛病，做不了重活，只能生个火做个饭什么的，连看孩子这样的事也指望不上！"

"不是我不看，是我看不成！"老太太耳朵出奇的好。

"妈，您又来了，我没有责怪您的意思！"

"你老拿这个说事，我都听好几十回了！我大孙子我能不心疼，眼见我们活不了几年了，你就不能再忍忍？"老太太骂声尖厉，但同时也哭出声来，和那偶尔从窗户里飘来的鸽哨声混在一起，比古代苏武牧羊的蛮胡之音还要凄惨。

"妈，这里还有客人，您老就不能安生点吗？"

"我倒是想安生，我能安生下来吗？一家子没有一个不病的，大田瘦得跟匹儿马似的，乐乐长个正缺营养。你是家里的顶梁柱，没曾想得了这么个劳什子病，你说这日子可怎么过！客人来了又怎么样，正好让他听听！他不是市里名人吗，让他好好向上面反映反映，看看我们过的这是什么日子，倒是有人来管管啊！"

"妈，别说这些了，人家玉真大夫是来了解我病情的，那么多事人家怎么管！再说街道不是给我们发着低保吗？"

"就那仨瓜俩枣，那也叫钱？三个甘蓝就花没了！好了好了不说了，我一说你就嫌烦，等我们死了，你们落个一年四季清净！"

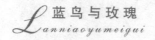
"对不起啊玉真大夫，人上年纪爱牢骚，您别往心里去！"吴玉华不好意思望着玉真，又向下盯着粗糙不平的水泥地。

玉真虽然被老太太顶撞感觉不舒服，但真正不舒服是他第一次活生生看到生活在底层的北京人。不是那些豪华小区或机关大院里的游龙戏凤，也不是满电视珠光宝气的明星企业家，更不是南锣鼓巷新四合院里简约不简单、身家显赫的新型豪富，这里生活的人从事的几乎都是些体力活，屈居在动物保护区似的越来越小的地盘上，他们声音太羸弱，像马路边一丛野生的喇叭花，对着成天咆哮而过的滚滚车流呐喊却遭无情掩埋。对于吴玉华的道歉他说不出什么，这与她无关，也与他无关，但像打了他脸一样生疼和恼怒。

"想问什么尽管问吧！"

"嗯，其实没什么，就是觉得生病的人都有点无辜。"

"无辜？头一次听人这么说，心里好难受。"吴玉华一下垮下来似的拭泪，但又很快回过神，似乎证明或证实她对于现状已经适应，就像跌倒爬起继续朝前走一样！玉真为她的坚强感动，微微惊讶地张开嘴巴，更坚定帮助她与疾病抗争到底的决心。"您也看到了，我家里就是目前这么一种状况，有什么可说的呢？家里穷，出处比进处多，我现在几乎不做事，只有老公一月千儿八百的工资，还有老人为数不多的社保金！怎么够呢？每天的药钱就受不了。事情层出不穷，担不完的心血操不完的心，病是日积月累所致。"她无意间叹气，让人感到风暴在远处隐隐掠起的边缘，"说起来家家不是如此吗？可我们没有人家那样的本事，这只能怪到自己头上！自从我二十年前嫁到这个家，就和老人挤在一起，一辈子穿衣服睡觉，心悬着就没落定过！我睡觉很轻，大夫说是神经衰弱，我和他们开玩笑说外面花盆里开花我都听得到！我丈夫年轻时由我公公从厂里解决了一个指标，我们就在一个厂里认识的。到现在我都记得他穿蓝色白条纹的运动衣，脸清瘦和方方正正，黑眉毛，一笑就露出白白的牙齿，那种精神劲看着让人——""我儿子可是美男子，标致着呢！那会儿我就不同意你们结婚，厂里会计女儿看上他，那女孩精明得很，可惜他没这个命，要不然不会这样！"婆婆扯着嗓子痛苦万分地追忆。

吴玉华不理她，随手摁死地上一只没逃得及的蟑螂。"让她说去吧，说出来她会好受些！人落魄时总找些不干己的理由，她未必真那么想！"

玉真点点头，为这样一位普通女性蓝天般的大度感动和震惊，好像让他一下从地面来到空中，身下是浩渺的风。"是公公先看上的我，他和我一个车间，虽然我年纪小，但他喜欢我的为人。我长得也不难看，厂里追求我的人不少，包括厂里领导的子弟。可我心高气傲，大概看革命小说看多了，是个保尔似的理想主义者。我公公临退休前找到我，身后带着大田，他脸白白的，散发着肥皂的清香，眼睛又害羞又微笑的样子，我知道他喜欢上了我。我以前认识他，只是没说过话。公公是个正直善良的人，在车间里十分维护我，他大概从开始就把我当成自家儿媳妇。我也喜欢老公清瘦和积极做事的样子，总觉得他像极那位保尔·柯察金。他给我写过一些情书，那时兴这个，我晚上躲在路灯下看，像有人挠头皮一样。我们认识没三个月就结了婚，厂里房子紧张，我们申请几年没被批准。后来这地方征地拆迁，那会儿我和大田户口还没分出去，婆婆找厂领导使泼耍赖才多要了一套房。我和大田乘此搬出去住。我还有一个小姑和一个小叔，他们和公公、婆婆住在一起。乐乐就生在那个时候。婆婆身体一直不好，我妈也一大家子事，所以全靠我一人带孩子。那些日子我和大田挣着双工资、住着楼房，日子过得甭提多美！我有事没事唱关牧村的歌，穿着蓝色裙子，头顶晴空万里，裙角在自行车上飞扬，比喝了蜂蜜都舒服。丈夫在外不招事不惹事，蓄着小胡子，天天大马路上骑辆自行车走，对我和孩子好得没法说，我们都觉得所有北京人都不如我们这家人幸福。

"不久国家推行体制改革，我所在的厂子是集体企业，被列为先行试点。刚开始效果很好，厂里所有人热情被调动起来。我们天天加班加点，机器日夜轰鸣，厂子订单从年初排到年底，那时打死也不会相信厂子会有倒塌的一天。好景不长，连换了几茬经理后，我们突然发现厂子像辆公共汽车坏在半路，车修不好，人们吵吵闹闹，来检查开会的领导一拨又一拨。我们都没当回事，等突然接到商业局通知，说要停产整顿，我们才僵在那里。厂子好端端的怎么就停产了呢？我们天天拼死拼活干活，说实在的比以前卖力不少，怎么会出现这种情况？据说是领导贪污和用人不当，可这关我们什么事，把那些人抓起来不就得了！上面派人审计后不了了之，账户早出现难以弥补的亏空和漏洞。再加上个体经济发展势头迅猛，同样的产品，他们生产出来价格低、样式新、品种多，一下子把我们甩在后面，而我们错过了最好的转型期，天天到厂里闹，自己拆自己的台。我

们总认为自己是公家的人，国家不会不管我们，可我们真错了，我们像婴儿躺在床上睡傻了，醒来一看什么都晚了，不知怎么回事就下了岗。公公早从单位退下来，小叔顶了他的班，小姑上着学，没多久也辍学待业。家里一下墙倒屋塌，都不知怎么熬过来的，现在什么都记不得了，只觉得黑乎乎一片。不说那么多了，后来小叔要结婚，没房人家姑娘死活不答应，小叔天天和家里闹，婆婆上吊威胁都没用。我和丈夫商量主动把房子让出来，丈夫起初不答应，我就和乐乐先把铺盖卷搬婆婆这儿，他也就跟过来了。小叔一结婚，小姑先跟一个没正式工作、但能说会道的东北小伙住外面，后来又换了好几个。本以为家里安生点了，没料公公突然得脑溢血落瘫，屋漏偏遇连阴雨，婆婆上吊我把她解下来，半个舌头都紫了。据她讲自从嫁到这个家药罐就没空过，用她的话说'心里不展活，活着没意思！'可我看到公公这么好的男人，什么都由着她，天天嘘寒问暖笑脸相迎。人啊真奇怪，婆婆有这份福气，我也有这份福气，没别的，老公对我们好！"

"玉华，你紧着说什么，家里那点事都让你抖索出去，你不嫌丢人呢！大田就要下班回来，赶紧做饭去，哪那么多废话，你多说一句人家会给你金龟玉马啊！"

"妈，玉真大夫要了解我的病情，我随便和他多聊几句！"

"什么话也对外人讲，要不说你缺心眼！"

"玉真大夫是白云观道医，对他讲这些没什么的！"

"凭什么跑到我们家来问这问那了，专拣那些蜇心窝子的话听！"

"妈，你就安静待会儿，我这就去做饭！"

"你公公拉下你不管了，快过来吧，再一会儿熏死我了！"

吴玉华对玉真说声对不起，起身绕到被子后面。玉真也跟进去，仔细辨认才发现床上躺着个皮包骨头的老人。婆婆吃斋念佛一样端坐旁边不动，被子里的老头歪嘴斜脸往外伸胳膊，露出被窝里的光身子，眼睛充满被病痛折磨到绝望的空旷辽远；手严重晃动，仿佛执拗地拒绝又要抓住什么，呈现出求生不得、求死不能的样子。婆婆把丈夫胳膊强塞进被子，"当心感冒，感冒了还得花钱！"房间里弥漫着排泄物的刺鼻气味，吴玉华眉头不皱，提着兑好温度的塑料水桶和毛巾到公公前面，伸进手清理秽物。公公身为男人和长辈又一次做抗争，无奈只是岸上之鱼。婆婆面如盘盏，用一副《新闻联播》女主播的好音质提高八度："好好待着，这个时候还护什么羞！让她处理怎么了，这房子以后不归她吗？"吴玉华快速清理完毕到厕所冲洗，婆婆用锐利的白眼睛翻看玉真，玉真觉得她眼光可以杀人。老头喉咙里发出打磨砂纸一样的声音，妻子飞快地用手绢把他挂在嘴角的透明黏液拭掉，然后仰望屋顶的光线，对着那出神。

"玉真大夫，回去好好帮我们求求神仙吧，保佑玉华病早点好，给我们一家人消灾祛难，让我们老两口死的时候能闭上眼！玉华不能死，她一死这个家就散了！"婆婆声音发抖地说，好像浑身发冷，丈夫抓着她的手不放。"她就是个苦命孩子！好心人是不是都苦命，是不是有这么一说？我和老头子就不说了，生下来没赶上好时候，兵荒马乱能活下就是万幸！原以为孩子们赶上好时候，可是你看，老头没本事，孩子没出息，我和玉华都一身病不争气，你说老天怎么这么对我们一家？也罢，也让我们死个痛快，可我上吊没死了，老头躺着死不成！我有时想捂死他算了，少让他活受罪！可他不能死啊，死了就是给玉华他们填堵，他们要遭人骂啊！小田，我的二儿子，还有小菊，我唯一一个姑娘都不指望了，就当我生了两个虫！你也看到了，我们祖孙三代挤到这里，不找事也尽是事！这些年要不是玉华，我都不知道怎么挺过来！我这人打小霸道欺软，亲戚、邻居都不敢惹我，我老头子一辈子让着我，可就这我也得说玉华好！有些话我说出去自己也后悔，她就那样笑笑过去了，这么多年和我住着没结什么仇，不容易啊！要知道我唯一在世的亲弟弟路过北京都不和我打个照面！她把家里家外照料得服服帖帖，我和老头才能活到今天！"——婆婆说着，吴玉华像墙根那只老头乐悄悄待着。婆婆把泪一抹，手里转动两颗保健球，两球碰撞发出绵软的声音。"还不赶紧的做饭去，多添两个菜，今天算我的，我请玉真师父留下来吃饭！"玉真连忙婉拒，老太太脸一黑嚷嚷起来，仿佛出门被车撞了一般，"唉哟玉真师父，让你留下你就留下，我不和您玩虚的，我们这种人家但凡说出去都是真话，不是真话也不敢留您呢！现在什么都贵，家里什么都缺，这不您什么都看见了，回去好好替我们消消障就行了，我们也没什么报答您的，您将就着点，也就青菜萝卜白米饭！您要是拒绝，以后甭来了，玉华，这就送客！"

玉真只得答应。这时小罗给他发短信，问他中午是否回白云观用餐，他回短信告诉她不用留饭。老太太看他发短信，脸上表情就怪起来。"哟嗬，真是时代变了，道士也用上手机了，还和我家小田一个牌子！"玉真友善地笑笑。吴玉华埋怨婆婆："道士就不能用手机了，道士就该生活在过去？""你看你，我说什么了，我不就好奇嘛，没怎么着就向着外人说话！"老太太白儿媳一眼，额前头发白一绺黑一绺耷拉下来。她从老头褥子下薅出一叠钱，黑乎乎的像掉在土里的天津耳朵眼炸糕。她掂对好一会儿，抽出二十块钱递给儿媳，"道人不吃荤，添个土豆丝炒鸡蛋和豆腐皮焖茄条，中午乐乐可要改善生活了，再给他单加二两猪头肉，给我这大孙子补补身子，他几天就蹿一拃，我们老李家就没出过这么大个的人！他也快放学回来了，你这就去，甭在这磨蹭！不就是倒苦水吗，我和玉真师父说就行了！放心，你婆婆我心没坏，不会说你的坏话！"

"我婆婆就是这样，嘴直心快，你别往心里去。"玉华边站起来边对玉真解释。玉真含笑表示理解。

"快走你的吧，磨磨蹭蹭！——等等！"她把儿媳叫住，"再给你十块，给大田也加些肉！"又犹豫了一下，"你也吃点肉吧，今天我就做一回菩萨！"又给儿媳二十块钱。"这一顿饭就多造出四十块钱，现在钱怎么这么不禁花，过去领十块钱月底都能剩！"她摇摇头，把那钱重新计算好、叠好、放回去。老头眼里闪过一堆破玻璃碴似的光，灰汪汪、空荡荡的。

"接着说吗？"她征求玉真的意见，不过也并没有真正等他意见。老头瞪着她，猜不出什么意思。"这些年二儿子和姑娘都不搭理这个家，他们翅膀硬了，长大就飞了。单就老二，只晓得孝敬他老丈人，架不住人家有钱啊！他那小舅子紧着玉泉路大楼开公司，半座楼都买下来，这么着也不懂拉扯下他这哥哥、妹妹。他现住着方庄一百四十平的房子，光装修就花了五十来万，却占着大田老房子不让出来。说是那套归了他，现在这套归他哥！我们还没死就替我们分了家，真是作孽啊！夫妻俩一年半载回趟家，待不到十分钟就锅盖存不住水溜了！孙女从小受二儿媳挑拨不和我们亲，来家连声'爷爷''奶奶'都不叫！现在更借口上学不来了，长什么样都不知道了！二儿媳每次进门脚不沾地，连口水也不喝，一会儿嫌这家小，一会儿嫌里面臭，我和她呛过几回，又担心她后面再不来，只得忍气吞声。说到底人家看不上咱们啊，早闹着离婚呢，也不知我那二儿子怎么受委屈，天天给人家舔鞋底！眼见家里老小病得不轻，也没大大方方接济过一回。从他爸生病到现在，十几年只拿了两万块钱，就觉得得理不饶人！能和他们计较吗，传出去笑话，弄僵怕蹦子见不着！眼见他们花天酒地，成天买吃买穿，轮到爹妈哥嫂就公鸡屁股抠不出个蛋！据说前半个月和朋友去新疆开什么矿，由着他们折腾吧，不怕人笑话他们就甭管这老两口死活吧！天天三忠四孝地讲，电视上天天讲北京精神，他们好意思就让他们造吧！我怎么生了这么个没良心的狼崽子！还是玉华两口子好啊，我这么刁难他们，也没顶过嘴！——我说哪儿了？说到我那二儿子是吧？说完他了，还有我那个姑娘！家里就她一个女孩，打小把她惯坏了，做什么由着性子，尤其那刻薄刁钻随了我！"老太太笑了，"外人都说她就是年轻时候的我，我也这么觉得！从小就让我发愁，打了多少回不管用，反而打出仇来，见家里人像恶狗见了穷要饭的，眼珠子立马瞪大了，什么难听说什么！她高二时不得已让她辍学，我倒没觉得什么，反正她不是上学的料，成绩每次都是个尾巴，只想寻个人家把她嫁了，让女婿管教她！可这算放虎归山了，成天不看家，也不知道在外面做什么！让她好好找个工作，她在镜子前晃着屁股不理茬！再说多了，就哭着嫌我们没供她大学！可不是，现在没大学文凭找个好工作难啊！可话说回来，那些没文凭的人就不活了，就不工作了？和她说什么都不听，她爸爸病这么多年，连摆个毛巾、喂个药片都没干过！都说老闺女是爹妈的小棉袄，可偏偏养了这么个祸害猫！她从不管家里要钱，这点算我烧高香了，可也几乎不往家里拿一分钱。用她的话讲：'反正嫁出去的姑娘泼出去的水，以后这家产我一根草捞不着，谁得着谁照顾老人去！'您瞧瞧，鬼听了这话也寒心，牲口听了也冒酸水！我气得大病一场，她突发好心从超市给我买了特价沙丁鱼罐头。老天爷啊，鱼刺差点没把我呛死！我咳不出来脸紧成个茄子，她在一边笑得像喝了憨老婆子的尿！我一个电视遥控器扔过去不要紧，打得她半年没回家！直到他大哥把她从一个出租屋拽回来，她腆个肚子，哭着和我说被骗了，一个在大望路开发楼盘的香港老板要了她三次，给了她三万块钱，她本想借怀孕移民香港，可老头死活不干，她再逼人家就不见了踪影！她央求大田去工地盯着点，找着那个男人替她报仇。她还把香港人的照片给我看，人模人样，戴着眼镜，却不做人事！大田让她把孩子打掉，她死活不肯，后来实在没辙才去医院做掉，在家里躺了半个月。玉华怕她落下毛病，天天给她熬一锅鸡汤！她倒和她大嫂关系好，可翻起脸来就翻脸不认人！以后全家人撒开人马帮她又找工作又介绍对象，可怎么着，死狗扶不上墙！眼见年近四十了，女人一老就像黄花菜，再不找个养命的，我们一死她可怎么办！家里本来人少，老头子又病着，现在玉华又病，正是用人出力的时候，这白眼狼一掉头走了，据说和一个开理发店的男的住一起。丢人啊，怎么着也是个北京人，却和人家不明不白住一块儿！幸亏我气性好，要不早见阎王爷去了！——玉真大夫啊，你说女人怎么都这么苦，侍候男人生孩子，怎么那上面也得病！玉华人皮实，有病宁肯忍着，全让我们一家子拖累了！玉真大夫，您还没回答我话呢，那乳房好端端的怎么会生病？听说没生过孩子、没奶过孩子才犯这种病，玉华生了个能装得下她的大小子，那奶包跟母牛似的，成天衬衫上浸着两块奶碱，孩子一叫奶水跟自来水似的哗哗往外流。我们也没少打听，这样的女人不该得这病啊！"

"大妈，得这种的病原因很复杂！有可能与遗传、生活环境和生活压力过大以及情绪长期抑郁，甚至是身体受到辐射有关，玉华姐的情况我正在了解！我认识一位女孩子，她才二十三岁，按说这年龄不可能得这病，可也偏偏得了！"

"也是北京的？北京人现在净得这种劳什子病！与空气有关吧，您瞧大晌午了也不见太阳，小时候太阳能晒得剥层人皮！"

"是个外国人！"

"外国人？他们也得这种病，一个个壮得跟洋种马似的。"

"是人都会得病，得一模一样的病。"

"那说不定这病就是他们带过来的！"

"大妈，话不能这么说，这么说太偏激了。咱们不要对外国人有偏见，我说的那个女孩非常善良和友好。"

"你一个道士，怎么净研究些个女人的病！那外国女孩子怎么就找着你了，还把这个和你说？"吴玉华婆婆长长斜起眼睛，好像等着他走路踩翻井盖落下去大笑一通似的。

玉真像被扇了耳光一样难受，但不知怎么和她解释。"她喜欢中国，也喜欢中国人！她来白云观旅游时晕倒了，我救起她！她非常信任我，把情况都告诉了我，情况就是这样。"玉真憋足气说完，好像把一张亮崭崭的成绩单展示给怀疑他的人看。

"哦！"老太太灰叽叽的，脸像挑出碗的奶皮，"你是为救她才来找我家玉华的吧！"她把被打败过的情绪重新归拢好，那多疑的性子又操控她不务正事。

"算是吧！不过这样的研究可以救更多的人。"

"说得好听！凭什么让我们玉华给你做研究材料、当试验品啊！不成，拿中国人性命做实验去给外国人治病，亏你做得出来！要这样也行，先拿上万儿八千的过来，让我玉华先把病治着！她脸薄不好说，我可没什么不好意思！也不用你回去给我们做法事了，把钱拿来就是救了我们一家！"

"妈，你这是做什么！一切是我自愿的，我们都说好的。别的事我可以让着您，就这件事您得依我才成。"吴玉华回家开门听到婆婆这么说，生气地顶撞婆婆。

"二百五，大傻帽，我是为了你，你倒胳膊肘往外拐！你和你公公要看病，孩子马上也要考大学，这么好的机会不抓住淘几个钱，你头给门夹了还是驴踢了?！别净顾着充好人，这世道当好人成吗？"

"您要这么说我就生气了！居委会给我们吃着低保，看病的钱医保报着，孩子的学费人家都免了，您还要怎么着，总不能让政府和社会把我们一家人养起来！再说前不久小菊托人捎回两万块钱，说是给孩子上大学用，嘱咐孩子一定要考上大学，替她圆梦。日子是过得难，可别人也不易，我们要记人家的好，更要记着靠自己！"

"你说什么，小菊托人送钱回来了，她还和你说了什么，这么大的事情我怎么不知道？"

"您不是再不理她了吗，您不是宣布和她断绝母女关系吗？这会儿您较什么劲！"

"放屁！那是我亲闺女，从我身上掉下的一块肉，我怎么能不惦记她！"说过，她推开丈夫的手号啕大哭起来，鼻涕拉下二尺长，一时找不着卫生纸，顺手抹在墙上。

吴玉华把玉真请到外面，她动手摘菜，那碧绿的叶子在她粗大的指间跳跃，好像荡漾着一池春波。玉真看得痴迷，百姓的平常日子让他感到沉重也感觉轻松，仿佛劳累一天吃到一口滚热的饭菜，又好像疲惫一天从阳台上眺望那灰红交织的城市风景。眼前的一切是真实的，普通北京居民的日常生活，夹杂着病体和贫穷的邈然人生，像把一碗带毒的汤药喝下去，去抵消那根治不了的病痛，多活了一日，也就快活了一日。

中午大田回家，见了客人比客人还害羞。吃饭时先让着玉真，然后吃饭就是吃饭，吃得飞快。玉华破例让他喝了酒，廉价红星二锅头刺鼻的味道弥漫在家里，他脸很快红得像鸡冠一样。乐乐也回来了，和爸爸比赛似的往嘴里扒拉饭，吴玉华自己不吃，看着丈夫、儿子吃。乐乐宽肩黑须，泛着少年的热气，偶尔抬起明湛的眼睛，望着母亲笑。老太太点点筷头吃不下去，动不动就问："小菊怎么样了，还说什么了？"连问多次后大家都不搭理她，于是她低头自己想女儿。几样清淡小菜就让这个家庭具有了无比温情，使人即使有千难万苦也愿意留在这个破弊的世间、猥琐的房间。中间只听得牙齿切割蔬菜时的咯咯吱吱，筷子碰到碗沿击缶一样的脆响，还有随饭入口倒吸入空气时的丝丝香润。吴玉华两口子眼睛碰在一起都是软软的，像两条温热的水汇聚在一起。玉真羡慕极这场景，他的心被触动，世俗之爱如清明节缓缓爬出地面的潮气，强烈的欲望聚拢成的混沌云雾中偶有粉红色闪电。他不敢再多看这幸福的一家人，原以为他们是弱者，可他们比自己更懂得拥有和珍惜。疾病只是插曲和配角，没有把他们人生故事的大纲打乱，就像河心的礁石无法阻碍滚滚向东的河水。

从吴玉华家出来时，他觉得自己病恹恹的，像做了后悔要命的事一样。他换乘了公交车，想在北京城转转缓减下心情。十月上旬的北京长安街，杨槐正变得金黄，沿途红墙绿柳更为古城增添几分古朴和神韵。天安门广场游人如织，金色的城楼、鲜艳的五星红旗、洁白的人民英雄纪念碑，广场两侧形制对称的人民大会堂和中国历史博物馆，以及广场中心巨大的花篮造型，共同构成一幅庄严热烈的画面。而西单文化广场的银杏林则美如一团金色云雾，好似数以亿计的金色蜂蝶飞舞或停歇，一时间把周围映衬得辉煌耀眼和喧闹无比。沿街为迎接国庆搭建的园林小品精密生动，维护人员不断往上面浇水，绿植和花盆溅起蒙蒙水雾，梦幻般折射出七彩光芒。环卫工人开车清理路面，车后留下一个湿漉漉的清新世界。多么美好的世界，多么让人迷恋的生活，告别这阳光，告别这天空，告别这燕山怀抱里的一方棋盘似的偌大城市，怎能不令人痛断心肠！纽约呢，是不是一样的情景？她应该和北京一样澄静漂亮，在经历过一夏的疯狂和喧嚣后，如今像河流倒映风物，也像人过三十变得睿智起来。莉莉在做什么呢？他努力回想她的容貌，她却像破碎在水中的影子！他不是生活高明的剪辑师，爱情这个过程他无法剪除。他兴致勃勃往外看，北京作为首都和国际城市的热度只增不减，长安街两侧的空间被挤压得所剩无几。行人们开始换上长袖，路灯广告牌上的香山红叶节也已启动宣传。崭新的电动公交车不时超过他乘坐的 1 路公交车，这个即将建成世界级城市的国都正变得越来越清新、迅捷和现代。经过一个红绿灯，司机猛踩了下刹车，整车人像炮弹似的被轰出去，之后一个个龇牙咧嘴骂开来：

"怎么开车呢，没长眼睛啊！"

司机不理车里人，头钻出车窗骂一辆高级黑色奔驰车："孙子，赶死去啊！"车厢里像鸟市一样热闹，人们愤愤不平叫骂：

"让新交规罚他，让他再嘚瑟！"

"这得扣多少分！"

……

以后他多次接触吴玉华，详细询问她发病前后的征兆及在医院治疗的过程。他觉得问她这些问题非常残忍，像把一个人救活又重新扼死，却又不得不这样做！他唰唰地记录着，文字蚕丝般密密麻麻盘亘在清脆的纸上。与在医院资料室研究那些氧化发黄的材料不同，与吴玉华面对就像一口口吞咽鲜红的血块，中间需要不时平复内心涌动的波澜。每次从吴玉华家出来，北京的珠明玑净和繁华庞大都已算不得什么，那海水咸长的泪河汉山脊般纵横流淌在他消瘦鲜明的颊上。这个女人曾认为自己拥有过世上最美好的一切，那惬意就像观赏自行车道旁篱笆上接连盛开的高大月季。可正当它们酣歌热舞地怒放时，阴险的秋风一扫而过，摄走花叶全部的热量和水分，让它们枯萎凋零。他喟然昂首，面对高广无垠的天空，刹那间看见无论是吴玉华还是莉莉，以及其他万千罹患乳腺癌的女性，像变幻不居的流云从眼前飞逝！生命高贵易碎，呕心沥血挡不住处心积虑，湖平水阔，风暴在上面打碎入情入境的风景！对于痛苦和死亡的体验既多又快于对生活与生命的理解，像从温暖的室内来到严酷的室外，美丽变得阴鸷，一张脸换作另一张脸。——爱情像只狡猾又勤劳的蜘蛛不断织就一张大网，他陷落其中，挣扎却徒然无用。爱情已像一件衣裳穿在身上，他拿得起放不下了。

对于吴玉华，如果他是凡夫俗子，他一定会娶她，不只为拯救，更为她坦荡磅礴的风情吸引。她可以成为男人的脚，把他们带到山高水远。他虔诚致远地向她提供力所能及的帮助，拿出三分之一工资为她供药、治疗，还屡次在法会上替她和全家消灾祛难。他把这些告诉吴玉华婆婆，她扑噔扑噔眨巴眼，仿佛一座没有情感的炭雕。那个老公公只要醒着，手永远向上抓。大田依旧八小时按时上下班。他在五棵松体育馆当电工，曾把几只顺回来的荧光灯送给玉真，那真诚的笑让玉真难以拒绝。乐乐在准备高考，每年一次轰轰烈烈的高考更像一次徒刑，无数镣具缠身的少男少女们烈士般匍匐前进，眼睛充血，面色苍白！小田两口子还幸运地挣着他们的大钱，出入各种谈判、聚会、商场、论坛，他们的车子换成进口的奥迪A6，女儿晶晶马上出国读高中，一切像与现实生活愈来愈远，仿佛那风筝渐渐难觅踪影。小菊依旧不肯回家，据说肚子又大起来，第一个东北男人渐渐混出势力，在几个美发店和理疗店收取保护费，不管怎么说小菊目前还没受苦，两人已盘算以小菊名义在北京买房，不过位置只能选在南五环。一切都是流动的，一切都在流动着，像流水，像流沙，像流云，像流凌，只有他对吴玉华的暗恋是静止不动的。吴玉华在老民居楼里低矮的门窗里衰老并不断咳嗽，仿佛已然死亡，又像身居天国，那笑是超脱的，以至有点恍惚和虚假。人间那个鲜活、勤劳、正义的灵魂已从她坚硬的躯壳里消失，只是死亡还在表演……

他燃起三支长香，生命像长出翅膀的蝴蝶飞起，飞向哪里呢，那谜一样的空中。

这天，智海带玉真去民族宫饭店见一个客人。玉真换上亮蓝色敞口毛衫，足踏红蜻蜓牌小牛皮鞋，发髻松开扎成一束，在车里听智海介绍客人，原来是位新发家的河南老总请客。他是大孝子，听了别人建议，决定有钱做好事，举办当地"首届孝道文化节"，以延续中原忠孝文化。他还在老家修座老仙观，专门供奉太上老君等仙家。此行在民族宫设宴请客，希望邀智海前往开光，并与白云观建立联系。双方约定十二点半见面，可车经过复兴门内大街时，路被警察封了半个多小时才放行。等进了包间已过下午一点。智海一见对方立刻抱拳："抱歉，抱歉，遇上堵车，让林总久等！"对方身材颀长魁梧，大背头乌黑锃亮，一张阔面超市馒头般白净，上面搁着猜不透真假的浮笑。上着猩红圆领对襟唐装，下配软沓沓黑色绸裤，肩搭一截宝石蓝短丝巾，腕上绕串晶绿如水老珠，看上去神和气宁，贵相十足，一副文质彬彬、功成名就的样子！见到智海和玉真，立即起身躬迎，连声说"讨扰！"玉真一副玉骨仙容，他立刻惊讶地张开嘴："师父莫说，我与仙徒有缘，我们都好蓝色，心质纯洁，心眼高远。"玉真不说什么，坐在智海旁边。却见对面挨林总坐着位眼眸似水、秀发如云的女子，环珠叠翠，香气袭人，正笑盈盈盯着他看。智海还为堵车感慨，林总说道："北京就是这样嘛，大城市不堵就不是大城市，堵是城市繁荣的象征嘛！小苏，叫服务员进来点菜！"小苏黑袜短裙，袅袅娜娜出去，一会儿后面跟着服务员进来。"北京的服务员都这么水灵，小苏回去告诉公司人力资源主管，以后宾馆就照这样的标准招人！"

"林总就是这样，到哪儿都不忘工作，见到好的就要看齐！"小苏有意歪着头，下巴尖尖凸出，声音腻腻地讨好林总。

"智海师父喜欢吃些什么，随便点。"

"出家人不贪念这些，自是随便。"

服务员聪明得很，只推荐些素淡的菜，林总满意地冲女孩子点头。

"大城市、大饭店的女孩就是好，懂事。"——小苏不说话，用小勺溶解菊花茶里的冰糖。"忘了介绍，这是我秘书小苏，苏丽雅，南京师范大学毕业，硕士研究生，是个大才女啊！"小苏冲客人点头笑笑。见林总使眼色，立刻从旁边取出两只包装精美的礼盒。

"这是自家茶园产的，和信阳毛尖山水一脉，被指定为市里接待专用茶。师父如果喜欢，以后白云观的茶就由我包了。"

"果然好茶，鲜而不炽，清而不涩，熏心沁脾，和性养心。多喝这茶必能消灾祛病，延年益寿。"智海品过后赞不绝口。林总听罢，连忙以茶代酒敬智海和玉真。玉真喝掉那茶，便觉得人不投缘、话不投机，纵是好茶也没味道。林总继续介绍："我那座老仙观就建在五百亩茶园中，提前请人看过，说是难得的聚财旺后宝地，并说修建这座道观，正好守住这风水不流失！"林总额头几乎抵到智海下颌，看不出刚才的一点斯文相。智海默然端坐，额眉仿佛武夷山的茶岩放光。

"茶园只是林总的小部分产业，他主要开发房地产和经营建材，在当地算是老大。现在房地产不景气，林总便决定转投文化产业。中原文化是中国文化的代表，河南又是中原文化发祥地，其中孝道文化可以说是特色和精髓。林总夫妇都是大孝子，夫妻二人决定打造中国'首届孝道文化节'，真是感天动地啊！活动已得到市委宣传部大力支持，主要领导届时会到会讲话，当地社会名流也将悉数到场，还托人请了北京文艺团体的明星助兴，到时必定是热闹非凡。道教文化同样包含孝悌思想，所以林总希望二位出席老仙观开观大典，一是体现对当地道教事业的支持，二是也算弘扬孝道、传播中华优秀传统文化。好事成双，还请二位道长考虑答应。——是不是这样，林总？"

"小苏说得没错，现在不兴风水，只讲文化。智海师父不是外人，我说的不要往心里去。"

小苏长双梅花眼，明眸如月，每望玉真都有千丝万缕。"林总只比我大十七八岁，就取得现在的成绩。有钱只是一方面，关键他富有爱心。他响应政府号召做了许多公益和慈善事业，建起了市里最大的民营养老院，收养好多流浪和残障儿童，是我们市去年评出的'十大最美爱心人士'。现在他建道观，又是件积德行善的事，所以希望智海师父一定要去指导工作。"

菜陆续上来，智海、玉真认真听小苏不紧不慢地说，没注意到林总不小心碰到服务员的手。服务员把手抽回去，一字不落地向客人介绍菜品。

"小苏工作能力强，要不怎么做得了林总秘书！"玉真接过话，算是对小苏殷勤添水的赞许和回敬。

"不可多得的人才，巾帼英雄，能文能武，值得重点培养。"林总摸着下巴频频点头，露出嘴里钟乳石一样修长和焦黄的牙根。

"哪里，林总生意做得大、人又好，哪个不想做他手下！能在他手下工作，又得他的赏识，是我们求之不得的机会！"

"我让他们吹捧得回家都找不着门了！"林总摆摆手，那手除了大，就像女人一样柔软潮湿。"我就是泥瓦匠出身，赶上国家政策好，同一帮乡亲到郑州打工，不想总做人下人呗，就慢慢试着自己承揽生意，没想到真做起来了！我初中没毕业，不算有文化，是个大老粗，但我懂人情、知礼义，有钱不光想着往自己腰包里揣，有饭大家吃，有钱大家分，没大家伙我一个人成不了事！我吃过亏，可吃一堑长一智，吃亏是福，日后多个心眼就是了。凡跟我干的人我没让他们吃过一分钱的亏，因此说话做事大家才认我。我就这么个人，讲究知恩图报。事情做成了，日子好过了，多念国家好，多念父母祖宗好，多念乡里乡亲好，多念朋友弟兄好，多些感恩戴德、礼义廉耻，少些小肚鸡肠、蝇营狗苟。心里无私天地大，道不硌脚自然宽！公司做到现在，我想做些善事好事，用当今的话说叫作'回报社会'。像苏小姐正经八百的大学毕业生，不嫌弃跟我这个泥腿子干，我可不能亏待了人家。这次如果有幸请智海师父到我那里去，不说别的，我愿意拿出十万给白云观做香火钱，日后还有什么我林某能办得到的，只要智海师父开口，一定没有问题！"

"林总的诚心天地可鉴了！"

"这就说好了，到时好烦请智海和小师父一起过去，林总绝不会亏待二位！"小苏双手搁在桌边，一只手搭在另一只上，那手好像会说话似的，用红宝石的眼睛诱惑座上各人。

"林总白手起家，经营下一片天地不容易，更何况仁爱忠孝，建道观又是功德无量的事，此番特意从老家来北京与我约谈此事，我借花献佛，敬林总和苏小姐一杯，你们的事我一定认真考虑。"

"林总事迹让我钦佩得不得了！但白云观毕竟是清静之地，在全国影响非同小可，出不得一点差错，容不得一点马虎，还望一颗真心多向善、一番美意本向真！"玉真在一边恭敬地说，目似鸾凤，神色清峻。

"这位师父怎么称呼？"林总这才想起问玉真名字。

"爱徒玉真，修行极好，也是名闻京城的道医。"

"失礼失礼，失敬失敬！刚才就觉得师父相貌不俗，一时只顾惊奇了，忘了向小师父问候，还请见谅！"林总茶杯端了又放，赞叹："果然是人中极品，我原以为阅人无数，美丑不能动心，可见着小师父这样的，就觉得自己真是自大浮浅，林中有鸟声闻少，世上有美我无知，我就是井底之蛙啊！也罢，今天不请二位喝酒，只让二位听故事！"

服务员进来巡视餐桌，小苏示意她出去，亲自起身，腰肢曼妙地在几人身后忙来忙去，像北京四月街心花园的大粉蝶。每轮到玉真时，身体几乎贴上去，热烘烘烤着玉真。玉真像夏天热池里的鱼一样不自在。

林总又一次说起自己的故事，专拣戚戚哀哀的说：怎样从一个没见过世面的农村小青年成长为名播一方的风云人物。故事跨越了三十年，从他二十岁讲到现在五十三岁，足足半小时。桌上饭菜都凉了，茶续了三回，大家都放下筷子听得出神。动情处林总还落了泪，都道男儿有泪不轻弹，林总的眼泪比没主心骨的女人还多。小苏问服务员要了纸巾，恰到好处地点点眼角。林总最后讲到自己当选市政协委员和经常受到省市领导接见时，恢复了见面时的斯文儒雅，把歪掉的丝巾戴正，身体像饭店前的充气

模具立得硬邦邦。他说他当选政协委员的第一天就到自家茶园旁边的革命烈士陵园鞠了三个躬，然后到父母坟前化了纸，又特意把乡里健在的老红军、老退伍军人请去办了三桌。他说非如是自己心里不安，就像这政协委员是偷的一样！他到政协礼堂开会，住着四星级宾馆，和其他人有模有样讨论工作报告。他关于加快当地文化产业发展的提案得到市领导和其他委员高度重视和赞赏，他的"孝道文化节"被列入市宣传部当年工作予以重点支持。会议结束后记者接二连三采访他，报纸上连篇累牍介绍他和他的企业、企业文化，他频繁出现在各级领导视察和考察现场，戴着耳麦给来宾讲解。也就在那个时期，他从不修边幅改成现在的形象，过去看不起他的男人眼睛变得软沓沓的，女人更不用说，都想变成巩俐、李嘉欣往他身边靠，哪怕只是对她们笑笑，也被认为他对她们有好感，兴奋得像得了宠。他渐渐成为当地的大人物，自己也觉得了不起，可也不敢往前想、往回想，好像那个血淋淋的伤口始终好不了，碰上就疼得要命。尽管老婆不同意，甚至寻死觅活，但他坚持每年拿出收入的百分之三十捐出去，像汶川、青海玉树地震，各地冬春连旱，夏天抗洪救灾，建军节慰问，捐资助学，救治病人等，有机会他就奉献爱心。他还成了村里小学校外辅导员，把学校两排麦秸房建成砖混结构的小二楼。他尝过生活的各种酸甜苦辣，如今苦尽甘来，一旦打开话闸就控制不住，讲到最后嘿嘿笑起来。"见笑了，见笑了，其实不足挂齿，谁没有三灾六难。我常对员工们讲，要懂得感恩，懂得回报，不做违法乱纪的事，多做积德行善的事。怎么说呢，最后求的就是一份心安，求能睡个安稳觉。人啊，活一辈子，说穿了就图这几样。"说过欠起身，因为发福的肚子挤着不舒服换个姿势。

"林总生意做得大、结交人脉广，朋友遍天下。可像今天说这么多我还是头一次见！只以为林总风光无限，可无限风光在险峰，天底下有几个真能知他懂他惜他的？他的心也只能放在菩萨这里了，只有菩萨能听他说说心里话。"小苏浓情蜜意地注视着老板，好像多疼他、跟他多贴心似的。

"小苏说得没错，今天请到二位师父，我口无遮拦，多有冒犯还请见谅！北京我也常来，有几个朋友。但凡用得着的只管开口，我去求他们！"智海以茶代酒回敬他，他一饮而尽。"今天不尽兴，如果有酒就好了！"说着笑起来。"不瞒二位，我的酒量还可以，往市里、省里和北京跑关系、盯项目，没有好酒量真不行，这酒有时就是敲门砖。我现在是比内蒙古人能喝、比山东人豪爽、比东北人胆大，就是不如江浙人精明、上海人小气、广东人装鳖！我不会花花绕的东西，这样也好，莽莽撞撞，不知者不怪，真心实意就行了！智海师父，该说的我都说了，我是个什么人想必您也肚明了。如果不嫌弃，就收我做您的弟子，赐我一个法号，我带发修行。"

"是啊，智海师父，您就收林总做徒弟吧，他一番诚意天地可鉴，多一个弟子，天下就多一个从道向善的人，这不是挺好吗？"玉真注意到林总放下茶杯时看了小苏一眼，小苏随即替他求情，那音容笑貌好像要把智海师徒放在蜜匙里化了。

智海笑而不语。玉真见势端茶。"师父，这茶比酒还好，喝着让人醉！林总能有此心，说明我们道教真是在感化育人，这是道家乐见之事！道家以慈悲为怀，容得下天下千千万万之人，帮的也是天下万万千千之人。林总这样的社会名流，我们道家岂有拒之门外的道理！今天权当结交朋友，既然是朋友，改天林总再来，我和师父必请二位再叙，希望日后可以无话不谈，互相切磋，互相交流，同做世上劝好向善的表率，把功德和名声留予世外清风云鹤，做个心明如镜、清静无为之人，这才是人入门、心入道，不进道家屋便是道家人了。"

"说得好，说得好！名师出高徒，玉真师父寥寥几句，就把我心里话说出来了！"林总和小苏响亮地拍起巴掌。"小苏啊，我们岂敢劳累智海师父，能向玉真师父这里讨教几句，也算我们的福分，让人开门见山、茅塞顿开！快去把我们备好的见面礼拿来，二位师父，这是我上次从泰国带回的一件翠如意，如果当我是朋友就请收下，权当我结识二位的见面礼。"

智海连忙摆手："林总的心意我们领受，但东西万不能收，莫让贫道破了多年的规矩。"

"是啊，林总不必客气，如果我们真有道缘，名分倒不重要，重要的是把积德行善的事认认真真做下去。"

"老板，我们还是俗气了！"小苏眼睛像电动娃娃那样闪着。

"没有什么，以后多关注二位和白云观就是了，毕竟老仙观要沾白云观的光。"林总把绿如意放到一边。

"你们定的什么日子？"

"农历十月十九，取其长久的意思。道长认为这日子如何？"

智海用手指掐了掐："日子是好，可日期紧了点儿。"

"是啊，这可怎么办！"林总皱眉盯着如意。绿如意亮透如水，在整个房间里通体放光，煞是惹人怜爱。

"师父，林总既然已经选定良辰吉日，您就劳累去一趟吧，好歹也就一半天的事。"

"是啊，只要师父开个光，主持一下法事，别的就不敢再耽搁师父了。"

"暂且这么定，但容我回去与方丈禀报下，过两天让玉真答复你。玉真是我的爱徒，以后一些事你可以直接联系他。"

林总连忙点头称是，端茶再敬玉真。四个人又就着老仙观的事聊起来，气氛还算融洽。林总领口里隐隐约约露出的内衣，无论如何让人看不舒服。小苏则像在中央戏剧学院进修过似的，一招一式透着喷假。智海言话不松口，显着一贯的高深莫测。一切被玉真看在眼里，这就是白云观外面真实的世界。白云观太小，在北京只能算个孤岛。在面积不到九十亩的四堵围墙里，要做恩典天下、普惠千秋的大事，难度可想而知！他明白智海的用心，智海要锻炼和造就他。智海最后吃几口林老板夹的菜，放下筷子闭上眼睛。

"这样清冷寡淡的生活林总过得惯？"

"如果能得师父指点，让我天天吃糠咽菜、背煤拉货都行！我羡慕师父还来不及，这苦比起以前又算得了什么，所以还请师父应允收我为徒。"

"师父，我去方便下！"

"我也去！"小苏拽着裙摆跟玉真一起出去。

等玉真方便后出来，小苏正在烘干手。玉真想绕过去，她突然整个人倒过来，双臂套在玉真脖上，与玉真嘴对嘴、鼻碰鼻。"玉真，这地板上有水，我不该穿这么高的鞋！"她抱着玉真不放，整个人的重量压过来，玉真想推开她已经不易。玉真一时慌神不知怎么办，额上渗出汗。

"苏小姐，没事了，可以走了。"

"什么啊，地上那么滑怎么走，你扶着我！"小苏缠着玉真不放，玉真感到她弹力十足的胸部和烧灼的呼吸，像被无数蚊虫噬咬着。

"苏小姐，人多眼杂，你松开手，我扶你出去就是了。"

"玉真师父难道不喜欢我？第一眼我就喜欢上你了。"——又一个一见钟情，不过玉真一点不喜欢她。

"对不起，我是个山人，不可那么随便。"

"你不知道你比张根硕还帅吗？我真太喜欢你了！"

"你不是有林总吗？"

"他哪里比得了你超凡脱俗！他就是个土老帽、暴发户、土豪金，我没办法才那样的！如果你不说话，我就当同意，如何？"——玉真简直无语，虽然以前常听说"二奶""小三"之类的事，没想到这次让自己碰上。他应付不了这个风月场上的老手，对她格斗似的纠缠想不出一点办法。外面保洁员说话走动，小苏才像苏门答腊蛇似的松开猎物。"你也是八〇后，怎么那么点出息！"她对着镜子重新妆扮自己，玉真听到她放浪地笑，逃也似的出去，差点撞上一个喝醉的人。两人一前一后回到里面，玉真心有余悸，如果这事让智海和林老板知道了，他的脸往哪里搁？小苏脸涂得像白家电壳一样亮，不再看玉真一眼，恢复了先前的乖巧机灵，一言一行总是讨林总的好。玉真不由发出感慨，现代人的感情就像地摊上的书，都是一沓名不副实的废纸。真正的爱情像真的花要经历季节周期、风吹雨打和虫吃人摘，所以最后都伤痕累累，那种美让人疼得喘息、珍爱如命。而虚假的爱情就像客厅里大把的绢花，永远虚张声势。把眼前的小苏换作莉莉，怎么想莉莉都不是小苏这样的人。他的心飞向屋外，那里有莉莉轻快的笑声、忧伤孤单的背影、被病痛折磨变形的脸，以及低声嘤嘤的哭泣。他不知道刚才和小苏的一幕算不算爱情，如果算，那么这世俗的爱情就变成了碰瓷，白白惹一身官司。

智海把空茶杯端起晃晃，玉真知道他要离开，剩下的可能需要自己出面。他们对林总的考察结束了，林总不可能白璧无瑕，可能做过一些坏事，但他硬盖壳里一副软心肠，本质还不错。何况万事苍天有眼，上有国法下有江湖，如果他做坏事，终会受到报应和惩罚，这就不是道家考虑的事。林总把智海师徒送上车，车开出好久还擎起双臂挥舞。小苏直到分手也没理玉真，甚至他要和她握手也装作没看见。

智海在车上没有立即说话，等车出了复兴门内大街，他才开口道："玉真，在外面打交道就是这样，不同的人需要不同的方式。在我们眼里，他们都是需要帮助的人。要让他们回心转意，从错误中迷途知返。他们的一些行为可以理解，他们认为的世界就是那样，就像鱼眼里的世界和我们看到的不一样！世界上不是先有地图，而是先有开荒造田、筑路修城。尽管人们把我们当神仙看，可连我们自己都知道世上根本没有神仙。我们不能生活在与世隔绝中，而是要主动接纳和融入社会，所有生活、光阴、历史全是道教的营养。切莫轻贱万物，更莫嘲笑众人愚度，连我们的身子都是凡人给的，万不可颠倒这种血肉关系！安时逐乐，战时逐教，我们要做的太多。记住：你是为数不多让我以命相托的人，道教的兴旺拜托给你们，否则我死难瞑目！"智海后几句飞流急转，玉真听得瞠目结舌，他万没料到智海话说得这样重、这样狠。这样看，除了终身伺道，他别无选择。"这件绿如意他非要交给我，再不收他就差跪下了！也罢，天下的稀罕物都属水性杨花，改天你联系拍卖公司卖了，钱交给红十字会，让他们花到有用的地方。"玉真还要说什么，智海开着车不理他。"那小苏怎么回事，后来看你们别扭？"智海眼光毒辣，玉真出了冷汗。

第九章　智海的秘密

"下雪了，下雪了!"

几个新进修的年轻道士在白云观院子里兴奋地跑前跑后，他们唇上、颌下刚生出一层薄薄的绒毛，机能旺盛的身体哈出大团热气，双腿矫健灵动，不时抬头伸手接住漫天扬洒的飞雪，爆发出青春时期特有的洪亮笑声。他们在雪地上踩出乱糟糟的痕迹，惊起在地上觅食和在枝头侦察的鸟。白云观像位霜雪全白的老人，看几个儿孙在眼前玩耍，场景让人怦然心动。——道学院每年从各地招收一批新生，自9月份起观里就会热闹一阵。年轻人个个机敏聪慧、血性张扬，让人看到白云观和整个道教的活力与希望所在。玉真十分喜欢这些年轻人，看到他们就想起当初的自己，一样的激动，一样的青涩，不禁哑然失笑。他没有惊动他们，只站在一旁打量。年轻道士们嬉闹一阵，玩够了，闹够了，最后相随回到里面。灰褐色的天空越来越低，风大得像吸尘器，似乎整个北京城都会被吸进去，玉真连忙躲到檐下，捂住口鼻轻快地踩脚。

院内楣鲜廊艳、墙红额白，优雅娴静如月宫仙境。游人比平时少许多，道人们关紧门保暖、看书、睡觉和上网聊天。玉真直站了半小时，全身上下被雪严严实实包裹起来，像极独钓江雪的蓑笠翁。他没感到一丝寒冷，承受着内心的激动，那微弱的雪花仿佛莉莉同他耳语。他用舌尖接住飞雪，凉凉甜甜，算是他们相拥接吻了。多么不可思议，一个来自中国内地，一个来自美洲大陆，他寻向天空，相信天空和雪花中一定藏有这情缘密码。他陶醉于此，不禁笑出声来。

"玉真，想什么呢?"背后传来一个声音，云罄般沉重透亮。

玉真慌下身，转过去，只见智海目光如炬站在他身后，已经像个

雪人。

"这雪好大，当心着凉。"

"师父，您来了。"

"好多年没见北京下这么大的雪了，看着不由得心迷。"智海身躯伟岸，棉袍上结着冰，直视前方，好像敞怀迎接风雪。

玉真无言以对，转过去重新审视眼前。雪被急风吹得凌乱不堪，一些飞到他脸上马上融化。

"看你神色垂倦，是不是有什么心事？"

"可能病人多些，不过应付得来。"

"玉真，为师现在讲个故事给你听，这故事我只对一人讲，你愿意听吗？"

"师父！"

智海扬手制止："你只管听，别的什么不要问，就当我们在里喝茶聊天。"

玉真束手收肩，眼睛向下，等智海开口。智海清清嗓子，开讲了：

"大约三十年前，一个年轻人毕业分配到北京一家著名医院实习。——你愿意听吗？一个老掉牙的故事，却辛酸至极。"大雪几乎把智海淹没，也像把他带回故事情境中。玉真静静等待。

"谁没年轻过，谁又没一时冲昏头脑做过龌龊甚至令自己后悔莫及的事？——这年轻人曾是道士，对人目顺颜和、身恭心敬，说话做事说一不二、雷厉风行，处处遵规守纪，万般谨言慎行，所有和他打过交道的人都说他好。可就这么个人，在医院不到半年的时间里，制造出一起大事端。这令所有人没想到，也令他自己始料不及。不为别的，只因为他爱上一位苏联姑娘娜塔莎。娜塔莎早他一年冬天从苏联交流到中国，秋天就将回国。她像只金色小鹿，面容姣好，性格活泼，走到哪儿都带着一串银铃般的笑声和不把一切看在眼里的神情。年轻人正当青春年少，当时就迷上她。

"年轻人有个室友，早早结交了女友，两人下班后溜进宿舍，在破蚊帐里鬼混。小床歪歪扭扭，每天像挨打叫唤的小狗。年轻人很自卑，躺在床上辗转反侧。一次他回去很晚，室友正捧着《复活》看。他知道室友在装模作样。室友把书放在鼻下，像要咬着吃掉。因为怕蚊子咬，他从蚊帐里探出头：'干什么去了？'——年轻人懒得搭理他，一言不发。室友酸溜溜地道：'我知道你爱上娜塔莎了！癞蛤蟆想吃天鹅肉，人家会看上你？别做梦了，朋友，外国女人和母牛一样骚，喜欢给自己男人戴绿帽子！'说完轻蔑地大笑。年轻人到公用洗漱间洗澡，高声唱《三驾车》和《莫斯科郊外的晚上》，往身上浇一盆一盆的凉水。有人进来，他故意露出雄壮的下面，向别人挑衅似的显摆。宿舍管理员大爷找来，用手电筒照着他，眼睛像手术刀放他的血。他宝贝软下来，管理员大爷冲他说：'滚回去！'

过了一段时间，他向室友借了新衣服，胸兜插支英雄牌钢笔，出没在娜塔莎上班的地方。娜塔莎睁大眼睛看他，里面尽是明亮、温柔和喜爱的光。眼见到了夏天，院里苹果树结出乒乓球大小的果实，他决定冒险行事。医院院子不大，外国人的宿舍单独隔开。好不容易等到天黑，他鼻子像猫一样灵敏，借撒尿躲到娜塔莎楼下。楼上窗户里，娜塔莎俏丽的影子来回晃动，像皮影戏里的人物。他知道苏联人有饭后散步的习惯，就隐身一棵茂密的雪松下，像狐狸收起尾巴等待猎物出现。

"果然没多久娜塔莎和两个伙伴出现了，穿着中国女人在那个年代穿不起也不敢穿的裙子，上面缀满褶皱和漂亮花朵。两个女伴从左右挎住娜塔莎的胳膊，像守护一位高贵的公主。年轻人脑袋嗡嗡作响，屁股被下面的硬草扎得生疼。就在他发愁没有机会的时候，夜晚的鱼扑通扑通地跳，把两位女伴吸引过去了。娜塔莎好像知道有人等她似的，留在原地，有意无意朝松树这边瞥。她整理势如山海、壮丽茂密的头发，露出象牙般洁白细腻的脖子，美得无法形容。年轻人激动得心都快跳出喉咙，一咬牙蹿出去，三步并两步到了娜塔莎跟前。两人四目相对，娜塔莎双眸像海洋般柔美广阔；而他一副狼狈相：斜肩松胯，满脸泥草，前襟刚撕掉粒扣子。娜塔莎站着没动，好像等着什么，似一座著名雕塑对所有崇拜者都是一个姿态。她红润的嘴唇略微掀起，露出门牙中间一条窄缝，让人觉得她像只食肉物动物那样欲望强烈、性情粗野，可由于受过良好教育，这种贪婪野性又被很好地管理起来。她臀部以下紧包在裙里，胸像满满当当塞着篮球，早晨尚未散尽的香水与淡淡花香和皎洁月光混在一起，像掺杂了生物情致的果酒。

"还等什么，他这个傻瓜，娜塔莎不是已经向他敞开西伯利亚一样的胸怀，不是对他这个中国男人没表示出任何反感吗，为什么还站着不动，为什么不像只蜜蜂毫不犹豫飞上去亲吻她晨朵般肥润的双唇，把头夹在她硕大双乳间感受生命隐隐而来？不容再想什么，一种邪恶念头让他变成流氓。他不容分说拖起她往树下走。娜塔莎使劲反抗，像上岸的鱼那样甩动身体，又像生气的马踢人。他死死箍住，一进去就残暴地撕下她衣服，然后看到两只耀眼的乳房在那一刻像两颗硕大的夜明珠跳出来，比月亮还要光彩夺目。他大脑一片空白、目瞪口呆。娜塔莎不再挣扎，从头到尾没有呼叫。在月光下她痛苦地扭曲着身体，时断时续呻吟，松懈得像块任他碾压的松糕。完事后，娜塔莎盯着树梢一动不动。他也趴地上不敢动，像一盘吞了蛤蟆等待消化的蛇。娜塔莎女伴疾呼她名字，大概发现她不见着急起来。年轻人想向娜塔莎道歉，娜塔莎却钻出树丛，把伙伴们带离这里。

"年轻人坐在地上醒神，觉得自己真是色胆包天。只要中途娜塔莎叫喊或者哭哭啼啼跑出去，他在这里马上完蛋！回到宿舍，室友正用脸盆哗哗地撩水洗脸，然后把牙膏挤在牙刷上夸张地刷牙，单股背心下露出发达的胸肌和野浆果似的乳粒，女友则在一旁低声哭泣。他本打算离开，可实在犯困，和衣钻进蚊帐睡下。女孩不愿走，室友对她冷冰冰的。半夜那边床没发出任何动静，像一场电影没有好的结局不欢而散。年轻人在床上兴奋不已，一下觉得比室友和其他中国人高出一截。他迷迷糊糊睡了又醒、醒了又睡，好几回之后，发现室友床头的台灯仍然亮着，红亮的烟头刺穿黑蚊帐像野地里的鬼火，每一下室友都盯着烟头停会儿，几乎挨上鼻尖。他轻声喊室友，室友瞟下他，鼻梁亮澄澄的。说实话，室友很帅，鼻子直直的，像三角机翼。

"'什么事?'

"'告诉你个秘密。'他光身子坐起，不仅因为天气热，还因为三角裤衩沾满他和娜塔莎的脏东西。

"'你能有什么秘密，不过今天有些异样。'室友伸出胳膊磕掉指甲长的烟灰。室友的东北口音清越瓷实，尤其有那种男人为情所困时特别的低沉和绵柔。

"'你看出来了?'年轻人头伸出外面，不顾几个立刻冲上来的蚊子，隔着纱帐把它们拍死。

"'看出什么来了?'室友侧身，喉咙长长呃下，像憋口恶气咽不下去。

"'我去找娜塔莎了!'

"'找着了吗？'室友又呃下，像只漏气的足球。

"'找着了，她和女伴散步的时候。'

"'你们说上话了？一定是，要不然你不会这么兴奋！'室友歪歪鼻子和嘴，使劲倒吸下鼻子，往地上吐口鼻腔分泌物。年轻人知道室友瞧不上他，可不服气没办法：室友长得口正鼻立、唇红齿净、一米八标准身材，双肩和臀部呈明显倒三角，这是所有女孩子青睐的条件。而年轻人长相如癞皮狗，口音含糊不清，虽然高达一米九，却像秋天的倒栽葱驼着腰身。领导欣赏室友这样德才兼备的青年，因此早早发展他为党员，并委任医院团支部书记兼党委委员。而年轻人以前是道士，现在也只对道教感兴趣，所以别人敲锣打鼓他只能站边上踮脚瞧热闹！

"'我和她好过了！'他像向领导报功一样又羞涩又激动，声音大得像戴着耳机说话，蚊帐上飞起好几只苍蝇。

"'好上了？她答应你了，她明白你说的？'室友标准的国字脸回过来，这大概是第一次正视年轻人。那是一张没有一粒青春痘、没有一点疤痕、像玉把件一样光滑漂亮的脸。但他声音有些不自然，像车走到坑洼处突然颠簸几下，眼睛细长眯起，显示出强烈的怀疑。

"可接下几天，娜塔莎像有意躲着年轻人似的，晚上不出来散步，白天走廊里也听不到她纵声大笑，远远遇着也当没看见。他接连几晚在松树下等她，胳膊、腿上被叮起无数包，涂满鲜艳的紫药水，最后灰溜溜摸回宿舍。室友从铝合金一样的鼻里喷冷气，'傻了吧，撒谎都不会！人家怎么会看上你？'那种本来让人喜爱的脸一旦变邪恶，比那些本身邪恶的人更可恶。他想和室友打架，但没有气力。拿起苍蝇拍，把冒犯他的苍蝇拍得稀烂。一个星期三上午，他拎暖壶到锅炉房打水，在那里遇上娜塔莎，她乘人不备递给他张字条，上面用红墨水画了颗心。他当即暖壶磕在铁门上，热水淌了一地。傍晚他把纸条给室友看，室友脸像死人一样绿。室友提出一起去见娜塔莎，年轻人死活不同意。可室友都快哭了，年轻人只得同意。两人没吃晚饭就等在树下，室友问这问那，年轻人求他小声点。好不容易盼到宿舍熄灯，松树像只黑罩子罩着他们，年轻人知道娜塔莎要出现了。果然没多久她独自出来，先装着看看这儿看看那儿，其实在找他。他推开室友跑出去。娜塔莎扑进他怀里就是一个响亮的吻。娜塔莎样子很急，示意他往松树下去。他知道那儿藏着室友，可娜塔莎转身已经朝里面

去了。他追进去，室友没在，他松口气。娜塔莎已迫不及待，嘴唇在他脸上放鞭炮似的响着。他再次观察周围，确认室友离开，才把早软成面团的娜塔莎压翻过去。年轻人想，如果室友亲眼看到这一幕，对他是多大的打击啊！他准备回去炫耀一番，可拉亮灯却没有室友影子。他有些失望，猜室友一定在什么地方难受去了。一觉醒来，太阳已一个竹竿高，小闹钟在床头咯噔咯噔，时针指向八点。他知道迟到了，胡乱穿好衣服跑进科室办公室，却没有人，连去几个办公室都是如此。但推开会议室门的那一刻，所有人目光齐刷刷射向他，室友就在他们中间，三角眼凌厉地瞪向他，他马上什么都明白了……

"他们给他定的罪是流氓罪和破坏中苏友好关系罪。那个娜塔莎真好，一口咬定真心喜欢他。她把日记拿出来给公安局和外交部的人看，这才平息了一场风暴。他们的爱情夭折了，像那个夏天被冰雹打光了所有叶子的苹果树。所幸他没被送进监狱，被停职检查一年。后来，他曾想找娜塔莎，但很快打消念头。一切都已过去，她有了心爱的丈夫和健康的孩子，何必再打搅她。他没被开除，但被打发到档案室当管理员，再以后被迫娶了个北京乡下女子做老婆，但坚持不与女子同床。女子一年后提出离婚，分掉他一半财产。他在档案室一待就是三年，没前途，没未来，却利用这难得清静重新研究道教和道医。国家政策变化后，他重新皈依道教，不再对世俗的一切有任何眷顾。爱情虽然短暂，却远胜于一世平庸的婚姻。这就是人生，话梅味的糖果，酸酸甜甜，他一点不后悔，充满喜悦和骄傲。那个室友跟着他受到奖励，很快提拔为副科长，并被选派国外深造。你瞧，多有意思，年轻人自己没从爱情上受益，别人倒捡了便宜。室友现已离休，住在香山脚下的别墅含饴弄孙。室友曾找他叙旧，被他拒绝了。和住在别墅里的室友相比，他的快乐一点不输室友，只不过室友和许多人误解了他。娜塔莎临走时，让人转交年轻人一只白瓷壶，是他生命中唯一一件爱情信物。喝着这壶里煮出的茶，就好像他们又在一起了。——好吧，这就是发生在一个年轻道人生命中的爱情故事，是他生命中的劫，只曾经历，非能拥有！玉真，你是个道士，道士不允许恋爱和结婚。——你大概已经猜到故事主人公是谁了吧？听过这些，你应该对爱情有个明确态度！"

"师父，我……"玉真像做贼被抓着一样，准备把事实全盘供出。

"世上所有的事情终会成为过去，最后变成这白茫茫的一切！什么也

不要说，像这场大雪把一切掩埋掉。"

　　玉真没一点滑头的意思，虔诚地向智海躬身行礼。当他婆婆挲挲抬头时，智海已在雪里不见了身影，而雪地上没留下任何痕迹。智海是道界武术名家，世人对此知之甚少。他将一生无怨无悔奉献给道教和白云观，是皈依道教活生生的例子。他心胸足够庞大、纯洁，把乱纷纷的世界悄悄掩埋掉。他只专心做事，顶着压力，冒着危险，义无反顾往前行。他的经历只有他自己知道，但有一点可以确定：他是块好钢，经过千锤百炼而来！玉真对着智海离去的方向打自己一个耳光，脸却麻木得没有任何知觉。雪花从他微张的嘴里落进去，他矗立雪地打个寒噤，像暴露原野的兔子仓皇无序，六神无主往道医馆走去。

　　由于晚上没睡好，玉真像东郭先生混过早课，习武时也尽量躲在一边。大家伙都较着劲操练，个个目射精光，生龙活虎，如猿如燕。黎明的光辉像天窗般透亮，殿脊上呈现一抹温暖的橘红，飞鸟在大树上扑棱翅膀，雪后初晴的早晨令人振奋！玉真悄悄打量智海，见他仍如往常一样，这才觉得安心些。尽管这样，他心里总堵着什么，无法用言语形容。他感觉自己背叛了白云观，同时也将遭白云观遗弃。大家那么喜欢和信任他，他却离大家的希望和要求越来越远。即使大家体谅他、原谅他，他自己能饶恕自己吗？他爱上莉莉，无法拒绝她的善良和热情，不舍放手，更不愿意逢场作戏，那会像砍掉他半截身子一样难受！但爱情又好似冬天的蝈蝈，小命全仗着他怀里的一点温度和一副菩萨心肠。

　　道医馆在京城只此一处，病号们为挂号看病，天天都尽早赶来。于是人们常看到还没到早上8点半，观门口就聚集起一帮人，无论冬夏春秋都是如此。观门打开一瞬间，好像响起百米赛跑的发令枪，无论男女老幼一齐撒腿冲进白云观，即使平时腿脚不便、身体虚弱的老人也不甘示弱。这几乎成为白云观一道景观。这在一些人看来是好事，可在智海、玉真等人看来，却是无奈和心碎。尤其数九寒天，8点半天还未亮，是全天温度最低的时候，本身病疾缠身的老弱孕残不得不忍受严寒，于情于理让人过意不去。

　　尽管玉真心力憔悴，依旧准时上班。看到黑压压一屋子人，他心里直犯难。拿起葫芦丢下瓢，他的注意力越来越难以集中。看过三分之二，他

183

担心出问题，于是让小罗沏杯浓茶醒醒神。正打算叫，却见小罗泪流满面地进来，手里拿封信。

"玉真大夫，玉真大夫，你快看！"小罗哽咽得说不出话，把信交到玉真手里。

"别哭啊，什么事？"

"贝蒂死了！"小罗控制不住哭出声。

"贝蒂死了？"玉真像从万米高空坠下，事情来得太快，他没一点防备。

"这是她妈妈的信，您快看看吧！贝蒂还不到十岁，她可真可怜！"小罗跺着脚，呜呜地哭。

玉真手抖得厉害，哆哆嗦嗦打开信，里面字迹零乱。他立刻想到贝蒂母亲写这封信时的情形，心生生紧了下。信的前半部分，贝蒂母亲带着巨大失女之痛告诉他贝蒂的死讯和她此前的治疗情况。她说贝蒂虽然请一家著名医院的大夫开了刀，可没有得到最好的结果。孩子术后症很严重，病情持续加重，几天昏迷不醒，不再吃任何东西。"她面无血色，失去花朵般的娇容，没有任何言语、气质和兴趣，经常眼睛不眨一下，一味看着上面，像从现实中飞走。她好像一下子长大，比大人还成熟，在生命最后一程呈现出惊人的平静，不哭不闹，不叫不嚷，像她刚出生时那样。离世时，她脖子动不了，睁大眼睛四处寻找，我和她爸爸就在跟前，可她视而不见。每想起这情形，我的心就被绞碎一次。她脸部肌肉像被高温炙烤的小动物那样抽搐，整个情形和婴儿时一样无辜无助，独自承担别人无法替代的痛苦！她留给我一个谜，到现在我不知道她在弥留之际寻找什么！——还有件事也让我印象特别深刻：贝蒂几次在昏迷中叫喊'鱼真叔叔'，还有带'北京''中国'字眼的句子，虽然听不明白说什么，但有一点可以肯定，她非常喜欢您和中国，一定在您和您的国家那里获得了最渴望的东西，而那必定关乎爱和快乐！——我应该向您诚心致歉，不应对有着几千年历史的中医表现出怀疑和鲁莽。手术前贝蒂精神状态的确改善很多，她几乎想回学校上学了！"她深深反悔，"但我无法对孩子的死抱怨，因为她爸爸的出发点是好的，大概所有美国人和他想法一样！结果让我们承受不了，到现在我们无法接受！希望这个幼小精灵在天堂原谅我们，我们也希望把她对您和中国的爱延续下去，做些致力于改善两国关系、增进互信交流的事。"

她在信的后半部分重点地谈了她的想法："孩子永远不会再回到我们身边，作为对她的纪念，我不会再生育别的孩子。现在不妨跳出这界圈，由此反思并做些有实际意义的事，把我们给予贝蒂的爱奉献出来，用来爱世界、爱世人、爱别人，消除世上的任何误解和隔阂，营造快乐自在的世界！我失去了女儿，但要替她找到向往的世界！生命过于短暂脆弱，我用余生坚持去做！"她向玉真发出呼吁："玉真大夫，为什么不把道教向世界进行介绍，为什么不把道教里那些美妙的思想用来影响世人，为什么中药在中国兴盛几千年而国外知之甚少，为什么不走出来把如此优秀的文化让大家认识与分享？贝蒂离开时迷恋的不是玩具、不是亲情，而是您和您的道教！能让一个孩子喜欢上的宗教，一定是世界上最好的宗教！如果有可能，欢迎您到美国做客，我们好好谈谈这个想法，我将竭诚为您服务！另外告诉您，贝蒂爸爸和他现在的妻子变得非常虔诚，总是按时到教堂忏悔！这是多好的事，我与他之前的仇恨也不复存在！我去他家里做客，他们的孩子坐在我怀里，他妻子温柔地称我姐姐；我们和谐得像一家人，世界风和日丽，大家像暖流中行船，重唤起我对未来的向往和期待，我感动得只想哭！而这一切，都是小小的贝蒂用她生命换来的！"

玉真仿佛看见贝蒂母亲在灿烂泪花中微笑。她身躯伟岸，心却像大理石纹理一般细腻。"我和前夫谈到了您，他同样对您和您的事业产生浓厚兴趣。我不强求他改变，就像选择婚姻一样，只能证明各自没错！他答应了我的请求，我们一起做我决定了的事。""她打算收养一个中国女孩。"玉真对一旁只顾埋头哭的小罗说。——"我对所有关心和爱过贝蒂的人表示感谢！我听从父母的建议，过些时候领养一名中国女孩，让她住进贝蒂的房间，我会像爱贝蒂一样爱她！我相信，有了她，我们会活得更坚强、更有力量！"

"还有这个。"小罗递给玉真一个蝴蝶纱花，玉真一眼认出它过去常戴在贝蒂腕上。它有些脏和变形，仿佛是贝蒂病中的样子。玉真看到它，一切躁动被压下去，仿佛贝蒂身体正从她小小的床上抬升，然后突然生出两只瘦小的翅膀，在秋日最后一天越飞越高、越飞越远。

玉真收好纱花，把信折好，放入抽屉。他不再想别的，只对小罗淡淡说了句："继续喊号。"整个上午他没再走神，比以往任何时刻都更专注地

看病。病人也像孩子似的变乖，不约而同以沉默和遵守纪律来纪念那个异国小小的生命。玉真从里屋出来时，半屋子的人没走。他奇怪地望着小罗，小罗连忙解释："大家知道贝蒂死讯后都不愿意走！"

"玉真大夫，贝蒂真的死了吗？多好的孩子，就这么没有了，谁相信啊！"大家红着眼睛，像贝蒂是自己的孩子。玉真逃一样出来，他害怕听人们议论贝蒂和她的死，害怕看到众人流泪和悲伤。历次与贝蒂见面的片段，像刀片一样刺伤他。而在他前面、头上，贝蒂仿佛发光的精灵唱着、跳着。玉真没结过婚，没体会过父女之情。但此时贝蒂就是他的女儿，他深切感受养儿育女却又失去他们的艰辛与痛苦。

经过巷口，他坐进一家杭州小笼包子店。开店的是对江西年轻夫妇，孩子留在老家，夫妻俩自己到北京打拼。可能看出玉真今天有些怪，夫妻俩没多问，照例端上一碗豆粥、一屉素包，然后撤在一边。包子店的热气在临时搭建的棚子弥漫，像常年着火一样烟气滚滚。铁棚顶上的灯光阳痿一样昏弱无力，生意冷淡，夫妻俩却不急不躁，挤在一张凳上有趣地看电视节目，两人背影像极一对互相取暖的鸬鹚。雾气里，玉真稀里糊涂吃过饭，脸上淌下的不知是泪还是汗。

当天夜里，他做了噩梦。梦里一会儿是莉莉一会儿是贝蒂，她们交替出现又消失。他明明给她们看好了病，可她们还是愁眉苦脸、痛苦万状。他求助智海，智海打坐龛前，对他不置不理；他央求玉竺，玉竺立刻变了脸："谁让你贪恋女色，葬送前程！"他灰溜溜退出，坐地上绝望地哭号。抬头一刹那，眼前一丛枯枝突然飞起硕大无比、艳丽非凡的蝴蝶，像怒放的牡丹、芍药或玫瑰，抖动华丽的翅膀，往尘土弥漫的天空飞去。他爬起来去追那蝴蝶，眼看伸要抓住，脚下一空，坠入无底深渊。醒时他已全身湿透，从床上坐到地下。惊吓之余，却理不出头绪。他慌忙爬到祖师爷面前，燃香敬上，平复已经脱缰的心。

皮特曼容光焕发来到莉莉病房，手捧芬芳四溢的花束。凯瑟琳正用一只小碗喂莉莉流食，莉莉吃得很少。

见皮特曼来了，莉莉推开凯瑟琳。"这两天你去哪儿了，为什么不来陪我？"

"对不起，宝贝，你妈妈同意我们交往了！"

"什么时候的事？"

"前天的事！她还答应把我介绍给梅根先生，这样我很快就会变有钱了！"皮特曼以左脚跟为原点打个转，鼻子在花上嗅嗅，"好香啊！另外，有好消息告诉你！"

莉莉被皮特曼与妈妈的关系搞得丈二摸不着头脑："别卖关子，快告诉我什么事！"

"你不能激动，海丝莉小姐！"凯瑟琳像个年轻妈妈嘱咐莉莉，同时看着眉飞色舞的皮特曼。

"你妈她要求我娶你！"

"她让你娶我？"莉莉彻底傻眼，忘了身上的痛，"你怎么想？"

"看你有点不情愿！"凯瑟琳在一边插嘴道。

"一百个愿意，而且马上娶她！"皮特曼把花交给凯瑟琳，上去亲吻莉莉额头。

"哦，海丝莉小姐，上帝把一切都给你了，就算12月21日真是世界末日，你也没什么遗憾！"凯瑟琳扯扯自己的假发，她很爱美也很爱照镜子，常常责怪妈妈为什么把她生成黑人。

"真可耻，我从没打算嫁给你！"莉莉违心地说，前几天还想着嫁给他。

"你总这么说！"皮特曼不以为然摇摇头，"你得听你妈妈的！"

"海丝莉小姐，好心情有利于康复，别耍大小姐脾气了！"

"这算他妈的什么好事，简直就是绑架！"莉莉很生气，就算嫁给皮特曼，那也要自己做主。现在他们背着她决定自己的终身大事，她的牛脾气马上又犯了。

皮特曼看出莉莉在生气。"我可是诚意的！我追你这么久，把夫人都感动了！依我最近的接触，她完全是个合格的妈妈！她替女儿做了力所能及的一切，堪称天下母亲的楷模！"

"我要出去了，我受不了了，我要向上帝祈祷：在世界末日前，也让我嫁位皮特曼先生这样的好人！"

"可我要死了，你要娶个死人吗，皮特曼？"

"你妈妈已经在筹划此事，一切无法挽回了！她和阿杰夫先生做了通报，阿杰夫先生也表示同意。包括史密斯先生在内第一时间恭贺这桩婚姻,他说这是他听到过的最感人、最激动的婚讯!他说你就像他的女儿,他很重视这桩婚事!"

"天啊,你们要让全天下知道我的病情吗?你们不是在给我办喜,是在给我办后事!你们真是可耻,把当事人抛一边随意处置!我不相信爸爸会同意,他了解我的。"

"宝贝,他真的赞同婚事!你现在需要有人照顾,而我对你死心塌地,他们打着灯笼难找我这样的人!"

"我死了算了!"莉莉把头蒙在被子里。

皮特曼耸耸肩,心想莉莉怎么想无关紧要,重要的是夫人同意并已在大张旗鼓策划婚礼了。他腰背有些酸困,玛格丽特是个欲望强烈的女人,比那些妓女还要疯狂,他相信自己这些天至少老了几岁。但这又算得了什么,如果这桩婚事真能成,他就是纽约人上人!想到这儿,他激动得把病房当婚房,比画着里面怎么布置,床要多大、怎么放,墙上装饰什么,地板用什么颜色,灯要什么款式,衣柜从哪里买进,怎样把卧室变成像凡尔赛宫那样的奢华,到时他可以躺在床上边喝酒纵乐,边观看大联盟比赛。他想得口水直流,当莉莉用幽幽眼神注视他时,他意识到自己失态,虚情假意拿起她的手啃了又啃,在她手背上留下好些喙印。

"好点了吗?你不知道这几天我怎么想你!"他在她耳畔热烘烘地说,"我手淫了,每天两次。"

"哦,好样的,小伙子,我在你这个时候也成天想姑娘。"契普夫走进病房,皮特曼脸红到脖子根。"嘿!"他向大夫打招呼。

"男人都是输出国组织!"

"凯瑟琳说得没错,你是个搞笑高手!"

"这能让病人高兴,工作也不沉闷!你有两天没来,海丝莉小姐的眼睛像小灯一样关了两天,现在重新亮了!你艳福不浅,追到了纽约最漂亮的姑娘。"

皮特曼挠挠后脑勺:"她情况怎么样?"

"现在看没什么问题,体征都正常,正朝着好的方向发展!听说你们要结婚了,这对她恢复非常有利,希望她创造奇迹。"

"你是说她可以恢复?"皮特曼惊讶地眨巴眼睛。

"我不敢保证,一切应以平常心对待。"

"哦，那太好了！"皮特曼抓起莉莉的手有些颤抖，声音像感冒一样虚弱，"莉莉，我们邀请契普夫大夫参加婚礼怎么样？"

"如果你们邀请我，我会换上斜领的鲁巴哈盛装出席，再跳上一阵手绢舞。"

"契普夫大夫，你瞧她同意了！"莉莉还没回答，皮特曼便抢着说。

"好了，幸运男人，到时恐怕我会喝得酩酊大醉！探视时间到了，请离开吧，她仍旧虚弱得很。"

"宝贝，我再来看你！多想想婚礼的事，时间会过得快些。"

莉莉想和皮特曼拉拉手，他已随契普夫兴高采烈出去了。莉莉痛苦地闭上眼睛，黯然神伤。她不想待在这个没有生气的病房，只想从这里逃出去。可稍一动身，伤口就刀割火烧一般疼痛。凯瑟琳每半小时看望她一次，但不准她说话。妈妈自打上次再没来过，原来私底下为她敲定终身！她就是件大道具，站在牌子前让妈妈玩飞刀扎人的游戏！让她寒心的是父亲，他居然同意这门婚事！——那会儿她是想着嫁给皮特曼，可见着玉真画像就反悔了，当即她把自己狠狠羞辱一番，发誓再不做这样的糊涂事。现在被逼嫁给皮特曼，仿佛被按到地上挣扎不得。是啊，她是一株丰满的樱桃树，玉真就是一阵风，春天到了，风吹花一地，留香满人间！——她睡多了不想睡，但凯瑟琳往液体里加了嗜睡药，她难受一阵很快入睡，泪像雪粒留在睫上。——什么婚礼，像死前给她做件衣服，纵华丽名贵于她何妨！

皮特曼没等天亮就溜出玛格丽特夫人房间，那会儿她睡得天塌下来都不知道。曼哈顿岛濒临大海寒气逼人，他穿得不多，肚子像掏空一样，在房子栅栏外坐着抽烟。被风一吹，他像酒醒一般难受，心里空空，好似梦一场。他满脑子想法，难以集中一个点上。有一会儿他想去教堂，可羞于开口。他想放弃莉莉，靠独自奋斗获取机会，可抽到第二支烟时就否决了。点着第三支烟的时候，他看到南斯拉夫女人像开辆冒黑烟的拖拉机似的，闯入那个足有四十英尺高的谷仓似的大房子。房子把清晨的阳光挡在另一侧。她们可真是好战的一对，这个家没她们不热闹。唉，活着真没劲，像转动一个超过体重几十倍的大转盘。只为了活着，太多人委曲求全、自甘堕落，甚至出卖肉体和灵魂！纽约就是个沼泽，到处是陷阱和腐

殖质的东西，陷进去就出不来。他感到脸上热乎乎的，不用说是眼泪，从颧上流下，到衣领里变凉。穿越轻盈的冬雾，越过几株稀疏的糖枫，望向那扇巨大窗户，刚才他就睡在那里，与一个可以做他母亲的女人交媾；现在他反悔了，想退出却为时已晚！他看着自己的下体寻思道：这东西替我出了力、争了气，它付出了，就该得到，这不是天经地义吗？——一番思前想后，他起身一阵冷笑，然后原地热热身，退后从那只栅栏与它后面的小叶黄杨树篱上一跃而过。

大概上午10点钟的时候，他找到梅根先生位于曼哈顿下城的家。之前，他曾无数次经过这里，也无数次憧憬里面的情形，现在终于作为客人造访了。事先玛格丽特夫人告诉他，梅根有心理洁癖，对人十分苛刻；他从不轻易爱上一个人，可一旦爱上就会真诚又疯狂；他先从一个人外貌判断其性情与习惯，看上眼才会往下交往；他是盘亘在纽约市区的一只老猫，要把纽约比作猫城，那么他就是猫王。华尔街的职业操盘手未必有他对市场那么灵敏。他凭着心性狡猾和刁钻鬼怪，生意越做越大，是纽约名不虚传的商业奇才。玛格丽特夫人最后吻了一下皮特曼说："你只要学他一些皮毛，就能在纽约混出名堂。如果足够聪明，说不定若干年后会是新的纽约之王。皮特曼，我的小傻蛋，做一个纽约之王可比当一个美国总统更实惠。人们总喜欢台上风光，可真正的操纵者在幕后、在这里。所以你要乖乖听我的，纽约就是你的！"他听得热血沸腾，作为回报又服侍她一回，而这是他们整晚的第五次。——他站着等开门的时候，心想自己什么时候住上这样的大房，什么时候能像里面的人体面进出，他想得眉梢都发痒。但他站着不动，因为门框上装着摄像头，里面可以清楚看到门口的情形。一个肥佬给他开了门，好一阵盘问，最后确认他是玛格丽特夫人的贤婿，这才放他进去。他们乘电梯上楼来到一座泳池，梅根先生正在里面游泳，半个屁股浮出水面，如椽的双臂有力划水，双腿拍打出簇簇浪花，像个了不起的游泳健将！肥佬到池边同梅根先生说了些什么，一会儿后梅根先生从水里钻出来，水顺着他的鲔鱼线流下，把浓重的汗毛拧成一缕缕细绳。梅根先生一边接过管家递上的毛巾擦干身上，一边朝皮特曼走来。皮特曼看到他修剪得像燕翅一样的胡须，立刻觉得他很绅士。他的心几乎提到嗓子眼，准备听任梅根帝王般的训诲。

"什么事，你来找我什么事？"梅根先生一屁股坐到椅子上，喝着橙汁，声音豁亮地问皮特曼。皮特曼以前见过梅根，他说不上英俊，但高大健壮，与其说他是只猫，不如说他是匹马，可玛格丽特说他是猫就是猫、是虎就是虎！皮特曼自认年轻，仅从梅根外表看不透他性格。梅根先生问得这么直接，皮特曼没有料到，不知从何说起。

"您好，我是皮特曼，是玛格丽特夫人让我来找您的。我是他的女婿！"

"玛格丽特？听着耳熟，我们认识吗？"——皮特曼感觉很热，衣服贴着皮肤很不舒服。

"她是贸易委员会官员，也是咱们纽约州议员。"

"哦，想起来了，前些天我们还在一起！对不起，我称她夫人习惯了，有时会忘记她的名字。我们是很熟，你有什么事？"——皮特曼觉得梅根先生是匹狡猾到可以咬断缰绳逃跑的公马，不觉得他可爱了，反而留心会被他尥一蹶子。"听说她有个美貌绝伦的女儿，你就是她的乘龙快婿喽？"

"谁美貌绝伦啊？"一个身材标致、面容姣好的女郎穿着比基尼从梅根身后走来，手里杯口插只耀眼的火龙果。皮特曼刚才没注意到她，但一眼认出她是某季超模大赛的选手。他脑子发热，过去常听说明星是纽约豪宅的常客，现在眼见为实，对他真是极大挑逗和刺激，可惜一下子记不起她的名字。女郎上卜打量皮特曼，灰色眼睛里闪烁着没有熄火的情欲余烬。

"玛格丽特夫人没听说过吗，全纽约的女人都应该像她学习！"

"知道一点，很了不起是吗？"女郎错把玛格丽特当成社交圈哪位新秀，头发向后一甩，像只敢与玛格丽特争艳的戴胜鸟。

梅根先生嘿嘿一笑，让她坐在自己腿上，用手摸她小巧的屁股。"口技不错，要什么样的回报？"

"你只要告诉我，还有谁比我更倾国倾城！"女郎蜥蜴一样伸下舌头，火辣身材让人喷血。皮特曼耻骨滚烫，亲眼见梅根下面支起帐篷。女郎猫似的闪下眼睛，魅笑潜入池里，像美丽的水螅来回游动。管家先生笑而不语。

"我新近的马子，不错吧？"

"她真有福气！"

"其实烦得很！"他指指下面，"你很会说话啊！"

"情况就是这样。"

"你是说玛格丽特吧！如果她年轻十岁，我就娶她，一个火堆一样的老辣妹！她让我帮你是吗，我怎么帮你？"

"希望有机会为您服务。"

"希望为我服务的人多的是，你瞧，她不就这样？你来得正好，替我解了围，男人一过五十就力不从心。"

"我听您的安排。您让我来，说明您看上我了。"

"你这么说非常粗俗无礼，不过我把你当朋友！"梅根先生眉间有道英雄沟，和胡子混搭瞧着精力超常、好动有趣。要谈正事了，梅根先生让肥佬中止了女郎游泳。女郎上岸，水淋淋站在几个男人前面，像尊夏天等待消融的雪雕。梅根先生摸摸自己的两粒乳头，命管家把一张支票递给女郎。"记着下午 5 点回来，出席帝国大厦的活动。"女郎冲梅根行屈膝礼，迈猫步沿池边走开，水从她光滑的后脊和屁股淌下，在地上拖出条细长的水迹。

"来我这不需要别的，只要能把自认办得来的事情办漂亮就行。这简单吧？"他大口咬着肥佬递给他的苹果，汤汁四溅。

"这是梅根先生一贯的用人标准，他希望使用忠心耿耿又聪明伶俐的人。近期有批原木从巴西运来，不过前期海关手续有些问题。如果你愿意尝试，可以去了解一下。"

"会有专门的人干这个，你只要跟着他看即可，然后回来向我汇报。"

"我会用心的！"

"梅根先生不喜欢听不实际的话，他要你证明自己。"

"我们有庞大的经营计划，金融危机让我们行业萎缩和利润减少，但我并不打算放弃扩张计划。我有在巴拿马开厂的规划，你认为逆势而行是否可取？"

"今日的积累必是他日之资源。金融危机就像一场感冒，感冒不是常态，健康才是常态。"

"做生意像刀尖上跳舞，不是你说得那么容易！年轻人有想法不错，但不能说理不谋事。企业也有寿命，该破产就让它破产，大不了从头再来！去吧，我等你的结果。"

"跟我来，我把你引荐到部门负责人那里。"

"代我向玛格丽特夫人问好，她是纽约最伟大的女性，向她致敬！"

肥佬带皮特曼到外面做了简单交代，皮特曼受命不敢耽搁，立即驱车上路。他已经觉不出天寒地冻，摇下车窗让自己平静下来。眼下的一切让他对将来的期许像进入活跃期的火山，只恨这个将来不知要等多久。是的，这都是莉莉带给他的，这更坚定了他与她结婚的念头。车堵在路上，他不断拍打方向盘，屁股像生疖子一样坐卧不安。

莉莉正盯着天花板，凯瑟琳进来："莉莉小姐，普契夫大夫允许您和父亲通话了。"说罢拿出笔记本电脑，帮莉莉设置好。不一会儿那边发来视频信号，凯瑟琳点击"接受"，屏幕上出现白色戎装的阿杰夫。"你爸爸可真神气！"他大概刚执行完任务回舱，手套还没来得及摘下。那边信号不稳定，他的身影不时抽搐一下。莉莉很激动，看见他房间的桌子上放着全家福和一只银色战舰模型。爸爸略显疲惫，但雪亮的制服衬得他神采奕奕。莉莉争取到这次机会不容易：一边普契夫不允许，病人没有完全脱离危险期，他绝不允许她冒无关紧要的危险。莉莉几次求他，他顽固得像军人，莉莉怀疑天底下所有矮个子男人都这么倔强；更主要是母亲极力反对，她声称没有必要向阿杰夫请示什么，既然他心里没这个家，那就没资格参与家务事。夫妻二人近期争吵更加频繁，双方每次通话都控制不住情绪，这使得双方真实的意图被严重曲解。莉莉急于知道父亲对自己婚事的态度，对普契夫查床格外冷淡。普契夫请示院长，莉莉向他反映医院总拿制度说事，而不是真正从患者需要出发帮助他们。这边她不敢当面反驳妈妈，只得央求皮特曼。她认为他两个现今关系非同一般，甚至觉得妈妈可以没她这个女儿，但一定不能没皮特曼。也许普契夫最终被打动了，也许妈妈看到女儿冒出的一根白发动了恻隐之心，也许皮特曼用他总统般的口才说服了纽约这个玄武岩一样强硬的女议员，总之在她几乎绝望的时候，被通知可以与父亲通话了。她本以为自己看到父亲会哭，但事实上只报以平静微笑，觉得濒临死亡与看到父亲的幸福相比一文不值！何况哭又能怎样，他远在天边，做不了妈妈的主，只会徒增彼此烦恼！也罢，这些天她也在想，以自己当前的处境，根本没权利奢谈爱情婚姻，不管皮特曼利用也好同情也罢，毕竟是她唯一选择。玉真太远了，只是一个梦，一个让她暂时逃离现实的梦，最终她还得回归现实。与玉真的爱情只是她到中国旅游意外穿上的一双水晶鞋，疯狂结束了，她还得还回去。爸爸给她展示从深海打捞上来的红珊瑚和鹦鹉螺，这些东西对于他像战利品。当然到目前为止，他没有真正打过一次仗，所做的只是训练、预警、巡逻和随时待命。

"一切好吗，宝贝，抱歉爸爸不能回去看你，希望你能理解和支持爸爸。"

"爸爸，我快要死了，害怕得要命，你能陪在我身边多好！"莉莉知道爸爸不可能回来，但还是忍不住这样说。她心里底线崩溃，可是连哭的力气都没有。如果这时能有一帮亲人围在床边，并且像中国人那样其乐融融，她可以立即含笑死去。她本能地伸出胳膊，但胳膊根本不听使唤，举到半截就垂落下来。

"宝贝，这里形势紧张，整个亚太地区乱得像锅粥……"

"爸爸，不如你回来陪我和妈妈，或许这个家会是另外一个样子。"

"我何尝不想！可军人的特质在战争中磨炼形成，军人至高无上的荣耀也是从战争中获得。军人的一切要经过考验，军人的生命因此可歌可泣。作为一个军人，如果不亲身经历一次战争，就像身为男人一辈子没沾过女人。"

"爸爸，如果真的打仗了，无论我们还是对方，总会发生杀戮和死人。世上每个生命都有价值、有尊严，伤害和消灭生命都是罪过。爸爸，你的职业感终究战胜了你的道德观！"

"哦，海丝莉小姐，你不能激动，那些国家大事都是白人老头琢磨的事，年轻人怎么快乐怎么玩，我才不要管，我只关心怎么找个皮特曼先生那样的好伙计！——阿杰夫先生，阿杰夫先生，建议您稍稍快点。"

视频那边阿杰夫点点头。他犹豫了下说道："无论怎么说军队是美国整体战略的一部分，每个军人只要身披美国战服，就要认同并执行国家战略，服从国家相关需要！"

"那就不要战争！"莉莉说过咬着牙口不松开。

"这不可能！古往今来，军事是历史教科书中的主题之一，没有战争的历史就平淡无奇。美国拥有人类历史上最强大的军力，对于威胁到美国安全和利益的对手，均应予以有力回击。莉莉，美国是个大块头，军事必须在前面打头阵。"爸爸斩钉截铁敲打这句话，莉莉看到他的影子跳动又模糊了下。

"爸爸，让那些无辜的男孩冲锋陷阵、流血牺牲，这是对他们负责吗？"

爸爸摇头："每代人都要为他所处的时代做出什么，这无法逃避。不能因为男孩子们的内裤上有精斑，就鄙夷他们性情低劣。说到这儿，莉莉，我觉得皮特曼并不差。"

莉莉迅速反击："爸爸，你把话扯远了，谈我们的事好吗？"事到如今，她觉得谈个人那点事算个屁。她像个超然的政治家或民权卫士，对阿肯色州棉农和公众的要求嗤之以鼻。

"莉莉，我赞成你妈妈的安排，希望你早点结婚，这样我才能放心。"

"还以为只有您了解我……"她彻底绝望了，呼吸加重，凯瑟琳用白眼球快速瞄下呼吸机。

"天下哪有父亲不盼望女儿幸福！我知道你不愿嫁人，也知道皮特曼未必是你真爱，可你得了病是事实。如果需要人照顾，嫁给皮特曼就是最好选择。皮特曼善良正直、聪明勤快，算得上优秀，你不吃亏的，无论如何他不会令你蒙垢。即使对他不满意，但这么好的人要试图接受。爱情有时就躲在门后，你要经得起它和你开玩笑。"

"爸爸，我承认皮特曼很优秀，但这与婚姻无关，像把一根木棍戳进我的身体！"

阿杰夫不吱声了，屏幕里出现一张像被施了魔法的衰老愁苦的脸。莉莉知道伤害了父亲，一时心软，连忙道歉。那边父亲苦笑下。

凯瑟琳替莉莉捧着电脑，累了就换换手。她兴致勃勃瞧父女俩聊天，瞅瞅这个再瞅瞅那个，看得津津有味。莉莉知道这样谈下去没结果，就主动提出让父亲休息，并发誓自己会好起来。父亲使劲点头，反复恳请她原谅。可能出于担心和自责，整个过程他没有提及女儿病情，或许希望这样可以让她忽视病情，然后变得坚强起来。他是不是这样想的呢？总之他没有安慰女儿，以这样的方式表示对她的了解，期盼一切正常起来。

通话结束后，凯瑟琳收起电脑，说自己这辈子最想做的事就是到海上转转，看巨型的太阳怎样从漫无边际的海面上升起又落下；她要找个大帅哥陪着，他们在甲板上吹风、喝酒、吃美食和打情骂俏；她不怕晒黑，反正她是黑人，当护士当腻味了。

莉莉没听凯瑟琳咧咧，她憋了一肚子气。快乐到底从何而来，她该怎么办？连父亲也坚持她嫁给皮特曼，他们在以这样一种形式了结她的生命。她后悔做这次手术，这阴差阳错改变了她。种种事实可怕得像大海里游过来的鲨鱼，将她置于被动、紧急和危险的情境中。她绝望地仰起脸，上面除了屋顶和灯光没有任何他物！——以后直到出院前两个星期，她都没个笑脸，对谁都不理不睬，与外界没有任何联系，任由医生处置病情，心像个没事佬四处溜达。

一切看似平静，可莉莉对什么都咬牙切齿。凯瑟琳来了，她对莉莉的照顾还算尽职，却脱不了平民区大黑妞的俗套。皮特曼来了，莉莉满耳嗡嗡作响："我们不再是婴儿潮的一代，还得像'一战'时的先辈们那样努力……"他兴致高扬，像里外发烫的碾压机，一刻不停筑平人生的光辉前程。妈妈客串似的点下卯，自认为在女儿临死前又替她办桩大好事！"天下哪有这般精细、关键是出活的母亲？"她为之踌躇四顾。这家医院属于私立性质，院长希望从州议会那里捞到些政策好处，所以院长像跟班一样吹捧玛格丽特夫人，让她一时可能失去女儿的痛苦减轻不少，觉得能为州卫生事业发展做点自我牺牲在所不辞。史密斯先生来探望莉莉，眼神有些黯淡。或许只有他真在怜香惜玉。可他只是个路人，离开时抓着莉莉手不松开，俯身称：她是他此生最后爱上的女孩。莉莉强扭过头不想被他吻，可还是被这个情色老手得逞了，非常礼貌也很舒服。史密斯先生承诺只要她平安出院，就会安排她去趟阿根廷冰川国家公园度假。"那里有世界上最壮丽的冰山大川，你会对未来信心百倍！"——怀特教授夫妇没有来。可说实话，莉莉想让陈梅来，想知道她过得怎样。一对老夫少妻加一个暮年鹦鹉般的前妻，彼此能否相安无事？她最不愿见的就是斯特林。他像阵风似的出现在她床头，照例是黑得晃眼的皮鞋和白得扎眼的衬衫，锥形高挑的身材，神色包含怀疑、愤怒及同情等等。他想显得与众不同，透着动情后男子的忧郁与主动，捧高莉莉皮包骨的手背吻个不停。玛丽在一旁哂笑，实际恨不得扑过去把两人分开。他们还带来了那个非洲弃儿，她从头哭到尾，鼻涕泡有脑袋那么大。玛丽照顾她，斯特林却被惹毛了，临走让玛丽立即把她送回非洲。玛丽当刻回击："谁做的孽谁去偿！"莉莉差点笑出声。——他们轮番而来，莉莉都没被感动，只觉他们把葬礼提前放到医院病房，令自己对世界心灰意冷。她觉得自己像集市上的活禽，被人随意捏捏拣拣。他们一离开，她马上气不打一处来，恨别人也恨自己，几次试图扯掉身上管子，企图一死了之，却被感官发达的凯瑟琳发现。凯瑟琳大呼小叫，契普夫匆匆赶到，两人强行再把那些管子照样插回去，以后莉莉连寻死的念头都打消了！——好吧，就让她生不如死地活着吧，就让她心力憔悴地挨受吧，她谁也不想见，只在心里一遍遍呼唤："玉真，快点来吧，救救我，救救我！"

第十章　梅根先生

　　从医院化疗过后，莉莉回到与皮特曼租在高线公园附近的一间小公寓。她不顾妈妈反对，出院后坚决不住回去，自掏腰包逼皮特曼租下这间月租一千二百美元的公寓，过起与世隔绝的生活。她让皮特曼更换了墙纸和家具，看着心满意足才搬进去。帕克大道上的那个家她几乎忘了，除了化疗几乎没离开过这里。剧烈的化疗反应让她痛苦难挨，一进门就倒在小沙发上呻吟不已。楼里环境不好，住着毕业不久的上班族和初闯纽约的外乡人。公寓不超过十五平方米，说话必须压着点声。在住进这个连窗户都没有的小房间时，莉莉做的头件事就是把除了与玉真有关的东西之外统统扔掉，然后安心做起这里的女王。

　　皮特曼很不情愿搬进这间小公寓，眼睑像熊猫的黑眼圈，苦着脸问莉莉："宝贝，真打算住在这间连只驴子都盛不下的房间吗？如果夫人看到，她连脚都不会伸进来！"莉莉从沙发上坐起，盯着电视大口塞爆米花，她用这种方式忘记病痛，"好吧，既然你铁了心，我只能对你说：不管怎样我都爱你，让你成为世上最幸福的女人！"莉莉停下看他，像在街头突然遇个喷嚏打得震天响的人，然后无动于衷转过去，继续吃爆米花。

　　没有了外人打搅，莉莉的生活清静得像没有风的杉树林。但由于化疗反应剧烈，她吃任何东西胃都会痉挛，不得不隔会儿就到卫生间呕吐。皮特曼遵照玛格丽特夫人吩咐小心服侍莉莉，脸熬黄了，眼睛变大了，耐心得像只阉过的老猫！莉莉越发被宠坏了，宁愿在小屋里饿得眼冒金星，也不愿意到楼下九大道上买个三明治。她脾气越来越坏，动不动情绪失控，笑完了哭，哭完了笑，皮特曼对她多如牛毛的眼泪渐渐失去反应。病情的加重和接连不断的化疗让她严重脱相，惊人的美貌变成恶心人的糟豆粕，没有了乳房更让她像个没发育成熟的傻丫头。术后第一次从镜里看自己，她失手打碎了它。玻璃碴儿掉一地，手上和嘴角全沾满着血。她承受不了这样的打击，捂着肚子半晌没回过劲。从此她像罗马城中的高德特修女闭关不出，皮特曼成了她与外界的唯一联络通道，她的一切依赖于他。人最可悲的就是，看着自己一天天衰死却承受不住。她经历着这样的痛苦，茂密的头发迅速脱落，眉毛逐渐变稀疏，后来几乎变成只秃鹫。没有漂亮头发的女人如何风情万种，没有丰满乳房的女人又如何招摇过世、抓人眼球？她像只灯笼黯淡下来，锁骨和下颌尖尖凸起，皮肤苍老单薄，能看到下面干丝瓜瓤一样的血管网络。她足腱不再弹力十足，迈步像老妪蹚水。她露着牙龈和皮特曼开玩笑："我像不像吸血鬼？"皮特曼笑凝在脸上："你玩穿越是吧，那来吸我吧！"他把脖子伸过去，莉莉勉强笑了一次。

可总待屋里不是事，她得出去透透气。万圣节这天，楼道里的年轻人提着杰克灯怪叫，整座楼都在摇晃。一帮人冲进她房间，装神弄鬼吓唬她，她当真哭了。可实际她也把他们吓着了，不装扮就能吓死人。她哭喊着赶走来人，坐在镜前发呆。最后听从皮特曼建议，决定到之前那个莉莉酒吧看看。她忘不了那个女歌手，女歌手像只不死的火焰鸟在黑暗里飞舞，她希望今夜熔化在她烈火般的歌声里。他们驱车过去，下了台阶，走进场子。"Trick or treat!"一个"美杜莎"到她面前，她拿不出东西给人家，被推倒在人堆里。皮特曼小心护着她，迎面遇到一个个妖魔鬼怪，吓得她花容失色。侍者递给她一只科学怪人的面具，她小心戴上，感觉不那么可怕了。皮特曼眨眼变成骑士，可哪有这么矮的骑士，她笑个不停。她急于知道女歌手扮成什么样，等了好久才见她上台。果不出所料，女歌手扮的正是不死火焰鸟。女歌手一上台，莉莉就为她鼓掌。乐手们很快卖命吹奏，女歌手又蹦又跳，人群掀起狂叫。人们相互挑逗，相互吸引，如疯如痴，随乐队群魔乱舞。侍者高擎酒盘，像天使举着火把光顾人间。莉莉想辨认出那个老年侍者，却没能成功。她享受这难得的时光，大脑晕晕乎乎，身体轻飘飘的，随节奏摆动身体。女歌手连唱几曲，有一会儿骑在一个人脖上绕场一周，观众彻底疯狂了。大概看到莉莉科学家的帽子比别人高出一截，她特意在莉莉前面停下，两人在面具后深情对视。莉莉才不在乎自己，反正已是病身子，反正离死不远，反正旁边有个傻瓜骑士，反正

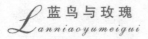
女歌手的歌声已让她飘飘然。她放浪形骸，重量只有二十五毫克，轻轻一碰就飞离地面。脑子里幻觉越来越多，她像条阿拉伯眼镜蛇随声狂舞。可时间一长，她马上受不了，摸黑往外走，打算到外面休息会儿。街道非常安静，一切嘈杂从下水道溜走。女歌手的歌声还萦绕在她脑际，但像一团火正在熄灭。

谁都没注意一个角落里，几个凶悍的男人正在拖走一个人。莉莉因为寒冷抱紧自己，但马上认出被拖走的人正是那位刚表演完的女歌手。起先她以为是幻觉，可马上意识到是真的。事发突然，她从未经历这样的事，一时不知如何是好。女孩在几个男人手里毫无还手之力，没几下就被架空。莉莉想呼叫，喉咙却发不出声。她跌跌撞撞跑起来，赶去帮助女歌手。等跑近时，女歌手的嘴已被堵上，一个胳膊刺青的男人扛袋子似的把她扔进车辆后备箱，然后重重盖下。莉莉站住，另一个长着络腮胡子、目光阴郁的家伙冲她比画比画脖子，她不由哆嗦一下。汽车悄无声息隐入街道，她扶住树喘息。这时皮特曼来找她，莉莉结结巴巴把刚才的一切告诉他，皮特曼没听完就催她回去："莉莉，你真是少见多怪，没人会把一个婊子怎么样！她就是让人消遣的，她要把那些大佬们侍弄舒服，才能在这里混出名堂！""可她明明不情愿，他们强迫她！""莉莉，这就是她，这就是她的生活，明天她又会像没事人似的到这里唱歌！"莉莉像不认识皮特曼似的看他："你说的是真的？"皮特曼抠抠鼻孔不说话。莉莉心像被捣碎一般，她生气地往回走，觉得那个女歌手就是她，她就是那个女歌手！皮特曼上来拉她，她用力甩开，感觉他和那些暴徒没什么区别。好吧，这个魔鬼出没之夜，果真有魔鬼来临！纽约，你这个魔鬼之城，再不是她的童话世界。她深一脚浅一脚走着，把科学家的帽子摘下扔地上踩几脚。皮特曼追上来，还戴着那个骑士面具。呵呵，他可真有意思，真以为自己是个骑士！

"过日子像把铁杵磨成针，需要超强的耐力和决心。"莉莉在公寓住了些日子后，想起物业公司长着黑胡子的女经理送她的箴言。每隔一周的化疗成了她的心病，头天晚上就睡不着。妈妈没来看过她，她也一点不想妈妈。想又有什么用，整个纽约够她操心的了。听说她成功当选国会议员，拜史密斯和那帮男人所赐，她可是万绿丛中一点红啊！殊不知连自己女儿都瞧不上她，她就是金玉其外、败絮其中！莉莉也没再和爸爸联系，她不想影响他，无论如何他对国家、军队忠心耿耿，她不能坏了他的规矩，在这上面她这个做女儿的要懂点事。可说到底，她对爸妈有那么一点恨，就像那种渐渐扩散在血液里的毒液。她几乎把他们忘了，就像记不起前一星期皮特曼买来放入冰箱的三文鱼。她厌恶那些胡编乱造的节目，把鸡的样子做给鸭看。她自己没了乳房，看到别人的胸就冲动上火。星期天她不再去教堂，而是在房间一角跪下，向上帝哭诉自己做错了什么竟受到这样的惩罚，把她变成一个无知无趣的女人。有次她从床上滚落，一怒之下把公寓捣成稀巴烂。皮特曼越来越不见人影，好不容易来一趟，天没亮就急着离开。

这天，皮特曼照样吻下莉莉要离开，理由是赶地铁听命梅根先生。小公寓空调不好使，莉莉蜷着身，蹭着皮特曼留在被窝里的余温。十一点钟的时候，她想起煎鸡蛋。可从卫生间出来时，微波炉里已经冒烟了。她坐在沙发里哭，感觉像鲁滨孙一般置身荒岛。她拿起笔画玉真，每画一下哭一会儿，以至那个正好经过门口的女物业经理敲开门问她怎么回事，她抹干泪说没什么，噙泪继续作画。女物业经理摇摇头走掉。不一会儿门又响了，她去开门，却是陈梅和怀特教授！他们拎着大包小包，等莉莉放他们进去。莉莉眼泪扑簌而卜，软沓沓倚门傻笑。陈梅扔卜东西上前抱住她："傻瓜，为什么不告诉我？"

怀特教授打量着公寓："比我第一次结婚时的婚房还小，至少比这里多个窗户。外面是昼夜不停排放烟气的烟囱，以及欣欣向荣的城市和工厂。"

莉莉不理他，只顾伏在陈梅肩上哭。

"对不起，莉莉，我回国前才知道。前段时间我带怀特回中国去了，前天刚刚回来。"

"你们回中国去了？"莉莉和陈梅分开，这才邀请他们坐到那只比婴儿床大不了多少的沙发上，上面已经给皮特曼压出一个塌陷。她和陈梅手拉手挨着坐，陈梅的手又暖又柔软。莉莉觉得交到了真正的朋友，又欢喜又激动。

怀特教授穿件崭新红色唐装，新婚燕尔，头发染过，下巴精光，腰板直了不少，满脸春风得意。"是的，我圆梦了，去了趟上海。我父亲在那

里找了个情人，而我明媒正娶了个上海妻子，难以置信的巧合！"

"一定很有趣吧！"

"是的，我去拜见她的家人了。他们热情好客，请我吃制作神奇、风味一绝的生煎包。"

"我的母校邀我前去讲座，我们受到前所未有的欢迎。怀特称此行获益匪浅，完全颠覆了之前他对于中国的印象。他爱上上海，就像爱上我一样。——你的中国之行很成功，是不是怀特？快告诉莉莉！"

"不得不说出乎意料，没想到我会受到那样的重视和款待。走在专门为我们铺设的红地毯上，尽管有那点过分，但那一刻令我还是虚荣心膨胀。一次美妙的行程，让人回味无穷！用句上海话讲，就是'阿拉好有面子！'"怀特教授用刚学到的上海话说，引得莉莉轻轻发笑。

陈梅脸亮澄澄的，像打了水蜡。老公能那样说，自是她的荣耀。看到陈梅知足的样子，莉莉觉得错怪她了，于是攥紧她的手，与她更贴心了。

"住在这里习惯吗？"

"不好，你都看到了！"

陈梅和怀特教授同时僵持了下。"要对自己有信心，相信会好起来的！"——老生常谈，莉莉病后听到最多的就是这句话。这既是人们的真心话，也是他们的敷衍。

"莉莉，我从中国带回一些书，里面讲述古代中国人对于生死的态度和哲理。中国人把死看作变成一只蝴蝶，缱绻缠绵飞入花丛深处。"

"花丛深处有什么？"

"你真较真，怀特！那天堂又是什么？"

"你说的是《庄子》。"

"天呢，莉莉，你居然知道这个！要知道很多中国人都不知道它！"

"其实我心里一直有个谜，为什么每个中国人都那么善良，为什么你们能够和睦相处，为什么你们的文明能够延续五千年，为什么你们的民族能一次次死而复生？我一直想弄清答案。"

"莉莉，你让我吃惊死了！不过我没法回答你的问题，因为我也不知道答案。"

"花丛深处就是花丛深处，总之是个称心如意的地方。"

"怀特你说对了，就是个称心如意的地方！"

"东方女人的嘴真厉害，不知是我对还是她错！"

"从我的角度，你一定是错了，我一定是对了！"陈梅蜡黄的脸上现出对丈夫的鄙夷。她粗淡的眉毛扯得平平的，莉莉看得有点晕脸。他们刚才明明恩爱有加，现在却针锋相对。到底谁是兔子谁是猎鹰，夫妇两个疑影重重，莉莉摸不透他们在干吗。

"以妻子的身份而言，你对丈夫并不礼貌！"

"就一个丈夫和科学家而言，你也不合格！"

"莉莉，中国人的家庭传统很厉害，一旦成为其中一员，你的一切就都是他们的，一切都要和他们共享，包括你的身份、宗教、国籍、自由、喜好、财产、公民权，你过去的、现在的和未来的，你所能拥有的一切，一切都分不清彼此。"他伸开胳膊让莉莉看身上的唐装。

"莉莉，你不是想了解中国吗，干脆请教怀特教授得了！"

"应该没问题！"怀特教授耸耸肩，他不喜欢这个冷玩笑，又推辞不掉，"我现在给她管起来了！"他从喉咙里出声。

莉莉看陈梅从包里取出几样东西："这是我从中国带回的膏药贴，是我家隔壁单传三代的老中医配方，贴在胸部，三天一换，如果管用，我让他们再寄来！"

"这又是什么道理？莉莉，别上她的当，谁知她揣什么心思！"

"闭嘴，他总怀疑我有什么动机！我只是和所有中国人一样对别人好，这倒成了把柄！"她冲着他嚷嚷。

"她又来了，过分热情总让觉得你另有所图。"

"莉莉，你来做个评判：我做错了什么，关心人有错吗？怪不得你疑神疑鬼，你没有真正了解过我！"

"教授，您的确是个好教授，可也应该是个好丈夫！"

"中国人太善良，对待别人就像是自己家人！怀特，你以前从没有被这样对待过，所以才有所怀疑，对不对？"

"似乎如此。"教授翘着头思索，同时看到房顶墙角歇着一只麻蝇！

"莉莉，你知道吗，我俩成天为这些事吵来吵去，好像没别的事情可做。一个科学家的家庭变成伦理和观念战场，他似乎要把家里所有东西贴上国籍、种族和阶级的标签！你能把一只碗分清是喜欢被中国人还是美国人用，你能把一只脚垫说清是喜欢被白种人还是黄种人踩？真奇怪，一到

中国他像换了个人，一回美国就原形毕露！"

"在中国我像婴儿被宠爱。只要没睡觉，嘴里一定被塞满各种食物，耳眼充斥他们的溢美之词！我像件展品在他们手上传来传去，完事浑身油乎乎的手汗。我以年近七旬的生命史告诉你，莉莉，那是个既神奇又可怕的地方，中国像只生活在仙境里的狮子，你没法不喜欢，可又没法不恐惧和提防。"

"算了，和你说不清！莉莉，有个食谱我抄了份，如果需要我帮忙，打个电话我就赶来！中国人讲究养病，这和治病两不耽误。不要怕麻烦，权当我是你的姐姐。"

"不，我反对这样！莉莉，她自己怀孕也需要照顾！"

"你怀孕了，陈梅？"莉莉听后惊讶地盯着陈梅平平的肚子看。

"没多久，还只有核桃那么大一点！"陈梅扁平的脸上现出无比幸福的红晕，声音缓和下来，浪花般轻柔，像怕惊着肚里胎儿，"别听他的，没那么娇贵！我妈妈怀我那会儿还天天在工厂加班呢。她日后对我说：这样生出的孩子才有出息！你放心好了，我怀孩子我做主。"

教授插不上嘴。陈梅说得由衷，但莉莉婉拒了她。"谢谢你，陈梅，你比我更需要照顾，不要让教授为这个担心！"——陈梅有些失望似的。"我也想有个孩子！"莉莉突然说，这念头快得像道闪电。

"听到了吗，怀特，莉莉也想做妈妈！"

"好事啊，到时你们一起推着孩子到中央公园过周末！"

"是啊，我都有点等不及了！那个皮特曼怎么样，怎么没见到他？"陈梅终于转到女人间的日常话题。怀特教授穿着唐装别扭，一心想把它脱下来。他觉得自己在这里没一点地位，作为教授的尊严一扫而光，沦落得像个考试挂科的男生。

"他做事去了。"莉莉淡淡地说，"陈梅你说结婚好吗？尽管这段时间皮特曼表现不错，妈妈也在费心张罗，可我没一点信心，总觉那扇门后站着另一双脚。"——教授咧开嘴笑。莉莉停下说话，陈梅用背挡着教授。"他对政治感兴趣，这点我不喜欢！这些天又在忙生意，他似乎总得有点事情做才罢休。"

"少关心国家大事，男人们不要指望太多，这只会惹你生一肚子气。"

"你说得对，可你没做到，你比女王更霸道和专制！"

"好像我喜欢和别人过不去似的,我成了小心眼,说什么都像在使性子。你看到了,我们总在为一些无关紧要的事吵架。好像我是一条毒蛇,就该人人喊打。是你的自大和愚蠢让你变得偏执和极端,怀特,这是你没吃过亏造成的。"

"不想听听我从中国带回的趣闻吗?"教授像只正在蜕皮的蚕蛹,头上有软软的触须。见两个女人不理他,他嘿嘿干笑。"女人一谈到她们的丈夫和孩子,背后发生了爆炸也听不到。"

"莉莉,今天我来不是为让你生气的,可事情弄成这样我很内疚。"

"陈梅,要不是你们今天来,我会绝望而死!"

"别说傻话,好好活下去,像那些美丽自由的蝴蝶一样!"

"上帝与你同在,阿门。"教授闭眼在胸前画个十字架。

"愿他是谁就是谁吧,反正有你们在!"莉莉仰起头,扼止住泪水。

"你不能怀疑上帝的存在,他施爱所有人,尤其身受苦难的人。"

"莉莉,我是无神论者,但不能否认我有信仰,那就是事实、现实、真理以及人类和每个人都会有美好的未来。"

"可标准呢?如果不是上帝制定标准,你又知道什么是对的、错的、好的、坏的?"

"上帝把一切都制定标准了吗?上帝让现实中的一切按人们愿意变好吗?上帝让莉莉这样的好人患上癌症被切掉乳房吗?他眼睁睁看着生灵涂炭而置之不顾吗?他是不是让美国永远立于不败之地而这个位置其实没超过一个世纪?他让你娶一个异类女子在这里和你争执不休,他是否真的存在?如果这个世界真有标准,那么让我告诉你:正确的标准就是反面的错误。正确和错误是以人意念为支点的一个天平,一边是数以百亿计人类历经几百万年,像松油积成琥珀般的知识与经验的积累,包括血、断指和残身的教训,包括从其他生物借鉴而来的技能;另一边则是我们仍须面对的新环境、新未知、新问题。这是个动态平衡,智慧的伟大在于用认知的可见光照亮各种困难问题,从而把未知变成已知。这平衡背后的可见背景是人类视野中由想象力拉起的紫红帷幕!如果你希望借助上帝之眼的话,那我更相信自己的眼睛和直觉。"

"你这只长着尖牙利齿的东方老鼠!"教授牙齿咯咯作响,"你把金子做的《圣经》都敢咬碎!"

"看他又生气了，什么都说不得！"陈梅不理丈夫嗔怒，开怀大笑。

"该死，如果不是看在上帝和孩子的分上，我要与你离婚！"

莉莉从陈梅肩上望着教授，用眼神告诉他：她其实早明白一切，被要的是你。

"最后总是我原谅他，因为他总以这句话结尾！莉莉，我不反对美国什么，相反我非常热爱它，可为什么包括我的丈夫在内都不接受我呢？如果不是我要强，我早就垮下去了。莉莉，你才是真正代表美国湖光山色、风土人情的我心目中的美国人！"

莉莉谦逊地摇头："我只是个普通美国女孩，此外什么都不是。我病了，亲人不在身边，住在这间小公寓里，明天就可能死去。"

"噢，快别这么说，照我说的试试。如果你喜欢，我抽空给你做中国菜吃。"

"我喜欢中国，一半是因为喜欢中国菜；我喜欢中国菜，一半是因为喜欢你。"

"他拿筷子的吃相不知有多好笑！真的，我妈妈对我说：不怕你嫁什么人，只要他喜欢吃中国菜，他就算自己人。"

"可怕和邪恶的中国逻辑，那全世界岂不都成中国人了！"

"我们还是回家吵吧！——莉莉，我们这是看你来了还是把战场搬到了你这里。你就原谅吧，权当我们给你唱戏解闷。"

"她可真会说道！"教授坐久了，像五爪章鱼摆动头和脚。

"愣着做什么，穿好衣服我们走。"

"不说了？说完了？整个上午谈话有主题吗？还不如我在实验室合成五十毫克硝酸铵有意思！"

"莉莉，告辞了，记着按我说的做，没准就管用了呢。"

两个女人嘀咕完，莉莉把陈梅送到门口，刚才还笑嘻嘻的，一下变为晴转雨。

"真搞不懂她们，像生离死别似的。"教授心里想。"陈梅，该走了，否则赶上堵车。"

"我们走了，一定要保重！不要任性，好男人都是调教出来的。"后面她压低声音对莉莉讲。

"记下了，你放心。"

"结婚时可以邀请我做伴娘吗？我还没有真正参加过西方人的婚礼，一定很有意思！你不同意也罢，我就是这么个嘴快的人。"

"你们他妈的有完没完！"教授像城池失守一样忍无可忍，他终于爆发了。

"闭嘴！"陈梅一声狮吼，整个公寓跟着抖动。教授连根带座摇晃了下，膀胱里的尿被吓了回去。看到莉莉僵立不动，陈梅焦急地喊："莉莉，莉莉你没事吧？"

"陈梅，华尔街股市会崩盘，斯堪的纳维亚半岛会雪崩，大西洋会暴发海啸！"

"对不起，吓着你了。没事的，我们走了。"陈梅连退几步出了房间，冲着莉莉摆手。

教授气呼呼走在后面，没想到头磕到门框上，当即起了包。他鼻子酸痛，想骂骂不出来，孩子似的用袖管擦泪。两个女人互相看下，同时爆发出一嘟噜笑。教授的脸比旧鞋垫还难看。

皮特曼忙着生意上的事，他是个门外汉，开始吃紧得很，以至事后好多天才得知总统成功连任。梅根先生信赖他，因为他有张好嘴皮和诚恳的态度。梅根先生身边不乏做事出色的人，但缺乏能够凭信的人，而这正是皮特曼的长项。他的谦卑可像水一样就高就低，并让人浑然不觉。他有幸与梅根同在其豪宅里用餐并汇报工作，觉得梅根先生又善良又慈祥，一点没有外面传得那么凶。——传说中他像只没人敢惹的北极狼，但那要看对谁了。梅根先生咬东西格外用力，每下都像轧机令皮特曼腮帮发软。他给了这个年轻人许多指点，让对做生意一窍不通的皮特曼茅塞顿开。梅根先生喜欢盯住对方说话，同时手里刀叉咔咔作响。"知道我为什么喜欢你？"——皮特曼嘴里像塞了只青蛙，停下摇头。——"你和我儿子年纪差不多，他与我前妻生活在一起。他们都恨透了我，所以你看到我总是一个人。我是个安静不下来的人，幸亏有很多事情做，所以可以忍受目前这种状况。其实一见到你我就喜欢上了，你那神态像极他过去的样子：皮肤泛着人在少年才有的红光，头发像黑丝绒一样，歪头流露出那种又害羞又想争宠的神态，拥有只有犹太人才有的黑宝石一样的眼睛！""我通过您的考试了吗？""那算不上什么，我根本就没打算考你，否则你根本坐不到这

里。连那个肥佬都没机会和我坐下吃饭!"他用下巴指指外面,屏风一侧管家使劲扬起脖子,黑色的影子来回动弹。的确如此,梅根先生一切活动都按规矩行事,严丝合铆不露一点空当。他的房子大得跟广场一般,里面最不缺乏的就是女人,她们像进出商场一样自由。梅根先生并不避讳皮特曼这些,甚至当他的面亲搂女子,然后咬着雪茄给他口授工作。梅根先生到公司的次数并不多,大部分时间在家办公。高管们轮流到他家里汇报和请示,他的很多指示通过电话或邮件发出。他频繁参加社交和会议活动,占到日常工作量的一半以上,主要是为了扩大交际范围、联络情感、获取情报、发现和培养机会。他肥胖得像海豹,偶尔闲暇时不是养精蓄锐躺着琢磨事就是用来组装枪械。他参加过越战,少了一个脚趾,对战争和武器兴趣浓厚,或许是皮特曼跟他说过自己父亲也参与过越战,而且喜欢玩弄枪械和打猎,他对皮特曼格外开恩,允许他参观设在三楼一个像枪械博物馆的房间。里面陈列着他能收集到的各式枪械,上千只熟铁壳闪耀幽蓝的光焰,平时只有他自己能进去。一次他拾起一支枪抵住自己太阳穴,问皮特曼酷不酷。皮特曼担心得要扑上去,梅根轻轻一哂,额上三条战壕似的皱纹立刻绷直,同时听到骨节咯咯松开的声音。皮特曼舔舔发干的嘴唇:"您让我担心死了,这样太危险了,求您以后不要这样!"梅根像刚吞食完整只黄羊的狮子抖抖身上,鬃毛簌簌放下。他对皮特曼大谈特谈他的经历,说他只是个炊事兵,最好的战绩就是打死两块岩石间的一只蝙蝠,这是他的一个遗憾,也是他活到现在的原因!"只有一次我没跑快被炸掉一个脚趾,所以我的左脚比右脚少一码,这是越战送给我的礼物!这个秘密只有我那个当过战场护士的前妻知道!"梅根先生白白眼,"她后来讨厌我不像以前爱她,可你知道,男人都把守不住下面!"他把自己的家庭秘密告诉皮特曼,皮特曼脸紧得像抛过光一样。梅根先生似乎与皮特曼特别谈得来,甚至吩咐胖管家专门为他安排房间,如果时间晚了就留他住下。他强制皮特曼听他的故事,直讲到猫头鹰都倒栽树下。皮特曼不断打哈欠,再看梅根先生手放在肚上已打起鼾来。他还把皮特曼邀到熊山七湖的度假别墅,外面巨大的冰面在天空下反射刺眼白光,北风呼啸而过,卷起排排山垠似的雪墙。他毫无怜悯地把受过精的女友赶到外面,搭着两只黑乎乎的毛腿与皮特曼并排躺在玻璃幕墙后的温房里,温房四面透进天寒地冻、冰雪萧条的湖景风光。他命令皮特曼给他念近来的时政消息,刚刚纵过欲的皮肤在阳光与雪光混合的白雾里殷红平滑。皮特曼每想起这事，就觉得像为总统服务一般。皮特曼大量时间跟随梅根先生，被疏远的玛格丽特夫人很不高兴，总找出一切机会召见皮特曼。她像年轻恋爱时那样不能自拔，皮特曼见她一次就累个半死。皮特曼有这两个人就够了，自然对莉莉难以上心，完事把她晾在一边。

　　莉莉对皮特曼的情况当然不知情，她一心等着测孕纸发生变化，企盼身体能够支撑到生下一个健康宝宝。她关在公寓里闲得要命，发誓怀孕后第一件事就是逛遍纽约所有商店，然后再从星罗棋布的餐馆里选一家海吃胡喝。她不像刚开始尽想着死了，活下去的欲望越来越强烈，天天催皮特曼早点回来，之后无休止地索要。可怜的皮特曼很快像只没熬过冬眠期的棕熊，全身骨骼都清晰起来，背微微驼起，双脚特别明显地向外撇开走路。皮特曼对她比以往任何时候都重要，她不再看不上他，把他当大宝贝。她要找个孩子的爹，脑子里成天尽想这事，像得了癔症一般。皮特曼回来的次数越来越少，时间越来越晚，电话短信稀稀拉拉，让她怒不可遏，但真见到又不敢发火。她央求他要她，他在上面敷衍了事，没完事就打盹。她挖空心思吸引他，哪怕每天多掉十根头发都无所谓。她盼星星盼月亮盼着肚里有动静，做爱时想着无数的小皮特曼在她的肚子里组建成了一个长长的小人国队伍。可事与愿违，一段时间后肚里仍没动静。皮特曼对做爱产生了恐惧，借口梅根先生那里忙，尽量躲着她。她绝不放弃，让皮特曼继续努力。皮特曼像街头挨混混一顿揍一样躺在下面，完全提不起精神。

　　“皮特曼，我爱你！”

　　“我不是在你跟前吗！”皮特曼想打喷嚏打不出来。

　　“不许发牢骚，成天待在这间小屋里，我能闻出死亡的味道来！”

　　“那怎么办，要不回你家住？”

　　“才不要，哪儿都没这儿好！”她无限怅惘地打量房间，像深情巡礼似的。

　　“真可笑，这儿哪比得上你家！”皮特曼打个长长的哈欠，“宝贝，睡吗？明早我还有好多事情做！”

　　“明天陪我去化疗好吗？”

　　“对不起宝贝，下次，下次我一定陪你去！明天我真要处理一件棘手的事。梅根先生今天在董事会上大发雷霆，他在多伦多和里昂的工厂赔了钱。整个公司的财务状况不容乐观，集团整体计划无法推进，策划部门早年间提出的战略方案变成一堆废纸，梅根先生指名姓骂人了，我知道他在下最后的决心，把设在印尼雅牙达的亚太总部迁往中国。这个计划他只透露给我，连董事局的成员都不知晓。明早前我要把一大堆人事档案整理出来，他要裁人了。"

"梅根先生还真看上你了！"莉莉冷笑着，"不过他去亚洲发展应该不错。"

"为了他的商业帝国，他不得不如此，他很痛苦。"

"他们都是唯利是图的人，没你说的那么严重。"

"莉莉，梅根先生待我不薄，也是夫人的好友，你要口下留情。"

"我说错了吗？你们真是一唱一和啊！"

"好吧，你是对的，你现在说什么都是对的，因为你病了，宝贝。"

"用不着挖苦我，更不要虚假地同情我！哪怕你将来去了雅加达不回来，我都不会有怨言的。"

"是你在先，莉莉！不过还是请你原谅，我爱你！"皮特曼知趣地服软，这也是他不同于别的男孩的优点。

"反正我要死了，你们就糊弄我吧！就像我死了你们请人给我唱意大利歌剧，好像我能在那神圣的歌声里复活一样。你不错，皮特曼，会撒谎了！"她在皮特曼胸口划个指甲印，"记着我的话，你们这些该死的偏心眼！"

"我要睡了，吻我一个，明天早点回来陪你。"

"你说的！——想到又要见那个凯瑟琳和普契夫我就头疼！"

"嗯，明天会有新一轮降温，当心感冒！"

"你他妈的还真关心我！"

"我就要娶你了，你马上就是我老婆了，还会很快怀上孩子，我们即将组建起一个三口之家。"他不无幸福地说，转过来抱紧她，气息粗重地冲撞她耳后。尽管难受得要命，莉莉还是蜷起身往皮特曼怀里钻，像担心一只正在孵化的卵飞走了。皮特曼摸着她平坦的肚子，鼻子歪到后脑勺。

妈妈披着斗篷来了，像女超人从天而降。她在小公寓里走来走去，有半个小时不说话。莉莉没来得及把《道德经》收起，妈妈抢过去端详着。她的脸亮得像涂过橄榄油，那种得势后的得意初现端倪。"你关心地球另一半而不是美国?! 莉莉，大家都看到云彩满天，你却没心没肺!"

"妈妈，我建议您也看下，充满古老的哲学智慧，看完让人安静。"

"这里是够安静的，可我的女儿却不是省油的灯! 她放下大房子不住，偏跑到这么个鬼地方来! 这是吓唬谁呢，和谁怄气呢? 还拿着一本书，'建议您也看下，它充满了古老的哲学智慧，看完让人安静。'对不起亲爱的，我没那个时间。如果你不是我的女儿，又病得不轻，我才不会低三下四跑到这种地方来!"

"妈妈，您就不能对我客气点吗?"

"我对你够客气的了，你给我丢尽了人! 人家问起我，'您的女婿家境不一般吧?'我怎么说，我的脸烧到耳朵根! 人家问我'你女儿怎么样了?'我强作欢颜，告诉人家我女儿明天就没事，她正兴高采烈准备婚礼呢!"

"只有您才会那样想，只有您自己心里有鬼才觉得别人也有鬼! 妈妈，请您坐下说话吧，您把我都绕晕了!"

"宝贝，让我说你什么好，从头到尾没一桩事让我省心! 现在，我对你别无所求，求你给我生个外孙吧!"

"妈妈，您也想让我生孩子?"

"当然，如果没了你，我至少还有它!"玛格丽特夫人哭得惨不忍睹，像披着兽皮的因纽特人。

"妈妈，我也这样想!"莉莉伏在妈妈身上哭起来，"我就怕自己这么完蛋了，我什么也没有，只想有个孩子将来能从天堂里看到它!"

"婚礼就放在圣诞节，宝贝，一切都会让你心满意足!"

"妈妈，我只想生孩子不想结婚，我爱的不是皮特曼。"

"那你爱的是谁? 斯特林、史密斯?"

"妈妈，您在说什么! 我爱的人不在这里，他在中国!"

"在中国，难道他在中国工作?"

"他就是个中国人，就是他!"莉莉把玉真画像给妈妈看。

"这事皮特曼知道吗?"

"不知道!"

"千万别让他知道，他要生气撂挑子就不好办了！"

"妈妈，我们想到一起了！"

"谁和你想到一起了?!"妈妈把玉真的画像撕个粉碎，"原来你不回家是为了这个！美国男人死光了吗，你要去找个中国人？"

"你没有亲自到过中国，中国人比世界上其他任何人都善良！"

"哦，你太幼稚了！"

"也许在你们眼里我是个异类，可和那些中国人在一起，我觉得自己像个天使！"

"中国成了一个我们无法跳开的话题！"玛格丽特夫人皱皱眉，"看来我得真的为美国做点什么了！"

"妈妈，您说什么？"

"我要为美国做点什么了！金融危机正在拖垮美国，经济持续低迷，商贸业步入寒柳挂霜的冬天。经济学家们束手无策，民众们省吃俭用，全世界乘此唱衰美国，世界到了重新洗牌的时候！莉莉，我要尽一个议员和公民的义务！"

"您要做什么？"

"这个我要感谢你！恼人的中国，除了和我的国家竞争，还来抢我的女儿！我得做出点惊天动地的事来，让选民们相信他们选票投给了正确的人！"玛格丽特夫人边想边点头。

"妈妈，您这是做什么，怎么把我牵扯进去？"

"这个你别管，我要约时间与梅根和史密斯先生商量此事，他们一定会支持我的。梅根先生公司的产品严重滞销，公司利润大幅下降，股票市值估计下跌百分之五，他不止一次向我抱怨！"玛格丽特夫人已经有了主意，她沉浸在想象中，只等梅根和史密斯举手同意。这是她当选国会议员要做的第一件大事，希望凭这个站稳脚跟，以后有资本走得更远。想到这儿，她好像已经被任命为美国驻联合国代表。

"我反对，我反对您针对中国！"

"你反对管什么用，中国人抢走我的女儿我难道一声不吭？我的女儿傻，我可不傻！我一定会替自己和梅根先生报一箭之仇。"

莉莉完全被妈妈的所作所为气蒙了，她没想到自己爱上一个中国人竟给他的国家惹来一场官司！她知道已经说不动妈妈，妈妈是一支上了栓的枪。

"妈妈，您这么做不怕上帝惩罚吗？"

"笑话，上帝都要感谢我！另外不许你以后再看这些乱七八糟的书，记得我上次就和你说过。至于那个中国人，你必须把他忘掉。如果这个消息传出去，半个纽约会遭核轰炸。"

"您不听听史密斯先生的意见？"

"我会的，不过别指望他向着你。别忘了他是个比我还滑头的政客，他的长处就是传小道、给别人出馊主意，他的钱未必那么干净。"

莉莉再说不出什么，看着妈妈在那儿得意扬扬。"您今天来就是为了和我说这些？"

"胡说，我不是担心你才来的吗？你还好意思说，自己住出去这么久也不和妈妈通声气，你到底安的什么心！"

"如果我住回去，您和史密斯先生不就不方便了吗？"

"混账，你还在提这个，我和史密斯先生没什么的！连皮特曼都相信我和史密斯是清白的；外人都相信了，你倒给你妈妈抹黑。"

"爸爸知道后会杀了你们！"莉莉阴毒地说。

"啪！"玛格丽特夫人朝女儿脸上掴一下，然后用一本林业杂志使劲扇凉风。

"梅根先生真有钱，能把半个曼哈顿岛买下来！可是你瞧，我现在只能住这间小公寓！"

"你和阿杰夫一样阴险，没想到你还继承了他这一点！"

"你把皮特曼介绍给梅根先生算什么，他现在成天陪着梅根都不知道回来看我！只要有你在，从没有一样东西完整属于过我！"

"梅根先生正式邀请皮特曼加入他的团队，让他担任自己的业务助理，这对他是多么好的机会！他可能真的很忙，也可能有点飘飘然，不过能在这个时候娶你，你还计较那么多？"

"妈妈，我恳请您不要那样做！"

"你东一榔头西一闷棍到底要怎样？"

"妈妈，我就快死了，一些事就由着我吧！"

"不行，这不是一回事。"

"妈妈，我不相信您怎么会是我的妈妈！"莉莉眼泪汪汪地说。

"不说这些个了。你的病怎样了，有没有好转？"

"您终于说到正事上了！"莉莉擦着眼泪，"契普夫大夫说控制得不错，癌细胞没有明显扩散。"

"哦！"玛格丽特意味深长地望眼女儿，"好吧，按你说的做吧。可是，你不能找一个中国人，你要和皮特曼结婚！"

"我只想要个孩子！"

"那有区别吗？理解下你的妈妈，你妈妈要的是门风！"

"您又来了，又要和我吵。"

"皮特曼会怎么想？"

"怎么想？我现在连他在哪儿都不知道！"

"我在这儿！"皮特曼夹着皮帽子推开门，好像纽约整个冬天在下雪，"夫人您真是稀客，您提前通知我一声，我早点回来接待您！"

玛格丽特夫人绷起脸："怕是你没时间呢，扔下我的女儿像只孤零零的小鸟！"

"夫人，梅根先生那儿走不开。"

"你好像比我还了解他！"

"怎么会，全拜夫人您所赐！"

"他有严重的洁癖，并且延伸到对于生活中的一切都很严苛。一旦他对某个人事产生了看法，再让他回心转意简直不可能。所以你要格外小心翼翼，在他面前哪怕嚼一小口东西也要当心，否则他会把你归为某类人！至于这些天你的表现嘛，他向我主动说了。"她停下来，用眼白瞟瞟紧张起来的皮特曼。皮特曼半个身子落座莉莉旁边，抓着她的小手全身心听夫人授旨。"他对你颇有微词，说你有时过于大胆，有时又过于敏感细致。你的很多观点让他想不通，而你的后一点又使他认为你不适宜从商。这可怎么办，负面的评价居多，纵然你诚实勤恳，可我说了，他是个顽固的人。"

"夫人，我觉得他喜欢我多过厌恶，我深信这点。"

"他吗？就算是尼古拉斯·凯奇也没有他的演技！"她轻蔑地朝皮特曼笑笑，"如果你都看出他的心思，他还是那个大名鼎鼎的'纽约猫王'？"她看到皮特曼鬓角流下了汗，知道他真的害怕了，马上真实地笑起来。她又朝女儿使使眼色，莉莉马上会意：

"皮特曼，你不能失去这样的机会，更不能给妈妈丢人！"她虚弱地说，好像后半生全部倚靠他，他是家庭顶天立地的顶梁柱！她摸摸皮特曼涨红的脸，用柔情似水安慰他。

"我该怎么办，夫人？"

"对付这种顽固不化的人，最好的办法就是以其人之道还治其人之身。不管你说什么、做什么，只要理由充分、态度中肯就行。说到底，他是个聪明人，知道什么时候改变。"

"公司业务受到冲击，他和很多企业家的日子一样不好过。我建议把重心转到亚洲市场，打过几次报告都被他搁置。因为他在那里受过伤害，所以不喜欢那里！现在国内需求有限，世界其他老牌经济体也受危机影响增长乏力，放眼全球只有亚太地区经济仍然活跃。有一次我生气了，毕竟那里市场太诱人了，我问他：'您是要您的帝国还是您的脾气？'他当时愣住了！我劝他到那里看看，他只是冷冷看着我，没有反驳一句话。没想到今天他任命我为他个人办公室主任，他真是个让人看不透的人！"

"你做得对，他动心了！商人趋利的本性让他可以改变自己眼仁的颜色，没钱赚像伤着他的命蛋蛋。"

"好吧，夫人，今晚能否请您赏光用餐？"

"还是先商量下你们的婚事吧。"玛格丽特夫人喜欢的是皮特曼的这份精明，害怕的也是这份精明，他不教就会的本事使她后背凉飕飕的，"瞧你们把事情搞成什么样了，这其中也有你的责任！"

"是的，夫人，我责无旁贷！"

"你倒是快点让她怀上啊！"玛格丽特夫人边说边站起，把那件斗篷披好。她又要飞往另一个地方，有新的使命在等她。

"妈妈，你就不能多待会儿吗？"

"你真这样想？你居然这么多天不给我打个电话！"玛格丽特夫人动作慢下来，然后过去抱住女儿。

"妈妈，别怨我。"

"千万别让皮特曼知道你和中国人的事。"她趴在莉莉耳朵上说。

"嗯。"

"皮特曼，我还是那句话，照顾好她！"

"夫人，我责无旁贷！"

"你倒换个别的!"玛格丽特夫人和莉莉同时笑起来,"宝贝,今天我们一起吃个饭!"

"嗯。"莉莉点头答应。

"傻瓜,你怎么也和他一个样!"

三人同时笑了。莉莉穿戴好,皮特曼在一边护着她,玛格丽特夫人前面带路,三人像花泳运动员一样昂首阔步出去。三人达成协议,要尽快生个孩子出来。这好像一下把莉莉生病这件事抛开了。从另一个角度看,只要莉莉生下孩子,即使她死了也无所谓了。尤其莉莉自己,眼巴巴盼上帝送给她一个婴儿,把怀上孩子看作当下活着最重要的一件事,倾注了生命最后的全部热情。

雪后的北京气温迅速降低,白天最高温度也只有零下十摄氏度。整个北京的人想方设法不出门,上班族涌入地下,地铁超负荷鸣咽疾驶。公交车在空旷的马路上放空车,司机穿得厚厚囊囊,跺着脚诅咒这鬼天气,盼着公司早点给车装空调。供热公司加大马力,每天煤炭和柴油的消耗量差不多是过去一倍多,但源源不断输送出的热能仍不能抵御这几年一遇的寒冬。严寒还引起海啸般的大雾,从黎明起就把京城围盖得严严实实,不透半点光。平时的噪音也一下没了,白云观和北京城所有声音都被这海绵般的雾吸收得干干净净。在这种天气里,人像没倒过时差一样昏恍,如在梦里。

玉真和道医馆其他人摸黑准点上班。严寒容易拉近人的距离,即使平时有什么过节儿,现在都觉得彼此需要,心里暖融融的。小罗进屋像个纸糊人,连蹦几下,大叫"冷死了,冷死了!"玉真在她身后放下门帘,又把暖手宝递过去。小罗抱着苏醒了一阵,眼泪鼻涕哗哗往下流。玉真在旁边看着直笑。

"玉真大夫,好久没看到你笑了!"小罗暖过手,看玉真心情不错,顿时抛开自己的烦恼。

"没事,让你操心了。"玉真虚幻地说,心里刚有的一丝暖气倏忽又没了。他寂寥地坐下,看茶杯里热气盘盘扭扭升起、消失。

小罗换上护士服,要去取东西,突然屋外发出巨响。她从玻璃哈开一块地方看出去,原来一根树枝被冻掉。她提心吊胆地说:"幸亏今天病人不多，要不砸着怎么办！"——一上午只来了七八个病人，也没像平时坐下聊天，看过病后取了药就匆匆离开。时近中午，外面的雾没一点消退的意思，反而连院里的柿树和对面厢房里的灯光也看不到。

"还没遇过这样的天气！"小罗涂着指甲油百无聊赖地说。窗户玻璃上结层厚厚冰花，两人一齐朝黑乎乎的外面望。隔壁传来药房收银员闲来无事噼噼啪啪的算盘声，更衬出雾天院子的寂静。玉真拿着书，说实话没看进去多少。他一心想着莉莉：她一会儿出现在书上，一会儿出现在对面墙壁，一会儿又跑上窗户；她悄无声息从雾里来，穿着单薄的衣服，可怜巴巴等他抱着暖和身子。爱情对他不是百米短跑，而是一场漫长的马拉松。小罗从手机上查看天气预报，里面说这样的雾天可能持续一周，玉真听了直皱眉。冰雪不时从檐前被冻掉，平时叫嚣的鸟不知跑哪儿去了，等雾开雪消再见它们的时候，大概只剩零星蓬松的羽毛吧。大雾像前来巡视的官员没有半点马上离开的意思，小罗跷着手指叠纸船，头抬一下沉一下，几乎半睡着了。

"小罗，和小马处得怎么样了？"

小罗惊坐好："挺好的！"说话间羞涩起来。

"喜欢小马什么？"

"就觉得他好，总忘不了这个人似的，具体哪儿好说不出来。"

"什么话也说不出来，全蒙在心里，但里面别有洞天。"

"对对对，就是这样。玉真大夫，你怎么说得这么准，我一直不知道怎么说。"小罗奇怪和佩服地说，就差秃噜出一句"您没谈过恋爱怎么知道这个？"

玉真轻轻滑动杯盖："每天看你那样，我猜的。"

小罗低头不说话，把叠好的纸船放一边。

"如果没什么问题，早点把婚结了。"

"哪那么容易，他妈妈不大喜欢我，我有些害怕！玉真大夫，我该怎么办？"小罗脸色像外面天气一样阴暗下来。

"小马喜欢你就行，他妈妈迟早会同意。"

"小马很听他妈妈的话。"小罗语气里充满伤感失望，手里玩着手机。手机三星牌子，是小马花掉一个月的工资买给她的。

"如果他没主见，怎么坚持来找你，又怎么偷着送你手机？"

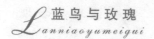

"那倒是!"小罗重新笑出来,"他挺细心的,对我真的很关心!他自己都用摩托罗拉旧机子。现在房子装修完了,只要他妈妈同意,我们立刻把婚事办了!"她面容娇红,像窗台那盆月季唯一幸存的花蕾。它是小罗霜降前从院里移植回来的。"其实像您多好,省去世俗很多烦恼。"小罗意味深长地讲,样子好像她在六十岁回忆二十岁。——玉真有点没见过小罗似的打量她,这缘于他平时对她关心不够。从她来到白云观,他几乎没有和她谈过心,为此有点自责和惭愧。"谈恋爱、结婚、工作、生孩子、伺候公婆爹妈,里面事多着呢!原以为恋爱像韩剧那样有趣,可就像酒再醇美也会随时间推移变得没有味道,清了,寡了!玉真大夫,真的很羡慕你们,不为世俗羁绊,一生清高并做着高尚的事,把什么都看透想清,立在云头做神仙,不要像我们蹚在泥水里过生活。"

"小罗,你这样看我和白云观?"

小罗目光转向玉真,勉强笑笑:"我说得也不全对,你们的清苦我也看在眼里,不过克制欲望的痛苦总比放纵欲望后再被惩罚的痛苦少许多。爱情是什么,是被欲望迷惑和支配时的一种幻觉,一旦这种幻觉像泡沫破裂,人就会无比失落、绝望和痛苦。"

"小罗,你好像不相信爱情。"

"我相信,但它只是一种短暂体验,梦醒了就什么都没了。"

"梦也是存在的!你和小马在一起不快乐吗,你不享受你们的爱情吗?"

"是的,梦是存在的。可我面临的不是子虚乌有的体验,而是真实经历每一天。每一天都包含喜怒哀乐,每一天都是一个坎、一个劫。这是我妈妈告诉我的,我在观察很久之后也这么认为。"

"这样你还会向往幸福吗,你觉得和小马会幸福吗?"

"如果我习惯和接受,那我就会幸福。了解之后又做好了准备,一切就顺从心意了,因为必须过这些坎、化这些劫。我们是平头百姓,生活只会波澜不惊,别人怎么过我们就怎么过。幸福就是你战胜了一个困难、解决了一个难题之后,知道后面还有更多的困难和问题而你依旧有信心对待和战胜它们。幸福因人不因事,但也对事不对人,不因为蒙哄欺骗而泪水涟涟,它是一种对一切看高望远前提下的实际能力。知道吗,玉真大夫,自从我和小马接触交往,我就越来越平和。我俩都不是好高骛远的人,相貌平平、老实巴交、家庭普通、收入平常,以后只能安心过日子。北京大得看不到边,深得测不到底,天天逛街商场下饭馆与我们不沾边,就像小马妈妈在家喝着玉米粥就着水疙瘩埋怨外地人抢占了她们祖上的地盘一样,我们就是这样渺小卑微。"

"你爹妈什么态度?"玉真从小失去父母,想知道别人父母如何看待儿女婚事。

小罗摇摇头笑,露出虎牙上新嵌的一颗水钻,这是她留在北京的同学免费给她镶的。"他们让我自己做主。他们以为我在北京就像在天堂,尤其我找了小马,他们到处和乡亲们吹嘘,好像我嫁了中央领导似的。"两人同时笑起来,身上的阴冷被驱散好多。

"过年打算回去吧?"

"不了,省下两三千块钱寄回去。以后把弟弟接过来,带他好好玩玩,他到现在还没到过省城。"小罗说得很累也很陶醉,好像在山路上挑着担子换个肩继续赶路。沿途风景很美,瘦小的身子压着百十来斤,但走得心情舒畅、春光无限。

"放假接他过来玩,到时住我家里。"

"谢谢玉真大夫,还是等我成了家再说吧!我寄钱回去,他们比什么都高兴!他们现在什么事都找我商量,整天在村子里乱说,我都不知道怎么办了。关键是那些人不知道我有多大本事,成天打电话找我办事,我这里快成驻京办事处了。"她无奈地笑笑,手机里游戏好几关没过。昏晦的光线里看不清她的脸,却能看到她放着光彩的笑和眼睛。

玉真心头一沉,不知是伤怀还是自怜,觉得自己作为一个同事而或男人并不称职。这些年,除了一拨又一拨病人,他几乎很少关心身边的人,包括观里的道友、智海、方丈,还有玉竺以及眼前的小罗,甚至包括莉莉。自己的确在从事高尚的事,但爱心一定是从身边、从具体事情中培养集结形成。一味远观而不近瞧,一味离生活太远,就会没有温度、没有情感,只会是尊死泥胎,而不是活菩萨。他从来只在忙自己的事,因为认为事业崇高就名正言顺置其他于不顾。拿莉莉来讲,她希望从他这里获得爱情,而不是出于道义和责任的关心。即使他喜欢她,喜欢得心潮澎湃,可真正又为她做过什么?他是每天在自己身上做试验,研究吴玉华等人的病例,在浩如烟海的典籍里寻求治病良方,可他忽略了她的心、她的感情,

她是否开心，又渴望什么？她根本不为治病而来，只想得到他一句温存的话、一个轻微的拥抱、一个传导给她力量的笑，这会让她信心与力量倍增，减轻许多痛苦，支撑她创造奇迹、逆转病情。可他呢，将大部分精力放在帮她医病上，做本末倒置的事！真正让她战胜绝症的绝不是药物和技术，而是她内心的精神和情感力量。他不懂爱情，无意伤害了爱情，所以它像只猫躲进洞里。他有别的解释吗，还要给自己找借口吗？不，他要承认这个事实，如果真想拥有和呵护爱情，就该老老实实承认自己错了，从现在做起，从身边人做起，真正让自己心中有爱。必须在内心建起一个真实、健康、完整的爱的概念，才能真正施展爱、奉献爱、传播爱。小罗的话极大触动了他，他像座休眠火山苏醒了，打算迎接轰轰烈烈的爱情爆发。

"珍惜你的亲人，好好爱护他们，你会得到正果。"

"正果是什么？"

"正果就是幸福，你觉得很累但宁愿继续付出，痛里带着痒，泪里含着笑，你提供给别人而自己宁肯得不到，你找准自己的定位，实现了预期的价值，达到了设想的目的。那是一种人生中的巅峰状态，信誓旦旦之后一切归于平淡，像躺在云上随风即走。"

"爱首先来自于感激，如果不是别人给予过，就不会感动，就不会报答，就不会做什么都迫不及待、心甘情愿。那是一种被动时的回赠、主动时的施与，是一种能力的证明，是一种积极主动的心态。"

"如果能有个人让你牵挂，让你真心实意为他付出，那就是一种幸福。"

"是啊，小马也许不像别人眼中那么优秀，可他真的对我好，事事为我着想，他妈妈做什么好吃的都偷偷留给我，成天担心我这的那的。我在北京找到了依靠，找到了阵脚，我觉得自己能立足北京了，走在街上能抬起头了，生活好像完整了，灵魂正一点点回到身上。当一个人被真心关爱，他才发现这个世界的存在。所以不管以后怎样，我都会爱他，一辈子与他不离不弃。"

小罗言语平凡地表述着，玉真从心里祝愿她和小马结合成功，得到属于他们的幸福。一个人的爱情是他自己的人生花园，而众人的爱情才让这个世界万紫千红、情趣盎然。

"今天天气冷，小马来找你吗？"

"不知道，他一定忙死了！人们都搭乘地铁，地铁可能堵塞，说不准会加班。"

玉真"哦"了声，看小罗精心摆弄那只纸船，觉得她已经获得幸福。是的，普通人在如醉如痴演绎他们的生活，而他只能隔墙旁观。

"我今天说多了，玉真大夫，您别见笑！"

"怎么会，你对我说的全是心里话。"

"嗯，我说的全是心里话！"小罗点着头，感激和开怀地笑。

"中午了，应该没什么人来，早点回去，路上注意安全！"

玉真话音刚落，小罗手机响起来："是小马的！"小罗接起来，脸红光光的，眼睛快活地眯起。过会儿挂掉电话，说："他过来接我，马上到观门口，我去接他！上次到北海公园滑冰他冻感冒了，别看是个男的，一点不禁冻！——我想让他见见您！"说完她出去，不一会儿带回一位个子中等、眼睛不大、皮肤黝黑、留着毛寸、体格健壮的小伙子。他进门就老实待在一个地方，搓着两手，回避玉真打量。

"玉真大夫，这就是小马。"

"玉真大夫好！"小马脸红得像喝了半斤老白干。

"小罗，快让小马坐啊！"

"不不不，玉真大夫，我待会儿就走。"小马急着嚷道。

小罗从包里递给他纸巾，埋怨小马，"天寒地冻你倒冒热汗了！"

"给小马吃个柿子，观里树上结的。"

"不不不，玉真大夫您别客气！"小马连连摆手，眼睛求救似的看小罗。

小罗大笑："玉真大夫，他被您的名气吓坏了。"

小马不断擦汗，小罗只得和玉真告别。"玉真大夫，我还是带他走吧，要不他都快哭了！"她动手给小马擦干头发里的水。小马乖乖听话，像鼻涕未干的小弟弟。

"我们先走，您到食堂吃口热乎饭吧！"小罗穿好衣服，戴好绒线帽，脖里缠严实围巾。小马拉开门缝先适应下，然后挡在小罗前面跑出去。玉真很快听到两人皮鞋在冻硬地面上发出的噔噔声。

小马看上去不错，是个腼腆地道的孩子。虽是21世纪的北京城，可门

第观念依旧很深。小马是小门小户普通老北京养成的小小子，小心翼翼地活，不愿惹事也不敢惹事，见人防着，遇事躲着，碰到大人物更自贬三分，只求平安无事，踏实本分过活。玉真见过一些有钱有势的主，家里孩子个个张扬得不得了，只嫌北京地界小，恨不得猖狂到联合国去。刚才小马开门时一股冷气蹿进屋，把小罗留在桌上的纸船吹到地上。两个年轻人约会去了，在天寒地冻中相互取暖、亲热开心。屋里只剩玉真，他孤苦伶仃望着外面黑漆漆的浓雾，叹气摇头。他过去把门掩好，转身捡起纸船细细端详。是啊，如果它能带自己漂洋过海看莉莉，那该多好啊。他不再多想，不再左顾右盼，他决定了，要冒险一试，闯一闯那禁地，尽管那里面有地雷、炸弹、圈套、绊子，他将不给生命留下憾事。

第十一章　领导视察

　　晨曦中，白云观牌楼上的蓝底金字已看得清楚，放风筝的张老头开始回收风筝。他仰着头，一副心满意足的样子。一只欢快的狗叫着追上前面的主人，虽然小点，但四蹄悬空，不失祖先的凶猛。道医院的建设刻不容缓了，病人在观门外冻得瑟瑟发抖。玉真照例做了早课来到诊室，与房脊上那位常客——缺一只耳朵的老猫对峙。老猫高高翘起尾巴，晶绿的眼睛里好像从未信任过人类。最终它喵呜一声跑掉，再不知什么时候又悄悄回来俯瞰下面的人类。玉真低头急走几步进屋，心劲始终高不起来。他羡慕极了那些大医院，流水线似的作业，成批量地解决问题，可以更多减轻病人痛苦、挽救生命，功效比道医馆人上百八千倍。道医院只解决少部分人的问题，像在做拾遗补漏的事。莉莉和吴玉华的不幸让他尤受震动，他不敢怠慢，做事比以往更深沉迅捷，好像发力追赶西医似的。大概九点刚出头，病人才看一小半，突然外面人声鼎沸，小罗狗急兔跳地进来，上气不接下气。

　　"玉真大夫，大领导视察来了！"

　　"领导视察，哪儿的领导？"

　　"当然是市领导！已进了道医馆，正和对面的大夫聊着呢，约莫一会儿就过这边来！要不，您出去迎接一下？"

　　病人不干了："玉真大夫，甭管他什么领导，这病不能看了半截不管，怎么着看完再说！"

　　"领导来了，难道让领导在外面等吗？"小罗冲病人嚷道。

　　"马上就好，我随后出去。"

　　"不用出去，您忙您的！"一个身穿浅灰色大衣的长者彬彬有礼进来，鼻梁架一副轻巧茶色眼镜，脸上带着慈祥的笑，主动伸手与门口的小罗握手。小罗激动得像老熟的南瓜，胸脯举重似的上下起伏。

"这是玉真大夫，白云观一位非常有前途的年轻道医，很多人都乐意找他瞧病！"方丈在一旁声圆力均地介绍。他峨冠高束，紫髯熠熠，像从电视剧里走下来的人物。智海脑门发亮，双手抱于腹前，伴在方丈一侧笑若东风。玉真很久没见智海这么舒眉活眼过。还有几位主事也如重大节日一般华服盛装、面目含春。

副市长的手温暖宽大，玉真感到里面力量绵绵。他放笔站直，有如竹挺风中、荷立雨后。"玉真大夫原来是你啊，果然道骨仙风啊！我听说过你，你有很多粉丝啊！见到你很高兴，还听说你围棋下得不错，有空我们杀一盘？"副市长寥寥数语活跃了气氛，同拘谨的被访者迅速拉近距离。小罗像昏迷后被掐人中苏醒，额上汗涔涔的，眼睛鼠标似的跟随副市长转。陪同人员一律塌下半截肩膀，眼睛须臾不离副市长，等他做出指示。"不说别的，言归正传，"副市长话锋一转，表情稍许严肃，"不瞒大家说，我就是中医救活的。七岁那年我患过一次重症，连续七天高烧不退，到医院打针吃药都不管用。滴水未沾，粒米未进，昏得整天说胡话，到后来父母都以为我必死无疑。一个远房亲戚赶来看我，介绍他村里一位老中医。死马当作活马医，我父亲用被子蒙着我连夜找到那老人家。他看后叹口气，责怪我父母没早点送来，说要早到两小时必能治好。我父亲苦苦求他，他说：'好吧，那就试试，不过不敢保证治活。'他也没用别的，只取出一根银针，摸索在我耳轮和左脚心各扎几下，然后说：'活了活不了就看能否挺过今夜，今夜醒了，那就没事了。'当天我就住在他家，父亲守在床边彻夜未眠！将近天亮的时候，我清楚记得自己浑身一热，紧接着脑子轰轰作响，慢慢看清眼前的一切。父亲喊着：'活了，活了！'眼泪随即淌下。老中医捋须点头，对我父亲说：'这孩子造化大，日后再不会有大疾大恙！'这么多年过去，我的健康状况一直非常好，连普通的感冒也少犯。很多人说中医落伍了，中医是骗人的东西，可我自己就是个活生生的见证。中医是老祖先的伟大创造，是他们留下的举世无双的瑰宝，我们不能丢，不能作践，要好好研究它、发展它，把它堂堂正正请到堂上来。现在不仅中国人，也有很多外国人认中医，中医的前途非常光明。过去我们对中医没有足够重视，差点糟蹋了这个老家底，中医也错过一次次良好发展机遇。现在国家对中医药产业高度重视，给予了切实有力的鼓励和扶持，中医药产业已粗具规模，更成为一些地方的龙头和重点产业。几年前北京市委、市政府决定将北京建设成为世界城市，北京无疑是全国中医药产业的研发中心，要利用好这些有利条件，抓住这样的历史时机，既要借中医药文化的深远影响力宣传北京，也要借势好好把中医药产业做大、做强，让中医药产业发展与北京市整体建设发展相得益彰，让中医药产业造福中国人、造福全世界！"他举手示意大家不要鼓掌，方丈、智海和观里几个陪同人员交相引颈颔首，围观患者和游人们争相从人堆、门缝和窗户眼里看个分明，副市长不急不慢的好态度，不清不浊的好言语让里里外外自然以他为中心，融洽为一体。他拉起玉真的手："玉真大夫，我听方丈介绍过你，你的条件很好，发展和光大中医药事业需要大批像你这样的年轻人。一定不要辜负大家对你的期望，戒骄戒躁，勤学苦钻，为我们中医药事业发展做出贡献！时间关系，我就不讲那么多，你继续看病，有什么问题随时向我们反映，我们会虚心听取和接受意见。"周围爆发出一阵热烈的掌声。

"市长您好！"一个患者从座位上站起，双腿像患着风湿一样圈着。

"是啊，你好！"副市长同样同他愉快地握手。

"我老从电视上看到您，真到了跟前还是不敢相认！"

"对不起，影响大家瞧病了，还请你原谅。"

"我也瞧完了，留在这儿就想和您握握手、说说话！"

副市长皎白的脸上轻盈一笑，额头与嘴角皱起皱纹，眼睛与语气透出大度。"好啊，什么话都可以说，我今天就是来听大家意见的。"

"您刚才说得太好了，是该重视下中医了！北京那么多医院，真正有几家专搞中医？中国人信中医，越老越相信！人一老毛病就多，今天头疼脑热，明天腰酸腿疼，西医治标不治本，老年人离不开中医。白云观的中医好啊，这就帮了我们大忙了。我在玉真大夫这里已经三年了，一有个大病小灾就来找他。说也神了，我的病只对付他，一见他全溜跑了。你瞧，我现在像个小伙子似的！"他支起胳膊、抬抬腿给大伙看，把大家逗乐了。"我的话还没说完呢！"他收起笑，抿抿嘴，继续说："玉真师父的手艺再好，白云观的中医再出名，可也就这么一个地儿。说实话，要看个病真难啊！西医认技术，中医认人！搞西医懂技术就行，所以年轻人学得快、好

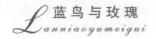

培养、到处都是，可中医一旦人不行，这瞧病就缺斤少两，耽误的不是一下两下、一时半会儿！我今天就想说的是，咱们能不能也学学西医，多培养像玉真师父这样的好中医，也像西医一样把中医院开在家门口，方便市民们看病。您瞧，若不是我退休有时间，哪能这么早赶来排队！还有市长，能不能想办法让北京的房租降一降，我儿子娶媳妇租房住，房租成天坐着火箭似的往上涨，也没见谁管过，每月什么没干工资就少一半。还有我那大孙子该上幼儿园了，学费比他爸爸那会上大学都贵！还有我和老伴的医疗报销，能不能把标准提高些啊，我们老两口常年药不离口，家里日子过得紧巴着呢！还有物价能不能涨慢点，再涨就戳破天了……"

"你反映的情况我带回去认真研究，北京发展很快，问题自然就多！不要急，我们会一个个把它们解决掉。党和政府就是为人民服务的，我来基层就是要问难于民、问政于民、问计于民！老人家，你说的我记下了，看病难、住房难，我们会好好研究、重点解决！祝你和老伴身体健康，祝你的儿子儿媳生活幸福！"

老人还要说什么，没开口就被工作人员阻止："大爷，这个以后谈好吗？现在市长专门调研中医工作。"戴白手套的工作人员在边上提醒，他应该是秘书随从之类，嘴角有个豆大瘊子，打算带副市长离开。但更多人拥挤过来，把副市长团团围住。"市长，我有意见要提！""市长，听听我们的疾苦，我们有话要说！"

"大家别挤了，市长今天做专题调研，大家有意见可通过其他途径反映。大家让一让，市长还有别的安排，请大家支持配合！"随从人员坚定地要带副市长突围，那个秘书甚至有点生气，在后面指挥武警强行开道，却被由外至里一波波冲击波反弹回来。他们把副市长保护在中间，副市长不住地扶眼镜，脸上收起笑，细白的额头汗光闪闪。

"不行，市长，您一定听完再走，好不容易见着您，您得听听我们的心里话！"

副市长摘下眼镜，露出真实、疲惫和浮肿的眼睛。他细致擦擦眼镜再戴上，恢复之前慈念宽怀的脸："让大家说，我今天来就是听大家心声的。不过在这里影响玉真大夫看病，方丈同志，贵观能否安排个地方，我们到那里去？"

"市长万岁！"有人喊出来。副市长慌忙摆手："我们是工农联盟，是为最广大人民群众谋利益、搞服务的，你们的疾苦我们心里记着，你们的问题是我们工作努力的方向，你们的困难我们要尽可能解决，请大家相信我们，多给我们工作提意见、找毛病。"

"对，北京是大家伙的北京，我们有权利提出意见和建议！"

方丈火速派人安排会晤地点，然后请副市长过去。副市长同玉真道别，又嘱咐他几句，玉真频频点头记下。小罗贴在墙根，一副筋疲力尽又恍然若失的样子。她本想与副市长说自己的事，可关键时牙关僵直张不了口，眼瞧副市长被簇拥着走了，后悔得眼泪汪汪。

"大爷，你倒不过去了？"小罗急着提醒老头。

"不用了，都说清楚了，让别人说去吧！难得亲见市长，早想反映问题没得着机会，现在一吐为快，像胡萝卜就酒嘎嘣脆！不愧是市长，一下说到点子上了，水平就是高！"老头像品尝红烧肉意犹未尽地说。余下的人跟着哈哈大笑。

"小罗，你也要向市长反映情况？"老头往身上穿羽绒服、戴围巾，头上扣顶黑呢礼帽，兴致勃勃问小罗。

"小罗，你要反映什么？"玉真坐下来问。

"有一肚子话想要说，就像过年回到家，想把憋心里一年的话全部倾倒给父母！不说出来难受，好比肚里生个大肿瘤！"

"小罗说得没错，就是这样！今天虽然时间短些，可说出来就跟病好了大半截似的！我说昨天怎么是个血梦，原来是这好事！我先动一步，带孙子看《新妈妈再爱我一次》，让这小子好好接受下教育。嗯，今天很出气！小罗你快去吧，不要闷出病！"老头同小罗和众人再见，玉真感觉他像老树新花一样神清气爽。小罗心情沉重地到了外屋，坐在椅子上仰面朝天。

"有什么心事就去说呗，看把我们小罗为难的！"

"小罗，是不是发生什么事了？"

小罗下颌微微动下，想说什么又打消念头，脸上重现略带消极、疲惫的神情，好像冬雪遮住秋光。她把病人安顿好，无聊地翻本子。

"小罗，你赶紧说去啊，过这个村可就没这个店了！"

"去了也没用，市长不会管那么多！"

"那得看什么事！就像刚才那老同志，人家反映问题就引起重视了！"

"算了吧，真让我说倒不知说什么好了！原本觉得事事皆大，再一想都微不足道，说出来招人笑话，可能是自己无能所致吧！"小罗说着，把本子上的人名不厌其烦地数来数去。

"小罗，想多了啊！不就反映个情况吗，干吗像上朝递奏折一样！"

"可能这就是我的问题，怕给人找麻烦。"小罗把细软的头发掖在耳后。自从和小马恋爱后，她改变很多。上星期专门花二百八十块，把头发染成栗子色并打了卷，让自己看上去时尚迷人些。小马喜欢得不得了，用手机拍了她的大头照存为屏保。她自己没觉出什么，总觉得自己穿什么都老土，对于改变自己绝望要死。

"你这孩子，靠自己靠惯了，什么事都往身上揽，最后还不把自己压垮、累死！"

小罗苦笑下，笔管从指间滑落。刚才积极参与和大胆表达的热情像被一阵风吹散了，而这源自她胆小怕事。她怪自己一时糊涂，果真惹出是非，在这里无依无靠，如何应付得了。和小马相爱的确让她快活很多，但并非想象的一切问题迎刃而解，反而更多问题不断涌现：婆婆的态度问题，小马不容乐观的晋升前景和他对单位的牢骚满腹，她自己如何顺利在京城安家落户；老家征地拆迁要建物流中心，因为赔偿问题老老小小要到北京上访求她帮忙；她想接弟弟到北京上学，还想把表妹安排给现任房东做家政；她准备买房的计划受北京限购令、炒房团及官员腐败的牵连而泡汤；基金走势前涨后跌，她跟着同学投资的基金到期是收是留，几年下来还没同期的银行利息高；下一步她的职业生涯如何规划，总不能一辈子在这里打工；她和小马区区几个工资如何应对疯涨的物价，她现在吃方便面两天才荷包一个鸡蛋；小马几次取消换智能手机的计划，还在用那台使了五年、只能通话发短信不能上网的廉价机型！她脑后白发见天多起来，认识小马的快乐很快被新一堆问题淤平。——她经不住小马死缠烂打，两人偷偷过起夫妻生活。这算小马反抗妈妈反对二人婚事的实际举动，这点让她欣慰。傲气一段时间后，与周围牛里牛气的老潮人一比，再与整个北京浮光掠影的盛景一比，发现小马和老马家就那么点小小人和小小地，在京城连根鸟毛都算不上，许多想法不禁灰飞烟灭。每次和小马完事她都担心得要命，未婚先孕传出去丢人不说，无形中会增加一笔费用。可恶的是小马从网站下了日本片子让她看，搞得她神魂颠倒。她倒不是讨厌这事，只觉得在一个地方受完气又在这里接着受，日子像走不出的阴雨天，她被浇得透心凉！所有这些堵在胸口，约有足球那么大，导致她一天到晚像得了结核病似的呼吸吃力，例假也没规律。今天副市长突然到访，她头一下蒙了，又看副市长和蔼慈祥，立刻想像女儿扑到父亲怀里那样一股脑说说心里话，可又在最后一刻失去勇气，这让她恨透了自己。念头是她自己放弃的，却像有人卡着她喉咙。再说有方丈和智海等人陪着副市长，如果她出头露面显摆自己，就是不知天高地厚。

她又伤心地想起前些天，小马顶不住他妈妈压力，提出和她分手。她看小马的神情，知道央求他也没用。她病了好多天，却没停下上班，也没对玉真讲。那时玉真正和一位部委处级干部来往甚密，给那位干部从南方来的母亲治疗几十年的风湿。过些时候，她想开了：自己不是没见过更悲惨、更可怜的人，他们不也照样活着？每天从早到晚煮卖麻辣串，找个人稠的地方摊售煎饼果子或开早点摊，在大公司做保洁、保安或委身做保姆、月嫂，在地铁和建筑工地施工、装修，被雇去送外卖、桶装水和发送快递，去在大单位认领的绿化地上浇水、除草，到菜市场贩菜、卖菜或擀面条、蒸馒头，到中关村租摊位卖电脑配件和做托，拼伙开理发店、美甲店、理疗店或在高档会所和洗浴中心做公关，沦为收债或报复别人的打手，或偷窃、卖淫、坑蒙拐骗、制假售假，靠抱团才能生存、事后被贴上黑社会标签并曝光，每天迎接税务、工商、城管、质监、卫生、劳动监察大队、居委会等不计其数的检查和应付其他上万种潜在的危险，等等。而她在道医馆里风吹不到日晒不着，活干干净净，周围都是有素质、有教养的人，更难能可贵的是其间有个叫小超的男孩追求她。他不是北京人，父母在甘肃老家经营连锁旅馆，家境还算可以。父母已在当地为他买好房，并花钱为他找份事业单位的工作。可他和北京每年毕业的所有大学生一样留恋北京，与同学合租在马连道，为一家茶业公司做营销策划，挣着月工资四千元，与自己所学的航空动力专业驴唇不对马嘴。他也不存钱，每周与同学聚会一次，相互承诺"苟富贵，无相忘！"三年没攒下一分钱，是名副其实的"月光族"。家里替他出钱报了公务员考试辅导班，他在电话里一通大叫，声称打死不做公务员。"你等过了三十岁后后悔吧！有本事每年从北京拿个二三十万回来，动不动问老子要钱，知道羞耻二字怎么写吗?!"他没听完撂了电话，继续上电脑玩《醉逍遥》。他在白云观烧香时

认识小罗，因为几年没混出名堂，就打听哪里的寺庙灵验，求神保佑他混出个人样。随时间推移，他醒悟需要真正干一番事业了，否则会与西单地下通道的流浪歌手没什么区别！他听信一个老年妇女推销，请了一大袋子檀香，沉甸甸拎着，打算花一上午拜遍观里所有神灵。等拜到八仙殿时，突见一个身着护士服的女孩从眼前经过。他好奇这里面怎么会有护士，女孩像极《星愿》里的张柏芝。他眼前一亮，血液倒流，上前拦住她去路。

"你要干吗？"她吓得身子往后仰。

他细看她，天姥姥，果然与张柏芝有几分相似，尤其那眼睛睁圆时，还透着林志玲的娇气，与他想象中的美女不谋而合。他像自慰后疲软了，小腿打战，挪不动步。女孩再次叫喊，他脑子一转："请问，附近有没有厕所，憋不住了！"小罗绷紧的脸一下松开，侧身掩嘴笑道："喏，那边，元辰殿左侧！"他神魂颠倒，没几步撞到树上。小罗忍不住笑出来，他非但没难为情，反而心花怒放。看小罗走进一扇小门，他赶忙爬起跟上，到门口发现是道医馆，几杆箫箫绿竹立于墙侧。他暗叹：白云观果然神仙境地！进去一处干净小院，小罗正笑容满面盯着檐下看，上面的冰挂正往下滴水。他见女孩虽然清瘦，眉宇间却显得有主见和心计。小罗转头见是他，笑道："你不是去厕所了吗，怎么到这里来了？"小超不好意思地低下头，"你在这里上班？要不是你，还不知道有这么个神仙地！"她被他这么会说话吸引过去，目不转睛打量他。他长得很帅，是那种不由让人生出好感的帅，像孩子长得可爱人人想亲搂的那种帅，让她突然想到自己弟弟，想到温顺的小马。柿树的阴影遮挡住天井里的光，她脸色苍白，手不住发抖，揪揪衣服站好。小超早被同学公认为小陈冠希，追求他的女孩千千万，而他追过的女孩也万万千。可今天见了小罗，那堵心高气傲的墙不推自倒。无须多言，这女孩注定是与他白头偕老之人，足够他一生专注和迷恋。她焕发出他作为男子汉的全部担当、义务、冷静和责任，令他蜕去小男孩的青涩稚嫩，像大男人一样审视和对待女人、家庭以及生活。这是个奇遇，他像被加西亚元帅把信交到手上一样毫无怨言、欣然受命。传说白云观如何灵验，现在看果然名不虚传！袋里还剩好多香火，但这么个妙人在眼前，他生怕回头找不着她。

"怎么还不走，赶紧找厕所啊！"小罗不愿理他，她看不惯太帅的男孩，总觉得他们像公租房，短时可以用，长期住不得。她听说过不少花花男的事，自己貌不出众，没能力招架这样的人。她几乎没往那上面想，或者说只是闪过个念头，就把这只爱情小虫摁死了。

"我不是找厕所，我是来找你、找我们的爱情来了！"

"妈呀，怪吓人的！你把我当什么了，再说我有对象，北京人！"小罗真笑了，学着小马平时的腔调，鼻音重重的，还在"人"字后加个长长的儿化音。但想起小马，她眼睛一涩。

"你们成不了，我才是你的真命天子！"小超想起游戏里的一个词。

"你个乌鸦嘴，不许诅咒我们！"小罗心虚得要逃走，就像身上劣质名牌被戳穿一样。她没想这男孩这么不留情面，当下咬牙立目，恨不得他遭什么报应。这时就见小超头上的冰挂果真咔嚓断裂，尖得像铁锥，落下扎中人可不得了！小超一无所知，还愣在原地笑。不容再想什么，小罗纵身扑去，抱着小超倒地。冰锥乒乓落地，在地上溅得粉碎。

"喊你没听见啊，傻站着干吗！"小罗在上小超在下，小超死死抱住小罗。

"原来祸从天降啊，白云观真他妈的太神了！——你救了我一命！"

"谁救了你一命，都是你自找的！——你松手啊，放我起来，让里面的人看到！"

"放你起来做什么，里面有人吗？那我喊了，'喂，快来看呢，我被人欺负了！'"他停下看她，"怎么样，没人吧，你骗我！"他又往左右看看。小罗生气地挣脱，他却冲着她脸上狠狠叮了下。

"你流氓，我好心救你，你占我便宜！"小罗动手还击，被小超一把擎住。他冷静和痴情地望她："别骗我了，你没有男朋友，要么被人家甩了！"

小罗不挣扎了，看着这个帅得有些晃眼的男孩走神，好一会儿才说："胡说什么呀，与你有什么关系！"两人同时坐起，小超给小罗拍拍衣服上的尘土，小罗把他的手挡开。

"北京人才看不上外地人，我算明白了，在哪儿不是挣钱，有钱在哪儿都一样！将来我要有钱了，就在故宫边上买处四合院，把里面装修成小故宫，妈的，我不信没有那一天！"

"肥皂剧看多了吧，现实中哪有那好事，想想罢了！"

"你不信，我将来……"

"算了，我们又不认识，说那些做什么！你的香还没烧完呢，好好拜神仙吧，以后多做积德行善的事！看你没我大，也不像坏人，回去该怎么着怎么着，也不是三岁五岁，我没心思和你玩，我们之间不可能！"

小超立刻脸变形，还要说什么，被小罗冰冷的目光制止。他泄气似的耷拉下头，看地上的冰正融化成水，在水泥方砖上形成匪夷所思的图案。

最终小罗没抵挡住小超狂轰滥炸的爱情攻势。他除了吊儿郎当工作八小时外，甚至可以请一个星期假来缠着小罗。也不知他从哪学来的花样，把小罗搞得心烦意乱。小罗与小马分手后伤心不已，感情出现空当，小超趁机钻空子，趁她睡熟时霸王硬上弓。她哭了整晚，小超跪下求她也没用。但她没追究小超，服了避孕药继续上班。有了这一出，小超更黏她了。她的生活很快变得闹哄哄，与小马相处那种骑自行车的感觉比，这次像坐上了飞机，成天在空中兜圈子。身子闲下脑子在响，好不容易睡着，梦里黑漆漆的。但她心里清楚，小超替代不了小马，二人只是胡闹而已。她始终不对小超松口，可也害怕长夜漫漫，就没有明确拒绝他。对于独居北京，她异常清醒警觉。与小马分手，让她彻底绝望，人生的太阳好像永远升不到地平线上。小超是个游子，也是个富二代，既花心又轻佻，说不定哪天又宿到别人床上。过于英俊和活跃的男人像午后的紊流风一样不可信。她怀念小马，想他那国光苹果似的脸，说话时喜欢抿下嘴唇，永不多言，像只吃饱就藏起的树獭。他总躲她后面，她回头找他时，他羞涩一笑。他一点不帅，双眼却像追灯不离她的身，她能感受到他时时刻刻爱她、想她，哪怕两人面对面在一起，他还在想她！她不相信他会抛弃她，还在等他，等他来兑现誓言。可失望连连，小马一直没有出现，出现的是活蹦乱跳的小超。他变着法让她惊喜，把她带到出租屋看欧美 A 片。她一边极度震撼，一边干呕不已。

小超把自己与小罗的事向父母说了，那边大人高兴得不得了，认为找个大点的女孩正好管着小超。他们对于小罗的长相也比较满意："一看准是生儿子的面相！"——小超家三世单传，小超爸爸把生孙子看得比天还大，他妈妈也常到庙里烧香许愿，他们发愁几十年积累的财富无人继承。他们顾虑小罗不是独生子女，婚后不能生二胎。再不然找小超二舅，他在当地呼风唤雨，没他搞不定的事。虽然真实情况是两个年轻人只是偶尔住在一起，但那边已经认定两人马上就要结婚了，早早忙活开了。小超也以为事情十拿九稳："她不都和自己住一起了吗，这不相当于自己人了吗？"他像捡块宝，班也不好好上，去了办公室逮着空就与小罗聊QQ，几次被老板抓着，工资扣得只够在冷饮店喝瓶汽水。他问家里要钱，大人体谅他找了对象，往卡上前后打了两万块。他拿到之后算计着怎么让小罗玩高兴。老家房子早装修好，就在工业园区边上，一百八十多平米，四室三厅，半年多升值二十万。光装修花了三十万，只等新娘嫁过来。"嫁过来就是百万富翁！"小超对小罗如是夸嘘。准婆婆还答应小罗，如果她头胎生个儿子，就送她一部牌子三个"6"的奥迪A6，这在当地只有小超二舅有渠道搞到。听起来很不错了，她一个贫家女还有什么较真的呢？只要她放下小马一心一意待小超，离开北京就能过上天堂一样的生活。再按他们的说法，回去给她在当地医院谋个职，今后她一切就完美OK了，何必在这里受苦受累、自找苦吃！可想到小马她哭了，想到离开北京就像把她灵魂从肉体里掘出来。她手机里下载最多的是汪峰的歌，她特别有感那首《北京、北京》，每次听得头皮发麻，愣在原地真好像身居三十八万公里之外的荒凉月球。小超决定回家结婚，然后在县执法局工作，凭着北京学历和家庭背景，争取三年后当个一官半职。他过去的高中同学已经有人提拔晋升，人家妻贤子孝，家境丰美，而他仍一事无成混在外面，回去聚餐时人家叼着烟卷、搓着麻将、天南海北说着，他虽人在北京，但除知道个些传闻秘籍别的一概莫知，这让他老没面子。他打算返乡，不管怎么说混了张北京文凭和一个漂亮老婆，没算白漂趟北京。他让小罗做决定，小罗被催得心乱如麻，前后左右对比着，最后把心一横，对自己说："不，我不离开北京，回去我就变成一个平常女人，变成一个生儿育女、传宗接代的机器，而这里有我的梦、我的自由、我的灵魂！"她把泪一抹，看着身旁那些高楼大厦，看着经过身边和自己一样头戴绒帽、脚踩松糕鞋的年轻人，他们虽然忙碌和压力巨大，换来的却是独立、自由和开心，与那些靠国家安排工作、靠父母攒钱解决婚姻大事的上一辈相比，他们其实是最充实、最了不起的一代。他们自己安排自己的生活，自己经营自己的人生，这是中国历史上新型的知识人类，必然导致三十年后国家发生整体性的革变。

　　一想到离开北京，小罗就浑身不自在。她自感已经适应了这里，尽管有这样那样的不好，但人生不是空空荡荡、一无所有，退一万步讲她还没

有流离失所、风餐露宿，她有份还算稳定的工作，遇到了像玉真、智海这样一群心地善良的人，以及她常年与病人们相处产生的情感，还有她在北京工作给父母带来的优越感，这些足以让她把一切不如意、错误、难堪、被伤害和可笑的东西忽视和遮掩，抬高头重新做人。最后，还有北京作为首都点点滴滴变化都能引起广泛关注，作为国际都市每逢节假日所呈现的纷繁热闹，这时候，北京对她来说像婴儿熟悉母亲的味道，于情于理难以割舍。如果她真的离开，就像把一棵热带植物移植到北极寒地，她必会在精神上衰死。是的，就让自己死在这儿吧，"但我知道我的存在！"她流泪在上下班路上把这歌听了一遍又一遍，像独自走过一个又一个荒凉的山丘，而心里有一片绿洲。她认定小马会回头，希望逛街时能遇上他，看到他皮包骨头地走着；在沙县小吃店碰到他，他过来不吭声往她碗里放醋和辣椒；希望坐地铁时能看到他，看他驾驶地铁钻出地洞时强壮殷实的后背；下班时他准时出现在白云观门口，给她买串冰糖葫芦，或带她吃碗卤煮。是的，两人在一起，你不奢华，我不浪费，都不张牙舞爪，都不风风火火，这正是她想要的。婚姻不就如此吗，两人有份稳定的工作，双方老人都没什么病病灾灾，总体上不愁吃穿，只把那贪心收敛一点，就没什么过不去的坎呢。她在物质方面要求不多，牙签一点就够了。——杂物盒掉地上，把她从回忆中惊醒。现在有个绝好机会，她可以申诉、检举、控告和揭发生活中所有不如意的一切，但她明白，那只是她个人的事，于国于市无关紧要。她拾起盒子，取出笔随意往纸上画，结果歪歪扭扭画出所大洋房。她给它配上花花草草、池台瑶榭，这好像把她心愿画出来。她知道画的是地铁五号线天通苑站下面的富人别墅区，小超带她玩的时候几次经过那里，她看得出了神，指着说："我们结婚就住这样的房子！"——这段情感变革令她极度压抑，一声接一声地叹息，在喧腾不止的诊室和道医馆形成一个寂静死角。

不久后，随副市长离开的人陆续返回，个个神情兴奋，像从彩票站领了奖金一样。小罗看到他们皱起眉头，把没画完的画揉成团扔进纸篓。她才不稀罕豪宅别墅，如果小马回头找她，就是住窝棚她也乐意。诊室再次拥挤起来，返回的人要等看完病再走。他们复述刚才与副市长的谈话，脸鲜亮得像小贩电动车后一嘟噜气球。离中午下班还差一刻钟，小罗发愁地看表，情绪像八月份等高考通知书一般冷一阵热一阵。她原以为副市长蜻蜓点水早离开了，但那些人说副市长正和方丈聊热乎着呢。

"甭提市长多谦和了，就是咱自己做市长也不见得做到人家份上！"

"是啊，我们说什么人家都用小本子记下。可不是让秘书记，是自己亲问亲记！他对情况的了解不比我们少，说实话我们错怪政府和市长了。本来是我们反映困难和问题，可成了人家主动了解情况！有了这样的政府和市长，还愁解决不了问题？真是老百姓的大幸啊！"

"下面的问题上面不是不知道，可为什么没解决好呢？"

"唉，我们让政府理解我们，我们也得理解政府不是？家有千万事，先从急的来！家里都如此，何况一个人口上千万的城市。问题政府都会解决的，但需要一个过程。给一堆孩子当父母和给一个当可不一样。哪个伸出手能打回去，哪个又能做到面面俱到？就是这个理！"

"说得是，可谁不盼着早点解决，大家伙都这个心埋。"

"心里甭提多畅快了，像喝了个冰糖雪梨汁！"大家点头称是。

"市长答应你们解决问题了，是吗？"小罗可怜兮兮地问，像考试最后一名问第一名正确答案。

"他们先回去研究！人家说得对，得把问题分析研究透了，才能确保解决质量！政府主要解决层面上的问题，不大可能解决个别人的问题。"

"层面上的问题，个别人的问题？"

"对呀，层面的问题就是大家共同面临、普遍存在的问题！政府不可能为各家各户出政策下文件，只能集中解决大家的问题。"

"政府不给一家一户解决问题？"

"哎哟，小罗，你个大学生这个应该比我们懂吧。如果政府那样什么都甭干了，成了老妈子了。"

"除非某个领导特别关心你，那就有可能。"一个加入病友团不久、头发梳得像录制电视节目、脸像涂了滑石粉一样的老太太，捂着一塑料袋宽叶韭菜认真地说。她大多时候不搭腔，只冷不丁接别人话茬，那样子像打心里瞧不起别人，又像小学老师耐着性子批改学生作业。副市长来那会儿她就坐在离门口不远的位置上，取出从早市挑来的新鲜韭菜一根根择干净。她在大庭广众之下择韭菜招致公愤，她却不慌不忙，说道："从前我家楼前有处小菜园，每年春天韭菜会自个齐刷刷长出来，就和那军营里的兵一样，又水灵又好吃！现在都用大棚种，施化肥上农药，看着好却再没从前那个味，还容易吃出病，就和现在的年轻人看着身高马大可体质比老一辈孬许多！"她嘟嘟着，其他人像元辰殿的罗汉表情各异，背过去皱鼻子。小罗连对她讲三次，她才慢慢收起。

"小罗，在这儿瞎思量没用，得想办法让领导关注你。"

小罗像听到邮递员的自行车铃铛声一样，放下手里的事："被领导关注？"

"对呀，你得让领导认识你、重视你啊。"她把事情一下挑明，像黑暗里照亮一个正三角形。大家都不说话，一齐打量她。

"小罗，啰唆个什么，现在去或许来得及！"一位褂上红花绿叶的大姐果断打断老太太的慢声细语，像把她养了一个春天的韭菜全部祸害掉。其他人扬眉吐气，好似同时往老太太绿油油的韭菜地里浇泡尿。

"我去说，说什么，怎么说？"

"有什么说什么，想怎么说就怎么说！你不去把事情说清楚，谁知道你有什么困难？"大姐快言快语。

小罗再不说什么，推开门，冲院子，穿过一个月亮门，飞步朝老律堂东边的道教协会飞奔去。她在人群里穿插，头发像春天里飞舞的燕子。这次，她一定要把所有事情说清楚，让副市长明白自己、记住自己：她作为一个外地人在北京生活得多么不易，作为一个女孩子在这里有多不快乐！小马妈妈讨厌她，小马又那么听他妈妈的话，他不要她了，他们住一起他对她的海誓山盟都是鬼话！她被小马母子骗了，原指望结婚改变命运的希望落空了，她能想象到小马妈妈得意的样子。她对这个结果无可奈何，像没带雨具困在雨地里！她工作不安稳、前途没着落，而学好中医要有坐穿牢底的精神，在这个充斥欲望和诱惑的城市里，她坚持不下去了！她惊恐地打量世界，像三月大即遭抛弃的婴儿，想用大声哭吸引人们的注意。出租房里的东西经常坏，房东拒绝换修，物业办公室那个长年坐空调的中年男人见着她总是凶巴巴的。她病了去买药，每个价签都冲撞着她的心理承受能力。为省钱她尽量不坐地铁，早起一个小时赶公交车。公交车等半天不来，等来又挤不上去，挤上去又冬挨三九冷、夏受三伏热。她的食谱多是面条、馒头和麻饼，菜价涨了，金条却降了，基金又亏了。她每月从超市买半斤肉馅，吃条带鱼都要狠下决心。她像只路边过时不用的邮筒，立着多余又碍事。从石景山鲁谷大街到河北廊坊的大型社区，从北五环的回龙观到南面房山区的良乡，偌大北京她没一个知交。她经常躲进卫生间哭泣，如同对着空阔的渤海湾喊话，喊破嗓子也无济于事。她像件低能手艺人捏出的泥人，无法与时尚前卫的白领女孩为伍。让回老家她一万个不愿意，和其他所有北漂青年一样，像狗被死死拴在一条链上，而这条链就是弥漫在城市角角落落里的各种不甘和愿望。城市抛给他们一块冒热气的肉，北漂们高吊肚子，垂涎口水，像狗之于肉、猫之于腥，满脑子不切实际的想法。欲望是人最原始的驱动，它们使人的性情大变，使之拥有各自不同的质地、颜色、气味和形制，正如每天掠过天安门前的成千上万张脸，里面蕴含千奇百怪的心事与心酸。——这些她要不要说出来？大事、小事，自己的事、别人的事，像一窝马蜂追着她咬。过去她在老家多快活啊，像只小鸟从早唱到晚，整天带弟弟到河边和稻田捕虾捉蟹！那样的珍贵生活哪里去了，像一个残荷般的梦，成为她箱柜里一个破损的初中影集。她怎么就来北京了，北京的神秘感至今萦绕不散。从巍峨的紫禁城到万寿路的崔嵬官邸，从海淀中关村林立的商业旺铺到朝阳CBD云集的世界五百强总部，从南二环沿边不知为何没有拆迁的破烂民宅到定福庄西街绿岛苑东区的出租楼，都是北京却都与她无关。在她的梦里和想象里有另一个北京，那个北京在她小脑皮层上、在天空里、在月球上，是粉红色的、金黄色的，温暖、耀眼而依稀。记事起，她就盼着参观大安门城楼和人民大会堂，然后拼死拼活考到北京，最后想在这里找到一份工作，挣着可观的钱按月寄回家。父母因她骄傲，弟弟因她上得起重点学校，她找个北京女婿，再把那夹带乡音的普通话改为北京话，她就可以顺顺当当、正正经经成为北京人！是的，北京话那圆滑和上翘的尾音，像北京人踢毽子那么往上一耸一跃，既潇洒又漂亮，她至今做不到。那样的生活太完美了，像她第一次含到巧克力，第一次穿上吊带裙，第一次被小马抱住用毛茸茸、湿漉漉的嘴唇拱，她别无所求！而眼前和脚下，北京像台隆隆作响的机器，她只是个廉价和卑微的打工者，守着这台机器日夜不停地值班生产，而那产出的东西不带她任何一点情感色彩，与她没有一点多余关系。

她来到道教协会外面，以往只要一推门就进去，现在却钉在地上。只因为副市长在里面，这门槛就变得又高又远，像她经过某些国家部委，明明只隔几米远，感觉却像从月亮到火星。正午的观院格外明亮，地面空气像流苏腾闪。她慌慌张张张望，与她想象的人山人海不同，里面冷冷清清。她正着急生疑，出来两个人影，她只当是副市长等人，一个箭步蹿上台阶，没想冰上一滑，狼狈地摔在智海和方丈脚下。

智海见是小罗，马上扶她起来。"小罗，怎么是你？"

小罗见不是副市长，着急地问："智海师父，市长呢？"

"市长刚离开，你有事情吗？"

"智海师父，我要找市长！"

"你找市长什么事？"

"我有好多话要对他说，我以为他还在，没想到他已经走了。"

方丈轻声安抚："有什么事和观里说一样，如果观里能帮得上，一定帮你！"

"不不不，我只找市长，只有市长能解决我的事。"小罗边说边摇头，悲伤写在脸上。

"智海师父，我先行一步，安抚下小罗。"方丈说罢，金身一转，步履轻盈，身形曼妙，踏云似的去了。

"回去吧，市长已经走了，有什么事以后说。"

"我真想见见他啊，做梦也盼着这一天！要不是刚才招呼病人，我就跟着来了。"

"市长也不是三头六臂，什么问题都能解决的。有的事情即使答应了，解决起来也得一个过程。比如道医院的问题，我向他通盘做了汇报，他非常重视。但你我都清楚，事情不会快得像从三官殿跑到罗公塔。"

小罗低头无话，像蜡笔小新泪花在眼眶打转。

"回去好好工作，日后有难处找我。"

"智海师父，其实我也没什么好说的！"

"那你找他做什么？"

"就是心里憋屈得很，找别人找不着、也不管用，所以找市长好好疏通。看到他我就知足，听他的我才相信。我没别的任何想法，师父您不用担心。"

"你说的我明白。"

"师父，玉真师父那里还有一帮病人，我先回去了。"

智海点头应允，小罗淌着泪往回走，没几步失声痛哭起来，智海看着摇头叹气。今天副市长突然造访让他深感意外，虽然事先得到通知，但温习今天的场面，还是让他备感激动欣慰。副市长到访体现了党和政府对道教事业的关心，副市长显然做过精心准备，对白云观和道教知识与历史非常了解。对于提出的困难与问题也没有回避，看得出真是为解决问题而来。智山要好好研究和利用这个机会，让白云观发展更上一个台阶。他一刻不停地想这个问题，回屋盘腿打坐蒲团上，房间静幽幽像一丛密林，他不时敲下那钵，想法随声波一层层多起来、厚起来。

小罗回到道医馆，病人只剩两三个了。她谁也不理，坐下生闷气。几个病人猜到结果，都不去招惹她。半小时后，她起身收拾诊室卫生，心里那个烦啊、悔啊，像踩进一堆狗屎里，又像猫挠了心。赶巧房上老猫盯着她"喵喵"叫，又见它爪下压着一只麻雀玩，麻雀惊恐万状地尖叫和扑棱翅膀，她顿觉这老猫像调戏妇女的坏人，蹿出屋飞起扫帚扔上去，却没能击中它。老猫藏了，麻雀逃了，她转身软沓沓回屋趴桌上，像塘边饿得发晕的秋蛙。手机突然响起，她懒得接，任它一遍一遍地唱《Hi 歌》。玉真听到从里面出来："小罗，怎么不接电话？"

"哦！"小罗这才接起手机。刚听到里面声音，脸上表情就僵住了，眼泪泄闸似的往外涌。

玉真奇怪地问："怎么了，小罗，怎么不和里面的人说话？"

"没什么，玉真大夫。"她刚还流泪，现在却笑起来，像热带雨林里下着太阳雨。

"是不是没见到市长心里难受？"

"玉真大夫，不说那个了！是小马，他给我打电话了。"

"他给你打电话了，这不是很正常吗？"

"不是，他前段时间听他妈妈的话和我分手了，现在又回头找我。"

"有这样的事？小罗，你应该和我说的呀。"

"玉真大夫，我到外面接电话。"

小罗拔腿到外面，玉真探出头看她躲进隔壁卫生间，在身后咯嘣拧上门锁。

玉真摇头自语："这个小罗，这么大的事也不跟我言语一声。"

再看小罗坐坐便上哭得一塌糊涂，就差背过气去！她上气不接下气数落小马，埋怨小马无情无义，小马在那头接二连三只说一句话"我知道错了，你原谅我不行吗？"几乎想象得到他像只架上躬身乞怜的小鸟。小罗最终原谅了他，破涕为笑："那你什么时候过来，难道让我上门找你啊！"

"不行，我还上着班，等下午下班我带你吃馋嘴蛙，然后我们去国家大剧院看演出，荷兰芭蕾舞团访华。"

"馋嘴蛙一定要去，算你补偿我！芭蕾舞太贵了，不看吧，留钱以后过日子用。"

"没事，这样才能表达我的歉意。"

"快说，是不是这些天又谈别人了，几天没见变得油嘴滑舌！"

"我基本属于次品，你眼睛有问题才肯要我。"

小罗被逗得大笑："我看也是，是人家看不上你，你又回头找我来了！"

"真的小罗，我忘不了你，怎么也忘不了。喝饭喝水、拉屎尿尿都想着你。我妈说我中邪了，我发现也是这样。"

"别提你妈，我现在不想听到她。"

小马"嗯"了声，然后沉默。

小罗急起来："怎么不说话啊，想什么呢！从今天起，以后心里想什么都要向我汇报。"

"是——"小马拖长声音回答，"我想好事了……"

"什么好事？"

"这你还不明白！"

小罗脸一烫："讨厌，不准提这个！"

"晚上我住你那里吧？"

"不行，谁让你对我三心二意！"

"我这不是马儿来吃回头草了吗？"

"你不是好马，这是你自己说的。"

"宝贝，我以后再不离开你了。"

"嗯，你要再离开我，我就死给你看！"

"你傻啊，你死了让我做鳏夫啊！好点了没，今晚六点我过去找你。"

"唉，不行，芭蕾舞真的不去看了，快去把票退了！"

"你呀，我是骗你的，是工会发的票，自己掏钱谁去啊，躺贵躺贵的！"

"你又逗我！不过，我还真没亲眼看过芭蕾呢！"

她像粘在坐便上一样，和小马腻腻味味一个多小时……

　　难得北京城黎明如此宁静，它也有睡着的时候，像只看家大狗阔口方鼻发出轻微鼾声。窗外是棱角分明的住宅楼和灰蒙蒙的树顶，路灯发出的光像夜班出租车司机的脸，熬夜和跑车使他们苍老和气愤。夜晚的云反射微弱的黄光，万籁寂静，像一锅等着烧开的水。电子钟咯嚓作响，如同烂掉皮垫的水龙头滴答水。玉真早早起床，依旧如常忙碌。他小心把针扎进身体，穴位又麻又胀，神经偶尔皮筋似的跳下。城市随朝阳苏醒，各种动静像集体宿舍里的学生，在天亮前不断翻身和蹬被子，马上发生清晨第一声笑。

　　离早课时间不多，他拾掇离家，临走晃下铃铛，好像撕掉昨天的日历，宣布今天开始。来到楼外，东方四分之一的天空已经泛红，头顶变作景泰蓝似的靓蓝。空气清冽，轻风细吹，狭长胡同里传来远处出操保安的跑步声、汽车发动声、赶远道上班年轻人的咳嗽声以及小笼包子铺的吆喝声。一个乌黑健壮的民工落在队伍后，解开裤扣在角落里有力地撒尿，晨光照亮他管道般的鼻孔和喷出的热气，憋了整晚的尿臊气蛮横钻进正从旁边经过的玉真的鼻子。玉真打个喷嚏，受惊民工提着裤子追上队伍。与白云观仅一路之隔，又几座黑黢黢的新楼在建，楼体、脚手架和吊装机使它看上去像新建的港口，下面的白云观则像海中岛屿。时代已将白云观越抛越远，几座四檐高挑的金黄色屋顶只能成为现代社会和城市的装饰品与附属物，道教阵地正在缩减，一切势不可挡！玉真吸口气，专心打量起周围。二十四小时可以按响门铃的保健品小店，牛肉面馆彻夜亮着的黄色霓虹招牌，年轻情侣挎着胳膊不好好走路，一夜情话没说够接着说。两个头戴安全帽的年轻人健壮快活，像嘴唇粉红的牛犊，嘴里吞着煎饼果子，走路屁股叮当碰到一块儿。一只流浪狗在一家烟酒店门口舔舐伤口，鼻子发出痛苦的嗯嗯声，见着玉真也不躲，抬起湿漉漉的眼睛乞怜。一只猫从高处受了凌辱般地叫，然后停下威严地望着下面，令人不寒而栗。接着，情侣消失在丁字路口，他们将在那里坐公交车上班。建筑工人陆续进入桅杆林立的"港口"，工地上偶尔回响起一两声巨大声响或某个工人有力的吐痰声。唯有白云观仿佛无人知晓地置身世外，值得尊敬也沦为笑柄。随着天色大亮，玉真身上的道袍清晰起来，牛鼻鞋与沥青地面轻微摩擦发出声

响，手机收到短信，提示离早课还有五分钟。卖包子的夫妻，放风筝的张老头，成群结队爬上脚手架的民工，吹染烫了头发、穿牛仔裤羽绒服的留京青年，新的一天开始了，各人以各自方式展开生活。但不管是谁，在忙碌弯腰时，在匆忙走路看前方时，在埋头打手机游戏、发微信时，在把鞋里沙粒倒掉、张开没来得及刷牙的嘴与对面人讲话时，仔细留意他们的双鬓，无一例外过早生出华发，刺眼并坚硬。就算年轻人脸上的快活，细看也像被打乖拉长脸的老驴，缺乏对世界足够的真心和热忱，又像把钱包落在火车站广场！爱情不再像过去能提高人的修养、激发人对生活的喜爱，年轻人在性成熟后的自来老练，使那种洗礼式的、自我体验的爱情一去不复返，纯粹沦为生理需求，成为对抗生活压力一对一置换的贬值钞票，像教科书中不再有一点美感的生殖器图片。放风筝的老张头鼻尖坠着清水，冲玉真笑，手里那只蝴蝶风筝正与当天最后几粒星星结伴一起，显得遥远、孤独和神秘。玉真担心风筝断线，同时猜不透那蝴蝶、天空、星星所隐含的铅色秘密。门楼已与旁边的现代建筑相形见绌，但在玉真眼里仍如记忆中的父亲高挺直傲。从家到道观的短短一程，好像绕地球两周。他心躁身热，想象通州那边马上喷薄而出的丽日，以及即将被它照得流光溢彩的北京，像用五光十色的颜料勾勒出美丽多彩的图案。是的，这些天他混乱、匆忙、失望、没有底、惴惴不安、哀愁，心里像住进一窝蛇，又像被迫与不喜欢的人同居一室。但他知道，他在走近一座城，城里住着心爱的姑娘！他有所顾忌又按捺不住脚步，胆大心细在做这件事！自下了决心，他心胸骤然开朗，汽车火车都可在里面纵横驰骋。他原以为圣城不容亵渎，却被小狗轻易撩腿撒了尿；原以为献身道教的决心像长城牢不可破，却没料被女孩子指甲轻轻一划写下"到此一游"！他是个道士，又爱上个美国女孩，多么荒唐又多么危险！但他顾不得许多，只相信天缘巧合。他盼着莉莉战胜病魔，盼着她神仙般出现，他俩就像小罗和小马、吴月华和大田，最不济也像智海和娜塔莎，无论现实平淡还是理想热烈，或如丝竹声声或如交响风琴，都有明确主旨和美好禅意。昨日灿烂如火，今日清冷似水。不管是吴玉华还是其他病人，不管是白云观越来越多的道士，不管是京城内聚居的千万不等的居民，不管是长城内外、大江南北、祁连左右、海岛大陆，在他眼里、心里、梦里，只有她——海丝莉·伯纳德！爱如新婚前夜沐浴的一泓水，往里面进去，再从里面出来，生了心思，多了惆怅，长了妄想……

一个小道士从观外溜回来，见玉真在院里，便打算绕过去。玉真看到立刻喊住："为什么躲着走，这边过来！"

小道士知道躲不开，极不情愿地挨过来。

"大早做什么去了？"

"禀师父，去取了件衣服。"

"当真？去网吧还是做别的了？"

"回师父，就是去取袍子。"

"袍子怎么了？"

小道士支棱起眼偷偷打瞧玉真，不敢说话。

"让你说你就说，别磨磨蹭蹭！新新的袍子不穿上身，瞧把你冻成猴样！"

"是拿去改的。"

"这袍子不合身，不都提前量了尺寸吗？"

"师兄们都拿去往瘦改，说是穿着贴身不说，看着也好看。"

"衣服就是御寒用的，要什么好看！出家人勤俭持家，穿出去给谁看？"玉真说着火往上蹿，"都反了，好端端都和外面学坏了！不好好修行论道，成天琢磨这些事，眼里还有没有白云观，白云观还是不是个清静之地！"

"师父，我们的衣服本来就不好看嘛。"

"再胡说当心我告诉方丈去！这袍子、牛鞋是道家的标志，怎么能胡乱改弃！还不赶快回去把衣服换上！"

"师父，饶我吧，我再不敢了！"小道士又冻又怕，身体筛糠一样哆嗦。

"赶紧换了衣服做早课，别让人看见了，这次我且饶你，下次若再这样，一定让方丈当众罚你一回！"

小道士连施几个礼，夹着袍子风一样跑掉。玉真重重叹气：这帮新来的孩子越来越不懂规矩，越来越难管，改改道袍倒不算什么，还有人夜里逃出去到网吧上网、胡吃海喝、进歌厅酒吧什么的，甚至交女朋友！这种风气若不赶紧刹住，往后白云观还不乱套？这要让智海师父知道了，不定多生气呢！想到智海他停下了，"那么自己呢，如果让他知道又会怎样？"他不敢往下想。老律堂里已传来丝竹之声，他加紧赶过去……

第十二章　小马与小超

　　玉真在里屋看病。外屋老病号偷偷问小罗："玉真大夫最近有喜事？看着心情不错！你们俩掉了个儿！"

　　"谁没点高兴的事，谁又没烦恼的事！"

　　"玉真大夫遇着什么高兴事了？"

　　"不知道，大概这段时间事情比较顺吧！我们不说玉真大夫好吗，背后议论别人不好。"

　　"小罗最近说话越来越难听了。"

　　"大妈，你说结婚怎么这么累！"

　　"结婚多好啊，一结婚一辈子就落定了，挺好的一件事！"

　　"好吗，可我怎么觉着不靠谱？"

　　"对象欺负你了？我跟你说，男人都是马大哈，不要跟他们一般见识。我要跟你大爷较劲，恐怕我早成神经病了！"

　　小罗点点头："我想和小马旅行结婚，简简单单多好！可小马妈妈坚决不同意。这些天我俩联系酒店、乐队主持、拍婚纱照，花钱跟流水似的不说，累得连眼睛都睁不开。他妈妈说就他这么个儿子，非要大办一场，在亲戚朋友面前显显脸。"

　　"小罗你就高兴点，不都是这样吗？结婚是大事，该辛苦就得辛苦。等以后你就知道了，现在愁哪是愁啊，像我们老了满身病那才叫愁！你年纪轻轻，趁年轻过几年舒坦日子，把身体保养好比什么都强。我二十多岁的时候，物资部大院墙头跳着过，现在小雨坑都会溜进去。我爸那会儿动不动咳绿痰，我背后骂他'老不死'，现在轮到自己也成'老不死'了。"

　　"这是两码事，大妈！我是自己的事自己做不了主，什么都得听他们的，不听吧就把他们得罪了，两头捯饬不清！"

大妈笑了："过日子就像走在大街上，就得你让着我我让着你，不能由着性子来。"——听到玉真在里面笑，大妈连忙摆手不理小罗，倾着身体往里面听，脸上挂着不讨好的笑。"玉真大夫真是奇怪了，跟捡了金元宝似的！小罗你看，玉真大夫像娶了媳妇一样高兴，你这快结婚的人反倒愁眉不展，你们两个真有意思！"她挡住嘴悄悄问小罗，"玉真大夫最近和一个外国女的住一块儿，有没有这回事？"

小罗撤后身子，生气地嚷道："大妈你可别胡说！我是他身边的人，我怎么不知道？你可别乱听人讲！"——玉真与莉莉在一起的事小罗真不知道，在她看来玉真绝不可能办这事，就像他不会沾染毒品一样。她只当老太太捕风捉影，认为"这不是往玉真大夫身上泼脏水吗"，所以她不干了。

老太太笑几下不说什么了。她今早在白云观门口排队听人这么讲，现在被小罗呛回来，一时不明真假。不过玉真的确有些反常，吃过腥的怎会闻不出腥味？她好奇得很。过了会儿，见小罗脸色缓和了，她既像对小罗又向对别人慢悠悠地说："现在北京的外国人忒多了，海淀、国贸和望京都成动物园了。"

"兴中国人往外跑，不兴外国人到中国来？还认为外国的月亮比中国圆早落伍了。现在中国发展得这么好，外国人来那是好事，说明我们国家发达了呗！"

"不见得是什么好事！一些中国女孩子专找老外，然后生个混血儿。我告诉你们啊，这串了种就变了心，时间长了对国家没好处。"

"怎么个不好？"

"人心不齐，四分五裂，国家不乱才怪！"

"瞧你这话说的，有那么玄乎吗？外国人素质高，这个你得承认吧？"

"小罗最有发言权了，她经常接待外国人。小罗是不是这样啊？"

"你们说什么？我没听着。"小罗为结婚一摊事烦恼至极，刚才一屋子人说话她根本没去听。

"对了，还没见过你对象呢，什么时候领来让大家瞧瞧！"

"他又不是马戏团的，瞧什么瞧！"

"嘿，瞧这话把大家噎的！"

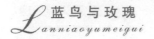
"大妈大婶大姐们，求你们少说几句。别再打听我和玉真大夫的事，别把我们的事当乐子。如果真要关心我们，就安安心心看病，我代玉真大夫谢谢大家！"

"问问不行吗，又不是掉你几块肉！"

"这就是你们不对了，小罗说得对，你们是帮人家还是堵人家的心，当着人家的面问这问那、说三道四，还不让人家说说啊，还讲不讲道理！"一位老爷子蹦出来替小罗训斥一帮老娘们，屋子顿时安静。"我们在人家这里看病，说东道西的，这就是不懂事、没礼貌。玉真大夫的事我也听说了，别理那些没影的事！他是个道士，又成天在白云观给人看病，哪会和外国人在一起！再说不兴人家是个病人，玉真大夫给她看病？脑子里成天想什么呢，把心眼往好的方面动一动，这天下就太平无事了！"

"不是也没怎么着吗，犯得着发那么大火嘛！"

"我当面说你你怎么也不高兴，那你怎么说人家小罗和玉真大夫？"

"行了，我们不说行了吧，大家以后都不许说了，这行了吧！"

可巧玉真跟在病人后面出来，见外屋人个个面色发青的发青、发紫的发紫、发黑的发黑、发绿的发绿，不像平时那么热闹，收起脸上的笑。"小罗，这是怎么了，刚才还听到大家有说有笑的。"

"没什么，大家聊累了歇着呢。"老头再站出来替小罗圆场。

"小罗，去给大爷倒杯水。"

小罗绷着脸，拎起暖壶别着腿出了门。那关门嘭地往回弹，把整屋人吓得往后仰。

"这小罗怎么回事，发这么大火！"玉真皱起眉说，转身对大家，"大家别见怪，回头我说她！"

"玉真大夫，你今天变了个人似的，往常可不像今天这么话多啊！"

"是吗？往常遇着这样的事我也会管。现在观里正强化纪律，道医馆肯定要带头执行。以后我和小罗做得不周到的地方尽请大家指出来，我们也好改正提高。"

"玉真大夫你可真好，我要有女儿就嫁给你！"

"大妈您别拿我开玩笑，我是出家人，不能破戒的。"

"你也别见外，论年龄我也能做你父母了，就是说着玩的！"

"玉真大夫是仙人，哪会动凡心！大家不要啰唆了，别耽误玉真大夫看病。"

玉真领病人进去，外面的人互不搭理，偶尔一言半语，像急雨下过劲草上留几粒水珠。

大家正闷着，小罗哗地推门进来，又像离开时把大家心脏端了下。她谁也不看，把暖壶搁在桌上，然后低头回手机短信。

"哟，换手机了，什么牌子的？"

小罗不理。——她现已和小马同居，小马当着她面和他妈妈硬气了一回。那次小马妈妈找到她住处，小马赤身裸体打开门，把他妈妈吓坏了。"妈，你要再这么闹，我就和你断绝关系！我这辈子非小罗不娶，她已是我的女人！您要要我就要要她，您不要她就甭想要我！我今儿给您说真的，一点不含糊！"小马妈妈狠抽儿子两耳光跑掉。小马钻回她被窝："这下我连妈也没了！"小罗上去亲他，小马抱着她出了会儿神。两人爱情路上最大的障碍被清除，从此如胶似漆腻在一起。至于小超，他已经离开北京。当小马重新找回小罗的时候，小罗就当即打电话告诉小超"咱俩没戏了"。小超难受了好几天，拎瓶白酒胆汁都喝出来了。中间父母给他打电话，催他把小罗带回去见面。小超电话里又哭又笑，父母马上听明白了，指名道姓把小罗骂个狗血喷头。夫妻俩骂完气得胸口疼，最后妻子到美发店办张五千块的贵宾卡，重新把头发换个色回娘家小住去了；丈夫则与久不见面的相好约定每星期一见，两人又各自过起各自的生活。小超二舅亲自张罗给外甥找对象，但寻遍半个县城也没找着中意的，虽是小县城，但观念开放得很，找了半打没一个处女。小超在出租屋内不死不活好几天，这才想通了。他觉得北京已没什么留恋，决定回去跟父亲干，至少小县城有小县城的安逸，他不用在这里无谓受罪。从代售点取了火车票，又买了个冰棒含在嘴里，他想自己不能就这么窝窝囊囊离开，走也要走得有骨气。他拨通小罗电话，小罗正给小马刮胡子，她已经完全把他当丈夫，就像她的私有财产紧紧护着。她早把小超电话删了，接起来听出小超，又听说他要回老家，就有点心软。小马听她说是小超，当时还吃了醋，小罗解释半天，直到发毒誓与小超清白，小马才转怒为喜。听说小超要回老家，小马也大度起来，穿上衣服让小罗把小超约出来，骑着他从修理店买来的二手摩托到一家新开的羊蝎子火锅店。小超打车提前到，抽着压瘪的烟卷，看小罗跟在小马后面拎个巨大的头盔进来。初见小马他有些瞧不上，

蓝鸟与玫瑰

Lanniaoyumeigui

心想他就是打败自己的那个情敌，没什么了不起呀，就像装修公司的地板工。可转念又一想，人家可是正宗北京人，"北京人"仨字自带三成金，这个比不了。他心理平衡了，就拿正眼瞧小马。小马表现得落落大方，喊服务员点了一桌子菜，小超反觉自己心胸狭窄了，索性放开与小马对饮。小罗在旁边劝都劝不住，眼见两个男人假称哥们知交，越往后越较劲，酒杯碰得哐哐响，菜没见下，肉烂在锅里，不到一小时都随酒瓶倒下。小罗请服务员把两人扶上出租车，带两个男人回家。半夜里两个男人打了一架，小超鼻梁带着伤离开，小马则手臂肿得像鳗鱼。小罗替小马包扎，他一把推开，大半夜唱了一曲《好汉歌》。小超离开时两人都去送了，小超趴在小马肩上哭得稀里哗啦。小马也深情惜别，流下两行纵泪。小罗瞧两人有些烦，在一边大风地里舔着干裂的嘴唇。——刚才她收到小马短信，让她中午下班回趟婆婆家，那边来人了，有事情要商量。小罗气不打一处来，不知他妈妈又出什么幺蛾子。

"年轻人赶时髦，对象一日三换不算什么！"

"小罗，你结婚后跟婆婆住还是自己住？告诉你啊，这婆媳关系可难处啊！"

"他妈妈退休前是会计，老说我不会过日子，我都不敢到她家了。"

"那就不住一起呗。"

"小马爸爸没得早，家里全靠他妈妈。现在她身体也不好，怎么能不管呢。我倒不是怕和老人住，可依现在的情况真不知怎么相处！"

"这可是门艺术，处理婆媳关系比两国关系都难。"

小罗刚发送完短信，小马就回过来，告诉她他妈妈想在远房亲戚那里盖处院子，将来自己住过去。

"她不和我们住了？"小罗激动地回复，却觉得有点对不住小马和他妈妈。

"不了，她说打算找个老伴。"

"你同意吗？"小罗指尖像芭蕾舞演员足尖一样灵活，在小小键盘上腾挪跌宕。

"不同意怎么办，我能看着你们天天吵闹吗？有时想想，这么做真对不起我妈。"

"她不是说不找了吗？"

"大概转变想法了。我发现她白头发多了，走神的时候也多起来。"

"哦。"小罗不知再说什么，简单回了个字。她抬头望望外面，老猫凶恶的脸又出现在房顶上，不过她突然觉得它一点不可怕，好像它在用这种凶恶保护自己。它从来形单影孤，就跟小马妈妈一样。一种凄凉感升上她心头，想到自己父母，他们早做好到北京的准备。她把这事告诉小马的时候，小马什么也没说。其实这也是小马妈妈最担心的问题，儿子可不只是和小罗结婚，而是和她一家子人，他要养活或补贴这一家人。小罗看出小马心思，她早就想好了，决定让父母到北京后去市场卖菜，和他们分开住！她把安排告诉小马，小马咬着嘴唇说句："结婚真他妈的事多！"不过他并没反对，而是主动联系了很多家市场，最后建议小罗父母摆水果摊，这比卖菜省事好多。两人没结婚就已感到生活的重负，觉得喘不过气来。二人性事也不像以前冲动和频繁，从打击乐变成了小提琴曲。现在他妈妈主动给他们减负，这让她万万没想到。小罗知道小马妈妈一直想和儿子住，现在下这么大的决心，她仿佛看到他妈妈在背地里一个人偷偷哭。

"将来我们的孩子谁来带啊？"小罗把这当救命草似的回小马，她有些改变想法。

"我们自己带呗，总不能放到别人那里。"

这下小罗真急了，她发现自己做了捡了芝麻丢西瓜的事，心里懊悔万分。老猫已经跳下房不知去处，她有点担心它，这个漫长的冬天，它出现的次数越来越少，死亡好像已经在尾随它，说不定哪天就永远见不着它了。——她欲哭无泪！

"小罗，别多想，该怎么着就怎么着，想多也没用！"刚才的病人离开时对她讲。

小罗冲着那个惹过她的老太太感激地点点头。生活中总是存在原谅和被原谅的事，就像生活中有人穿裤子、有人穿裙子。想想刚才自己不会做人，做得有点过分。

等病人走光，她也急着离开。

"玉真大夫，我这就走了！中午要去趟小马家，帮他妈妈买菜做饭、招待客人！"

玉真闻讯出来，精神有点疲惫："路上当心，去了懂事一些，不要和他妈妈计较！"

"知道了!"——小马来电话催了,她赶忙摆手同玉真告别。

玉真见小罗离开,也没耽搁时间,径直回到自己家。一进门,莉莉把炸酱面端上桌。

"不是告诉你我回来做吗,你身体怎么吃得消?"

"能为心爱的人做饭,世上还有比这更幸福的吗?"

"我就是怕你累着。"

"一点不用担心,我现在好得很。再不,还有你为我治疗嘛!"

"肚子真饿了,闻着好香,从哪儿学来的?"

"书上、网上、电视上,哪儿都可以学。——哦,不,别忘了洗手!"

玉真笑着洗手坐回来,就着独头蒜大口地吃。莉莉坐对面津津有味地看。"是不是吃相很难看?"面条太长,玉真使劲吸啜面条,发出滑稽的声音。

"是有点难看。"

"不怨我,是你做得太好吃!"玉真故意带着夸张,目的是让莉莉开心。

"真的吗?我还担心你不喜欢呢。"

"说什么呢,再来一碗!"他把空碗推给莉莉,抹抹嘴拍拍肚子,"好久没吃到这么对心思的饭了!"

"这种日子真有意思!"

"中国人都很知足,饭菜也很简单,但餐桌上的亲情特别重要。"

"我感觉出来了,吃中餐就像开 Party 一样!"

"中国人家庭观念重,大家通过这样的场合交流和增进互信,更好地成为一家人。——你快些吃,凉了就不好吃了。"玉真见莉莉面条挑在空中,眼睛盯着某处不动,赶忙提醒她。

"没事,我吃着呢。"莉莉费劲地把面条挑进嘴里,到现在她没学会熟练地使用筷子。刚才她在走神,想起与家人共餐的情景,涌起一种特别滋味。

看着玉真愉快地往嘴里拨拉面条,她忧心忡忡:"以后我天天给你做!"

"那怎么行,就此一次!以后等我回来做,要不就叫外卖。"玉真把桌上东西一扫而空，然后往后一坐，脸上洋溢着知足和幸福。

"我来多久了？"

"一个星期零两天。"

"九天了是吗？"

"是。"

"真，时间真快，我从没有这样幸福地生活过，你就是那只勾引我的漂亮雄性蓝鸟！"

"蓝鸟？先吃饭，别说那些好吗？"

莉莉把碗推开，"你他妈的真好！"她苦笑着。

"你吃那么点就够了？"

"够了，我是说够了，你不明白吗？"莉莉头抵在手上，满脸的痛苦。

"好好的，怎么生气了？"

"我在生自己的气！"莉莉扭头泣不成声，"真，我走后你怎么办？"

"又说这个！莉莉，现在不是很好吗？我们相亲相爱，难得生活在一起，好好把握每一分、每一秒。"

"你回答我！"

"我会在宗教的路上平静走下去，心里有你，就像拥有神灵一样。"

"你这个傻瓜，你现在就可以拥有我！"

"我已经拥有了。"

"算了，不说了，你去看电视吧。"

"我来吧。"

"不要你动手，我来做这一切！"

"你身体吃得消？"

"坐着别动，我要像一位中国妻子那样服侍你。——你连这样的机会都不给我吗？每一分钟都是珍贵的，我要把这些记忆留给自己，将来把它们全部带走。"

玉真说不出什么，过去坐进沙发看电视。他尽量满足她，假装认真地看节目，实则担心她、留意她。她在厨房水花飞溅地涮洗盘碗，看得出过去不常干活。

忙完后，她解下围裙过来，把身子靠在玉真身上。电视剧场首集电视剧已经播放完，现在是广告时间，从家纺到药品、酒类，广告多得让人眼

花缭乱。

　　"真，为什么我喜欢中国，为什么中国人对我这样好，为什么中国人总是其乐融融？这个感受越来越强烈，像风暴在我心里形成谜。如果弄不清楚这个，我就不知道自己为什么来这里，不明白为什么情不自禁爱上你。"

　　"中国人自古勤劳善良，相信与人为善，善良对待其他人。对任何人皆有包容之心，不排斥、不刁难，所以中国人到哪里都受欢迎。"

　　"那又是为什么？"

　　"再说具体点，中国人讲究以和为贵，和为天下先，和为天下道，和则共生共荣，不和则对立冲突，中国人懂得世上最简单的生存法则。"

　　"我非得知道这背后的原因，你说的我会好好想想。"

　　"你真犟，这可不是一两天能弄明白的。"

　　"是的，可是我得给自己找出理由：为什么我会爱上你？为什么喜欢上中国？为什么对你恋恋不舍？"

　　"其实你知道中国人怎么想、怎么做就够了，答案就在你眼前和身边。"

　　"是的，可我现在拥有的还只是一些印象和感受。真正弄清楚原因后，我就可以向所有人堂堂正正解释我们的爱情，让我们的爱情得到理解和尊重，而不是现在这样偷偷摸摸！至少对我是这样。"

　　玉真有意保持与莉莉的距离："谢谢你，你比我更不容易。"他看看墙上的表，"治疗时间到了，我去准备一下。"

　　"真，不用在我身上浪费时间。"

　　"不试试怎么知道！这是我能为你做的，你要给我机会。"

　　莉莉点点头。玉真取了银针给她扎上。莉莉在看中央九套节目，里面播放的是中国电视人制作的政治经济新闻。随着她在中国生活时间的增加，她对中国有了越来越深入和全面的了解，也越来越发现这的确是个与众不同的国度。中国社会和中国人的生活貌似简单，却包含着她一直好奇的那个秘密，而她也离那个答案越来越近！身处其中，她参与和感受着各种情景和氛围，异常激动欢喜。

　　"你还要看书吗？"

　　"习惯了，不看睡不着。"

"我陪你看。"

"不是说好的吗，你要早点休息。"

"真的还有救吗，真能找到治愈我的办法是吗?"

"我绝不会放弃任何努力!"玉真坚定地说。他替莉莉拔出针，扶她回房间休息。莉莉极不情愿地分开，伸手拉住玉真，眼睛焦渴地望着他。玉真慢慢抽回手，脸色黯淡，转身离开。莉莉倒在床上，头埋在被子里哭起来。爱情近在咫尺，玉真却那么坚决地拒绝她。她知道自己不应该这么做，但她多么渴望他一个亲吻、一次爱抚，让她像所有女人一样承受爱情雨露，像朵漂亮的玫瑰容光焕发。玉真那么热爱他的宗教，那么信守他对神灵的誓言，她无法撼动他的信仰和坚持，她感到委屈和难过。她蜷缩起身体，手慢慢伸到下面，神志模糊地想着玉真，直到筋疲力尽才睡去，泪痕整晚留在脸上。

小罗与小马吵了一架，因为小马喝醉酒说，是小罗把他妈妈逼得改嫁。小罗同他大吵一通，在小马脸上抓出几道口子。小马也起了牛性，穿好衣服回了家。早上她接到小马电话，接通就嚷起来："难道你妈妈因为娶媳妇才想起嫁人? 她的事情迟早要解决，难道就是因为我吗? 换作别人又怎样，有本事她永远不要娶儿媳妇!"没想到那头却是小马妈妈，她在电话里先把小马骂了一番，然后对小罗说："那也不能往他脸上挠啊，好端端破了相，再怎么着他也是你半个男人!"小罗听了语塞，他妈妈说得对，昨天她的确有点反应过激，她端详指甲缝里，看是不是还残留小马的皮肉。她后悔得要命，如果当时小马还手她也有借口，可小马只是擎住她瞪了眼，就气冲冲离开了。放下电话，她一上午想着怎么向小马认错，同时发誓再不这么粗野。"还没结婚我就变成泼妇了!"想到这儿她十分羞愧，脸不由得发烫，生气自己怎么会这样。她用微信给小马留言，告诉他晚上给他洗脚，还做他最喜欢的酸菜鱼。小马回她一个笑脸，她流着泪不停亲吻手机上小马的头像。他是她在北京唯一的亲人，伤害了最亲近的人其实就是伤害了自己，她深深明白了这个道理。整个上午她为此纠结，临下班急着要走，一个小道士却缠着她刷手机，她只好留下来。小道士最后抹着鼻涕问她："姐姐，我恋爱了怎么办?"

"你说什么? 小屁孩子恋什么爱，再说你是个道士!"

"逗你的，不过我真的喜欢范冰冰！"

"不许乱来，小心我告诉智海师父。"

"不和你说了，不够哥们！"小道士把塑料簪子别好，把手机收起来走了，连声谢也没有。小罗叹口气，看到他跳起来摸树枝。白云观小道士很多，大都比她弟弟大小差不了多少，一个个调皮可爱，她很喜欢他们。他们初到北京，很容易做出格的事。智海一直对他们看得很紧，可有人宁冒天下之大不韪出去惹祸。她突然感慨：这情成就不了人，却可以毁掉人。想到这心中一惊，再看那小道士就觉得好无辜，可谁也救不了他：

她正为小道士伤神，玉真从里面叫她：

"小罗！"

"什么事，玉真大夫？"小罗看玉真不对劲，一时摸不着头脑。不过她再敏感也猜不出玉真下面的话。

"小罗，我有事找你了，你要帮我守住一个秘密。"

"秘密？"小罗满头雾水，一时感到白云观全是秘密。

"我现在和一个女孩住在一起。"

"什么，您说什么，您和一个女孩住在一起？"小罗连惊带吓问了三次。

"对，你还记得那个外国女孩吗？"

"哪个外国女孩？"

"那个叫海丝莉的外国女孩。"

"天啊，玉真大夫，到底怎么回事？"

"她一直喜欢我，现在病得很重，最后时刻想和我在一起，我无法拒绝。"

"这事情多久了？"

"一个多星期。"

"那您呢，您也喜欢她？"

玉真脸唰地红了，停下说话，眼睛挪向别处。小罗顿感崩溃，脑子轰轰作响。过了好一会儿，才听玉真又说："我和她没什么，她只是住在我那里。"

小罗刚体验过男女之事，不相信孤男寡女在一起真会没事。如果以前玉真对他这么讲，她会毫不犹豫地相信，可刚遇到小道士，又见玉真如此，就更坚信"情不会成就人，但一定会毁掉一个人"。

"我还是有点蒙，玉真大夫！"

"我们住在一起很危险不说，一旦暴露就死定了，所以你要帮帮我们。"

"我怎么帮你们？"

"她在这里除了你不认识别人，你有空去陪陪她。还有就是女孩子常用的东西你帮她置办一下。"玉真红着脸把话说出来。

"为什么她非要住你那里，为什么你又非给她看病？这太不寻常了！"

"我管不了那么多，我喜欢她，就是那么回事！"玉真脱口而出，惊得小罗头发都竖起来。

"玉真哥，看来是真的了？"

"算我求你了！"玉真低下头痛苦万状，声音好像从地砖缝里钻出来。

"如果我不答应，我就在这儿干不下去是吗？"

"这和那没关系。"

小罗眼圈有些发红，如果不帮玉真，她以后真在这儿干不去了，即使玉真不撵她，她自己也没脸面待下去。可如果帮了他，一旦让观里知道，她在这里同样不保。想到自己马上就要成家，想到自己在北京漂泊不定，想到成家后天天要开销，她只想保住这份工作。玉真的要求真让她为难，感觉酱油瓶子漏了，污了一身。

"你要为难就算了，只当我没说。"

"迟早的事，我答应了！"小罗横下心答应了玉真。玉真一向待她不薄，交他这个朋友比保住一份工作值得多。她为自己能这样做感到自豪，激动得说话有点发抖。"现在做什么？"

玉真如释重负，站起来要给小罗鞠躬，小罗慌忙拒绝，反过来给玉真鞠躬："玉真大夫，在北京除了小马就数您对我最好，帮这点忙算什么，往常我受了您多少恩啊！您给我鞠躬，不是打我的脸吗？"

"小罗，你的恩我先记心里了，日后一定补报！现在你愿意和我去见她吗？"

小罗索性把给小马赔礼道歉的事搁在一边，迅速到外面收拾东西，又把昨天剩的半个烤地瓜囫囵吞掉，然后随玉真往他住处去。路上她感觉自己像个肩负重任的女战士，为了某种崇高信仰，脚步轻盈地走向鲜花遍野

与硝烟弥漫的战场。

两人进家的时候，莉莉正痛苦地靠在沙发里，用幽蓝的眼睛看着他们。她想表现得热情点，可力不从心，高高绾起的道姑头，一些头发零乱地坍塌下来。她冲小罗笑笑，通过玉真她早对小罗非常熟悉了。小罗吓了一跳，这和她半年前见到的莉莉判若两人，现在她几乎变成个老太婆。她赶忙上前，与莉莉十指相扣。莉莉努力摇头，用指尖轻扣小罗，反过来安慰她。

"小罗，就像你喜欢小马一样，一些事情很矛盾，可能要用错误的方式解决。——有时只能这么做。"

"玉真大夫，我和小马的爱情与你们比起来算什么，就是梨花木和大白杨。"

"你要替我们守住这个秘密，让我专心陪她度过这段时间。你应该明白我的意思，她病成这个样子，我不忍心再伤害她。就算我不喜欢她，也应该帮她这个忙。"

"你们在说什么，是不是因为我？没有必要，不必麻烦小罗，我的事情自己能处理好。"莉莉看到两人一脸严肃地谈话，知道他们在谈与她有关的话题。今天小罗出现在了这里，她明白了玉真的用意。她是临死之人，尽管有诸多不便，还是不愿意牵连别人。

"莉莉，玉真大夫是我最好的朋友，你又是他最爱的人，照顾你是我义不容辞的事，你不必客气。"

"时间长了这事难免会露出马脚，那些病人们好像已经知道了消息，他们可真是消息灵通啊！"

"放心好了，我知道怎么替你们圆场。"小罗想到这些天，全世界的人都知道了，就自己蒙在鼓里。从刚开始生气到现在与莉莉一见如故，女性的天性唤起她的仁慈，她准备义无反顾像个母亲照顾生病的婴儿。她不再说什么，动手收拾房子。由于玉真这段时间早出晚归地上班，还要照顾莉莉，房间显得有些零乱。玉真要去帮她，她对玉真说："你陪她坐着吧，以后这事我来做。"玉真还是取了拖把，又在水里搁了消毒液，前前后后墩地。小罗已然像房子女主人一样干得满头大汗，完全陷入那种特别专注的崇高感和幸福感，再不是玉真初见时那种怯弱的样子。她已经成熟了、老练了，玉真亲眼目睹一个带着梦幻色彩的少女如何向一个心机重重的女人转变。

"他们问起来我怎么说?"小罗中途停下问,看来她一直在想这个问题却没想好,于是回过头问玉真。

"我也不知道,事实上我也没想过。"

"这么着就看我自己的了?"

"你不要那么紧张,尽量别引起别人注意。"

"按照白云观道规,我这可是罪孽深重。"

"我会替你消障的。"

小罗听了狐疑地看看玉真,心里嘀咕:您自己都不知道怎么消这个障呢!不过她不说出来,她明白现在要和玉真站在一起,她要懂得讲义气和感恩。

小罗手脚利索地收拾过屋子:"现在做什么?"她仍有点慌神,做了这个不知道再做别的。

"出去买点吃的,快去快回,少和人说话。"

"紧张死我了,腿肚都抽筋了,像去行窃似的!"小罗边说边轻手轻脚出去,然后没过十分钟就哐哐砸门。玉真开门她一溜烟进来,"妈呀,真不是人干的事!"她把手里一堆东西撂到地上,整个人像刚从水里捞出来。

莉莉已经好些了,抓住小罗的手感激地说:"谢谢你!"

"谢什么,快点好起来,我和玉真大夫就不用受这个罪了。"

"小罗,以后会天天麻烦你。"

"玉真大夫,您再这么客气我就没法帮你了!"

"我从没见过比你更好的女孩,你是上帝从他身边派来的天使!"

"牙根都给她酸掉了!"小罗扭头对玉真说汉语。她突然想起来,转过去:"莉莉小姐,等你好些时陪我买婚纱吧,如果可以,再给我做伴娘如何?"

"哦,当然没问题,这个建议太好了,就像给我一笔奖学金一样!"莉莉兴奋起来,为这个热情开朗的中国女孩打动了。何况,天底下所有女孩提到婚纱就像吃了忘忧草。小罗邀请她当伴娘,让她幸福得像骑着旋转木马一样。

"莉莉,你不能过于激动。"

"我好像一下子加入到你们中间去了,很难不激动!在美国,只有亲

人或最亲近的朋友才有资格做伴娘，这意味着被信任和荣耀！"莉莉眼里像荡漾着明媚湖水，闪耀来自天上的光辉。

"就这么说定了！"小罗伸出手和莉莉击掌，完事两人快活地抱着笑。玉真在一旁反而不自在了，他到厨房去弄些吃的。女人间一旦亲热起来就是天然的盟友，即使她们的丈夫或情人都要靠边站。

两个女孩坐着天上地下地聊，玉真在厨房里听着发晕。他明白与最亲密的人在一起是最珍贵的幸福，那时刻会让人终生铭记。他奇怪她俩怎么有那么多话要说，好像源源不断的河水注入大海，而他和那个要好的青年官员半年讲过的话没超过一百句！他摇摇头，把洗好的青菜上锅炒。厨房里一阵油煎火响，他把烧好的菜盛出去。小罗吸着鼻子："好手艺啊！"

"小罗，吃过饭再回去！"

"哪啊，我还得和小马逛街呢。"小罗想讨好小马，决定空肚子等他一起进餐，用食物和身体哄他原谅自己。她觉得男人像忠实的马儿，喂一把新鲜草料它就乖乖跟人走。她眼睛滴溜溜望着热腾腾又好看的饭碗，站起来告辞。

"再见！"莉莉和小罗行告别礼。小罗不习惯这种贴面礼，不过当她觉察出莉莉胸部平平时，心里对她有了更多同情。来到外面，她突然想假如自己也不幸患上这病，然后被无情割去双乳，她又该怎么办？她回头好一会儿望着玉真房子的窗户，打心里盼望他们在一起幸福！她从小巷机警地往外走，在巷口看到居委会姜大妈。她正要过去打招呼，对方却装没看见转过身走开。她定下神，没当回事扭头走掉。

第二天中午，她和玉真一前一后回到他住处。昨天她已经把小马哄高兴了，小马吃饱喝足躺在床上由她服侍，两人如胶似漆重复老一套。早上，小马眼角都是眼屎，口味浓重，小罗毫不介意，任他搂着亲着，顺势把她打算邀请莉莉当伴娘的事告诉他。小马也觉得能让一个外国人出席婚礼是件十分挣面的事，就满口答应。小马又想亲热，小罗推开他问："假如我没有了乳房你还会爱我吗？"小马骂她"神经病"。她不依不饶非要他回答，抓着小马下面让他发誓。小马只得跪在床上起誓，然后才让小马再次骑到身上。小马在上面晃悠着，她歪过头出神。小马草草收场，走时拎着裤子说句"扫兴！"——她今天心情很好，给莉莉买了一大堆东西。进门就叫道：

"哎哟，累死我了！"

"小罗，怎么买了这么多东西？"

"您不是告诉我照顾好莉莉小姐吗，这些都是吃的用的。"

莉莉从里面出来，冲小罗友好地笑。小罗见她光着脚，又叫起来："莉莉小姐，怎么能光着脚呢，脚底最容易着凉，这个时候您应该爱护自己！"

"小罗，我刚做过化疗，样子是不是很丑？"莉莉把所剩无几的头发绾起来，和昨天一样是个道姑头。

"身体好了头发还会长出来。"小罗把袋子里东西取出来，"女孩子用的东西从来比男孩子多，玉真大夫你不知道这一点吧！"玉真讪讪地笑，把水递给莉莉让她服药。

"这是什么？"

"泡椒凤爪。"

"是什么动物的脚吗？"

"其实就是鸡爪，叫凤爪为了好听！细细地嚼，吃着很过瘾。我过去一个鸡爪下一碗米饭。"

"对不起，这东西也能吃？"

"当然了，鸡身上的所有东西都能吃。"

"这是什么？"莉莉震惊着看到另一样东西，她觉得中国人能把任何东西转化为食物，很多东西挑战她的官能。这几天玉真带她吃过一些小吃，但那只是在加工方法上有些出乎她意料，现在亲眼看到那些在她看来不可能成为食物的东西居然也被制成美味，她脑子转不过弯来。

"酱香豆干。"

"豆干是什么东西，我没听说过。"

"你们老外成天吃什么呢，这是豆腐另外的制成品。还有蜜饯、干果仁、牛肉干，这些你不用大呼小叫了吧！莉莉小姐，跟你我算开眼了！"

"这个太甜，吃了会胖的。"

"这个时候你多吃点有好处，中药吃的时间长了胃会受不了。"

"小罗说得对，考虑得很周到。"

听玉真这样说，莉莉接过小罗递来的泡椒鸡爪，刚咬进去一点就眼泪鼻涕全下来。

　　小罗和玉真看到莉莉的样子笑起来。莉莉眼泪汪汪对小罗说:"这个真受不了。不管怎么样,还是要谢谢你。"

　　玉真把手帕递给莉莉,三人笑了一通。玉真看着莉莉对小罗说:"她总算是笑了,这些天都闷不出声。"

　　"是啊,好人待屋里也会闷出病的。"

　　"上午观里没什么事吧?我带她去医院化疗也要偷偷摸摸,这样下去麻烦不说,也很危险。"

　　"是啊,不知道我是不是多疑,总觉得有人盯着咱们。"

　　玉真停了会儿:"应该不会,我和莉莉出去没几个人看到,更没对人讲过。"玉真一边回忆一边琢磨。

　　"即使他们不知道,这样偷偷摸摸什么时候是个头,莉莉的病什么时候能好转起来?"

　　"我愁的就是这个,时间长了纸包不住火。"

　　"这样也会耽误您正常出诊的。"

　　"管不了那么多了!"玉真再次回头打量莉莉,眼里充满情真意切,也包含焦灼不安。看得出他已为她抛开一切,即使上刀山下火海也阻止不了他和她在一起。他像把一切思前想后安排好一样,准备遇水行船、逢沟造桥。他的样子让小罗惊讶之余更多的是担心。

　　"真是连累你们了,就像那只鸡爪子挠我的心!"莉莉摩挲着胸口失神地说。

　　"现在只希望控制住她的病情,至少她不用像现在这样难受。"

　　"但愿您能创造奇迹,玉真大夫!人们总相信自己的决心加上爱情能够创造奇迹,比求神还管用。"

　　"那是迷信,道教也讲究科学,否则就不会发展出道医药。"

　　"那倒是,可我还是会为莉莉小姐到药仙殿去求一求的。"小罗边说边把莉莉剩下的鸡爪放在嘴里咯嘣咯嘣嚼碎,一点不为锐利的辛辣所动。莉莉在旁边看着,感觉整个胃在抽搐,好像里面真有一只鸡在刨食。

　　玉真把玩手里的沉香木把件,看得出心里烦。莉莉向卫生间走去,她有点想呕吐。

　　"她病又犯了!"玉真扭头看莉莉把自己关在卫生间,听她在里面痛苦地呕吐呻吟,脸上愁眉紧锁。

小罗趁莉莉不在凑过去："玉真大夫，您真想好这么做了吗？这样做的后果您想过了吗？"

"不管那么多了，只有一个理由，我们是真心相爱的。"

"她这算不算走投无路，您又算不算趁火打劫？"

"你说什么呢，小罗！连你也不相信我们是真心相爱吗？以你对我的了解，我会是那种人吗？"

"不知您是一时情迷意乱还是一心如此，反正别为这事后悔。"

"你提醒我是对的，可别怀疑我对她的诚意。我们都是成年人了，会为自己所做的事负责。"

小罗心里"切"了下，嘴上说："谁又能真正做到当局者不迷，人活到一千岁该犯的错误照犯不误。玉真大夫，我把您当自己亲哥哥才这样说。"

"我清楚自己做什么，我和她肯定不是一般的医患关系。说到底我也是血肉之躯，这世上的道理都在我心里，我不能真成了仙，对于这段感情我接纳了。"

"她以后会不会成为我嫂子？"

"一个注定没有结果的爱情，像一棵只开花不结果的绿化树。我们都知道这样的结局，却执意相守，难道我们不高尚吗？虽然我们只差同床，但即使真发生那事了，对于我们的爱情又算得了什么？我们的精神和意识早属于了对方，把肉体呈献给对方只是一种形式，就像造访一个城市获得一把象征性的钥匙。我们现在没什么图求，只希望能感受彼此那份纯真的感情。这在你们看来绝对不可能，就像在真空里跳舞，可在我们现实无比。这注定不会一帆风顺，但我们做得自觉自愿。"

"你们的爱情是一种爱情，我和小马的爱情也是一种爱情。两种截然不同的爱情，又让我想起'人到底为什么活着'这个问题。——玉真大夫，我就做不到您这样。"

"你和小马才刚刚开始，别说这样的话。你们不是要旅行结婚吗，你婆婆对你好些了吗？毕竟你要和小马结婚了。"

"一切都是斗争和妥协的结果。我们的旅行结婚告吹了，只能是婚后的事了，但不知牛年马月。老太太呢，也找了个老头，不过她爱那老头连爱自己儿子的一个脚趾头都没有。我知道她委屈，可没办法的事，往后日子长了，大家各求太平吧。我妈妈也在处理老家家当了，小马已给他们办了营业执照，他们在电话那边高兴得像要到北京当皇帝一样。想想现在的一切就像在梦里，生活和想象不谋而合了，像水汇在一起往前流。我的结果还算不错，能找个北京人留在这里，小马对我也不错，我该知足了。可是，玉真哥，我的心气逐渐高起来，脾气大起来，得不着那种与生俱来的幸福，就费尽心机谋取。我是不是成了一个算计别人的女人，一个精明计较的女人？过去那种带甜味、七彩斑斓的少女梦渐行渐远，越来越多的是油盐酱醋的咸辣味，这才是生活的真味道。玉真哥，你还接受现在的我吗?"

玉真听小罗叙述也坠入思考，像站在一片空地上，看四周景物苍茫零乱，心中四扯八分。"接受，你说得非常深刻。人怎么可能不变，一切都是变的。这说明你已步入真实生活，这样或许更能明白我。"

"过去总觉得你和我不一样。现在想，怎么会不一样，都是活生生的人。"

"你是不是觉得我很疯狂?"

"现在不了，说实话，刚才之前还那样想呢。"小罗望着玉真诚实地笑。

"你们在谈什么，这么热闹!"莉莉推开门出来，玉真过去扶住她。

"没什么，随便聊聊。"

"我得抓紧时间学习汉语，要不然听不懂你们说什么。"

"我和玉真大夫可以教你。"

"你们的热情善良令我感动，我真恨自己没生在中国!"莉莉坐到小罗对面。

"那也由不得你呀!"

"嘿，小罗，你的皮肤需要用点好的化妆品了，上面都有细纹了。"

"大概是筹办婚礼累的。"玉真替小罗回答。

小罗拿起镜子看自己，果真眼角生出皱纹。她心里咯噔一下，顿生荒凉紧迫，一切好似追悔莫及，满心欢喜坠沉池底。她没有回答莉莉，坐着发起呆来。

"对不起，让你伤心了!"

"没有。"小罗咬着嘴唇，眼囊蓄满泪水："人终究会老的，不老才怪呢！"她再次端详镜里的面孔，像看到一块干巴的橘皮。

"据说浪漫的爱情和幸福的婚姻能使女人焕发自信神采，你会很快好起来的。"

"我们之间的爱情不一样，你们是蜜蜂蝴蝶，采食蜂蜜雨露；我们是蛇和青蛙，吞食老鼠昆虫。"

"玉真大夫是个好人，遇见他我很幸运，被他爱上更是我的幸运！我们在一起很纯洁也很幸福，这屋子就像一座白色教堂，我们天天在这里为自己举办婚礼。我们不浪费一点时间，彼此真诚爱着对方。"

"白色教堂？想着都让人心驰神往。"

"小罗，你就开心些吧。你的未婚夫也非常爱你，这比什么都重要。"

"是的，他对我还不错。想想其他又算得了什么呢，跳出五行看五行，我真的过于计较了！"小罗说到小马换上笑脸。

"好了，不说这些了，说说你结婚的事，你让莉莉做伴娘她甭提多高兴了，可她又担心现在的样子。"

"我和小马说了，他也非常乐意莉莉做我的伴娘。"

"真的吗？太好了！"莉莉兴奋地望望小罗，又望望玉真。

"前提是你一定把病养好。"玉真善意地提醒莉莉。

"我会的，我会的。"莉莉双手抱在胸前跪在地上，闭眼喃喃自语，"上帝啊，保佑我能活到那一天，保佑我能参加小罗和小马的婚礼，并祝他们永远幸福。"

"玉真哥，我也祝你们幸福！爱情不是结合在一起的亢奋，而是日复一日辛苦耕耘后的甘苦，是不是这样？"

"是的，让我们一起捍卫爱情，谁也别想把相爱的人分开！"——三个人手拉在一起，共同信誓旦旦。

另外一件事让玉真痛彻心房，那就是吴玉华之死。事情发生在莉莉来北京之后。刚刚进入十二月份，受圣诞节和元旦临近影响，人们过节情绪高涨，连玉真都被感染到，心里揣着欢喜，满当当进出白云观。白云观张灯结彩，各殿执事忙里忙外检查安全隐患，并把院子和殿里神像、法器、四下角落彻底清理干净。消防、武警和保安公司也派人过来执勤，整个白云观不似往常清净，连晚上也有人当班巡逻。玉真忙得不可开交，这天偶然驻足，被装饰一新观容观貌吸引，顿觉天宽地大，心似大鹏展翅。正陶醉其中，忽见一个熟悉的身影经过眼前，他马上认出是吴玉华的婆婆。两个月不见，她头发全白，像团老丝瓜瓤。她颠簸着前进，近乎穿越时空的特写人物，在阳光和人群里十分醒目。她患上中老年妇女常见的拇囊炎，所以走路格外费力。玉真虽说对吴玉华这位婆婆不怎么待见，但还是非常同情她。他从她脸上看出端倪，心生不祥之感。与院里其他笑容可掬的人比，失去亲人的她像万里迢迢非洲草原中一具独自腐烂的河马尸体。他上去截住她，她像车撞到山上。"怎么回事，谁又要我的老命！老天爷，还看我不可怜吗？"她吃力地爬起，见是玉真，一下哭出来，"是你啊，玉真大夫，玉华没了，玉华没了！"她闪了腰似的趴地上号啕起来，引得众人注目。玉真好不容易把她扶起，她眉不抬眼不睁吸溜鼻涕："全完了，玉华这一走这家就散伙了，大田赖在家里不上班，乐乐学习成绩一落千丈，那两个白眼儿狼都不管家，我和老头天天等死啊！"她用悲情女人那种悲痛欲绝的声调说，希望获得更多人同情。玉真把劝她到诊室，她慢慢平静下来，把玉华的死前后后告诉玉真。玉真流泪听完，觉得吴玉华并没有死，而是静静躺在诊室那张小床上，等他去治疗。他无法安慰这个婆婆，她眼角已经沤烂，里面丝毫不反映人的精神面貌，纯粹是一个肌肉组织。她来白云观就是希望玉华在天之路走好，同时让她保佑全家重新好转。最后玉真掏钱打车送她回去，路上她像小女孩一样一会儿闹腾一会儿安静，玉真心如刀割。回来路上，他找到智海，希望观里对吴玉华婆婆实施救助。智海听罢汇报，说道："这种事多了，人死人去是常事！不过既然你说了，就捐她五千元！"玉真连忙替吴玉华婆婆谢过。智海生气："用不着你谢，我们道家本来仁爱为本、扶危济难，你去走流程审批吧，日后有事再说！如果实在困难，每月补贴她个三五百的，多了就没有了！"玉真简直要给智海行大礼，并且为前些天观务会上的事认错。原来智海正在筹划元旦、春节期间的祈福和拜太岁活动，决定利用这个机会暂时解决一下观里财政紧张的问题！但玉真在提高收费标准上持谨慎态度，这与智海形成意见分歧。玉真更希望活动惠及众人，从提高活动质量和获得长期美誉度上从长计议。智海虽同意玉真观点，但更着眼解决眼前支出压力过大的问题。二人为此有些争论，智海这些天不大理玉真。——智海听完变了脸，"完全两码事，怎么混为一谈！我若连那样的事也记仇，岂不成了妇流小人之辈！亏你跟我这多年，这么小看我！"玉真慌忙认错，智海骂了句"都是你惹出来的！"之后甩袖而去。玉真自己又添三作五共计八千元送给吴玉华婆婆，吴玉华婆婆又一通号啕。她现在高兴一通号啕，伤心也一通号啕。玉真把这事落实后，心里才稍许安生，也算对吴玉华在天之灵的告慰。

与此同时，他对莉莉的情况更加担忧起来。在他正式进入白云观当天，方丈送他一只玉环，他一直随身戴着。这天下班弯腰提鞋时，不慎玉环滑落，摔地上裂成两截，这一下触动他神经。近乎疯狂地冲回去，飞身上楼，撞开门，一个跟跄跌进去。莉莉贴着面膜，立在客厅中间瞧着他。

"怎么了，真？"

"你没事吧？"

"我好好的。"

玉真一下松口气，背上倒立的汗毛倒下来。

"真的没事？"他再次确认。

"我真的很好。"

"真担心你出什么事。"他摊开手掌，给莉莉看坏掉的两截环子。

莉莉扑到玉真怀里潸然落泪："真，谢谢你！"

"早上我看到你不开心。"

"傻瓜，我希望你多陪陪我。"

"莉莉，你不能再出什么事，一定要好起来！"莉莉持续恶化的病情让他一筹莫展。

"我保证过，为了你我会打败上帝、战胜死神！"

"我再不能听到关于你任何不好的消息了，我受不了了！"

"为了你，我会好好活下去！"

"让我抱会儿，让我确定你真的好好的！"

"你想吻我吗？"

"想，但我不能。"

"那我吻你呢！"

"也不行。"

"哪有这样的爱情！"

"我发过誓。"

"你可以在你的神灵面前请过和赎罪！"

"我不能当着神灵和师父的面犯错。"

"这真是没有一丝一毫情欲的爱情，就像你们完全没有肉食的宗教食谱！"

"爱上你我已经犯错了！"

"爱情建立在情欲之上。我们爱情的基础是什么？这不符合常规！"

"我们是两个过冬时依偎一起取暖自卫的伙伴。"

"反正我吻你了！"莉莉趁玉真没注意，在他额头亲下，然后扳后身子看他。

玉真叹口气："莉莉，现在这样不好吗？"

"帮我把药碗拿来，我喝完休息去。"

"你终于主动喝中药了！"

"喝中药的痛苦与和你不能亲近的痛苦相比算得了什么！"

玉真热了中药端过去，莉莉捏着鼻子咕咚咕咚喝下去，然后打着嗝不理玉真，回卧室关门上床。

玉真关了灯，独自到阳台看外面。吴玉华的死还在他心里隐隐作痛，他想让自己平静会儿。下午刮了场大风，天地发作一通后归于平静。莉莉悄悄出来站玉真后面。"那里有我们相爱的密码，我们一起寻找！"她望着外面深情地说。

两人依偎坐下，几只鸽子闪着银蓝的光从楼顶飞向星光深处，两人惊愕地瞪大眼睛，视线随之高远。地面一池城火如焚堆辉映，天穹四周折射一圈淡淡紫罗兰色的光焰，更高处中间则是一团纯白的光。二人目光追随鸽子，身体紧靠一起，恨不得永不分开。如果不是小罗带小马敲门，他们整晚会这么坐下去。两人送一些东西来，他们现在的行动已全部转入地下，而晚上是最佳时机。因为担心小罗安全，小马每次亲自陪同。四人在此过程中结下深厚友谊，聊到很久才散伙。一出楼门口，小马强抱住小罗吻个不停，好久才放开。

"死鬼，你要干什么！"

"他们会不会也干这个？"小马示范似的问。

"子虚乌有，告诉你多少回你都不信！"

"你让我怎么相信，我一会儿忍不住就想要你！"

"他们和我们不一样。"

"我就不信玉真抱着莉莉没反应，那才怪了呢！"

"再八卦我削你的头，管好自己的事情就行了！"小罗拧住小马耳朵，小马疼得龇牙咧嘴。

"太后老佛爷饶命，小的再不敢了！"

"可能我们永远不会理解他们的感情。"小罗盯着玉真窗户看，良久轻声说了句。

"走吧，再不回明天上班又要晚！"小马在地上跳，呵着气给小罗暖和手。

小罗把头倚在小马肩上，眼睛直直看前面一百米处的巷口。"找玉真大夫的钱对了吧？"她转念一问。

"看你这人，怎么这么说，不是有购物小票吗？"

"我是说他找你的钱！"

"不可理喻，好好的气氛让你破坏了！"

"切，以后过日子我天天都这么管着你，要不每月工资怎么够花！"

"好不容易高兴一会儿，真扫兴！"

小罗又朝小马身上捏下，小马弓簧似的躲开，在一边恨恨地看着小罗。小罗阔步向前，等会儿没见小马上来，转过身去："喊一二三，再不过来后果自负！"

"什么后果？"

"关于你妈妈的。"

"哎哟，哪有什么后果，根本不存在什么后果。"小马一提腿到了小罗跟前，"你要把我妈妈怎样？"

"不怎样，我和玉真把家里的情况全说了，他可劲数落了我一通。我也想通了，将心比心，你妈妈把你养大不容易，她要是愿意就和我们一起住吧。"

"真的吗，老婆，你是说真的吗？"

"谁是你老婆，没明媒正娶谁是你老婆！"

"老婆你真好！"小马也不管路上有没有人，直接腻过来蹭小罗，"告诉你啊，我妈本来就没看上那男的，她嫌他不爱洗澡身上臭，私下都和我哭好几回了。要不是拿我没办法，那老头又有四五千块的养老金，她才不愿嫁给他。想想也是，我妈如果天天给那个牙根发黄的老头作践，我还有什么脸面对她老人家！小罗，我先替我妈谢谢你了！"

"那你要对她讲，以后再不许那样对我了！而且这事你还得好好谢谢玉真大夫，开始让你陪我过来你还嫌我多事，现在知道好处了吧！"

"知道了，知道了，以后都听老婆大人的！"小马高兴得连蹦带跳，把小罗吻得话都说不出来。上夜班的环卫工人套着肥大橙色马甲，挥着巨大扫帚从他们旁边面无表情地扫过去。

"老婆，晚上我要你！"

"洗了内裤再说，上面尽是你的东西。"

"好的呀！"小马表情萌萌地说。

两人拐到白云路，追上48路最后一班车，挤到后面大座上亲昵说话。公交车很快消失在北京日渐冷清下来的深夜街头。

这天，玉真又是很晚回家。先是一个报社记者点名让他去，他不得不接诊。记者的父亲脑中风偏瘫，出院回家后，希望继续用中药调理。这个记者以前报道过玉真，玉真没办法推脱。现今媒体的重要性不言而喻。记者想请他吃饭以示感谢，都约好一家会所了，但玉真惦记莉莉，所以坚决告辞，弄得记者很没面子，玉真自己心里也不痛快！之后又去那个部委青年家里。青年妈妈只认玉真，所以青年主动与玉真兄弟相称。但玉真心知肚明这只是一种情分，他自要当心。彼此熟悉后，青年抓住玉真双手，喋喋慨叹："我要像你出家多好，省去万般心劫！"玉真当然知道他只这么一说，真让他丢下功名利禄、红颜知己怎么可能。

看过病，他一路想那青年说的话，心事沉沉；现在只想变作一只风筝，飞起来看这北京城里到底有什么，人来人往，人说人笑，如何欢笑而来，如何悲伤而去，自己又算什么！《道德经》里说得好、说得妙，水过流沙，云飞天幕，自是那水，自是那云，总不拘地变化，无固有之形，无因定之状，即时分解聚合，看得见的潇洒，不见得的落寞。他心事重重回到小区，刚跨进铁门，身后老槐树突然掉下一根树枝，不偏不倚砸上一辆小车。主人急忙跑过来，把树枝像抬尸体似的抬走。

进了家门，莉莉正在翻一本厚厚的书。看她状态不错，玉真稍稍平息一些。

"小罗来过了吗？"

"对，上午陪我去化疗，排了好长的队才轮到。"

"看病还是老大难问题！"

"真是不可思议啊，这些问题应该被高度重视。"莉莉想起白天医院拥挤不堪的样子，不禁皱皱眉。

"在看什么？"

莉莉立刻把刚才的抱怨扔一边："在挑选我当伴娘的礼服！"她把书递给玉真，"第二十四页，中间那件漂亮吗？颜色像樱花鲜艳粉嫩，能把我脸上斑块映衬得浅一些。还有云朵一样的漂亮蕾丝，长度正及脚踝；穿上一定和奥黛丽·赫本一样美。我现在就想搞定它！"

"是不错，可你不能比新娘子更漂亮哦！"

"我也帮小罗把婚纱选定了！从医院出来我们特意拐到西单那边，我替她相中一件橱窗里的红色婚纱。小罗嫌贵不愿意买，小马为此和她发生了争执，我和店员也在一旁劝她。小罗最终同意了。玉真，你没见她穿上那件婚纱有多美，相信到时她肯定是世界上最美的新娘子！"

"这件的确很适合你。"

"到时我站在新娘旁边，礼服应该被她的红色映衬成粉色才对，所以这件最合适！"

"莉莉，你会是北京最漂亮的伴娘！"

"不，玉真，我不是穿给别人看，只当自己做回中国新娘！"

"莉莉，我对不住你。"玉真郁闷地坐下。

"既然我们不能真正结合在一起，权当借小罗的婚礼我嫁给你、嫁到中国！"莉莉盯着书里的图片，手指在上面摩挲。

"莉莉，别这样，我受不了！"

"你以为我好受吗，嫁给一件衣服，和一件衣服结婚？"莉莉埋下头去，消瘦的肩膀像只淋了雨艰难起飞的蝴蝶。

"好了，别哭了！"

"我控制不住！"莉莉抬头擦干泪，眼睛重放光华，"你也认为这件漂亮是吗？我想小罗也应该很满意！"她又把衣服看了几遍，拿起书又到镜子前比画，好像已经站在婚礼现场。"如果我离开人世，这件礼服留给你，就当我真的嫁给你，永远和你在一起了！"她转过来告诉玉真。

"不许说不吉利的话，高兴点好不好？"

"中国人喜欢红色，婚礼会像篝火现场那样热闹，我对这场婚礼充满期待！"莉莉把玉真拉到镜子前，从里面痴痴望他，用手摸他在镜子里的脸，"真不敢相信，我会喜欢上你！"

"我不能给你一个正常人的婚礼，你讨厌我是吗？"

"因为我本身就不是个正常的人，我很清楚这一点。"

"我说的不是这个。"

"我知道你说的是什么，可事实就是如此。我快死了，现在的样子像个老巫婆，身子像鲍鱼一样发臭，你肯收留我我已经很知足。"

"傻瓜，怎么这样说自己，你和凯特王妃一样美。可惜我不是王子，配不上你才对！"

莉莉笑起来，像一溜轻快的键盘音："我们别互相吹捧了，今晚我有惊喜给你！"

"什么惊喜？"

莉莉取出一个精致小包装盒递给玉真，"打开看。"

"莉莉，这太贵重了，我不能接受。"原来是只漂亮的钻戒，在客厅里熠熠生辉。

"为什么有人可以任意挥霍感情，而我们拥有一段爱情这么难？玉真，把它作为我们爱情的见证和纪念，只有它配得上我们这样的爱情！"

"那也应该我送你才对！"

"是我追求你的，不能因为我让你破坏更多的规矩。你做出的牺牲够大了，我不忍心再为难你。"

"今天想吃什么，我现在就去做。"

"我们一起做！"

"不行，你不能太过劳累，乖乖看电视去，我到厨房里做。"

"不行，我们一起做，然后边吃边看电视，中国电视剧里的中国家庭都这样。这样气氛很热闹，人的胃口就会好，我很喜欢。"莉莉系上围裙，样子像《罗马假日》中的赫本一样可爱。

玉真说服不了莉莉："好吧，我和面，你剥葱，我们做葱花饼吃！"

"我现在就是个中国老娘们！"莉莉幸福地跟在玉真后面，剥葱时眼睛辣得直流泪。

"哎呀，我怎么忘了这个，快放下出去吧，我一个人就够了！"玉真看到莉莉眼泪汪汪直后悔，连忙阻止她。现在他早忘掉白天的劳累和不快，和莉莉像对真夫妻一样居家过日子，彼此间那种相濡以沫、细致入微、心灵相映，让他觉得人生简单、平实和温馨。能与心爱的人朝夕相处并让她幸福快乐，这是一种比行医施治更大的成就感。他不由浮想联翩，那想法很快越过了墙：如果自己不是个道士，就去开一家私人诊所，像那个青年一样成就一番男人的大事业，让心爱的人天天欢歌笑语。但他不会像青年那样找情人，他会珍惜那个与他厮守终生、白头到老的人，会像神灵一样敬着她。

莉莉在客厅看玉真忙碌，心里无比陶醉。打开电视，近期报道的重点是中国新一届领导人提出的"中国梦"，表明政府未来十几年雄心勃勃带领全体中国人实现国家现代化和民族复兴伟业的决心与信心。画面连续播放中国各地、各行各业为实现伟大梦想而热火朝天、奋力工作的场面，加上播音员声情并茂的播报，像是整个中国社会前进路上发出的整齐有力的脚步声，很难不让人自觉调整节奏，跟上这坚实有力的步伐。莉莉感觉自己也置身这洪流，成为无数中国人中的一员，以昂扬的劲头去参与、去热爱、去努力。

年底总是最忙，玉真又要上班还要出诊，小罗私底下也要照顾莉莉，玉真只好从药房借人帮忙。

星期天，小罗与莉莉约好一起去化疗，小马和她大早来到玉真小区。两人没有马上上去，而是在下面吵起来。小罗泪流满面对小马说：

"不，你自己上去说，我说不出口。"

"还是你去说，你和莉莉姐关系好。"小马面红耳赤地回答。

"不是说好你说的嘛，现在怎么又变卦！"

"赶紧的吧，迟早要说。"

"莉莉姐听了不知会多难过。"小罗还在磨蹭，小马拽她上楼。

两人拉拉扯扯半天，到门口又耽搁好久，这才由小马别别扭扭敲门。莉莉已经等着了，一眼看出小罗哭过，只以为小两口吵架，哄了几句小罗，又把切好的水果端上，然后坐下望着两人。

"怎么办？现在说还是化疗完回来说？"小罗在小马背后悄声问，小马像吃了安眠药一样没反应。——莉莉看到小罗表情怪怪的对小马说什么，只以为她还在生气。她从旁观者角度观摩别人恋爱，觉得十分有趣。

"废话，这个时候能说吗，当然是回来说！"

"我都糊涂死了！"

"现在可以走了吗？"莉莉看小罗埋怨小马，只当两人关系已改善，于是提议到。想到医院人满为患，她不禁有点晕，希望早去早回。

三人下楼上了小马向同事借的车直奔医院。小马路上把着方向盘问小罗："喜欢什么车，婚后我们也买一辆！"

"现在哪有心情说这个！"——小马一向喜欢聊车，梦想自己买一辆，可一是收入有限，二是摇号机会渺茫，所以到现在还是无车族。他经常数着北京街上的名车，向小罗如数家珍地介绍，现在说这个多少有点向客人吹嘘的意思，却没料到被心情正坏的小罗一口否决。小马继续开他的车，暗自辨认迎面开来的一辆辆豪车，奇怪天底下到底有谁买得起这些车。小罗紧撸着莉莉一只胳膊，像担心她从车上跳下去似的，心里发愁怎么和她把事情讲清楚。原来，当她和小马兴冲冲把邀请莉莉当伴娘的事向各自父母说了以后，起初两家老人都高兴得不得了，就像过年各给他们送了件新衣裳似的。尤其是小马妈妈，恨不得让全世界知道这事。她早听小罗说有个外国女子因为喜欢玉真专门跑来白云观，开始她还取笑玉真，并笑话这女子没羞没臊。但那女子是外国人，外国人做什么出格事都不足为奇，她把这当平常笑话说给邻居们听。没想到儿子结婚她要来，关键是她有显赫的家庭背景，这好比穷人家的筵席上有人送真金白银做大礼。她听得心花怒放，像充电似的精神起来，连被迫嫁老头的晦事都忘得一干二净，急着要把这个好消息散布出去。她早早到小区健身场锻炼，整个上午坐在冬天的室外摘菜唠嗑，要么有意无意向邻居家借东西，想方设法找准一切机会让别人知道有个外国人要来参加儿子婚礼。她声音刻意提高八度，嘴里唾沫星横飞，这下整个街坊邻居都知道了此事。北京人表面奉承、背后阴损人的本事可大着呢，小马妈妈更不知云里雾里了。如果说开始小罗的外埠身份让她颜面无光，那么现在就像给她头上插根翎子唱京戏，甭提多威风了。可随着婚期越来越近，小马渐渐向她透露出莉莉患了不治之症的消息，她立刻黑了脸，揪着小马踢了两脚，嘴里抖着白沫骂道："你个猢狲，原来一直要你妈呢！"她在家里号得上下不通气，又不敢对邻居讲真话。

原来老北京结婚有讲究，一定要找个家世全乎、身体健康的人给新人做伴。这下倒好，小马找了个快死的人，而且一直瞒她到现在！她更对小罗气不打一处来，认为儿子受了她挑唆才这么做！想想儿子现在就对她言听计从，等婚后住一起自己的日子不知怎么难过。又想到几十年如一日把小马拉扯大，自己现在像个局外人，还差点被迫嫁人，她死的心都有了！最终为了儿子，她悄悄咽下这口气，以后尽量不出门，关在屋里一边择菜一边看电视。原来她看着宋丹丹就乐，现在宋丹丹站在跟前她也认不出。——只以为小马妈妈这边没了事，这件事就算过去，没曾想小罗把真相说给父母后，那边也不干了！爸爸接过电话，刚从田里劳作回来的手发着抖："你脑袋被驴子踢了还是怎么着，找个活死人做什么！你不知道你奶奶讲究这些，她知道还不气死！"

"不告诉她不就行了嘛！"

"放屁，就不是那回事！你愿意一辈子沾着晦气啊，你以为和你说话闹着玩啊！"

"爸，你这是封建迷信！你和奶奶成天神神歪歪的，世上哪有那么多讲究！而且，我和莉莉是非常要好的朋友，我已经答应她了！"

"定了的事就不能改了啊？告诉你，赶紧取消这个安排，要不我和你妈也别去你那了，我们就一辈子在这里种田！"

"爸，你说什么啊，小马都给你找好住的地方，连工商执照都办下来了。你不来，他会怎么想？"

爸爸本想到北京与女儿女婿住一块儿，这下更火了："小马也是浑猴，这种事也答应你！你那婆婆也不管用，干吗不拦着你们！你们再不懂事，这种事应该有个分寸！"

"你以前不也喜欢莉莉吗？"

"那是两码事，现在她参加婚礼就是不合适！"

电话那头妈妈听了也急得跳拐，抢过电话劝小罗不要意气用事。小罗没想到在这事上捅了马蜂窝，更别说她那个奶奶用拐杖戳着地火冒三丈。小罗把自己家的情况向小马说了，小马也眼袋沉沉把他妈妈的近况说了，两人躺在床上再没心思腻味。本以为是个大好事，没想到砸了锅！两人思前想后决定不请莉莉做伴娘，可在怎么开口上犯了难。小罗求小马替她说这事，小马推三阻四。小罗从床上追到地下，狠狠捏他的胳膊、背，直到出现瘀青，小马说了句"潘金莲也没你狠心！"这才勉强同意。

"你是男人，你不担当谁担当！"

"这事可是你做的主！"

"那也得你出面解决！"

"亲一下就替你解决！"小马把胳膊伸在小罗面前。

小罗一把把小马胳膊推开："少和我玩悲情，本姑娘不吃这一套！"

小马顿觉没意思地穿起衣服，小罗婉约一笑，上去抱住小马："真生气了？"

小马扭身不理她。

"这就生气了？小心眼！告诉你，让你见识一下河南人的厉害，看谁以后还敢欺负我！"

"你讲理好不好，现在谁欺负谁？"

"不管怎么着，你都要让着我！"

"完了，你爹妈要来了，你们合起伙来还不吃了我！"

"说什么呢，找打是不是！"小罗用渐渐学到的北京话回击小马。小马系好裤扣，系上鞋子往外走。

"不理你，吃早饭去了！"

"回来，我还没洗漱呢！"

"你不是说我欺负你吗，怎么又让我回来！"

"少和我扯没用的，快商量下怎么和莉莉说！"

小马只得坐回去，也不说话，用牙签挑出指甲缝里的脏东西。小罗在卫生间洗漱，独自抱怨事情怎么到了这一步。

"都是你惹出来的呗！"小马气还没消，在外屋打冷炮、淌冷气。

小罗刚洗了半个脸，腾腾地出来，一言不发站小马面前瞪他。小马赶忙赔笑："姑奶奶又怎么了，快回去洗脸！"

"你存心和我作对、看我笑话是不是！我不也是想让咱的婚礼特别些吗？如果要旅行结婚，怎么会有这事发生！难道我让着你妈妈还让错了？"

"看你又说哪儿了，怎么又扯到我妈妈了，她一大早没招你没惹你的！"

"你知道我的好就行，别以为我心里就没有委屈！"

"好了，好了，全是我的不是，我去对莉莉说还不行吗？"

"这还差不多！"莉莉脸在一堆泡沫后笑了，转身回去，不知有意还是无意，屁股扭得格外好看。小马站起追到卫生间门口，倚在门上怪笑："你的屁股和从前不一样了！"

"滚！"小罗嘴上说着，却没有真赶小马走的意思。小马继续笑眯眯打量她全身，她转身看下他："男人怎么都这么流氓！"

"玉真不也流氓？"

"你少说他，他可是好人！"

"你真相信他和莉莉之间没事？"

"只有心里肮脏的人才会那么想！"小罗啪啪往脸上拍爽肤水。为了当好新娘子，她听莉莉劝，下决心买了套大牌子的化妆品。果然钱花在哪哪好，她感觉皮肤滑溜多了，小马现在特别喜欢摸她，舌尖在她脸上蹭来蹭去。北京的冬天不比夏天，空气干燥得要命，她感觉自从得莉莉指点后，自己就像从工艺品变成艺术品，小马每次看她的眼神都铮明瓦亮。

"男女不就那么回事吗，有了也就有了，关键是怕有了不承认！"

"说实话我也怀疑过，可不是那么回事。我相信他们说的。"

"这个你也信？他说没有就没有啊！"

"我真能看得出！"

"看得出什么？"

"他们的眼睛，里面是理性和克制。成天琢磨那事的人，眼神也不对。你看看你，你现在看我的眼神和我们没住在一起时一样吗？那会儿空荡荡，现在满当当！"

"不会吧，你对这事有研究？"小马过去要抱小罗，小罗连忙挥手，"别动我，刚上了水，别浪费！"

"小女子对这个很精通啊，平时怎么没看出来？"

"你在套我话呢是不是，别浪费时间了，赶紧想怎么和莉莉说吧！"小罗又把头发洗了，小马用吹风机帮她往干吹。

"你真相信玉真和莉莉没有做爱？孤男寡女在一块儿，即使玉真没想法，那莉莉一外国人能忍住？听说外国人的性观念开放着呢！"

"你再说！"小罗拿起洗面奶威胁要扔向小马，小马笑嘻嘻跑开。

小马自己扯着头发往干吹。"我的屁股就让你搞大的！"

"我可没那本事！"

"你还说！"小罗好像真生气了，从里面要哭似的出来！

"好了，好了，和你玩也当真！"

"你说，我的屁股不是让你搞大的那还是谁？学过医的这生理变化谁不知道！"

"好了，服了你了，你是学医的，我这下没跑了！"

"还有，以后再不许乱猜忌玉真和莉莉，人家多好的一对，一个要死了，一个在冒险帮忙，多么感天动地啊，却让你在这里抹黑糟蹋！你不体谅人家也就罢了，还说风凉话！怎么学得和那帮老北京人一样零碎嘴，不说能死人啊！真没法说你们了！"

小马无故被小罗训一顿，表面上服软，心里仍不相信玉真和莉莉没事。他个性率真耿直，最看不得虚伪装蒜。虽然他对玉真印象不错，但觉得他也是人，不该像小罗说的那么不食人间烟火。

三人到了医院，小马由小罗指挥着跑上跑下，莉莉的化疗还算顺利。当她从化疗室出来时，小罗急忙上去扶住她。

"没事吧，莉莉姐？"小罗把衣服披在她身上。

"还是让我死了吧。"莉莉虚弱地说。

"莉莉姐，别尽说晦气话！"

"要不是爱上玉真，小罗，我真会从帝国大厦跳下去！下面车水马龙，死对我一点不可怕！"

"莉莉姐，别说了！"小罗转过去抹泪，见小马正盯着莉莉屁股看，立刻竖眼瞪他。小马挪开眼睛，装着看自己的脚。

"我对不起玉真，他对我太好了，可我连个报答的机会都没有。他对宗教的虔诚高于一切，我无法把他唤回到世俗中！"

"但他心里有你！"

"没错，所以我很知足！"莉莉迷幻般地微笑，"这样的爱情就像面对一桌丰盛的食物但必须忍住，不为别的，他是个禁欲主义者。"

"莉莉姐，你要好起来，重新找个你爱的人！"

"会吗？一世都是注定的！——他对我说的。"

"一切都是注定的，大家都这么说。"小罗把肩膀让给莉莉靠着，现在她满脑子是命运的概念。

"我试着寻找答案，可是没有找到。"莉莉想起那天依偎在玉真怀里一起对视天空的情景，笑像一条彩带拂过花丛。

小罗不说话，身感莉莉与玉真的痛缘，觉得自己的未来同样渺茫。虽然留在了北京，虽然小马很合意，但小马也只是小马，他与他的家庭和自己一样渺小，很多东西他们不能自己掌控，总有什么庞大到无法仰视的东西像潮头隐隐而来，让他们无处潜藏，只好以望死者的心态坚强面对。想起那会儿自己那么急着见市长，多么幼稚！现在才明白很多问题只能靠自己解决！她回头找小马，觉得他像个孩子，心里有种暖暖的感觉。她伸手把他拉到跟前，看到他黑眼睛里闪着可爱的细光。

"好羡慕你们，找到彼此的真爱！"

"我们就是普通人，平平常常打发日子。"

"我和他何尝不想，可事实多么残酷，改变不了的！"

"玉真大夫是白云观的重点培养对象！"

"所以啊，小罗，你们的婚礼我一定要参加。虽然我不能亲自穿上漂亮的婚纱，但心里把它当成我和玉真的婚礼！——你们能原谅我的自私吗？"她真挚地看着身边这对情人。

"可是——"

"小罗，等我开车去！"小马打断小罗，趁莉莉不注意对小罗说，"你叫真是铁石心肠，这个时候就别说了，瞅机会再说！"

"你们说什么？"

"他说他去开车，停车费又涨了。"

"是吗？"

"莉莉姐，你能听懂中国话啊？"

"不，还不行！"

"那就是了，我让小马偷偷塞给管理员几个小费，这样就能把车开出来了。"

"哦，我的天，你们在做这个！"莉莉做了个无奈的表情。

"是的，你以为呢？"

小马把车开过来，小罗扶莉莉上车。车里莉莉表情平平，只管看着外面的行人和街道。小马问小罗莉莉怎么回事，小罗没给小马好气受，喊他只管开车。

回到家，化疗反应仍在持续，莉莉只盼玉真早点回来，看到他才会好受些。她不听小罗两人说什么，只想安静待会儿。小马在神像前老老实实站着，如果不注意好像他不存在似的。小罗端着开水和药片过来，穿着自己织的新式毛衣，胳肢窝下鼓鼓囊囊。莉莉接过喝药，表情痛苦得让别人跟着掉泪。

"莉莉姐，我想和你说件事。"

"什么事，小罗？"她每下呼吸都特别困难，神情极度疲乏，好像刚从野外遇险被营救回来，说话声轻得像尘土落在羽毛上的。

"小罗，非得现在说吗？"

"现在不说什么时候说，迟早都得说！不用你说，我自己来！"小罗像戴上手套铁了心作案的凶手，眼睛里凶光毕露。

小马同情地看着莉莉，像亲眼目睹一场凶杀案发生，却不能施手相救。

"说吧。"莉莉婴儿般的微笑和稚语，像一汪平静的池水，映照周围美丽的景物。如果是平时，这微笑和稚嫩一定可以打动任何人，但这个时候，却打动不了走投无路的小罗。可怜的她对即将遭受的打击一无所知，像个地震前危房里的孩子。

"我说出来你肯定受不了，可我也没办法，我必须得说出来。"

这下莉莉预感到事情的严重性，欠身从沙发上坐好，眼睛真诚地望着小罗。小罗不敢与她对视，迅速把眼睛移开。

"对不起，莉莉姐，你不能参加我们的婚礼了！"

"怎么回事？"

"亲友们都反对你出席我们的婚礼，我们拗不过他们。"小马替小罗说出来，最后时刻他站出来，像案件的主凶在紧急关头扑上去，把手摁进受害者柔嫩的脖子。

"为什么?!"莉莉这一句并不真在问什么，而是泄怒。她的脸迅速失去血色，眼睛像挖掉一样空洞。眼泪像不是自己的，每一颗都有十万公斤重，可以在地球表面砸出个坑。同时手中的杯子滚落，热水大面积洇湿衣服，皮肤对温度没有任何反应。

"莉莉姐，你没事吧？"

"你们回去吧，让我一个人待会儿。"

"不，莉莉姐，让我们留下来陪你！"

"用不着，我知道给你们添麻烦了。"

"莉莉姐，你怎么这么说？"

"我不送你们了，你们自己走吧。"

小罗看小马，小马捅捅小罗，两人决定离开。

"莉莉姐，我们先走了，你别难过。"

莉莉点点头，坚强地坐好，神情自若地看两人离开。等门一带上，她马上跌在沙发里，抽动着身体哭起来，泪水像拧开没人管的水龙头淹没整个世界。

屋外，小罗两人耳朵贴着门听了良久。

"她哭了！"

"她不哭才怪呢！"

"这对她的打击太大了，搁谁谁也受不了。"

"她不会出什么事吧？"

"最好给玉真打个电话，看他在什么地方，让他赶紧回来。"

"他要是知道我们不让莉莉参加婚礼，他会怎么想？"

"顾不了那么多了，先让他回来看好莉莉。"

小马关键时刻表现出男子汉气概，小罗退去强势对他言听计从。两人来到楼下，小罗给外出行医的玉真打电话，玉真没听完就撂了。小罗手捧着电话直发抖："我们捅大娄子了！"她不敢往下想，到目前为止她还没见过玉真发怒发威的样子。"趁他没回来，我们赶快离开！"

"嗯，一时半会儿应该不会出什么事。"

小罗拉紧小马，两人迅速撤离这个是非之地。

"都怨老人们，怎么那么多讲究！"

"他们也是为我们好！"

"好什么好，现在呢？我以后还怎么见玉真大夫！"他俩好像狠劲抽动身下的大马。

"是啊，如果莉莉想不开死了，我也觉得手上沾有她的血！"

"呸呸呸，说什么晦气话！"小罗拍打小马，小马不理他。两人絮絮叨叨穿过胡同，包子铺的老板看他们匆匆经过。现在大约下午两点，太阳已偏西得厉害，包子铺准备晚上的炒菜。近来生意大不如从前，大批外乡人

已离开北京。小马二人的车中途熄了好几次火。

玉真敲了通门没人开，只得取钥匙自己开。莉莉没在客厅，他打开她房间的门，看到她正穿着那件粉色礼服静静躺在床上，他进去也没有任何反应。玉真血冲上头，冲过去焦急喊起来：

"莉莉，你怎么了，你醒醒！"

过了好久，莉莉才透出股悠悠气，像从高压阀中挤出一溜声，最后哇的一下，好像把五脏六腑全倒出来。玉真已从小罗那大致了解了情况，事情很棘手，他不知怎么让她平息下来。接了小罗的电话他非常生气，他们好心办了坏事。好在没出什么事，他放心许多。但最好让她把委屈宣泄出来，这样他才有机会开口。看到莉莉一只手紧攥着什么，他上去用力掰开，里面掉出十几粒药片。

"莉莉，你要做什么蠢事！"

"玉真，我想死，这样你会更痛苦，是吗？"

"这不是往我心上捅刀子吗？"

"我受不了，希望一个个相继破灭：我想要孩子没要上，想和你结婚不可能，想做别人的伴娘被拒绝，上帝真会和我开玩笑！"

"你不能太自私，既然你找到我，就不能撒手不管我！"

"或许从决定找你的那一刻起我就错了！我应该好好待在美国，然后嫁给那个对我还算不赖的皮特曼，可我真的一点不爱他！玉真，我曾想和他生个孩子，只是想和他生个孩子，你介意吗？"

"不，不会！你把时间留给自己是对的，你来找我也是对的。"

"这不怨你，玉真，别把事情往身上揽。我想清楚了，我现在不能死，否则会冤枉你。"她纤弱的手在他脸颊滑过，他几滴滚烫的男儿泪让她血液沸腾。她吃力地歪过头："我穿这件衣服漂亮吧？"

"漂亮，你穿什么都漂亮！"

"男人恭维女人也是一门艺术！"

"这个时候你还有心开玩笑，你穿着它就是世上最漂亮的新娘。"

"你能这样说我太开心了。玉真，我只爱你，你是我这世上唯一的爱，今晚我就嫁给你！"

玉真低下头，脑子里在做激烈思想斗争。

"傻瓜，我不会真让你和我结婚，我只想穿着这衣服和你度过这样一个晚上。"

"我对不起你。"

"对不起你已经说过一万遍了!"她艰难地咽下口水,"躺到我旁边来。小心,别碰到我的衣服,把它们弄皱就不好看了。"她闭上眼轻轻说。

"我把灯关掉。"

屋子一下陷入黑暗,玉真借着窗外模糊的光在莉莉旁边躺下。他侧身面对她,她像一件精美的玉器发出微弱的光。

"我没有准备新婚礼物。"

"你知道我最渴望什么?"

玉真眼巴巴望着她,她好像一人在演独角戏。

"我想起初到白云观,听道士们演奏的音乐和他们唱的歌。"

"那是每天的功课和法事。"

"自从听了那种音乐我就忘不了。那音乐好像宇宙中的射线穿越我的身体,变成我血液和灵魂的一部分。我的身体空空如也,却飞出五彩斑斓的蝴蝶、花朵和丝带,宇宙的黑暗成了我人生演出的舞台。我从未如此愉悦,放下一切忌惮痛苦,轻盈得像落入花蕊的蜻蜓。仿佛那是从上帝厅堂里传来的阵阵仙音,我每个细胞都在舞蹈歌唱!玉真,那种感觉就像我们此时在一起的样子,一切属于我们,一切受我们操控,一切满足我们内心,这是生命挣扎到最巅峰时,领略人生的最美享受。"

"你是世上最美丽、最坚贞的蝴蝶!你从大洋彼岸飞来找我,我要爱护你、珍惜你!"

"赞赏女人就是唱空一座城池!今晚,欢迎你这来自古国的宾客入驻!"莉莉翻过身,抱紧玉真,抬眼望去,好像上面的楼板和住户都不翼而飞了,只剩满天星月、飞火流萤。"回忆像条纵贯线,生命就这样被串起来。人生短暂,却像一挂完美无瑕的珠链,我今生无憾了!"她把瘦骨嶙峋的身体贴近玉真,胸脯剧烈起伏,散发美妙熏人的香气。她之前用了足够的香氛保持身体芬芳。

"现在,我是你的妻子!"

"现在,你已是我妻子!"

两人手紧紧握在一起,闭眼静静躺着,眼前兀自升起翩翩闪耀的花蝶……

由于游客锐减和满城树木叶落，冬天的北京城体量似乎增大一倍。风越过八达岭和西山在冲积平原上畅通无阻，上千座高楼大厦抵消不了它们的威力。北京的冬天天黑得早，玉真骑着电动自行车，后面载着包裹在棉衣里的莉莉。她手里举串糖葫芦，脖里的红纱巾高高扬起，两人在大风地歪歪扭扭往回赶。玉真下午带莉莉去趟北京西客站和莲花池公园，这是离白云观最近、最热闹的景点。他想带她解解闷，她整天不出家门，样子让人生怜。莉莉看到和纽约中央火车站一样蔚为壮观的北京西客站，里面人头攒动、声浪如海；过街天桥下车流滚滚，而远处为纪念 21 世纪到来修建的世纪坛，日晷尖尖直刺苍穹；她激动得大喊大叫。他们来到莲花池公园，如果是夏天，这里舟下翠波、身边绿树、鼻尖荷田、远方西山，令人如在画中。而现今万木凋零，白冰汪洋，只在近岸还立些残荷枯叶，回味起来像一场王家卫的电影。玉真临回给莉莉买个糖葫芦，莉莉爱不释手。两人进了胡同，只有风没有人，路灯下几只流浪猫狗同时抬头望他们。

"今天不用偷偷摸摸的！"莉莉笑着说。

"坐好，前面有个坑。"

"今天真高兴，只是累坏你了。"

"什么声音？"

"什么什么声音？"

"你听！"玉真屏住呼吸仔细听。一只狗也机警地抬头竖起耳朵，然后汪汪叫两声。

"会有歹徒吗？"

"这里治安一向很好！——后面好像有脚步声！"

"什么也没有，我看过了！"莉莉扭头后看，一阵风眯了她的眼，她赶紧靠在玉真身上。

"那条狗也跑没了！"

"放我下来，我自己走会儿！"

"别说话，我们快些回去！"

莉莉又回头观察了下，不知为什么，她开始觉得后面有双眼睛盯着他们。她下意识搂紧玉真，两人快速驶入小区。

就在两人拐进去不久，两个黑影从巷口阴影里站出来，原来是街道居委会姜大妈和李大妈。两人右臂都箍着志愿者红袖标。

"看来群众反映情况属实!"

"今天终于逮着现形了!"姜大妈继续盯着空洞的前面,一边捶捶肩,一边打呵欠。

"你说这玉真大夫,好端端道士不做,偏做这种苟且之事!这也罢了,还整个外国人,这不引火上身吗?"

"这熟人的事情最难办!今天就到这儿,明天好好商量下怎么办。"

"原以为他是个老实巴交的年轻人,可是……"李大妈叹口气。

两人又职业性地到玉真楼下,抬头看玉真房子亮起灯,相互失望地摇摇头,这才分开散了。那条狗也回到巷子中间,在路灯下冲她俩的影子友好地摇尾巴。

临近年底,电视里都是些花花绿绿、热热闹闹的晚会和综艺节目。莉莉开着电视只图听个响,她刚从网站了解过美国和纽约的情况,现在专心制作十字绣。是一幅《花好月圆》,已加工完大半,她准备送给小罗和小马做结婚礼物。玉真的房子装修水平大致相当于美国六七十年代,好在是和相爱的人住在一起,她有种苦中作乐的感觉。玉真端饭上来,西红柿炒鸡蛋,胡萝卜拌苦瓜,香味直钻她鼻子;由于分神她差点扎到手。玉真摆好碗筷,她坐过去,二人相视一笑,正要送饭到嘴里,突然响起敲门声。

"这时候会是谁?"

"小罗和小马?"

"他们好久不来了!"

玉真过去开门,原来是居委会姜、李二位大妈。

"大妈您好,有什么事?"

"最近居民们反映蟑螂多起来,我们挨家挨户送灭蟑药了!"

"是啊,蟑螂这东西危害可大了,不抓紧消灭不行啊!"李大妈在边上边说边往屋里瞧。

"二位大妈快里面请!"

二位大妈挤进来,不说蟑螂的事,到处东瞅瞅西望望,却像找人似的。

"大妈先坐下喝口水吧。"

两位大妈相互耳语几声，一起朝莉莉房间看下："玉真，刚才明明听着有人说话，好像还是个女的？"

"没有啊，你们是不是听错了？"

"我们听错了？那倒是，可能是电视的声音。"

玉真暗捏把汗，电视里《星光大道》里的嘉宾正在点评，台上演员黯然神伤。玉真的心情比他们还糟糕。

"只知道玉真病看得好，这手艺也不错啊！哟，怎么还多了个碗？"

"哦，煮多了。"

"两双筷子两只碗！"姜大妈好像猫抓老鼠抓了又放，眼睛放肆地寻找蛛丝马迹。

"老姐姐，别愣着了，赶紧放完药让人家玉真大夫吃饭。"

"是啊，怎么来得这么不是时候！对不住了，玉真大夫，我们这就放药，放完了就走，不打扰你。"

"不不不，你们把药留下，我自己放就行了。"

"你客气什么，我们的工作就是为居民朋友们服务！你吃饭，别沾这些东西了。"不容分说，她们挡开玉真往房子四处搁药。走到莉莉房间门口，姜大妈故意直起腰：

"这间要放吗？"

"当然要放了，事情不能做一半。"

玉真后背出汗了："大妈，天不早了，你们早点回去吧。"

"哟，玉真，这可不是你啊，不欢迎我们来是吧？"

"我是说这房间我自己放就行。"

"瞧您这客气劲，老街坊谁跟谁啊，赶明看病还得你照顾些呢！"两个老太太别有用心地相互对视，笑里藏刀透着阴险。

"你去左边那个，我到右边这个！"两老太太自行分工，玉真没法阻拦她们。玉真头发竖起来，他看到姜大妈打开莉莉房门那一刻站着不动了，好像抓着赃物要向人示众。玉真脸比茄子还紫，口干得说不出一个字，后背衣服全湿了。

"他李大妈，快看这里有个人！"

李大妈蹭过来："哟，还真有个人！"

"怎么回事啊，玉真？"姜大妈平静得像不认识玉真一样。莉莉在房里直愣愣看着突然发出的一切，身上还穿着之前的礼服，虽然听不懂外面说什么，但当房门打开的一瞬间还是明白了什么。

"一个美国朋友！"

"还是一美国人，这看病怎么还看到家里来了？"

"是啊，看病怎么还穿成这个样子！"李大妈"啧啧"几声，表情又新鲜又失望。

"玉真，咱小区的管理你不是不知道！别的我不说，你带一外国人住你这算什么，总得和我们说一声啊！要是出了什么事，我们可跟着挨处罚，说不定还会掉饭碗！"

"玉真，不是大妈说你，要找也找个中国的！你想找，大妈可着劲儿给你找，不信没有配不上你的！"

"你听听，李大妈话都说到这份上了，你虽是个道人，但戗不住也是个年轻人，男女之事我们可以睁只眼闭只眼，可这事你做得不地道。"

"听大妈的，赶紧让她走，有什么事我们老姐俩替你兜着，绝不会把这件事说出去！"

"不可能，我不可能让她走。"

"哟嗬，你还挺硬！我们今天既然找过来了，就说明我们知道这件事了！念及你是老朋友，才没有直接戳穿你！我们年纪毕竟人你一截，今天来也是为你好。"

"是啊，早有人反映你和一外国人住一块儿，说你'金屋藏娇'，你听听多难听！这以后你还能当道人吗，还能待在白云观？"

"她病了，我只是给她看病，别的什么也没有。"

"谁信？生病的多了，你怎么没把别人请到家里？"

"她是外国人，就算她喜欢我，千里迢迢来找我，她没有任何错，我不能伤了她。"

"错还在你，对不对？你让她走，美国的医疗条件不比中国强啊！"

玉真脸色变得阴沉，语气也冰冷起来，两个老太太感觉势头不对，都有些害怕。

"话我们说到了，我们也是一番好心，后面发生什么事我们可管不了！"姜大妈捅捅李大妈，两人溜到门口。姜大妈回头又说："玉真，这房里臭烘烘的，你能住啊？再说外国人都有狐臭，将来生个臭孩子怎么办？"

"就是!"李大妈支起鼻子使劲闻闻,赶紧捂上。她就像相声演员中的捧哏,多年的搭伙让她俩配合得天衣无缝。

"你最好明天带她到居委会做个登记,别让大家为难!"

玉真一动不动僵在原地,对她们说的没有任何反应。两老太太失望地转身出去,一出门就吐口气:今天果然出手有货,抓着一条大鱼。两人扬长而去。

莉莉拖着衣服慢慢出来,像走上刑台一样绝望。玉真犹豫下,上去抱紧她。"不抛弃,不放弃!"他心里这样想着,眼光变得坚硬和强悍起来。

第十三章　受戒皈返

　　这天，道医馆到了营业时间，玉真却没按点上班，惹得病人攒在门口叽叽喳喳。小罗不断拨打玉真手机，里面只响着"对不起，您所拨打的电话已关机"。"昨天还好好的，今天怎么就关机了?"小罗手心全是汗，神情焦躁又恍惚。自从她拒绝莉莉担任伴娘后，一直担心出什么意外。"老天爷啊，你就不能保佑保佑咱吗?"越怕什么越来什么，她有过这样的先兆! 当天晚上她想给玉真打电话，可和小马谁都不敢拨。第二天她特意做贼似的赶早到白云观，想观察下玉真反应，可玉真待她如常，她反倒不好张口，这更让她有不祥预感。病人不住询问催促，一边乱纷纷猜测，偏没一个主动站出米帮她。她索性不理他们，在道医馆门口朝院子外张望。时间慢慢过去，玉真始终没有出现。她实在等不及了，打算到他家里看看。

　　"我过去看看，大家等在这里!"

　　"快点吧，再不就中午了，还得接孩子放学!"

　　"怎么连电话也不接，玉真大夫平时不这样啊!"

　　"要说就这点不好，他一个人住外面，真有个三长两短也没人知道!"

　　"大家都安静些吧，别耽误小罗了解情况! 小罗，辛苦你了!"

　　小罗含泪往外走，总算有人说了句暖心话，她听了又感动又委屈。刚出道医馆大门，却见智海怒气冲冲朝这边过来，见小罗劈头就问：

　　"玉真在观里吗?"

　　"不在，我这就去找。"小罗以为智海已经知道了情况。他样子凶得要吃人，吓得小罗直往后躲。

　　"他居然没来坐诊?"

　　听到智海这样问，小罗有点摸不着头脑：难道她和智海说的不是一回事？她原以为智海为玉真没来道医馆生气，现在看样子情况并不简单。"完了，完了，一定发生什么不测了！"她后悔得要死，当初干吗要邀请莉莉做伴娘呢？一时不慎闯下弥天大祸，不久她就得从白云观滚蛋。她眼前发黑，嘴唇发抖，腿肚颤软，就算小马在也扶不稳她。现在她要摆脱这事，唯有吐血就地而亡。

智海怒不可遏看着小罗，小罗挪动不了脚，像被老鹰拘了的兔子。"这么重要的情况为什么不向我汇报？！"

"以前从没发生过这种事，只以为他有事耽搁了，一会儿就来！"

"现在快去找，不成器的混账东西！"小罗听得前面一句撒腿就跑，后面那句她没听清楚，不知道智海骂她还是骂玉真，不过后来她想智海在骂所有人。

小罗这边找玉真不说，剩下智海这边气得五腑炸裂。早上他刚做完例行检查，在看管委会和道教协会转来的文件，就见方丈挑帘进来，脸露愠怒，身后跟着居委会两个熟人。他看情况不妙，忙起身迎接，请方丈和客人坐下说话。

"不用了，我说过就走！"方丈的话势大力沉，智海吃力接住。这些年虽说他们搭档得还好，但很多时候关系微妙。这在一般人感受不到，只有他俩自己能敏锐觉察并把握。就像两个对对方至悉洞底的武林高手，正因为各有顾忌才相安无事。

"不知方丈为何事生气？"智海赔着小心问，这也是他化守为攻的一步。

"智海，玉真的事你要好好管管了！如果情况属实，对于我们白云观十分不利，责成你尽快查清楚，具体情况你和二位主任了解吧！"方丈说罢转身向两位客人微微前躬，浓眉锁云，"二位同志，观里出了这样的事还望你们先守着，等调查清楚了自然会给二位交代！"两个老太太平时没机会见着方丈，见他果然相貌堂堂、面目慈善，更年期心理作祟，早看得发呆了。听方丈这样说，二人慌忙道："放心吧，我们不会说出去，事情弄大了对谁都不好。您老可别着急上火，甭说年轻人忍守不住，就是年纪大的——"说到这姜大妈意识到自己说走嘴，那边李大妈咽炎发作似的吭哧哼哧提醒她，于是连忙改口，"那个什么，方丈同志，您要有事先忙您的，我们把情况向智海师父汇报就得了！"

　　"多谢二位同志体谅！"方丈气宇不凡，让吃惯鸡鸭鱼肉的二位大妈惊为天人，眼睛里直冒红心。

　　"您请，您请！"她们并排站在门口给方丈让道，方丈经过时她们都暗提几口气，感觉自己也得道升天似的。好一会儿她们才转过身，坐回智海的山炕上，喝着刚沏好的五夷山大红袍。智海大清早挨了方丈几招，并非无缘无故，皆因大家认为玉真是他一手栽培起来，是他这方面的人。方丈摞给他的几下，掌力绵厚，简单之后透着阴沉。

　　"还请二位细说端详。"智海恭敬地坐在客人对面，急于把事情弄清楚。其实大家都很熟，白云观的许多事情绕不开居委会，而观里也经常参加社区组织的一些活动，二者关系还算不错。

　　"智海师父！"——两人同时抢话打了架，好不容易互相推辞完，姜大妈气定神闲端起茶碗，说："智海师父，我们来也没别的意思，只想把情况反映给你们，大家低头不见抬头见，我们无论如何没有恶意。"

　　智海想让自己平缓些，可急躁还是反映到脸上，眼神不免有些凶恶。两个客人不像刚才大胆随便，坐直身子说话。智海续茶，李大妈跳起来主动帮忙。接下来她变成丫鬟角色，边听话边给二位服务。

　　"前段时间我们知道玉真屋里住进位外国人，开始没当回事，以为住几天就走了。没想到快半月过去，那人倒像住着不走了。昨天我们姐俩去他家里探测一番，果不其然，玉真给她做了西红柿鸡蛋汤，那女的穿得跟唱戏似的，看样子两人真过一块儿了！我们害怕夜长梦多，今天赶紧给方丈说了。你想啊，白云观在京城名气多大啊，玉真大夫也上过电视，怎么着也算个名人，北京城就这么大点地，要是俩人制造出个外交事件，麻烦就大了去了！"

　　"是啊，这段时间巷子里风言风语。包子铺老板几次上门给俩人送包子去。放风筝的老张头也看见两人大半夜往天宁寺那边跑。哎哟，他说的话肉麻死了！还有……"

　　"你们说的确定属实？！"

　　"智海师父，我们不都坐这儿了还能说假？"姜大妈最擅长把头一歪、眼一瞥，好像什么事都不屑一提。这会儿她刚把头撇过去，还没来得及转过来，就听对面桌上啪的一响，吓得她魂都出来了，再看智海山似的黑压压竖着，手摁着的一个桌角已经没了。李大妈罗圈着腿，拎着壶直打哆嗦。

"那个小罗也常去帮忙，他们早串通好的，就瞒着白云观了！"

"是啊，但凡长眼睛和耳朵的都知道了！"

"他们是精心安排好的！我去问包子铺小李，他却含糊其词，一定是玉真安顿过的！"

"玉真在这一带人缘好，名气又响，大家都护着他！"

"李姐，小李的包子铺不让他开了，让工商局没收他的营业执照！我们平时对他多照顾，让他帮个忙比杀了他还难！"

"我和您说啊，智海师父，那天晚上是《星光大道》的周赛，里面有我们小区一个选手，她台下唱得挺好，可不知怎么上台紧张了，过了第二关就被刷下来！真是的，我们还希望她能拿个周冠军，也算咱们街道文化工作的亮点。这下算是白忙活了，本来我们已经提前向上面汇报了……"

"老姐姐，说正形的，智海师父要听玉真的事！"

"对，说玉真的事！智海师父别见怪，这女人年龄大了就糊涂忘事！——我说哪儿了，对，《星光大道》！前些天晚上我们老姐俩正为这个生气，突然听到外面大声'help me，help me！'我们跑出去，就见一个外国女的正在巷口呼救，玉真和俩男的在一起纠缠！"说着埋下头双手比画起来，像落在水里一样扑腾，"是不是这样，老姐姐！"

"没错，老姐姐！"两位大妈互相帮着腔，像两只不离不弃的孪生家鹅，亲密到分不出彼此和大小。

"你知道北京可是首都，治安和维稳多么重要，出不得一丁点马虎！我们两个头巾没戴往出跑，事后差点感冒了！我们想上去帮忙，可没几下那两人就被玉真赶跑了，那外国女的就这么地扑在玉真怀里哭起来！"李大妈半吨重的身子投给姜大妈，姜大妈气吁吁接住，"我真是说不出口，和别的小年轻一样一样的！过了会儿，两人推着电动车一前一后回去了！我们本想上去问个究竟，可事情过去了，不好再追问人家！"

李大妈接着说下去："是啊，咱可不能平白无故冤枉玉真大夫！我们这才想了个送蟑螂药的办法亲自去他家里探个虚实。果不其然，嘿，活脱脱抓了个现形，那场面没法说！"

"多亏我灵机一动想出这么个好主意，这才把事情核实清楚了！"

"姜姐你可立头功了！"

"谁说的，也有你的功劳！"

"智海师父啊，我们也不愿管这劳什子事，可事情发生在我俩辖区内，我们就负有不可推卸的责任！这不我们姐俩大早饭没吃一口，就麻溜地向你们报告！"

"辛苦二位同志了。"智海好不容易听完，从牙缝里强挤出几个字，"等事情忙完了，一定给二位压惊。"

姜大妈早知道智海是个火暴性子，现在听他在下逐客令，脸比那故宫的地砖还难看，赶忙带李大妈告辞："那智海师父您先忙着，一有消息通知我们。"

"一定，一定。"智海的回答像六月落雪。

前脚二位老太太出门，智海后脚踢飞一只椅子，那椅子在墙上撞成个稀巴烂。事情出就出了吧，他恼的是这么大的事他居然事先没一点觉察。这混小子居然瞒过他闯了大祸！玉真是自己一手栽培起来，观里观外都认为他是自己这边的人。刚才方丈发难，连风带雨呼扇他，让他颜面全无，以后一段时间也得夹着尾巴做人。原只担心玉真别和外面接触多了变得世俗滑头，自己也屡次在男女之事上旁敲侧击过他，并毅然把隐藏多年的身世原原本本告诉他。本以为这群人里最放心的是他，可偏偏出事的是他，而且捅的是大大的窟窿，自己怎能不咬牙切齿。周围没人，智海不再多想，甩开膀子绝地腾空直奔道医馆，正好半截听小罗说玉真没在诊室，眼见小罗纸一样飘荡去了，他只好返回屋里等信。下属早把碎掉的椅子抬出去。智海躁得坐立不安，手在水碗里转得飞快。

玉真凛然走进白云观，小罗像他后面牵着的一只羊。他原就担心俩老太太把事情捅到观里，现在事情果真败露。他知道收留莉莉有嘴说不清，犹豫再三做出上午这天下大不韪之事。对于擅自把工作和病人扔在一边，他自觉愧疚至极。可想到莉莉是个将死之人，而且自己真的对她情不得已，他便决定犯死相拼。小罗去请他，他本不想去，但莉莉劝他冷静些，他这才打算与智海见面。进了院子，他吩咐小罗支应病人，自己直接找到智海。还没进门，智海的声音就凌空飞来：

"你做的好事，还有脸来见我！"

随话音一串珠子破窗而出，直击玉真胸口。玉真一晃，把珠子稳稳接住，再不往前走，就地一跪："请师父惩罚！"

智海再不心疼玉真，任他跪在零下六七度的外面瑟瑟发抖。良久，智海的声音好像从冰窖里冒出来："玉真，你怎么这么糊涂！千人错、万人错，这个人就不该是你！"

"师父，这个劫我过不去。"

"你知道自己在做什么吗，你知道这件事对你、对我、对白云观影响有多大吗？我是过来人，难道不知道你在想什么？眼见你往悬崖下跳，我怎能袖手旁观？若是别人，我早动手废了他，可对你我下不了手，你要赶紧迷途知返啊！"

"师父，您别劝了，这次就算我对不住您和白云观了。"

"你当真铁了心？"智海声音陡然峻峭，透出十分凶狠。

"开弓没有回头箭，师父，我是迫不得已。"

门"哗"地开了，智海正待动手，却见玉真头发零乱、胡子拉碴。他见惯玉真衣冠楚楚，突见他现在这般模样，心中不禁一惊，那眼神里充满父子、师徒、同事、朋友、亲族间的喜爱、欣赏、关心、惋惜、恨铁不成钢、忘年交情以及愤怒。"你啊你，你让我怎么办！"他把脚一跺，整座院子跟着晃动。

玉真抬起头，跪前几步："师父息怒，您要恨我，就出手吧。"

"罢了！"智海仰天长叹，"打死你又能怎样！我心痛的不是你，心痛的是白云观和道教的以后！别人不理解我的心，现在你也不明白，我还有什么指望！"说罢，心里暗涌无限凄凉，眼前黑漆漆的，一种前所未有的挫败感山崩海啸般漫卷而至。

玉真始终认为自己现在最重要的事就是救治莉莉，即使他是个道士，这也是义不容辞的事！看着智海万箭穿心，他仍然不为所动。

"这事总得和观里有个交代，明天一早你按时来。"

"师父，我——"

"就算师父求你！"

"我听师父的。"玉真已经做好接受惩罚的准备，他巴不得接受惩罚，这样心里好受些。

智海再不说什么，关上门再没任何动静。

玉真慢慢站起，"师父，珠子搁在外面，您多保重！"他知道智海不会理他，悄悄退到外面。他直接回家，知道莉莉正焦急地等他。中途他打电话给小罗，询问道医馆的情况。他听出小罗的手机铃声是台湾歌手杨宗纬的《洋葱》："如果你愿意一层一层一层地剥开我的心，你会发现，你会讶异，你是我最压抑、最深处的秘密……"

"喂，喂，玉真哥吗？"

小罗连叫几声，玉真回过神来。"道医馆情况怎么样，病人们都走了吗？"

"好不容易打发走，大家意见可大了！有的埋怨没看成病白跑一趟，有的坐了两小时不肯走。他们一个个脸色难看，好像咱们倒欠他们的钱！我对他们解释说你病了，他们半信半疑，说以前怎么没见你病过啊，以前怎么没见你请过假啊。你是个有名大夫，怎么会生病？我说人吃五谷杂粮哪有不生病的。他们说我小姑娘真犟，就会耍嘴皮子。一些人好像知道你的情况，我都快和他们吵起来了！他们说变脸就变脸，一点不讲情面。我说玉真大夫有什么事不干你们的事，你们到这里看病就是看病，别扯乎别的！看病也是你们自己来的，不是我们请你们来的，这里看不着可往别处去，不必在这里风言风语！他们都快把我吃了，就差拿拐棍扔我了！"小罗没一会儿说了一大堆，像洗衣液浸出一大堆泡沫。她就怕玉真瞅空插话，把事情添油加醋地说，好分散玉真的注意力，让他无法追究她。

"暂时没事就好。"

"他们都回去了。玉真哥，你明天上班吗？我可是这样和他们许的！"

"知道了。"玉真淡淡说完撂掉电话。他只是了解情况，心知自己已顾不到道医馆这边。现在他要集中精力保护和救治莉莉，别的事情一概无足轻重。好在多数人患的是些不痛不痒的病，完全可以到别处治。他绕过保安和武警拉起的警戒线，眼见白云观洋溢着新年将至那种特有的忙碌和喜悦，而自己被这横生出的事搅得兴致全无。一排排宫殿整饰一新，在阳光下更显巍峨华妙。他有意避开人群，从房子夹缝穿过。他不知道明天智海和方丈如何处置自己，虽努力挺直腰身，步子却不似往常从容。

这边小罗暂时处理完道医馆的事，但没到下班时间，不敢贸然离开。药房今天因为玉真没来格外空闲，几个中年妇女正聊家长里短，孩子的学习成绩怎样啦，丈夫们又去哪儿出差和旅游啦，房市、股票、基金行情如何生变了，哪个官员又出绯闻了，这些永远是她们热衷的话题。小罗无心参与她们，坐在诊室里看光线里的悬浮物。今天她才发现空气里居然有这

么多细小的东西，这大概就是新闻里总提到的PM2.5，听说吸到肺里会致癌。不过她现在担心的不是自己得癌症，而是自己日后还能不能在这里上班。她最担心的事情发生了，想当初那么义无反顾答应玉真，她有点后悔了。眼见马上要结婚，她却丢了工作，这婚结得还有什么意思。一旦成了家，真正用钱的时候才到了，单凭小马一个人的工资怎么应付得了？真是自作自受啊！她发愁地搓手，身子都快拧成麻团。要不到时和自己父母一起卖麻辣串去？这样一家人又在一起了，还可以有个照应。反正偌大的北京没几个认识她，想丢人也无处丢去，先赚了钱再说。念头一闪而过，她马上否定：就算小马同意，婆婆和她的亲戚们会同意吗？婆婆一直对外地人有偏见，对河南人更是瞧不起。自己为这个河南身份受了多少气，以致最后糊涂到电话里和爸爸为这个吵，爸爸最后回她一句："谁让你上辈子欠俺家的，有本事你生到美国总统奥巴马家！"一句话磕疼她的嘴，她鼻青脸肿再不提这事。以后婆婆一提这事，她立马翻脸，婆婆也就好多了。——好不容易熬过半小时，药房的人叫她一块儿到食堂吃饭，为了省钱结婚她不吃早点，早饿得前心贴后背。坐下吃饭时，她忽觉周围一切生分起来，这里再不属于自己，从今起她变成了一个局外人。她一点一点掰馒头吃，同来的人笑话她怎么变成小气鸡，只有她在心里哭：你们没人知道我的苦啊！

这边智海知道好言相劝已不奏效，思前想后想出一个办法，既可以让玉真回心转意，又可最大限度从方丈那里挽回颜面。他去把想法向方丈汇报，方丈脸上阴晴不动，哼哼一声算是答应。这次方丈连杯茶都没请他，他万分无趣出来，感叹方丈真是得理不饶人啊！他很快找来几个管事把事情布置下去，众人听了皆是大惊，但又猜这里必有蹊跷，便不再多问，闷着声赶紧去准备。白云观好多年没动用过戒规，受吩咐的人不敢怠慢，脸色都极不自然，透着可怕的严肃。事情让他们备感意外，他们都替玉真捏把汗，担心他明天会被打死。几个小道士被安排到戒台忙乱，由于这地方长年闲着，上面生满蛛丝和杂草。小道士们以为只是为过年做清洁，所以扬着扫帚闹着玩，做得马虎了些，不想被大师父逮着一顿臭骂，都快气炸肺了。大师父刚转身到别处，他们立刻歪头支眼低声咒骂起来。不过再不敢粗心，动作虽野蛮了点，将戒台里外精心收拾好，然后抱着扫帚等大师父回来检查。

　　再说玉真，路上准备好接受观里任何惩罚后，心平气和回到家，装着与平时一样有说有笑。吃过莉莉做的有点焦煳了的馒头片和海米粥后，两人一个作画一个看书。中间他收到小罗发的几条微信，照例提醒莉莉按时吃药、休息。整个下午和晚上都没什么事，莉莉把玉真的肖像画给他看，他让她摁上手印保存起来。晚上给莉莉用过针、服过药，他早早回卧室睡觉。隔壁有对新婚不久的小夫妻，天天折腾到很晚，他听得热性难耐。这一夜虽然睡得安稳，却也做了很多奇怪生僻的梦。次日天刚亮他就起床，没惊动莉莉直接出门。看到前前后后虚幻无垠的景象，呼吸不由加重。大地呈现在蛋壳样的晨曦中，白云观正在苏醒，排排殿影小山似的威严矗立。但貌似平静之中，却与往日略有不同。没有一贯早课的忙碌，喜鹊也没出现在枝头，各殿烛火不举，院里只听到风吹窝风桥下铁片发出的声响。早有人候着他，一路带他到戒台。越到里面，他越不紧张，有种要腾空而起、一飞冲天的感觉。是的，他没有做错，他在拯救一个人，在满足一个濒死之人生前最后的愿望，在做一件天地间光明磊落、伟岸至极之事。这是另一种功课，是另一种超脱形式的修行。既然与观里的戒律和众人的观念完全相悖，他决定勇敢闯这个雷区，不惜以身试法。他早料到会受惩罚，即使今天爬着回去，他也会昂起头对世界说：我是对的！他一副大义凛然的样子，心里对智海说："师父，对不住你了，今天就是打死我也不改变主意。"再拐一个弯就到了，他心若止水，脚下纹丝不乱。以前很少到戒台及其周边，现在只觉到了另一个天地。如果现在这里是地狱，那就让他在这受死吧！正走着，道友突然停下：

　　"师兄，这边请！"

　　说话间已到戒台，他定睛一看，上下灯火通明，好比白昼晴天。戒台主体像戏楼一样凸出，台上空空如也，节能灯把地面照得油泼水煎。台下则黑压压站满人，他吓一跳，看样子整个观里的人都来了。离台子最近站着方丈，身着作法时的全套衣冠，像株枝繁叶茂的黄山老松。他身后各人也长袍着地，绾髻高束，仿佛满山遍坡的树丛。全场肃穆，万声默然，沉寂如黄昏野秋。他上前几步，扑通跪方丈面前，大声道：

　　"不义弟子，请师父降罪。"

　　方丈微微一笑，并不说话，眼睛只管看着台上。玉真正纳闷，就听台上轰轰一阵响，紧接着是智海声若洪钟地说话：

"徒儿，你如今犯下的错，就由师父代你受罚。"

玉真大惊，观里这样的安排让他始料不及。"师父，一人做事一人当，既然我违反观规，就该由我受罚！"

"错不在你，而在为师！错在我对你管教不严，错在我教徒无方！"

玉真仰头急求方丈："方丈，这不公平，你放了师父，想怎么惩罚我都可以！"

方丈把头轻轻摇着："他这么做自然有他这么做的道理。你若管得住自己，何必又有今天！"他声若天音，仿佛脑后有轻云飘过。

玉真知道方丈插手不管这事，心如一阵刀绞。抬头见智海已脱光上衣，露出半截明晃晃身子，自束双手面朝台下，单腿屈膝跪地，含笑望着玉真。玉真看不下去，猛然弹跃上去，上台即四肢伏地，又脱下衣服给智海披上。智海不理他，好像根本不知道现在气温零下十几摄氏度。玉真还要上前，被几个强健的道友控制一边。

"请方丈发话，动手吧！"智海动用真气发自肺腑地说，黎明静止不动的空气仿佛被他声音搅起层层波澜。

方丈对旁边的人点头，立刻有人站出对其他人发话："用刑！"

玉真想抽出身体，但被四条胳膊死死钳制，只能微微抽搐，再动弹不得。下面刚刚还站着一动不动的人，每人手里突然多出条棍子，个个冷面无情，挨个绕到台上，走到智海身后把棍子抡下去。沉静的天井里一下下回响着清脆的肉击声。

"师父，你这是何苦，你这是要我的命！"

"我不这样做，就是你要我的命！"

"师父，你放过我吧！"

"只要你答应离开那女的，就此改过自新，我就起来！"

玉真呜呜哭起来，来之前他早下决心，可没料到智海出此策略对付自己，他恨不得变作一阵气体消失。棍子每下都像打在他身上，他浑身发软，若不是有人架着，早瘫在地上。

时间一长，智海后背臃起一寸多厚，血流如注，仿佛披块红布，身下地上结出一个个鲜红的血锥。同时寒冷让他开始哆嗦，他紧咬牙关艰难挺住。可年龄不饶人，他脸上虽无惧色，但已不能跪稳，用一只胳膊死死撑住。

其他人都用怨愤的眼光盯住玉真，只盼他一松口，智海师父就可免受这皮肉之苦。平时他们对玉真喜爱至极，现在个个恨不得上前将他碎尸万段。他们本想把手里的棍子落得轻些，可智海事先特意做了吩咐："谁要棍子落轻了，就让他重打，直打到自己满意为止！"大家都知道他说一不二，因此下手很重。玉真徒劳地叫唤，他已经从道友们的眼神中感到巨大敌意，只要智海或方丈一声令下，他今天就可能命毙这里。"那也好，省得在这里看智海替自己挨打，那滋味好比油煎水煮！"那边智海已像老蟾似的沉下头，貌似刚强，实则大势将去。身后道友的手像挫刀抠入玉真身体，明显到了对他忍无可忍的地步。一个人附在他耳畔痛苦地劝道："你就不能说声软话吗？就算你没做错事，难道肯看着师父一把年纪在这种天气受这种苦？亏他平时待你最好，就算你是个畜生也该动心了！"又一个说："原以为你仁性仗义，不料是个不通人性的家伙，凭这打死你一万次不解恨！"每个字都像一粒子弹在玉真头里炸开，好几次他几乎脱口求饶，可想到莉莉那张迷离又疲惫的脸，立刻像咽钉子似的把话生生吞回去。智海背上烂成一片，每下抽打都溅起一阵血雾，院子中散发着浓重的血腥味。偏那不识时务的乌鸦飞到场子边槐树上叫起来，每个人的怨恨立刻被它激发得更加血性膨胀。众人的动作明显慢下来，每根棍子举起来都沉重无比。天色已经亮得能看清周围一切，他们个个哭丧着脸，像参加圆寂法会。智海的脸也已涨成紫色，额头冒着白气，连笑也看着狰狞。玉真用哀求的眼光望着方丈，只要他说停，这里所有人就会住手。方丈却目光炯炯一味看着前上方的殿檐，不为任何场景和力量所动，好似一条不惧风寒的松枝，只是坦然优雅摇一摇，落下好多松花粉。

"师父，求求你了！"玉真几乎从两人夹臂中滑下去，只差双膝着地。

方丈终于深吸一下，像从梦中醒来："你们都住手吧，快到开观时间了，回去照常做好各自事情，今天的事绝不许对外说出半字，否则查明后立即撵出白云观，永远逐出道教！"众人巴不得听他这么说，都像后悔做了孽事一样跑开。整个戒台只剩下方丈、智海和玉真三人。方丈亲自上去把智海扶起来："师弟，你这又是何苦呢？"

这句不咸不淡的话让智海极感意外，他本以为方丈会安慰几句，同时也以为这样可以化解掉二人的前嫌，可现在看方丈仍然对他态度不变。他有些痛苦失望，好在度过了最大的信任危机，自己今后在观中威望不会扫

地，他已经从大家脸上看出分明，这让他备感欣慰。虽然受了些皮肉之苦，但比起这份收获，还是非常值得。

方丈替智海披上衣服，叹了口气："事情还没完，他死不认罪，这里就交给你了！"说罢晃身走掉。与此同时，那树顶的乌鸦也哇的一声飞出院子，智海有心想吐它一口，但连这样的力气也没有。火红的朝霞中，他斜眼望着玉真，玉真半个身子淹浸在戒台深蓝色的阴影里，眼睛像狐狸从洞中往外亮晶晶地瞧。

"只要你回头，我就还是你师父。"智海血淋淋立在原地，有气无力地说。

"师父，你不要逼我！"

"是你在逼我，是你逼得我在这白云观无法容身！"智海身体摇动起来，像被积雪压得颤抖的一棵树。

玉真跪下来："师父，我是真的喜欢她，她患了乳腺癌，没有多少时候了。她千里迢迢来找我，我不能辜负了她！"

"就算是这样，为了她你可以不认师父，可以不管白云观的名声，不管道教几千年形成的规矩？"

"师父，我没有违背道家规定，我是在发扬道家善心。"

"你还在狡辩，你真的要气死我，让我在众人面前下不了台是吗？就算这次我求你！"智海几乎像个孩子哀求玉真，玉真从未见过他这样，心里又一阵发黑。

"师父，我送您回去！"

"莫不成我这顿打白挨了？"

"我意已决。"

"好歹毒的心！"智海不顾有伤在身，挪过去照玉真就是一脚。玉真没有躲，只听得砰的一声，他像布袋似的摇晃下又稳住。他不再说话，从地上捡起一根棍子递给智海。智海一犹豫接住棍子，举起来刚要打，又叹气扔在地上。

"我最后给你一次机会！"

玉真爬过来抱住智海的腿："师父，让我去救她！"

"天下病人多得去了，你救得过来？"

"我爱她，谁也不能阻止我！"

"我辛苦养你这么多年，到如今换你这么一句话，可悲、可恼啊！"他仰天长叹，"既如此，别怪我恩断义绝！"说出他一掌击出，玉真躲避不及，被重重打倒在地，额头在地上磕出血。

智海见玉真慢慢爬起站直，眼睛直直朝他望下，然后转身往外走，这下更急了："混账，要到哪里去！"玉真不理他，开始在前面跑起来！他见势不好，扔下衣服追上去。两人直追到老律堂院前，玉真实在不忍智海赤身受冻，终究停下来。智海把玉真递过去的衣服一卷扔到房上。其他人停下手里的活儿，没一个敢出来劝，都躲在暗处往这边瞧。

"师父，我的事不用你管！"

"怕是由不得你了！"智海刚在戒台就打定主意，要收了玉真关在白云观里，让他彻底断了与那女的的联系，也让他彻底死心。现在听玉真这么说，早气贯金顶，大呼一声："众人出来，将这个孽障给我拿下关了！"

躲在里面的人听到，立刻从大殿各处跑来，足足有十几个人，个个横眉立目，把玉真围在中间。玉真倒退几步，心里连叫"大事不妙！"知道今天必有一场恶斗，暗中提气运力做好准备。

那十几个人渐渐围上来，玉真站在中间的地方越来越小，他机警地观察着四下。这些人早恨透他，个个变得如狼似虎，眼露凶光，对他没有任何情义。

"师父，这次你真不放过我？"

智海站在人群外，用手一指老律堂："你问问这里的先宗，问问这观里的众人！"虽然伤势不轻，但他对自身安危完全置之度外，一心要教训这个忘恩负义的逆徒。

众人一起扑上去想控制玉真，玉真使出一记扫堂腿，最前面几个人相继倒下。就听中间有人骂道："玉真，你他妈的真动手啊！"

"大家一起上啊，别再对他手软！"

地上几人爬起来，铁桶般快速包抄过去。接下来只听乒乒乓乓一阵响，整个老律堂前的场景让人眼花缭乱。智海在外面看着，心惊玉真功夫如此了得，若不是这次变故，玉真当真是人中吕布、马中赤兔！他只盼众人赶紧将玉真拿下，要不然一会儿外面来人了，局面就难以控制。他焦急地等待结果，对玉真当真是又爱又恨。

玉真眼见被十几个人缠上，心想若这样下去，自己必定被捉住关起来。想到这儿，他瞅空击倒眼前那个攻得最凶的人。那人本与玉真有隙子，这下正好报复。玉真一掌击中他后腰，他一个踉跄跌入别人怀里，一连带倒三四个。玉真瞅这空子，踩着为过年竖起的架子爬上去，又身子一横，扯住光秃秃的树枝一荡，已经上了房顶。

他回身对智海和下面众人作揖："师父，各位道友，对不住了，我先行一步！"

智海又惊又气说不出话，脚上飞出鞋子打过去。玉真款款接了，又送还给智海，再不废话，一路从树顶殿脊掠过。天光早已大亮，宫殿在绯红的朝霞中仿佛有上升之势，半空呈现出一片瑰丽橙红。玉真像只大鸟在空中疾驰，引得无数林鸟在空中扇着翅膀惊叫着腾空而起。而另一边，那只黑色的老猫也鬼魅般地随他跑着，仿佛一切都是它撺掇的，它是这阴谋背后的策划与组织者。

陆续来上班的人突见头顶有人，都停下来观礼似的看着，纳闷这道人今天怎么跑到房顶练功。再一会儿，等在白云观入口处的患者和游客猛然发现头上有黑影闪过，过了好一会儿才反应过来，

"空中飞人！"

"这就是传说中的神功？"

大家接连叫好。

"白云观的功夫果真不是吹的，这下可算见到真的了！"

有人用手机和 iPad 对着头顶影子去拍，接下来他们会把这个奇闻用微信快速传播到网上。

围观的人啧啧称奇。玉真一路狂颠到家，莉莉担忧地问他发生了什么。玉真闭上眼气喘吁吁。

"莉莉，你什么也不用问，从今天起我们哪儿也不去！"

莉莉已看出玉真发生了意外，乖乖坐下，手里送给小罗的《花好月圆》就差最后几针完成。她无限惆怅地望望玉真，再望望外面，这里已然是一个她已经熟悉但仍然陌生的世界。

莉莉靠在沙发看蒲松龄的《聊斋志异》，眼前浮现出众多女子像蝴蝶一样，在花海里翩翩起舞。玉真给她精心熬煮百合西芹粥，咕嘟咕嘟的声音随粥香从厨房飘出来，让她备觉温馨流连。看书时间过久，她双眼发

花，便放下书走进厨房。玉真对她微微一笑，爱如春天般宽广。

"该歇会儿了，当心眼睛受不了。"

"真，真想天天都这样。"

"现在只属于我们。"

"真害怕我们再分开！"

"安心待着，什么也不要想！"他把她的脸扳起来，看她眼眸里活泼的碎影。他现与白云观彻底了断，一身轻松，享受这难得的无羁无绊的时刻。他不愿再想以后，灾难要来就来吧，就像他深夜等一班晚点的公交车。

莉莉双睫闪动，脸颊绯红，像霞光映在脸上。她无法控制地想接近玉真，玉真倚着橱柜没有退路。他有些心烦意乱，意志像危墙一触即倒。就在两人都没意识到做什么的时候，煤气灶上的粥突然溢锅，响动把两人惊醒。

"对不起！"玉真红着脸赶忙道歉，转身把火关掉。

莉莉失望地背过身子："真，我们真的不能变成那些美丽蝴蝶？"

"你想吗？"

"《庄子》只描写它们翩翩起舞的样子，却没说它们经过怎样痛苦绝伦的过程才拥有美丽的身姿。就像《聊斋志异》中的女子们，她们经过怎样惊心动魄的斗争才得到昙花一现的爱情。"

"所以她们的爱情才惊世骇俗，才能流芳千古。"

"你什么都明白啊！"莉莉扭过头，眼里扑朔迷离，话说意味深长，"我永远变不成那些蝴蝶，也成不了那些传奇女子！"

"莉莉，你会的。"

"如果真是那样，我愿在上帝的花园里等你！"

"这也是一种修行，至少我这样理解。"

"他们认为你犯了大错，一定会找上门的！"

"我知道我在做一件错事，做一件在常人不是错、而对于我是错的事情！如果这就是犯错，我宁愿犯一次。"

"我也是狐狸变的！"莉莉呵呵笑起来，"一只勾引你出轨的异国狐狸！"她故意变得妩媚，惹得玉真大笑，直到笑出眼泪。两人最后都喜极而泣，自然相拥在一起。

门外又不合时宜地传来敲门声。

"他们可来得真快!"

两人心神不宁地分开,一味慌乱却不知做什么。

"玉真大夫,是我!"小罗从外面压低声音叫道。

两人松口气,这个时候她来干什么,两人同时想到这个问题,互相疑虑地看下。现在他们对小罗已无气可生、无恨可记,何况问题不是那么简单,性质发生根本变化,两人做好过一时算一时的打算。

"玉真大夫,莉莉姐,快开门,求求你们了!"等一会儿小罗又道:"你们俩不可能完全把自己关起来吧,就算你们这么做,也得有人帮忙才行啊!"小罗从未见玉真这么倔强,她发现一个性格正常的人一旦反常起来真的可怕。她今天来,一方面真的出于担心,另一方面下午智海找到她,和她进行了一番深入透底的谈话。智海长得虎形豹目,平时又总阴沉着脸,小罗见他就害怕。但这次为了保住工作,她咬咬牙还是去了。她已听说白云观早上发生的事,站在智海病榻前,心里又多了一份对他的敬畏。

"把你知道的全说出来。"智海身上包扎着绷带,外面披件棉袍,显得笨拙和臃肿,说话也很吃力。他现在看上去与观外工厂退休的老头没什么区别。

"我也是在他们住一起后才知道的。莉莉姐之前到观里玩,然后又听说她病了,玉真师父一直瞒着大家给她治病。谁知道他们却相爱了,连我听到也大吃一惊!"

"知道为什么不早说,没想过事情的严重性吗?"

"我只是个临时工,玉真大夫又对我那么好,我怎么管得了他。"

"你还真帮了他们不少忙!"

"玉真大夫和莉莉姐是真心相爱啊!不管他们做什么、怎么做,我都相信他们之间很纯洁的。"

"一派胡言!小罗,怎么连你也这样想!"

小罗见智海动怒,收住话低头不语。

"你回头好好劝劝玉真,让他悬崖勒马!他若出事,受牵连的不只有你我,这白云观和道医馆到时不知乱成什么样子!"说时用嗔怨的眼神看小罗,小罗把脖子缩回半尺。"尤其是你,听说你要结婚了,没工作怎么在北京立足，多少人想留在北京！"——小罗仰头泪汪汪看着智海，"这事你要做好了，道医院建成后就把你安排进去！"智海说时暗暗打量小罗。

小罗听到喜出望外，眼睛一亮，智海这句话说到她心窝上，她早盼着道医院建起来，到时可以去里面上班。听到这她心动了，觉得玉真和莉莉即使不愿见她，她也要觍着脸去登门。

智海觉察小罗动心，就不再留她。小罗回去把事情向小马说了，小马对她嗤之以鼻，"你呀，怎么这么轻易就被收买了？你想啊，就算玉真真出了事，与你有什么关系！再说了，假使道医院建成了，只要玉真在，你还愁进不去？"

"可现在情况不是变了吗，玉真大夫躲在家里不出来！"

"你就不怕玉真不要你？"

小罗听到这儿，心里刚升腾起的火苗又熄灭了。她双手一摊坐到床边，"那你说怎么办，这也不是，那也不是，我到底怎么做才对？"

"你还得回去帮玉真，不管怎么说，现在他两个自己解决不了问题！放心吧，事情会过去的，玉真丢不下白云观，白云观也不会真把玉真怎么着。"

"看把你能的，好像你是诸葛亮再世！"

"你们女人头发长见识短！这么做一是情谊，二是策略。"

小罗觉得有理，脸上立刻疑云消散，"就你能，还不是平时我教你的，德行！"她去给小马洗袜子，两人住到新房里，她刚拖了地，不让小马乱走动。

猜想玉真大概已经冷静些了，她赶紧找去，急着把事情办好，好向智海那边报喜。玉真打开门，把小罗和她手里的大包小包放进来。看到小罗手里的东西，玉真才想起要完全关起门不出去是不可能的。他感激地看眼小罗，小罗被莉莉叫过去看十字绣。玉真一时又愁又喜，愁的是以后的日子不好办，喜的是小罗够心细、讲交情，这个时候还能关照他。那边小罗与莉莉热闹地谈上了，端详着刺绣激动得泪眼涟涟。通过一段时间接触，她的英语口语改善不少，再加上莉莉对于汉语的领悟，两人交流比过去顺畅许多。

"莉莉姐，这个时候你还想着我！"

"你喜欢就好。"

"当然喜欢，太漂亮了！小马也喜欢！"

莉莉看到小罗十分喜欢她送的礼物，激动得陪着小罗掉泪。

小罗擦干泪，进入此行来的正题。"病好些了吧？"

"你瞧出来了？是好多了。"

"出来这么久，莉莉姐，你想家吗？"

莉莉听到一语凝噎："没有，我妈妈应该很好，她可以照顾自己。"她不知道小罗怎么问这个，心像被刀割一下。

"你们外国人就是和我们中国人不一样。我隔几天就得给我妈妈打个电话，要不会觉得自己像个孤儿。"

"我妈妈她有很多朋友。"

"做个资本家真幸福，做个美国的资本家更幸福！"

莉莉摇摇头："不是那么回事。她不是资本家，她是个经济学家、政治家！"

"哦，这个我就不懂了，还以为都一样呢。"小罗学着莉莉的样子耸耸肩。

"小罗，要喝咖啡吗？"

"谢谢。"

莉莉站起来去煮咖啡。

"小罗，是不是智海师父找你了？"

小罗慌了，知道瞒不住玉真，索性承认了："是的。"

"他让你劝我回去？"

"是的。情况是这样的——"小罗想把事情原委详细解释一下，好把自己摘清。

玉真却伸手阻止了她："什么也别说了！小罗，谢谢你今天的好意，以后你再不用来了，我会自己处理这边的事！"

"可没人帮你们怎么行？"

"放心，我会自己处理好的。这段时间你安心准备婚礼。"

小罗还要说什么，玉真已背过去身子。小罗鼻尖冒汗，她上手就把事情办砸了，现在待在这屋里多余了。

"玉真哥，那我先走了。"

玉真没理她，小罗支吾一下，转身悻悻离开。莉莉从厨房端着咖啡出来，见没了小罗，惊讶地问玉真，玉真轻描淡写地说："她突然有事离开。"

"我煮了咖啡，她怎么也该喝一口再走。"

她给自己倒了一小杯，给玉真倒了大杯，端过去送到玉真手里，举起来与玉真碰一下，"干杯！"

"干杯！"

两只杯子轻轻碰在一起，房间里充满甜情蜜意。

姜大妈、李大妈吃力地往六楼爬，爬一层歇一会儿。李大妈不时揉揉腿，

"看来又要变天了，一变天我这腿就疼。"

"你可慢着点，人到岁数病就催命来了。"

"你说这个玉真，好好的道士不做，偏偏做出这种事，这都两三天了，连个面也不露，看来和大家伙死扛上了。"

"咱们还是再做做工作，在居委会当差，就得这么觍着脸耐着性子做工作。"

"原来有个头疼脑热就去找他，现在只好忍着了。"

"上医院看看去啊！"

"医院里都是一帮刚毕业的大学生，谁放心呢？玉真行医这么多年，比他们见多识广！——哎对了，她姜大妈，这事你说用不用通知美国大使馆？"

"这咱俩昨个不是都说过了吗？这边工作再做不下来，就报告给上级通知美国使馆过来接人！"

"哎哟，你说我这脑子怎么尽忘事，你得批评我！"李大妈中间停下喘气，大冬天难得地用手绢不断擦汗，脸对着前面姜大妈的肥臀。

"这您还跟我客气！快上去吧，这几天让他害得我整宿睡不好觉，女儿心疼我，让我用她的韩国面膜敷脸，切，我这张老脸还用那个！"

"到了，到了，可算到了！要天天这么爬，非得累断腿！"

姜大妈上去敲门，手劲十足，那厚重的防盗门像纸壳似的嘭嘭响。李大妈扶着栏杆，使劲眨眼睛，喘得舌头都耷拉出来。

姜大妈底气十足朝里面喊："玉真？玉真！我是居委会姜大妈，快把

门打开说话！"见里面没有任何回应，她狠劲瞥下李大妈，李大妈挪动下身子。"玉真，你可别犯糊涂，大家伙可都为你好！这事我们替你兜着呢，要不早捅到天上了！"

"玉真啊，快开门好好说话！年轻人哪有不犯错误的，有错误改了不就行了嘛！快让那个莉莉回去吧，人家是小姐身，能受得了咱这里的苦吗？"

"你就听我们的劝吧！这事人家父母知道吗，知道又能同意吗？可不是你想得那么简单！这么做的后果你想过没有？"

轮到李大妈，再次冲着门："快开开门，听话！我们进去好好说道说道，你有什么苦，和我们姐俩好好诉诉！这么下去可不是办法，难道你打算一辈子待里面不出来？"

她给姜大妈递个眼色，退后一步，姜大妈则向前一步："你开门啊，我们又吃不了你！你不知道白云观这几天乱成什么了，连那铁塔似的智海师父都倒下了，道医馆更是乱了套！你就忍心看着大家伙跟你受罪啊！我们两个一大早水米没打牙辛辛苦苦跑到你这六楼做工作，你李大妈腿上的毛病又犯了，容易吗我们！"

李大妈再上，二人充分展示基层工作人员做群众工作时大无畏和锲而不舍的精神。"有问题解决了不就行了嘛！常言道'没有解不开的闩，没有打不开的锁'！又说'听人劝，吃饱饭！'你平时可不是糊涂人啊，现在怎么办了件糊涂事？开门吧，我们这么多人帮你，你还担心什么！"

一轮战罢下轮登场。"这几天你们赶紧拿个主意，要不我们可报告给上级通知美国使馆了，那就成了外交事件，搞不好整出什么国际影响来！"

"你们还是回去吧，我是不会开门的！"里面终于响起玉真的声音，声音低低的，但在楼道里听得很清晰。"我们自己的事情自己会处理！"

"你可要对你说的话负责任！"

"你可不要犯浑！这事现在我们还能替你捂着，时间一长就保不准了！"

"那个莉莉你现在听不听得着，好好地不待在你们美国找个美国人，跑到这里起什么哄！"

"大姐，她听不懂中国话啊！"

姜大妈脸灰突突的："玉真你可听好了，再不开门我们可报警了！"

里面又没有了声音，姜大妈手气得发抖，直喊李大妈："你说他怎么油盐不进呢？"

李大妈知趣地没理会姜大妈，冲着门像个母亲一样："孩子，你开开门，有事情好好说，别犟着了！"

"你们如果去报警，我们就绝食抗议。"

"嘿，我说你小子，主意还挺正，早想到对付我们的办法了？告诉你，真出了什么事别怪我们没有通知你！"

"孩子，大妈还等你出来瞧病呢，你可要好好的！"

"我们没做违法违规的事，难道警察和政府会干涉公民的爱情？"

"他讲上大道理了！——你那个人点的事在党和政府这里算得了什么，你的理再大能大过安定团结和和平友好的国内外政治局面？"

"完了，完了，玉真这是王八吃秤砣铁了心了！"李大妈小声对姜大妈说，姜大妈光秃秃的眉心凸起颗肉球，"她姜大妈，你说怎么办？"

"走！"

"这就回去？"

姜大妈不回答李大妈，冲着玉真的门："你再好好想想吧，我们明天再来！"

"对，明天再来！"李大妈就佩服姜人妈有魄力，像足球运动员有临门一脚的功夫，她自己一到关键时候就慌神没了主意。姜大妈知道自己性格太刚，需要一个软性子搭档，所以只要工作时俩人就形影不离，一个唱红一个唱黑，多年下来二人在街道上解决家长里短无坚不摧、无所不能，因此连年被西城区政府年终考核评优。但这次事情比较特殊，姜大妈碰了钉子有些生气，李大妈则有些无奈。两人扶着栏杆往下溜，都已年近六十，最害怕从高处往低处走，互相抓着，生怕眼一花栽下去。

房间里，玉真陪莉莉在客厅闲聊。两人虽然心里烦，但表面装出没事的样子。玉真无所事事，被莉莉拉着一起玩电脑游戏，谁输了谁就给对方讲个笑话。当输的一方讲时，另一个笑得前仰后合，但那笑里分明没有水分，干燥得像往地上撒白灰粉。

小罗站在门口："玉真哥，算我求你了，开开门，这么下去不是办法啊！莉莉姐不是还要化疗吗，你能天天看她痛苦得连口粥都喝不下去？你

开下门好吗？还有道医馆那边你也不管了吗，那些老病人们天天盼着你去呢！"——这几天可够她受的：一方面智海催命似的催她，另一方面居委会俩大妈也不时找她，让她跟她们一起做玉真的工作。还有那些病人，几乎天天缠着她，好像是她把玉真藏起来似的。大家伙把她当成救命索，都以为只有她才能劝动玉真，可现在玉真根本不理她，她越来越信心不足。

"玉真哥，你可是我在这里最亲近的人，你难道不能听妹妹一句劝吗？事情迟早会有个头，你得为以后着想！"说到这儿她自己心里都好笑，怎么自己说话口吻变得和两位大妈一样，"姜大妈她们说了，就算你和莉莉姐真心相爱，也要名正言顺啊！现在跨国恋多的是，只要你们愿意，她们就想办法成全你们！"——小罗前后已与二位大妈来过两次，两位大妈中病倒一位，另一位去看望伙伴，所以今天只有她自己来。二位大妈之前声称，如果小罗能够帮她们顺利解决这事，就答应替她解决北京户口，她听了耳朵胀大十倍。智海也最后干脆向她挑明，只要她把玉真劝回白云观，就给上白云观管委会事业编制，把她正式吸收为白云观工作人员！这两桩可是她做梦都想的事，她当即动心了。回去向小马和他妈妈说了，小马还没说话，他妈妈脚也不洗了，大腿一拍，从小板凳上站起来，小罗买给她的理疗盆里的水溅了一地："这不是好事吗，还犹豫什么！这么做不也为了他好，他总不至于为这事毁了一辈子吧！听妈的，好好想办法把他劝回来，不信他羊不吃麦子、马不吃回头草！你要把这事做成了，妈心里这疙瘩就全解开了，也能在街坊四邻面前抬起头来了！小马，赶紧给你媳妇倒杯茶去，然后一起和你媳妇想办法，别光愣在那儿看景似的不吱声！"小马望着小罗一笑，他没想到妈妈一下变这么热情，没结婚就给小罗称妈，还管她叫媳妇，听着让人不自在。小罗也有同感，当时不知怎么回答了，顿了下拿拖把把地上的水拖了。接下来小马妈妈借口到别人家商量逛新春商品展销会，把空间和时间留给儿子和媳妇。小罗问小马怎么办，小马咬着嘴唇说："怎么办？就这么做呗，能不能把玉真劝回来就看你的本事了！"

"讨厌，难道就我一人的事吗，你也不帮我出出主意！"

"你早就有主意了！"

"废话，这么好的机会怎么能错过！别看玉真平时挺随和，也把我当妹妹看待，可倔起来认死理，我也不敢保证！"

"死马当作活马医呗！"他话锋一转，"你瞧见没，你刚才一说把老太太给乐的，接下来还不知怎么待见你呢！"

"快别说了，她越这样我越不敢保证！"

"成不成你都是我媳妇！媳妇，来，亲一个！"

"人家都快愁死了，你还有心情做这个！"嘴里这么说，还是把脸伸过去。不管事情成不成，反正两个好消息让她对未来充满憧憬。当然，如果她做不成，一切会竹篮打水一场空，她还得和现在一样受各种气。

"莉莉姐，你也劝劝玉真哥吧！"她把目标转向莉莉，感觉自己了解莉莉比了解玉真更多，女人之间的感受天生是相通的，"玉真哥听你的，你既然那么爱他，就要为他以后着想，你不会忍心看他自毁前程吧？"她把耳朵支上门，像听肚里胎儿的动静，"莉莉姐，你别再生我的气好吗，大人们已经同意你来做我的伴娘！你想想，你穿上礼服多漂亮，我都担心婚礼上你把我比下去！现在离结婚时间越来越近，我们一起要商量的事情多着呢，但你总得打开门才能说话啊！"

里面还像不争气的肚子悄无声息。"玉真哥，莉莉姐，看来你们是不原谅我了，你们连我也不相信，让我以后怎么见你们？这些天你们没见智海师父，他连地都下不了，每天只能趴着睡觉。他瘦了好多，可还是天天问你们的情况。道观里议论纷纷，一些人看笑话，一些人私底下恨透了你们。方丈和居委会已经商量向上级报告了，你再不出来事情到时真可能无法收拾！"

时间越久小罗越着急，为了能达到目的，刚才她私自决定邀请莉莉参加婚礼。她哭了起来，故意把声音提高拖长，就像渔民放长线钓大鱼。她一边有声无心地哭，一边恨不得像孙悟空变成蚊子飞进去。人生成败对她在此一举，未来像堆黄灿灿的金子，她怎能不动心！她的哭像新手拉一把北京胡琴，听起来歪歪扭扭。"玉真哥，快开门吧！莉莉姐，你可怜可怜我吧！"可这哭声到最后也没发挥效力，她撒了个空网，只好把它们收回来。

"玉真哥，我知道你不会听我的！我知道你心里苦，但说实话，你们要比我和小马幸福得多！我走了，东西就放在门口，你们待会儿取回去！"

玉真和莉莉听到小罗下楼的脚步声和嘤泣声，莉莉拾起半截铅笔继续作画，刚才她一直停下在听小罗说。玉真打坐蒲座上，不紧不慢敲着木

鱼,木鱼声像钟乳石上的水珠一滴滴落下。

莉莉画了会儿怎么也不满意,尤其处理人物的眼神,她想让它略含笑意,可画出来总有些忧伤。"玉真,怎么办?"

"别说话,现在不是很好吗,我们非常自由、非常快乐!"

"小罗和小马又同意我做伴娘了!"

"我已经猜到了。不去管那些了,别人做什么是别人的事,现在这里的空气、声音、色彩、气氛和一切东西,都是我们的。"

莉莉想了会儿继续作画,她专注于处理人物表情,一遍遍试图让人物笑得真实起来。缓缓的木鱼像心跳声,伴着两人在无人打搅的沙滩上并肩走向很远。

这段时间香客多起来,白云观院子里香烟缭绕,一种肃穆祥和的幸福混杂在缓缓悬浮的烟带中。人们既在欣然回味过去一年,也期盼新一年诸事平安如愿。但白云观只是表面风平浪静,实则气氛已非常紧张。围绕玉真事件和过年的活动安排已经让平日罅隙不明的人自动分成两派,这种隐隐对立的态势影响到每个人的情绪,大家虽然不声张,但暗自鄙视和记恨对方。智海为玉真和观里的事几次动怒,伤口跟着崩裂,所以恢复得格外慢。方丈看望过智海两回,新年将至,他来商量走访与慰问的事。智海没什么意见,这在往年是他主抓的事。他只能趴在桌上办公,写好处理意见后,交给几个日常办事可靠的人实施和监管。最棘手的还是道医馆:玉真一连五天没在白云观露面,病人们已经沸沸扬扬。他们大多数冲着玉真而来,病看到半拉又得不到合理解释,都气不打一处来。各种传闻在病人中传播,特别是关于玉真与一个女孩同居和他因与道医馆出现利益纠纷而打算自立门户开诊所两种说法最为盛行。尽管大家对玉真本人各持态度,但莫衷一是最终指向白云观,白云观成了"三反"期间挨批的老财主,在人堆里被推来搡去。病人们天天从大早到中午聚集在道医馆院里,给白云观管理造成极大麻烦。智海一直兼任道医馆馆长,但他现在只负责管理并不看病,所以病人们并不了解他!他让下面写个告示贴出去,根本没人看也没人信,当天就被风刮了去。病人中的老头老太太有哭有笑,见天地闹,有种活要见人、死要见尸的架势。这更让智海体会到玉真身为公众人物一旦出了问题的严重后果所在。他不敢怠慢,一边想尽办法劝玉真回来,另一边倚重小罗出面顶着，把病人们情绪安抚好。小罗起早贪黑卖命忙着，上午是道医馆这边，下午是玉真那里，为了两个承诺能够兑现，有种豁出去的势头。她这会儿正和病人们满嘴火泡地解释：

"对不起，玉真大夫真去休年假了。"

"小罗，你就别骗我们了！没多少时候就过年了，这会儿休的个什么假！再说了，休年假怎么不早说，你怎么还来上班？"

"玉真大夫什么人我们不了解，他会像有人说的那样吗?"

"就是休年假也得提前通知一声，前天还说他病了，今天又成休年假了！"老太太银发斑斑、头脑清晰地辩驳小罗。

小罗理屈词穷，她也算伶牙俐齿，可对付这帮经风雨见世面、老练狠辣的老太太就有点招架不住！"总之玉真大夫这几天有事来不了，大家回去等通知吧！"

"有没有个准啊，是不是逗我们玩呢！"

"小罗，玉真大夫是不是真出事了？有事说出来，大家伙也不是不通情达理的人！"

"是啊，如果有人欺负他，告诉我们一声，我们替他出气！"

"你们说什么呀，谁欺负玉真大夫了！"

"那他到底怎么了，瞧你一会儿一个说法，大家谁知道他住处，我们找他去？"

"对呀，我们干脆找他去！"

没人再理会小罗，人群吵吵着往外拥，他们中果真有人知道玉真住处。小罗心想：这还不够乱啊，还要找到门上！她赶忙挡在门口，说道："你们找他也没用！"

"别和她纠缠，这个小罗说不清楚事情！小罗啊，你完了！"那个曾经给小罗介绍小马的大妈生气地说。

"我怎么完了?"

"嫁个北京人就不知道自己姓什么了，不把我们这些人放眼里了，你可真够没良心的！"

"话不能这么说，我也有我的难处！"小罗吧嗒吧嗒掉眼泪。

"得了吧，猫哭耗子假慈悲！"

"还磨蹭什么，别让智海师父和其他人知道了，要不真去不成了！"

"你们就别添麻烦了好不好！"

"有什么事你说啊！"

"真不能说。"

"我们走！"后面的人往前一推，前面的人顺势一拥，小罗哪里拦得住，早被挤到一边。她举起左胳膊跑了右边的人，举起右胳膊溜了左边的人，病人像和她玩老鹰抓小鸡似的，一会儿道医馆院里就没了人，一笼子咋咋呼呼的鸡跑得一只不剩，连那坐轮椅的也可劲转着轮子"嗖嗖"往前蹿。她赶紧给智海打电话，智海派人过来时，一帮人早跑出白云观。智海气得直拍桌子，正清点着的名片飞落一地。他派小罗快点跟过去做应急处理。小罗骑了自行车追出去，侧着头，攒着眉心，头发被风吹起，眼睛直勾勾盯着车前左侧三米外一个点，寻思和发愁怎么处理这种突发事件。

患者队伍精神抖擞来到玉真楼下，带头领路的往上一指，"就是六楼靠东那家！"

"还愣着干什么，上啊！"

平时东倒西歪的一帮人现在像意志勃发的战士，一声令下没一个掉队的。可爬到三楼，就有人叫苦不迭；等到了六楼，几乎个个手脚并用了。楼梯上像爬满了大小不一的红虫。

"哎哟妈呀，比爬趟香山都累！"

"赶紧的吧，看看玉真大夫在不在家！"

"玉真大夫？玉真大夫！"大家七嘴八舌喊起来。

"怎么没动静，是不是真的休假了？"

小罗从下面挤上来，"我说什么来着，你们偏不信！"

"不对啊，这门口放着垃圾袋，里面的东西还新鲜着呢！"老太太瞪着小罗，小罗脸一红，低下头不说话。

"玉真大夫，我们知道你在里面！你就可怜可怜我们这些七老八十的老头老太太吧！眼看过年了，大家都想欢欢喜喜过个年！"

"你要有什么委屈，说出来大家帮你！"

"你一向人好心善，可不能抛下我们不管！"

一个老头率先"哇"地哭出来，其他几个也跟着吱吱呕呕哭起来，楼道里像幼儿园里小朋友睡起午觉时哭声一片。

可里面好久没有动静。"玉真大夫是不是真的不在家？"

"不管他今天在不在，反正以后我们不到白云观，就在这里等！"

"好主意！"

"玉真大夫会不会出车祸什么的？"

"你们能不能往好的地方想，玉真大夫怎么会出车祸！"小罗尖叫道！

"小妮子，学会教训人了！别以为我们退休了、病了、蔫了，只要我们一发话，这北京城照样抖三抖！小小年纪你懂什么呀，敢在我们面前起横！"

"好了，好了，你就别为难她一个小姑娘了。——小罗，别听她吓唬你，我们都是讲理的主，这里不关你的事！"

"我哪里做错了，怎么说错话了，你们以为我不着急啊！"小罗真真假假透着委屈，骂她的老太太虎着脸气呼呼地瞪她。

眼看中午了，众人见没什么结果，都拾掇着回家。那老太太临走仍不放过小罗，除了对她说："告诉你，我可是要害部门退下来的，你敢不尊重我，甭想有好日子过！"又往小罗腰里掏着重重拧了下，小罗躲避不及疼得直咧嘴。

门外只剩小罗，吸着鼻涕说："玉真哥，事情弄大了，病人都找上门了，你就出来好好解决问题吧！我知道你一时很难做出决定，想通了就告诉我，我和他们说去！晚上我让小马把吃喝用的送过来，你和莉莉姐姐好好商量一下。"硬的不行来软的，直接的不管用就迂回一下，小罗没几天就学会"因势而定、因情而变"处理问题。"莉莉姐的病不能耽搁，明天清早让她出来，我让小马送她去。记得让她多穿些，北京明天又要降温；你也不要太过着急，白云观和病人这边我先应付着。"她说得声情并茂，感觉自己像极《潜伏》里的双面间谍，高超演技连自己都不敢相信。

刚才受了老太太威胁，她性子反倒沉稳起来。她猜现在肯定得不到回应，便转身下楼到巷子里给智海拨电话。智海在里面一言不发听完小罗情况介绍后，什么也没说，只让她两边继续盯着。智海扶头闭眼劳神想，决定再找方丈商量此事。他由人扶着到了方丈住处，方丈刚从观外回来，正在院里用拂尘抽打袍子和鞋尖的尘土，见智海来了，亲自上去扶住。智海明白怎么回事，仍略显感动。

"有劳师兄了。"

"哪里的话！你这样子何必亲自来，我过去就是。"说着已到屋内，方

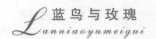

丈安排智海坐在双层厚垫上，然后手合腹前坐到桌子另一边，面含春喜，笑若金佛。"师弟身体可好些？这几日一直在外忙，没抽出时间去看师弟，还望海涵。"

"师兄哪里话，辛苦也是为了这白云观！"

方丈笑收敛一些，稍作颔首。"师弟请用茶！"手一承让，再不多语。

"还是为了玉真那事！那混账中了魔，去了多少人也不管用。"

"正要说这事呢！居委会已经发来公函，你自己看。"他把桌上的文件推给智海。

智海认真看完，沉重地"嗯"下。"病人已经闹事了，他们很多有身份、有来历，一旦参与进来，事情想压都压不下！"

"千方百计稳住他们，白云观不能再有事了！"方丈深知智海不是诳言，那些退下来的人别看相貌平平，在北京的关系却盘根错节，势力和影响非同小可。

"与其如此，还不如对他们讲真话。"

"那有什么用，白云观名声早晚被玉真毁了！当务之急还是要解决玉真的事，他虽说是你的弟子，可与我也有师徒关系。这个时候我们不必再争什么，放下前嫌不快，集中精力把这个危机处理好，日后也要增强防范和化解各种危机的能力！"

这话只能由方丈说出，如果智海先说出来，那无异于他与方丈有二心。智海感激方丈深明大义，立刻作揖施礼，情真意切喊声"师兄！"要知道他已好久没这么诚心叫过了。对于方丈说到的危机处理，他也意识到过去只忙于日常事务，把一些问题忽略了。现在才认识到危机非但会影响白云观的声誉，甚至使已来之不易的一切毁于一旦。

"还有没有其他办法？"方丈见智海额角有汗，把空调往低调了下。

"若不是我这里不便，亲自去废了他，把他逐出这白云观！"

"还是要想别的办法，即使将逐他山门也于事无补！他经你我一手栽培出来，再找这么颗苗子难上加难。所谓一物降一物，现在他不惮怕你我，就没有别的再怕的了？"

两人各坐着想，方丈看堆在房里的好些礼盒扎眼，让人拿出去给年老的道士分了。外面再有来禀事，他一律不放进来。年底本来事多，各人有事不住找方丈和智海商量，但见两人这么平心静气坐在一起，心里都清楚怎么回事。玉真的事像只锤子把严实的道观生活砸开条缝，大家既恨透了玉真，但也透过这条缝把近百亩地的观里看个分明，亦是百感交集、千转情长。总之这事怎么解决，大家都盯着两位领导呢。

"有了！"智海把桌子一拍，脸上现出喜色。

"是谁？"

智海把那人名号说了，方丈沉吟片刻，"现在只能这么一试！若再不成，就该痛下决心了！这人就由你联系！"

"我即刻就办！——师兄，以往我做得不对的地方，还请师兄谅解。"

"哪里的话，我若没有这样气度，何配做这一观之长！管理白云观有不同意见，有要比没有强，这个你懂的。"

"多谢师兄！"智海鞠躬要走，立刻疼得流下汗来。

方丈叹气摇头，"别人若不知道你情有可原，我若不了解你对白云观和道教的感情，真个对不起这满院神灵！"

智海擦泪，方丈转身面墙，念出一首诗："出腔一把火，熏成焦野色。岂是无真畏，缘在痴心中！"

姜、李大妈并众病人齐聚玉真家门前，大家你方唱罢我登场苦劝玉真，楼道里乱糟糟成了一台戏。就在有人并始生气和抱怨的时候，小罗突然从下面高声喊道："大家快让开，大家快让开！"紧接着，她从下面带上一个中年男子和一个小孩。那中年男子面如宝镜，长眉入鬓，胸佩玉眼，臂扶银尘，青衫着身，一声不响来到众人前面。他身后的小孩也额角饱满，俊目生华，袍底刚及脚踝，足踏一双轻便牛鼻棉鞋，上面干干净净，年纪不大却神色淡定，跟在中年男子身后不喘不啜，看着竟与玉真有几分相似。两人论相貌和神色皆超然妙湛，让凡俗之人自动避让。

有人小声问道："这是谁呀？"

"是玉真大夫的师兄，专程从武当山赶来。"

来人正是玉竺。当他接到智海通知后，放下手头之事乘飞机赶来北京。智海早派小罗到机场接他。因为事情紧急，玉竺没到白云观而径直来到玉真住处。那孩子是他新收的徒弟，因为长相和智力皆似玉真，令他倍加珍爱！众人都自觉退后，看他如何劝动玉真。他上前一步，拂尘轻飘飘甩到一边，双手环抱胸前，对左右冉冉行礼。那小孩子也跟着行礼。

"大家请回吧，玉真明早就去上班！"

"明天就能上班，真的吗？"人们低声惊奇地问。

小罗肯定地点点头："大家请回吧，这里就交给玉竺道长。"又冲姜、李大妈使个眼色，二位大妈立刻叫喊起来，

"大家都回吧，散伙了，没什么事了，各忙各的，甭给道长添乱。"然后像赶一群羊似的把众人吆喝下去，二位大妈也边回头边跟下去。

"小罗，你也请回吧。"

"玉竺师父，能行吗？"

"回去告诉智海师父，让他放心就是。"

小罗只得点头下楼。不过她没有离开，只是在楼下等着，一旦有什么情况她要第一时间报告智海。

玉竺站立玉真门外，眉头皱上："玉真，我不只看你来了，也要把一个孩子交给你！"说话时他把那孩子拖到前面，对他说："净能，过来见过师叔，以后你跟着他在北京学习！"

"师叔好！"一个声如脆玉的童音在楼道里响起，好似金币在阳光里滚动闪光，"请师父放心，我一定好好跟师叔学！"

"你师叔和我从小相依为命，他是我见过最聪明、最勤奋的人！他是我们道士中不可多得的人才，是这京城独一无二的名医，是你今后人生的榜样！"他又回头对玉真说："师弟，师父就在我们头顶，他生前对你所抱的希望最大，别的我不说，只希望你莫要辜负了他！这孩子名叫净能，是我从温州一家公司破产、双亲自杀的家庭里收留的！他和你小时候一样聪明可爱，如今我来交给你，你要负责把他抚养成人！这是我们道教兴旺长久的希望，是我们发展壮大的前提！"他顿了顿，"今天我和净能哪都不去，就在你门口打坐，你好好把事情想清楚，明天一早跟我回白云观！"

说罢，他盘腿坐下，取出木鱼敲起，合眼口中念念有词。那小净能也机灵跪到一旁，双手举一只与智山当初交给玉真一模一样的大铃铛，每在玉竺念到要紧处就摇晃一下，配合得天衣无缝。他们从上午一直坐到晚上，住在玉真对门的邻居几次递出来水和饼干，两人不吃也不喝，邻居只好摇头关上门。

西北风吹起来，从楼道窗户里灌入，里面和外面一样冷。净能头一次从南方来北京，身子由外到里发冷，牙齿咯咯作响。玉竺也口干舌燥，一

路赶来早已肚腹空空，但为了把玉真从迷途中唤回，他坚持忍住。楼下小罗与后来折回的姜、李大妈待着，三人中午到晚上都在大风地里吃桶方便面，然后轮着进去扶住栏杆偷听。

　　姜、李大妈想把方便面送上去，被小罗拒绝了。"你们不了解道士，他们做什么都比常人有恒心！"二位大妈同时"哦"了下，把身上里三层外三层的衣服往紧拾掇。

　　果如玉竺所料，玉真终于在晚上十二点把门打开，他早就以泪洗面，身后站着惊恐万状的莉莉。他合眼仰天长叹一声，如气贯山谷："师兄，我听你的，跟你回白云观。"他话音刚落，净能就倒在地上。与此同时，正在五楼偷听的小罗以跳楼般的速度赶到外面，把消息通知了姜、李大妈和智海。智海在房间手抖着握不住手机，把那沙发扶手拍了又拍。方丈听到智海汇报，把亮了半宿的灯关掉，他好久没睡个踏实觉了。他把灯一关，整个白云观道士们的房间也都安静下来，看来事情今天已经解决，大家可以过一个安生年了。最激动的还是小罗，当她听玉真说出那句话时，感觉自己终于可以从蒙不透气的高压锅里跳出来，知道自己马上将成为正宗北京人，以后会有固定工作，能在北京落地生根了。两位大妈也在自己生活了几十年的巷子里转了向，两人弄错方向抢着走路撞个满怀，她们的声音在小区里像清晨树林里最欢腾的鸟叫。

第十四章　告别纽约

　　莉莉坐着轮椅进入机场大厅，阿杰夫夫妇与皮特曼早等在接机口。队伍中还多了一个士兵，像小鸡似的追随阿杰夫身后。玛格丽特夫人抱着胳膊站一旁，可能那只巨大的蝇眼太阳镜太沉，她扬起头，遮住三分之二的脸，从卫星上大概才能看到她小小的鼻尖。她嫌人多太吵，把身子背过去，心想有条警戒线把她和众人隔开就好了。看到女儿被推出来，她强挤一丝笑，可惜没人看到。阿杰夫上前接过轮椅，先吻下女儿，然后与机乘人员握手致谢。皮特曼取了行李回来，像只老实听话的格力犬。莉莉一声不吭埋着头，对皮特曼的嘘寒问暖没有反应。皮特曼留意玛格丽特夫人的一举一动，她掉根头发他都会跪接。士兵一会儿代替阿杰夫，推着轮椅像踏着军鼓往前走。玛格丽特夫人想发作，但害怕失了身份，只透过玻璃墙幕，看外面飞机隆隆地飞起、落下。大家像刚临时拼凑起的旅行团，彼此关系不冷不热。

　　上了车，玛格丽特夫人就摘掉太阳镜，露出两只肿得像乒乓球一样的眼睛。这些天她大概一直哭来着，所以样子难以示人。她把怒气忍了再忍，像发型师给她做坏头发一样。皮特曼小心驾车，眼光不断观察着岳母，像狡猾的用人生怕得罪太太。阿杰夫坐在后排中间，直着身子往前看，好似担心女婿走错路随时要给他指正一样。士兵生着毛茸茸的眼睫，为给长官腾地方，身子尽量贴紧车门，一路吧吧吸嘴唇玩。这边，莉莉抱着父亲胳膊，面无血色，咬着嘴唇沉默。她打着蔫，心悬在嗓子眼，六神无主。这种表现是家庭在她心里长期造成的阴影所致。

　　"真该管管她了，真是无法无天！"一到家，玛格丽特夫人一下扔掉眼镜，凶相毕露。她像强盗攻入一间破草房，要把里面一把火烧光。南斯拉夫女人正擦拭楼梯栏杆，看到众人进来，像巨神俯视人间。

"你现在就离开，我有家务事要处理！"猜到南斯拉夫女人可能拌嘴，玛格丽特夫人用手指着说："听好，别给我捣乱，现在我不想同你吵架！"

"我要把手里的活儿干完！"——莉莉听到南斯拉夫女人冷静并富有磁性的中音区，感觉有她在，这个家里就有个安全角落藏身。

"我说什么你没听到吗？别再对我说什么劳动者的尊严，九月三日劳工节早过了！马上离开这里，我要处理家庭大事！"

南斯拉夫女人只好下楼，与莉莉眼睛四目相对，像用丰满的羽翼轻轻触下她。玛格丽特夫人身体紧贴门后的金花橱壁，把南斯拉夫女人像违章车辆一样让过去。

"房子的门都让她损坏了！"她冲着南斯拉夫女人背影叫道，"现在都坐好，好好商量下莉莉小姐的事。她可真有出息，玩失踪玩上瘾了！"

"别那么说，亲爱的，莉莉这不回来了吧，我们要让她高兴点！"

"这里不是你的舰船，不需要你当和事佬！"她鄙夷地瞧下那个士兵，士兵像折叠椅一样把身体合在一起。

皮特曼挨莉莉坐着，不过目光一刻不离玛格丽特夫人。莉莉不在家的十几天里，他与夫人的关系持续超越辈分和身份，变得比锡克人还要忠于君主。他察言观色的本领见长，梅根先生说他可以成为 FBI 高级探员，专门对付俄罗斯的克格勃。这边父亲抓着女儿的手不放，好似行船时牢牢握紧航舵一样。他不时看看她的脸，像观察舰前的水情变化。士兵像件大号衣服挂在他身后，俩人不知谁保护谁。

"莉莉小姐，你走着出去，坐着回来，说说到底怎么回事？"玛格丽特夫人手指蹭蹭雪白的卡拉拉云石桌面，不忘检查南斯拉夫女人的工作效果。

"您要我说什么？"

"我要你交代你到底想怎样！你不顾我身为母亲的感受，不顾大家为你操持婚事，抛下一切跑到中国去！你的未婚夫就在你眼前，你怎么向他解释？"——皮特曼舔舔嘴唇，忧伤地低下头，好像花朵没照到太阳。

"不为什么，为了我自己！"

"为你自己，你的什么？"玛格丽特夫人换上一副歪嘴的笑，把那只红皮鞋尖像犁铧一样插入猩红的地毯下面。

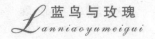

"为了我的真爱！我在那里找到了真爱，他是中国人！"

"玛格丽特夫人，阿杰夫先生，你们听听，她竟然爱上了中国人！我见过他的，像只瘦山羊，怎能配上莉莉小姐！我的情敌竟然是个中国人，我真没脸活了！"

"看吧，莉莉小姐，瞧你把未婚夫伤成什么样！"

"莉莉，那些人很猥琐的，总是想尽办法达到目的，你被他们迷惑了！"

"不许你们污蔑他们，他们对我很好，我清楚自己在做什么！"莉莉被母亲和皮特曼的言论激怒，好像自己受到了侮辱，她不顾一切叫起来。玛格丽特夫人像座石像连根被挪动了一下。

"你越来越放肆，竟敢这么凶巴巴对我们！"玛格丽特夫人没有冲女儿，而是冲大家伙喊道，一边又用眼睛把那个士兵蹂躏了一次。阿杰夫只管看着地面，他在家里的地位与一个冲洗甲板的新兵蛋子没什么区别。

"我的事情不用你们管，你们再不能干涉我的生活，我受够了！"

"你们瞧啊，你们瞧啊，她整个鬼魂附体了！"玛格丽特夫人站起来，又急又气。女儿公开了秘密，让皮特曼知道了事情真相。她努力了几次，都没能将鞋跟从地毯缝拔出来，只好在原地叫嚷。

"我就是喜欢那个东方人，就是要和他在一起，他叫玉真，是个道士！我不会再属于任何人了，只有他才能将我从痛苦深渊里拯救出来！"

"夫人，先生！"皮特曼从沙发上站起，"我们结婚的事半个纽约都知道了，她却变了卦，这是在羞辱我！"

"让她休息会儿吧，她身体不太好！"爸爸心疼女儿，担心她像蛋壳一样碎掉。

"我已经和史密斯先生、梅根先生商量过了，他们对我的提议双手赞成：我们打算联手针对中国厂家开展反倾销调查，教训一下那些让我们共同头疼的中国人！"

"妈妈，你还是这么做了，你在公报私仇！"莉莉失望地摇头。

"我这么做就是让你断了念头！现在晚了，即使你回心转意也无济于事！啊，这件事情太刺激了，我浑身是劲！"她的大身体在小套装里活动几下，好像体操运动员准备跳马一样。

"您拿女儿当冤大头，到底为什么？"

"为什么？为了美国的利益！"玛格丽特夫人说着抬起头，像上面飘扬着星条旗。

"美国的利益？你们总把自己标榜得那么高尚，实则损害这个国家！"

"你啊，可惜是我的女儿，可怜我花了几十年血本培养你！单纯得还像个幼儿，沉浸在不切实际的幻想中！那个就是只大灰狼，你就是那个小红帽，这下我总算说清楚了吧？"

"难道幼儿眼里的一切不是最美好、最纯洁的吗？为什么你们不相信他和他所做的一切，为什么不亲眼去看看？他们信奉以和为贵，与人为善，真诚待人，不仅个人如此，整个国家都如此！你们再这样下去，只会和奥斯曼帝国一样短命！"

"她还知道历史上有个奥斯曼，真是博学啊！原来最大的敌人在家里，今天我才发现！多可怕啊，像只长大就要转身吃掉母亲的鹰仔！"

"妈妈，我请求您重视我说的这些，这对你们有好处！"

"你倒真把自己当棵葱，让你这么一说，我和史密斯先生都是短视和无能之辈了？"玛格丽特夫人狂笑起来，好像十万只麦克风同时放大她的音量。

莉莉急得要哭，哭不出来，转头央求爸爸："爸爸，你快说说，阻止妈妈啊，她这样做真的很危险！难道您能容忍这种疯狂的挑衅行为，谁来承担这种冒失带来的后果？"

"有时候，你妈妈所说所做或许有道理。"阿杰夫摸着他的下巴说。他已经有两天忘了刮胡子，为女儿的事显得很犹豫。

"听到了吗，连阿杰夫先生也这样说！"玛格丽特夫人向下坐稳了，那神情好像她在听证会上又赢了一局。

"你把自身利益绑架到女儿身上，亏你做得出来！"

"说白了这和你没一毛钱关系！你这么胡说八道，如果放在别的地方，会有人割掉你的鼻子！"

"莉莉，不要被人家可怜巴巴的样子迷惑，精明的人才不会上当！"皮特曼摸对玛格丽特夫人路子，一字不差地说。

"你们把他像动物一样百般凌辱，仍在这里振振有词！"

玛格丽特夫人冷笑着："我意已诀，断难更改，你就死了心！你现在的任务就是乖乖把婚结了，成为皮特曼夫人后好好在家养病！毕竟你是我的女儿，我爱你胜过一切，你可以享有我能提供给你的一切！"说着，她居然挤出两粒琥珀一样珍稀的眼泪。

"妈妈，我再次恳请您，收回那份不公平的决定！你们绑架了别人，像犹大一样虚伪、贪婪、狡诈和作弊！你们会把自己带到危险边缘，你们现在的可笑行径像在生日聚会上放了个屁，只会引得哄堂大笑！"

"你简直就是那些人的代表！要不是看在你生病的分上，我是不会原谅你的！总之你记住一条：你也是受益者，否则没人那样待见你！——我在同你废什么话，如果你不是我的女儿，根本没资格同我这么说话！"

皮特曼不失时机补充道："莉莉，过度迷信一个人是很危险的，不要忘记这里才是世界的天堂！'大象走到河里，鳄鱼不敢张嘴'，连马达加斯加渔民都知道这些！"

"'石头里抽不出血！'是这样的！"阿杰夫胡子在闪光，尽管他与妻子隔阂很深，但一直没有失去对她的尊敬！现在他同样对皮特曼欣赏有加，认为这个女婿很有见地！"莉莉，虽然爸爸很爱你，但你的言论让我震惊！我和你妈妈无意把你培养成这样，至少对我来说希望你快乐即好！"——玛格丽特夫人轻蔑地瞅他一眼，低声说了句"平庸！"

莉莉沉默不语，专心看地毯上那朵被士兵脚掌压扁的百合花图案。士兵的一双皮鞋像甲壳虫一样发亮，而他本人则像只装死的虫子一动不动。玛格丽特夫人跷起修长的腿，细心观瞧对面墙上的画作。它是一位画界崇拜者为她量身而作，浓眉大眼的她像极法国大革命时期的女英雄贞德。

"该回到问题本身了，爱与不爱的话题一个世纪也说不完！"阿杰夫建议到，同时打个震天响的喷嚏。玛格丽特夫人赏画的雅兴被打断了，她像凯门鳄抬起头，鼓起腮注视对面那个人。

"你们二十年的养育不如他在一秒钟给我的多，你们几个全部的爱加起来不敌他对我轻轻一笑！不管你们怎么看，我就是爱上他了，我就是爱上他那里了！爸妈，你们放手吧！"

"这不公平，我的女儿！"玛格丽特夫人看到女儿已然像花儿一样蔫下头，猛地意识到她将不久于世，于是到跟前跪倒，泪光凄凄，如委内瑞拉天使瀑布落下的水帘。

阿杰夫也泪如雨下，可坐姿仍堪比直尺。鉴于他在外服务多年，以及妻子成功斡旋，他回来向海军总部报到，然后出席晋升仪式。

玛格丽特夫人摇晃着头："傻孩子，这里的所有人都很幸福，除了你！为什么？就是我把你宠坏了！你太任性了，不听我的话！我已是国会议员，你爸爸即将升任准将指挥官，皮特曼年轻有为，这一切不是很完美吗？你应该到教堂赎罪，让上帝帮你清醒！"

"全世界都被这里吸引，你却众叛亲离跑开了！这里的生活多么高贵，你却甘心沦落！"

"皮特曼，我不会和你结婚的。"

"可夫人和你事先都同意了的！"

"我后悔了，现在明确告诉你：我爱的不是你。"莉莉隐忍着说出来，瘦小的身体仿佛一只在雨中没有力气奔跑的小动物。

"夫人，先生，你们都看到了吧，莉莉无情地拒绝了我！"皮特曼咆哮起来，像被法官当厅踹了一脚。

"都别说了！"玛格丽特夫人一声怒吼，她颤动的红发让人眩晕。她快速回去坐好，向皮特曼下令："你要通知你的父母！"

"通知他们做什么？"

"难道还用问吗？让他们提前照顾下生病的儿媳妇！"

"可是，他们只知道我要结婚，别的什么也不知道。"皮特曼扯开衬衫领口，露出里面茂密的体毛，好像山顶洞人受到虎豹威胁那样焦躁不安。

"难道你想婚事就这样黄了？现在得有人看着她！"玛格丽特夫人恢复了往昔风范。英国的玛格丽特女士生病了，美国的玛格丽特夫人正在风口浪尖上。不过让她遗憾的是：自己和人家有一样的作风，却没有一样的知名度！

"不，妈妈，我哪儿也不去，让我死了算了！"

"恐怕由不得你！你是我的女儿，也是皮特曼的未婚妻，这是尽人皆知的事！"——皮特曼躲到一边小声打电话，眼睛同时往这边溜。

"你们在威胁和限制我！"

"你已经疯了，必须把你关进笼子里！"

"亲爱的，她总归是我们的孩子，你对她客气点吧！"阿杰夫剥个橘子递给女儿，看到她眼睛里全是泪。

"你心疼女儿，还是别人？"玛格丽特夫人冷笑起来也很好看，她那傲慢至极的样子，好像随时可以把丈夫和那个士兵像蒲公英一样轻轻吹走。

"你总是跑题!"阿杰夫像老虎经过驯化不再咬人。他弯腰动手擦靴子,戎装上的扣带和鬓角银发闪闪发光。

"你也吃一点!"玛格丽特夫人把整只果盘推给坐回来的皮特曼,目光像新西兰丝绒那样软和可人。

"我已经通知他们了!"皮特曼指的是自己父母。之前他把屏保换成梅根先生侄女,所以刚才躲到楼梯后打电话。上次他在梅根先生晚宴上见到她,立即被她明星般的气质迷住了。她是那晚的兔女郎,人人争相和她说话,不过她正眼没瞧他一下。

事情告一段落,玛格丽特夫人提出为今天庆祝一下。阿杰夫热烈响应,站起在客厅中间整理衣服,那个士兵像裁缝一样低下身为他服务。玛格丽特夫人换了衣服从楼上下来看到这一幕,像收集证据似的记在心里。一家人前往广场饭店,皮特曼已是那里常客。因为话不投机,莉莉和爸爸分开坐,中间是那个纹丝不动的士兵。纽约再次印入莉莉眼帘,其实她离开不过二十天,却觉得这里发生了巨大变化。暮色中楼群像战后存活下来的邻居,相互拥在一起心有余悸地讨论。她觉得自己像个孤儿,在废墟前揣测前途命运。纽约又起风了,气势汹汹,这点像北京。爸爸几次想说什么,被她砸地鼠似的顶撞回去。可以料到,餐桌上的气氛很差劲。一位新提拔的大堂经理为他们服务,他长得有点像《越狱》的二号男主角,黑色上衣口袋里别枝新鲜黄玫瑰,不断接到传菜侍者递来的菜品,优雅地摆放在客人面前。玛格丽特夫人像匹血统高贵的马严苛挑选食物,半只膀子吊在外面,肩胛闪着餐厅青紫的灯光。经理每次放下盘子直起身,皮特曼都要观察他一下。大家各有心事,像分享为数不多的战利品一般各啬享用桌上食物。高空西风带的劲风晃动这座十九层的大楼,周围人声鼎沸,世界像颠覆一般。莉莉感到恶心,吃得几乎快睡着。她细瞧父亲带回的士兵,他非常年轻,只有二十二三岁,脸上残留几粒雀斑,谨慎地像只火苗后面抢食的渡渡鸟。皮特曼打碎一只杯子,红酒洒在身上,玛格丽特夫人却没有理他。那个经理过来询问,然后把损失记上账单。玛格丽特夫人对他报以一个甜美微笑,任何时候她都在维护自己的身份。阿杰夫承担起照顾女儿的义务,像过去把一堆玩具丢给让她自己玩。莉莉面前盘子里盛满食物,耸立得好比密西西比平原上的山丘。士兵像参加荒野生存训练一样,吃得比莉莉还少。

　　宴席不欢而散，几人穿越茫茫夜色返回。到了门口，皮特曼提出与莉莉单独待会儿，遭到严词拒绝。他有些气急败坏，委屈地钻入玛格丽特夫人房间，磨蹭好久才胳肢窝夹着上衣离开。阿杰夫要准备述职报告，把女儿送回房间后走掉了。隔壁又传来钢琴声，与外面的风雪混在一起，让莉莉不由记挂起那两个姐妹来，她们过得好不好呢，是不是和她一样不快乐？雪很快粘满玻璃，她回到床上，不敢关灯，裹紧被子，一动不动观察窗户，觉得自己正从纽约这个巨城的化合物中分析出来。纽约对于她不再是过去的纽约，她也不再是过去的她！她躺下看书，迷迷糊糊犯困，意念又回到中国：房间里焚着香，玉真在隔壁轻轻翻阅书籍，然后往身上试针……是的，与玉真相比，皮特曼就是只麻雀！她快活地笑出来，却被一只冰冷的手突然抓住。睁眼一看，母亲正在床头，披散开头，面容苍老憔悴。

　　"宝贝，睡了吗?"

　　"没有！"莉莉挪开身，让妈妈睡进来。

　　玛格丽特搂着女儿哭道："你该知道我多么爱你，我不能失去你，那会像世贸大厦遭袭一样毁了我！"她抱起女儿的头，像蜥蜴眼睛一样灵巧地打量，"如果你再离家出走，我真不知怎么办了！"

　　莉莉被感动了，抱住妈妈："妈妈，如果能天天抱您一会儿，那该多好！"

　　"傻孩子，什么时候我都是你妈！"

　　"妈妈，这场病让我明白了很多！我做不到让您满意，您对我很生气是吗?"

　　"莉莉，你长大了！可是你长大了，就不属于我了，是不是?"

　　"我真的累了，想按自己的想法活！"

　　"好吧，就算你爱那个中国人，也要把他藏在心底！你现在好好听话，做好嫁给皮特曼的准备！"

　　"这能让您快乐是吗?"

　　"你还不懂的生活，现实和理想不是一回事，你要妥善处理它们！"

　　"正因为现实和理想不是一回事，所以人会变得复杂和虚伪，对不对？如果是这样，您觉得自己快乐吗?"

　　"你拥有的快乐比谁都多，只是你自己不觉得！把你最后的快乐留给我，求你，宝贝！"

"那爸爸呢？"

"别提这个负心汉！今天我就对你讲实话，他现在不知怎么和哪个士兵亲热呢！"

"妈妈，您这么说可有根据？！"

"根据？根据就是他这十几年来几乎没碰过我！"玛格丽特夫人像患有肩周炎似的抽鼻子，"现在你知道真相了吧！"

"妈妈，怎么会这样？！"莉莉把头转过去，看壁炉里的火苗小丑似的跳跃。

妈妈把她扳过来，她看到一张苦大仇深的脸。她抱住女儿哭起来，把一个女人为情所抛的痛苦向另一个女人彻底倾倒出来。

"妈妈，我爱您！"

玛格丽特夫人直起身笑中带泪："尽管这是一句女儿对母亲讲的再稀松平常不过的屁话，可还是把我感动了！宝贝，你要解决好自己的问题，不要再让妈妈操心！"母女再次相抱，像冰释前嫌的闺密。两人哭了很久，纽约夜太长，海浪与沙滩摩擦生成的泡沫在自由女神像下一次次碎裂。

"听妈妈的话，明天就到皮特曼夫妇那里去，他们可以照顾你！"她吻了下比自己还皱巴的女儿的额头，"宝贝，我不要你死，你要活下来，懂吗？"

"我真心爱那个东方人，他在我心里就像史密斯先生在您心里一样！妈妈，现在生活在美国的中国人还少吗，他们的努力和成功已得到全美国社会的认可，他们和我们一样优秀！"

"史密斯先生不一样，半个纽约的女人都迷他！"

"如果您不承认这一点，我就不会嫁给皮特曼！"

"好吧，你心里有谁没关系，男人都一样！当初你爸爸爱我爱得死去活来，到头来他连口味都变了！这个世上多少个家庭名存实亡，真是可怕！"

"妈妈，今晚我们睡一起好吗？"

"他们已像一对枝头的李子挨着睡熟了！"

"纽约也快醒了，醒了它又要胡作非为！"

"睡吧，这将是我同你作为女孩儿所宿的最后一晚！"玛格丽特格外温柔地拍拍女儿，一如刚生下她时搂着她睡觉那样。——纽约港此时已进入梦乡，她也是累极了，有节奏地呼吸着，连那玩世不恭的脸也可爱和率真起来。

老皮特曼夫妇的袖珍房子位于夏延市郊外，周围是荒凉延绵的坡地和遍地的灌木丛。听到直升机马达声音，夫妇俩赶忙跑出屋子，攀上高处搭手往上瞧。直升机降落时扬起一阵尘土，夫妇俩牵手从坡上跑下。螺旋桨渐停转动，安静下来的飞机像只刚交尾完的巨型蜻蜓。夫妇俩捂着鼻子小心靠近它，惊讶奔拉下来的桨片薄得可以削掉人鼻子，而之前它扇呼起的风足有十二级大。等尘埃落定，机舱里的人陆续出现：先是皮衣皮裤的皮特曼，然后是风衣大帽的玛格丽特，接着是长件羽绒衣加身的莉莉，再是衣着单薄的士兵，最后是不惧严寒、精神抖擞的阿杰夫。阿杰夫亲自驾机，跳下后边走边摘掉风镜，帅气的样子把皮特曼妈妈看傻了。夫妇俩一起站在螺旋桨的阴影下欢迎客人，老皮特曼脸膛红润，四肢粗壮，在妻子后面认真地笑。皮特曼妈妈身高不及丈夫肩膀，硬梗着脖子，一只手藏到身后，一副天真烂漫的笑。

玛格丽特夫人从眼镜后面打量四周，失望地摇头。

"有什么不对吗，夫人？"

"你在想这里很荒凉是吧？不会的，等夏天就漂亮了，人们都喜欢到这里度假和约会，到处都是酒瓶子和用过的避孕套，这里一点不寂寞！"老皮特曼乐呵呵地介绍。

玛格丽特夫人再次摇头，慵懒地眺望赤裸裸的原野和遥远天空，舒展下疲乏的腰身。

"你们好，亲家！"皮特曼妈妈走上一步，像见到英国女王一样行屈膝礼。

"你也好！"玛格丽特夫人语气透着冷漠和高傲，把老皮特曼夫妇看作两个小矮人。

"夫人，一路辛苦了，请到寒舍休息！"皮特曼妈妈对于纽约来的高贵客人，使用了她从书本和电视里学来的辞令。

"今天可真是个大晴天，大家里面请吧！"

玛格丽特夫人走在前面，老皮特曼夫妇亦步亦趋跟着。皮特曼拥揉着莉莉，冲着原野指指点点，回到家乡他像孩子一样快活。莉莉来之前服过镇痛剂，现在虚弱得很。看到一望无垠的山峦丛林，呼吸着新鲜的空气，心情比飞机上好很多。但身体被强壮的皮特曼箍住，她动弹不得。阿杰夫与士兵寸步不离，二人步调一致，行军似的在地上踏起尘埃。

客厅因为一下涌入好多人变得格外拥挤，再与玛格丽特夫人一行带来的珠光宝气一比，更显简陋寒酸。老夫妇俩试图用热情弥补和遮掩家室的破蔽，丈夫主要靠他的大嗓门，妻子则永远是一堆充满歉意的讪笑。咖啡味道很浓，玛格丽特夫人真有点渴了，皱着眉头小心啜饮，一边用眼睛在三秒内把房里打劫不下二十回。桌上的苹果有点发蔫，壁纸多少年没有更换，画框落满尘埃，书柜表面开裂没有光泽，地毯上痰迹斑斑，吊灯缺个灯泡，烤箱放到壁炉台上，角落里的鞋子没有藏好……当然她还不知道，对面沙发的弹簧坏了几根，皮特曼及时把屁股嵌了进去。

"夫人和先生莅临至此，真令寒舍蓬荜生辉！"老皮特曼学妻子敬上一句。他佩服她不得了，她居然可以整出"寒舍"这样高级的词来。

"莉莉小姐，您喜欢这里吗？这里风景多美啊，空气中到处弥漫烤曲奇的味道，相信你会很快忘掉纽约！"

莉莉略微点头，皮特曼彬彬有礼地笑。

"今天我们专程到此，就是想谈谈儿女们的事！"玛格丽特夫人开启金口，正儿八经像女王授旨。

"好的呀，皮特曼在电话里都说了！"皮特曼妈妈搓着手热情回应，生怕冷落了客人。

"我们非常喜欢海丝莉小姐，她那么聪明、美丽、善良，嗯——"老皮特曼一时想不起用什么词，"总之我们巴不得她早点嫁过来！"他很高兴用这一句收尾。

"是的，连邻居们也想早点见到海丝莉小姐呢！"皮特曼老夫妇一唱一和，一句话分两个人说，缺少哪个都不成。

"皮特曼，你这小子有福气，海丝莉小姐可是个大美人，是不是？"老皮特曼向儿子挤挤眼，开心地笑。小皮特曼用拳头砸砸自己的肩，嘿嘿干笑。

"皮特曼，你怎么想的？"

"是在问我吗？"皮特曼没想到玛格丽特夫人会问自己，他有点猜不透她什么意思，但仍旧笑着，"我当然遵从大人们的安排！"

"在他小时候，也就十多年前，我钓到一条亚洲鲤鱼，结果被他偷去喂了狗！"

妻子想不出丈夫要说什么，歪着身子，像从树后打量他。

"我在说皮特曼是个诚实的孩子，至少他被狗咬了以后承认是他干的！"

"你说这个做什么，今天亲家来了，别忘了什么场合！"

玛格丽特夫人听到微微一笑，只这皮特曼夫妇三言两语她就把他们看了个透。他们就像池塘边一对只会呱呱叫的蛤蟆，掩不住的俗气和浅薄。

"皮特曼可是个好孩子，像他这样的男孩现在不多了。据我所知，他只有过海丝莉小姐这一个女朋友。他老实巴交，我怀疑他现在还是处男！"

玛格丽特夫人变了脸，好在小房里光线昏暗，她才蒙混过关。遇到这种没见识的人让她感到恐怖，他们像一帮拎起人就打的暴徒！莉莉也看到皮特曼红了脸，她把自己的衣服从他屁股下拽出来。

"哦，妈妈，你说这个做什么！"皮特曼急了，刚才装出来的笑像地摊货一样收起。

老皮特曼接上："他早该不是处男了吧，纽约每个人都有情人，他们天天都在约会和做爱！"

"这个你最好问海丝莉小姐！"老皮特曼妻子扑哧一声笑出来，像挤碎西红柿溅在对面人身上。

"言归正传吧，亲家！"玛格丽特夫人抖抖鬃毛威严地宣布命令，她再不发话场面可能失控，像议会里闯进两个疯子，得赶紧制止他们！皮特曼夫妇听见亲家提高半个八度，知趣地安静下来。

"我就不绕弯子了，以后莉莉就住到你们这里，还要麻烦二位照顾好她！"

"夫人，您客气了，能照顾海丝莉小姐是我们的荣幸，何况她马上就成我们的儿媳妇！"

"感谢你们通情达理！说实话，我们真有些不忍，可我和她爸爸实在太忙，纽约和美国需要我们，我们不得不做出这样的牺牲。这样安排让我们十分痛苦！"她用指尖挑挑眼角，眼睛像冰雪一样闪动坚毅的光，令观

者无不动容。老皮特曼妻子的眼泪比小溪沟里的水还要快，她上前吻下亲家的手，又坐回原位。

"她的情况你们都知道了吧?"

"什么情况，她不就住在这儿嘛！她患了病，正在治疗，马上要结婚了，需要我们照顾！"

"放心吧，夫人，我们会照您的吩咐去做!"

"她可能需要一些时间才能适应这里!"阿杰夫说。他虽然驾机时神气，但不擅与妇孺聊天，再加上旁边老婆咄咄逼人，他的气场就弱许多。

皮特曼妈妈这才重新注意起她的准亲家公，笑盈盈地说:"我可是邻居们公认的聊天高手，大家宁愿不看电视也不肯错过和我聊天，因为我比电视更解闷！我也是个非常细心的人，照顾皮特曼先生几十年，他从没抱怨过我一次，这个你可以问他！"老皮特曼慌忙点头，好像怕落在人后头似的，眼睛却不自觉地盯着妻子丝袜上那个破洞，"何况海丝莉小姐是纽约来的千金，理应得到无微不至的照顾！"妻子再往下说就好像走路绊上东西一样甩不开腿脚，努力把那只小腿往回收，心里恨透了丈夫的愚蠢。

"爱情，让人蠢蠢欲动！爱情，是草丛里悄悄做的事！"

"你在念诗吗，皮特曼?"老伴转身对着玛格丽特夫人，"他在念诗，他经常这样，我们的生活就是这样琴瑟和谐，夫人！"

玛格丽特夫人想笑却忍住，她完全被这对弱智亲家逗乐了。其他人也都像观看免费表演一样津津有味，每人手里就差一包乐事薯片。

"莉莉住哪里，你们安排好了吗?"

"没有问题的，皮特曼原来的房间，我们连夜收拾出来了。原来是个狗窝，现在成了公主闺阁！"

"放心住吧，上个月我们总算还清房贷了，这里彻底属于我们了！"

"是啊，房子是小了点，可这前前后后的景色是免费的！"

"不知莉莉是否对这里满意。我的女儿就是这样，侍弄她比养活只未成年的竹鼠还要费劲！"

"哦，是吗？那我们有得事情做了，皮特曼也不用四处乱跑不着家了！"

"我们知道夫人您的意思，这是件非常辛苦却无比荣幸的事！"

"婚礼就定在圣诞节吧，这样就不会麻烦你们太久！"

"如果订到中国除夕就好了，您说呢，夫人？"皮特曼妈妈心血来潮地说。

"为什么？"玛格丽特夫人没想皮特曼妈妈这么说。刚才她在直升机上就与阿杰夫发生冲突，因为阿杰夫告诉她飞机的仪表盘产自中国！她不知道是因为女儿彻底恨上中国，还是自己原本就不愿看到一个她眼里卑劣的民族与美国人分庭抗礼。要知道她祖上生活在号称日不落的大英帝国，她自己现居世界之都纽约，这些都决定了她高高在上。而令她头疼的是，现在与中国有关的东西像肮脏的空气一样无所不在。

"我和皮特曼喜欢留意世界各地的节日，这样我们的生活就不会寂寞了！据说中国人要在除夕这天吃饺子。天啊，十三亿人得包多少个小饺子，如果连起来会从地球到火星！真是太有趣了！"

"那就不巧了！"玛格丽特夫人淡淡说了句。

"如果不是给孩子们办婚事，我们原打算邀请几个中国人来家过年，还打算把皮特曼的房间租给他们！"

"不，妈妈，我往后回来住哪儿？"

"你今后要住进夫人家的豪宅，还回这里做什么？即使你回来，完全可以在客厅凑合一下！——夫人，我们正在攒钱去中国，据说那里发出了令世界震惊的变化，这激发起了我们的一点点好奇心！"

"那是够热闹的！"夫人感到无话可说。老皮特曼夫妇想法天真，她怎么可能让皮特曼住进自己家里，他们把一切想得过于简单。

"可以让我看看房间吗？"

"没问题，我们换了新床垫和床单，保证莉莉小姐天天做美梦！"

皮特曼妈妈过去打开房门，玛格丽特夫人和阿杰夫跟进去。房间与他们想象的不知差多少倍，除了一张床差强人意外，其他实在说不出一点好。夫妻两个同时皱起眉头，阿杰夫鞠身看窗外那片大得瘆人的原野，上面有耀眼的残雪，他心里像有只鸟找不到落脚处。

"窗户需要修理一下，这里的风粗暴得像野蛮人，莉莉受不住的！"阿杰夫说。

"我们是打算修来着，可时间来不及了！"

"为什么不把这些饰物拿掉，女孩子的房间就应该有女孩子的样！"

"哦，对不起，这是皮特曼留下的东西，我们没来得及清理！"

"这些家具和灯具怎么还是十多年前的样式？它们样式和颜色完全可以再鲜明点，这样房间才会显出生气！"

"的确是这样！"

"地毯铺得厚一些，莉莉喜欢光脚走路！"

"那不等于把整个房间重新装修一遍吗？可皮特曼仅仅给了我们不到一天的时间，我们就是插上翅膀也做不完呢！"

"暂时只能这样了！我们没有抱怨你们的意思，皮特曼夫人，我们只是说莉莉喜好什么！"

"是这样啊，那我明白了！"皮特曼妈妈再次谦卑地笑，不过吃力劲就像老母鸡屙下一颗蛋。

老皮特曼抠着长满白鼻毛的鼻孔，一直在想别的事，没听清三个人在说什么。

"如果没有别的事，我们就告辞了！你们只管照顾好莉莉，婚礼的事我们来操办，包括这边的费用！"

"是这样吗，夫人？太感激您了，您可真慷慨！"

"皮特曼，你傻小子有傻福！"老皮特曼这句话听清了，朝外面的皮特曼喊道。皮特曼正在安慰莉莉，告诉她尽可安心住下，父母热情好客并非常喜欢她，她在这里肯定会过得很愉快。他告诉她这里有很多乐子，茶余饭后可与老皮特曼夫妇聊天，也可以造访附近的邻居们，相互请客或赠送点心；也可以独自到原野散步，看早晨太阳升起和夜里群星闪耀，并且最大的好处是脱离城里的喧嚣，有时间思考过去很多被忽视的问题；这里距夏延城区也不远，驱车只有三十分钟路程，小城市有小城市的妙处，像大鱼大肉之后品尝下清胃小菜；西部居民们天性淳朴、刚烈似火，他们将给客人至高礼遇，但像壁炉里的火不会烧到人脚心，人心永远不会有严冬。他还表白每天都会想她，保证每星期回来看她一次。当老皮特曼喊他时，他正乞求她真心对他，赶快忘掉那个中国人。他发誓不恨她，只是她一时迷糊罢了。

莉莉安静地坐着，透过窗户看房前正掠过一只小龙卷风，像只没长大的小兽在奔跑。落基山区是龙卷风的多发地带，她担心它们发怒起来会把这座位于荒郊野岭的房子掀掉顶。她没听清皮特曼说什么，因为她压根没去听。生活差距如此之大，前两天她还生活在中国，现在却来到十万八千里外的夏延市。皮特曼要吻她，她下意识躲开。那个士兵一动不动盯着他们看，像是一只智能摄像头。莉莉对他的印象已经好转，她不恨他，认为他是个纯净的男孩，他与父亲只是性取向的问题。——阿杰夫从对面的房间里出来时，莉莉发现年轻士兵稍显紧张。

"事情只能这样了，我们必须马上离开，纽约一大摊子事还等着我们呢！"

"夫人，阿杰夫先生，你们可真重要啊，这就是人们常说的'日理万机'吧！对于我们，只是吃吃喝喝、品尝咖啡或茶，再就是聊聊天，生活中还有别的事情要做吗？我们想都想不出来！"

玛格丽特夫人被亲家母一番恭维感到惬意十足，她嘎噔嘎噔走路，很快放弃对这里的挑剔。皮特曼妈妈追着玛格丽特夫人："夫人，您千里迢迢前来，难道就不能赏光留下用餐吗？您知道，我昨天让皮特曼砸开湖冰给您钓鱼，还精心准备了其他食物，其中很多是邻居们慷慨支援来的！您是光临此宅的最高长官，连州长也没来过这里。那些议员们只在选举期间送选票过来，其他什么也没有了！我再次恳请夫人及阿杰夫先生，留在鄙舍用餐！"

"一家人就不用这么客气了！"玛格丽特像做爱后很爽一样吸口气，鱼尾纹全部撑开，她把"一家人"像赏品一样赠予那个因为身材矮小一路仰头讲话的皮特曼妈妈。

"宝贝，我们要走了，你在这里保重！时间很快会过去，等你结了婚就住回去！"

"住回去又怎么样，还不是和从前一样！"

"傻瓜，结婚后你就有了丈夫，你们单独生活在一起，过自己的家庭生活！"

"轮回，这就是轮回！"

"你在说什么，宝贝？好好听话，现在我们都很难受！"父亲上来抱她，"这里毕竟不是自己家，学会照顾自己！"这算阿杰夫作为父亲对女儿婚前最后的教诲。莉莉抱着他不愿松手。那个士兵眼睛明亮地望着阿杰夫，站在原地待命。

"又不是见不着，不过暂时分开一段日子，我们得抓紧走了，你明天还要向海军总部报到，不要因为这件小事耽误了大事！——你的治疗仍由普契夫医生负责，我会派直升机来接你！"玛格丽特夫人像一个铁血的记者报道一个辛酸场面。

"爸爸，想着我！"莉莉冲父亲说。

"当然，宝贝！回忆我们在一起的日子是我最愉快的事！转眼你就要嫁人了，真不敢相信这一切！我知道我做父亲不合格，宝贝，你要原谅我！"

"我知道，我知道！"——莉莉看眼妈妈，想上去抱抱她，但被她的冷漠阻止了。

皮特曼跟在玛格丽特夫人后面，士兵随着阿杰夫，四人一起来到外面。老皮特曼夫妇和赶来的邻居们一道为玛格丽特夫人一行送别。莉莉站在人群最前面，好像看一群星球移民从身边飞走。四人在机舱里坐定，阿杰夫发动飞机，戴上挡风镜同莉莉挥手。飞机起飞后，很快变成一个小黑点，莉莉望着泪流不止。机舱里，玛格丽特夫人专注前方的原野和天空，不知什么时候手与皮特曼悄悄拽在一起。而那个士兵像件行李包立于不起眼的位置，眼睛注视着仪表盘，好像不是阿杰夫而是他在驾机一样。

飞机不到几分钟就没了踪影，莉莉被老皮特曼夫妇和邻居们簇拥着回到里面。大家在客厅像捕获一只保护动物一样打量莉莉，莉莉在沙发上忍着，感觉回到中世纪时的社交舞会。老皮特曼夫妇热情款待邻居们，邻居们过了晌午才一个个走掉。莉莉这才觉得客厅宽敞明亮起来，调整姿势透透气。她猜以后不得不面对这些邻居，他们会像上班一样定时到这个家里聚会。皮特曼夫妇等所有客人一走，就像没事做一样对着莉莉讪笑，见莉莉对他们的回应并不热情，两人很快又像往常一样拌嘴和掐架。他们用烤鱼、沙拉拌菜、酸奶和曲奇招待莉莉，玛格丽特夫人之前在卧室里对他们交代太多，他们只记住要给莉莉多吃蔬菜。而这是老皮特曼绝不会干的，他宁肯天天为吃肉拉不下屎叫唤连天，也不会像兔子蹲下来咀嚼绿色菜梗。他到室外烟熏火燎地烤鱼，把昨天捕到的那只足有一英尺大的鱼不住地翻滚，然后兴高采烈往上面撒盐，还用沙哑的喉咙唱被他踩躏得像胖人鞋子的《今天，他不再爱她》，如果乔治·琼斯听到，会从坟墓里跳出来找他算账！皮特曼妈妈则在烤箱边足足忙碌一个小时，那些曲奇散发出醺醺热气和诱人香味，她好像为整个原野的居民储备过冬食物一样。尽管皮特曼夫妇准备良久，可莉莉只随意吃几口便回房间休息。她的确累了，心情不佳，发愁接下来的日子怎么打发。老皮特曼夫妇看着莉莉离开，有一点点难受，在座上僵持几分钟，

"她不喜欢这里！"

"好像是这样，她吃的还不如我一口多！"

"我们对她不好吗？"

"怎么能说不好呢，我们对儿子也不过如此！"

"我们得看紧她，要不夫人对我们不放心！"

老皮特曼用力嚼碎一根鱼骨头，不巧卡在喉咙里，剧烈地咳嗽起来。妻子只好到他后面用力捶会儿："放心，皮特曼，连鱼翅膀都是你的，不会有人跟你抢！"她没事情做，就对这个生命中最重要的男人像不争气的儿子一样爱护和管教。她中途踮起脚偷听莉莉卧室里的动静，却什么也没听着。老皮特曼终于把鱼骨头吐出来，她赶忙动手给他擦鼻涕和眼泪，一边取笑他，老皮特曼在她乳房上狠狠捏了下。

一切归于平静，莉莉托着下巴坐到窗前。窗户缝里的风不断把窗帘吹起，好像里面藏着一只狐狸。一种强烈的孤独感袭来，像一个威胁她的人走得距她很近。她含泪望着窗外，意识到冬天才刚刚来临，荒原还会荒凉好久。她像上面一棵柔弱的灌木，不知何时得以返青。桌上那台旧电脑早被皮特曼用坏，和这房子里许多其他东西一样有名无实搁在那里。她将宿在这间满是男孩气的小卧室，无聊无助地度过一段时间。

玛格丽特夫人听从普契夫大夫建议，不让莉莉带任何电子产品过来，甚至连游戏机都给没收。她告诉莉莉应避免接触各种辐射，这样有利于休息和身体恢复。但真实的原因是她应皮特曼请求，要阻断莉莉与玉真的一切联系，好让莉莉死心踏地爱上皮特曼。他们给莉莉只留一部手机，但只要她接打电话，老皮特曼夫妇就会像隐秘的监听设备一样开始工作。

莉莉打个哈欠，经过一路折腾加上刚才在这房子里一番哄闹之后，她又困又乏。后来她才意识到这里与纽约相差两个半时区。太阳明晃晃照耀外面的一切，好像永远不会落下去似的。而纽约现在已经进入傍晚，全城灯光像宝石铺一样熠熠生辉，餐馆和夜场的人们正蜂拥而至，纽约之夜像百老汇大门徐徐拉开。她躺下辗转反侧，把皮特曼睡过的小床压得吱吱响，为又一次背叛玉真感到害臊。太阳像善良的皮特曼妈妈从窗户上方窥

视她，她起身迅速拉上，这样过了好久才渐渐睡去。

老皮特曼在外面哈欠连天，皮特曼妈妈从厨房忙完出来。"喂，你刚才听到什么没有？"

"什么，飞机还会来吗？"

"我看你就是吃多了，难道你把夫人的嘱咐忘了吗？"

"我没有，我没有！"老皮特曼摇晃头，"可是我想她在睡觉，总不能连梦话也去偷听吧！"

皮特曼妈妈任由丈夫狡辩，自己再次踮着脚尖贴到莉莉门上偷听。里面确实没有什么动静，她慢慢打开一条缝，见莉莉躺在床上睡着了，又把门轻轻带上。

"她可真是个娇小姐！"

"我说什么来着，你总不听我的！"老皮特曼抬起双手使劲挥挥，然后把口水擦到身上。

皮特曼妈妈去把一堆吃剩的鱼骨头扔到山脚，很快招来一群硕大的黑老鼠，她饶有兴趣地看它们争食。

隔天早晨，莉莉吃过皮特曼妈妈做的烤面包和煎蛋，但拒绝到外面客厅聊天。皮特曼妈妈抱怨她吃得太少，端着盘子伤心地出去。她把几乎完整的面包给丈夫看，丈夫瞪着眼睛冲她笑，她生气地把面包丢进垃圾筐。老两口只以为莉莉是只叼嘴的猫，哪知道她昨晚疼得快要命。她被子几乎全湿透，床单抓出一个洞，睁眼第一个念头就是自己在哪儿，然后想如果玉真在这儿就好了，他会千方百计减轻她的痛苦！皮特曼夫妇在外面有说有笑，他们天天快乐得跟过六一儿童节似的，对于生活在荒原他们一点不介意。

"她的情况不妙！"

"什么不妙，你不能因为她不吃你的东西，就记恨在心！"

"我感觉她病得很重！"妻子小声对丈夫说。

"大概她对这里还不习惯！"

"我想去帮她，她却把我拒绝了，看那脸色真吓人！"

"她不可能整天待在屋里，带她去湖边烧烤怎么样？"

"好主意，我去通知邻居们！"

"莉莉愿意去吗？"

"不知道，反正她要住上一段时间！"皮特曼妈妈想了会儿笑起来，"说到野炊我就忘了一切！老家伙，我是不是真的老了，你看我做事有一搭没一搭的！"

"谁知道！"

两人说过马上赶着准备。将近中午的时候，他们把莉莉从里面请出来，老皮特曼邀请她傍晚一起去野炊。皮特曼妈妈则在一旁认真打量病中的儿媳。莉莉揉着睡得发疼的头，知道迟早要接纳这对准公婆，便同意了他们的意见。

"莉莉，不给你的父母打个电话，告诉他们你在这里很好吗？这里是不是比你想的有意思？"

"哦，是的，不过我想他们知道我在这里很好！"

"你说得一点没错！你的脸色比早上好多了，你的病会在婚礼前好起来吧？"

"我想会的！"莉莉埋下头，她参与了自己一家人欺骗老皮特曼夫妇的骗局，担心他们知道实情后会中止这桩婚事，而这正由她的妈妈和他们的儿子一手策划。玛格丽特夫人希望女儿在死之前成为真正的女人，她用这种方式抵消她的罪恶感和表达母爱。而皮特曼要进入纽约政商界的圈了，必须通过这桩婚姻达成交易。莉莉对此心知肚明，她同意参与这个骗人游戏，因为一切对她无所谓了。

皮特曼妈妈多云转晴："我都不敢想象以后你们会多么幸福，连我们都觉得这房子小得不能住了！"——莉莉落在卧室的手机响起来，皮特曼妈妈按住莉莉，自己去把手机捧出来。莉莉接住了电话，里面是爸爸。

"宝贝，你还好吗？我在担心你！"阿杰夫在电话那边诚恳地说。

"您的事忙完了吗？"

"是的，不过还得返回交接工作，所以打电话向你告别！"

"爸爸，我有事求您！"

"什么事，宝贝！"

"求您让妈妈把那份报告撤回来！"

阿杰夫在电话那头顿了顿："你认为我能够改变她的想法吗？"

"可这不公平！"

"什么不公平？你妈妈她一意孤行，何况她或许是对的！这个时候她不再是我的妻子，她不会听命于我！"

"您和她站在一起！"

"莉莉，原谅爸爸！虽然我们是夫妻，但仍然有着各自的底线，那就是绝不轻易干涉和影响对方的职业！"

"爸爸，早点把我接回去，我不想单独待在这儿！"

"我知道，爸爸会尽早赶回来！可是说真的，多想打胜一场仗再回来！"阿杰夫这边捏着眉心，好一会儿说不出话，心有无限感慨遗憾。

"爸爸，现在不是很好吗，我们马上就可以在一起了，你再不用为那些事操心！"

"战争作为解决问题的最后手段，各方都会很小心的。"他沉吟着笑起来，"不说这些了，为什么总谈这个！"他摇晃着头，好像对命运认赌服输。

"你们谈的话题太深奥了，就和电视上的那些评论员一样！"皮特曼妈妈在旁边插嘴道，"没想到战争离我们如此之近！"她摇着花白的头发，吓得直吐舌头，"——皮特曼，你要做什么去？"她见老皮特曼扛着猎枪往外走，慌忙问道。

"我要去保卫美国，和那些挑衅者作战去！"

"我的天，越战时你差点成了俘虏，现在还想着打仗！"

"我要用这杆猎枪打烂他们的屁眼！"老皮特曼气呼呼坐下，想起他参加越战时的情景，口气有点硬不起来。

"爸爸，您回来后有什么打算？"

"我吗，什么打算？我会好好照顾你和你妈妈，履行我对你们未尽的义务！剩下的还不是老样子，听命于上峰！"

"爸爸，我不想死！"她第一次说出这样的话，丢开一切执拗心眼和花花肠子说出真话。这说明她已经意识到自己无可救药，唯有濒临死亡的人有勇气和觉悟这样说。

"我们同命相连！"

"您调任回国，又新晋职务，该高兴才是！"

"是吗，宝贝？你也不了解你的爸爸！"他在那头深深叹气。

"祝您明天旅途愉快！"

"谢谢宝贝，你婚礼前我尽量赶回来！"

莉莉再没心思往下说，她听到爸爸还在嘱咐她，却坚决地挂断电话。

"莉莉，真的会打仗吗？"皮特曼妈妈在她旁边坐下来问。

"女士，这些问题你得问维多利亚·纽兰去！"

"纽兰是谁？"

"能告诉我烘烤有什么诀窍吗？"

"哦，这个你可以问问他。"皮特曼妈妈用大拇哥指指丈夫。

老皮特曼还在回忆越战时的事，那时他只想当逃兵，现在想起来很沮丧。"烘烤需要的是心情，莉莉小姐，就像谈情说爱一样。"

"我明白了！"

"你明白了？他什么也没说！"

"他说了，需要好心情。"

"你们把我弄糊涂了！"皮特曼妈妈吃力地从沙发上站起，"我们是不是该出发了，外面的风已经小起来，天气预报员说得可真准！"

"是那个总爱笑的姑娘吗？她无论说什么都是好天气！"

"快把东西搬到车上去，昨天你应该检修下轮胎！"

"不用这么啰唆，少在一个男人面前婆婆妈妈，他很容易生气的！"

"一个老牌玻璃厂的司炉工居然还这么大口气，你有亲家公一半的能耐也不用待在这个荒凉的地方，让我跟着你一辈子受穷！"

"你难道不快乐吗？你这个忘恩负义的妓女，不要忘了是谁收留了你！"

"莉莉小姐，她总是这样诋毁我！"皮特曼妈妈哭起来，用她随时备着的绢子擦眼泪。

"我们走吗，日头要偏西了！"

老皮特曼把东西搬上车，让莉莉坐在他旁边，皮特曼妈妈自己爬到后座，三人沿简易公路驶入荒原腹地。荒原渐渐展现出天地之大，晶莹的蓝天与裸露的褐色泥土形成两大鲜明色调。沿途地表粗糙，布满大大小小的石子，在阳光下好像拥有了生命。低矮灌木丛成为荒原中众多生命的理想家园，它们发达的根系里不时蹿出野兔和鼹鼠。车子像拉链滑行于路面，老皮特曼唱起歌来，妻子闭上眼睛、捂住耳朵。莉莉专注车窗外，好些白头鹰游弋于天际，人们对它们充满想象，其实它们只是在觅食。老皮特曼

超车时使劲摁喇叭，然后向对方大声吆喝，紧接着车子"嗖"地蹿到前边。车身蹭到路边灌木，把里面的鸟惊得飞起老高。皮特曼妈妈一边喊"慢着点"，一边抱紧她的水果篮子。"你疯了吗，我都要吐了！"车子行驶平稳的时候她就不断抱怨。大约过了半小时，老皮特曼从公路上拐下来，在一片结了冰的湖面旁边停车。这里已经停了好多车，女人们蹲在地上生火和搬运东西，男孩们则随父亲走上冰面，找准一处卖力地开凿冰洞。冰层裂纹像白色植物根系向下延伸，深处不断传来令人毛骨悚然的断裂声。不久后，大家争先恐后从冰洞捕鱼，野炊最热闹的时刻开始了。

"莉莉小姐还在生气吗？"皮特曼妈妈察言观色地问。——莉莉在电话里同爸爸发生了争吵，到现在不明白他们为什么如此自我，而对别国毫无同情怜悯之心。她一路没怎么开口说话，皮特曼妈妈试探性地问她。

"没事，夫人，我已经习惯了！"

"这是郊外最大的淡水湖，夏延市的居民都喜欢在这里捕鱼。大家把这当作对自己辛苦一时的犒赏，享受烤鱼是大家生活中最大的乐子！——你坐边上等着，我和皮特曼去搬东西。哦，求你千万待着别动，如果让夫人知道了，她会说我们不懂得体恤人！"皮特曼妈妈看到莉莉打算帮她和老皮特曼从车上抬东西，连忙阻止。莉莉只得坐回去，看老两口默契地把东西抬下来，然后老皮特曼带着冰凿到冰面上去了。他同路过的每个人打招呼，丝毫不担心大嗓门把冰下的鱼惊跑。

"你和我留在这儿，别看皮特曼战场上是个孬种，可他每次总能捕到最大的鱼，他凭这个在这一带很出名！"莉莉随皮特曼妈妈蹲下，皮特曼妈妈仍然拒绝她帮忙，只管向她热情地介绍。莉莉看她铺好毯子，取出木炭，支起烘烤架，把一大堆烤鱼佐料码好，然后仔细擦拭带来的各式餐具。"待会儿你看，会有更多人来这儿，简直是个露天大派对！"

果然不久更多车开过来，人们三三两两下车，遇到后彼此友好问候，其后马上投入"战斗"。"大家都像认识一样！"莉莉从心里羡慕他们，那么从容、友好和亲近，脸上线条粗犷明媚，没有一点纽约人的刻意与刁钻。是的，人在简单状态下的单纯与知足，是人生快乐的主要来源。她想到皮特曼夫妇，二者单纯快乐，自己却一味挑他们毛病，显然错在她这里。

皮特曼妈妈点燃木炭，等着到通红的时候放到烤架下面。这时其他火堆也燃起来,白色炊烟和红亮火星随风扩散,湖岸上到处响着愉快的咳嗽声、说笑声。陆续有人从冰面回来,网里和怀臂里跳跃着劲气十足的鱼,大家相互道贺,寒冷像撒旦似的退到灌木丛后。气氛更加活跃,人们猜测谁会捕到今天最大的鱼。孩子们追逐打闹,吵叫声不绝于耳。先捕到鱼的人家把鱼按地上拍死,抠出肠肚埋掉,然后不顾它们还甩动尾巴,就放到架子上烤。主妇们伏身用嘴吹炭火,听鱼脂落入火里刺刺变作黑烟逃走。烤鱼的香味很快浓郁起来,人们心情大好,不认识的人也坐在一起交谈。男人们竞相打开瓶塞对饮,女人们则虔诚地奉上她们的手艺。场子中心燃起一团更大的火,驱赶因为太阳西下加重的寒气。没多久,老皮特曼臂下卡着两条鱼回来,在人们的惊呼声中找到妻子,胡子上还残留着冰碴,吐着大口白气。

"宝贝,逮着两条!"他得意地把鱼扔到地上,它们张大嘴,眼睛无辜瞪得好大,莉莉往后躲开它们,不忍听到旁边有人敲碎它们同类头骨发出的清脆声响。

"你如果向我道歉,我就亲手给你烤鱼!"

"给我些面子,一会儿有人来向我讨要捕鱼秘籍!"见妻子还是不答应,"好吧,好吧,我向你道歉,你不是妓女,是我当初勾引你得了吧!"

"莉莉小姐,他终于还了我清白!"她两手抹泪,褐色眼睛重新快活起来。"宝贝,我这就杀鱼去!"说罢她骑到两条大鱼身上,抡起棒子照它们头上捶下去,两条大鱼立刻张大嘴一动不动。

"好样的,吉妮!"老皮特曼在一旁瞧着发出赞叹。——莉莉第一次听到皮特曼妈妈的名字。这名字听起来像小女孩,但即使她超过五十岁,名字也与性子十分般配。

"嘿,老伙计,你又是第一名!"有人伸来毛茸茸的手道贺,老皮特大笑着与对方握手。很自然七八户人家攒过来,形成整个野餐营地里最大的圈子,老皮特曼当仁不让成为圈里的核心人物,大声谈论如何捕到最大的鱼。男人都被他的幽默和憨态可掬逗笑了。女人比试着手艺,看谁烤出来的鱼最受欢迎。皮特曼妈妈在架子边小心翻动鱼,一边向坐过来的认识的、不认识的介绍莉莉:

"这是我儿子的未婚妻,很漂亮是吧!"她自己先笑上一阵,"她来自纽约,出身高贵,再过些日子他们就要结婚了!"她替莉莉扑掉裙子上的火星，又往近挨她坐坐，接下来真正的重点是她的儿子，"你们当中有人知道我儿子，他正在纽约读书，不过已经有了很好的前程。他的理想非常宏伟，要当美国总统。他像他父亲一样非常善良，可不像现在的州长大人和那些议员先生们尽是鬼话连篇和不近人情。他答应把整个怀俄明州变成花园，让这里变得山清水秀。我倒希望他能把大象请来，这里就彻底成动物园了！他还要开发这里的页岩油，让怀俄明州人民个个富得流油，这样我们再不会走到哪儿都被嘲笑成乡下佬和穷命鬼了！到时你们一定要投他的票，我和皮特曼会把整湖里的鱼捞给大家吃！"她满意地打量丈夫，他已经站起来比画着如何徒手从冰冷刺骨的湖水里抓起鱼，尽管这个动作已重复上千遍。一个越战中差点被俘虏了的士兵，一个在玻璃厂兼做妓女的女孩，两者结合造就了一个美国未来的总统，这就是他们全部人生的价值和乐趣所在。

"这个时候你最好吹着口哨，这能使它们心情变好，然后乖乖跳出水面落在冰上！"老皮特曼把手臂朝里一弯，示意这样可以把鱼捡起来，纵它再挣扎也是枉然。

"莉莉小姐，我到现在还没去过纽约呢！听说纽约比夏延城大上几倍，我在夏延城都会迷路，真不敢想象到了纽约怎么生活！"

"要在纽约生活得好，首先你要懂得纽约的心！"

"我的天，纽约的心脏是什么样的，难道像章鱼是绿色的吗？"一个包着绿头巾、戴着眼镜的妇女吃惊地问道，"不过我更相信先人们留下来的传统，古老又神秘，它们支使我们的思想和行动！"

"这是本森太太，她是个白人，年轻时嫁给一位夏安族酋长。你瞧她的大鼻子，和她的夏安族丈夫没什么两样！他们经营着一个上百公顷的农场，专门生产肉类、羊奶和奶酪，附近人们的肉类主要采购自她家！"

"本森太太，就像你爱本森先生才会嫁给他，那样你才会觉着幸福！纽约就是个花花公子，如果摸不清他的性子，就会被他耍了！"

"皮特曼太太，城里人说话都这样吗？"本森太太说着把她准备好的羊奶酪倒入每人身前的杯子，她觉得与莉莉脾性不投。其他人都感谢她，她的绿色头巾在人群里很扎眼。她的丈夫很帅气，头上插根羽毛，在边上静静坐着，像头通人性的壮牛。

"城里人都这样，皮特曼回来说话也是一套一套的，他们生活在大城市总是和我们不一样!"皮特曼妈妈护着莉莉,然后把烤好的鱼分给大家,"外焦里嫩,这是我烤得最好的一次!皮特曼,快坐下来,这是你的一份!"看到人们开心地吃起来,皮特曼妈妈幸福地站起来捶捶腰,"莉莉小姐,这里的人就是这么直爽,你会喜欢上他们的!"她把最肥美的一块放到莉莉盘子里,莉莉挑了一小块放到嘴里,果然沁齿留香。接着她看到整个湖畔的野炊开始了,烟雾使荒凉的原野生趣盎然,人们大快朵颐、把酒言欢,汽车里播放着国家公共广播电台节奏欢快的打榜音乐,人生驻足这里,美好时刻令人心驰。

莉莉痴迷眼前的一切,这简单快乐的生活像挽着爱人的臂膀,让她想起与玉真在莲花池公园漫步的情景。她眼睛有些湿润,身体像旗子舒展飘荡,连疾病所致的痛苦也暂时隐退。吃饱喝足后,人们随音乐舞蹈起来。酒精催释着人与生俱来的表现欲,所有人扭动腰肢,发出不成腔调的怪叫。群情感染之下,莉莉坐在原地打着拍子,欣赏女人们旋转起来的裙子和男人们笨拙的动作。这一刻她没有悲伤,当她能做到正视死亡,就能够欣赏生命的活色生香。

直到日头西沉,人们才匆匆收起餐具、清理垃圾、埋掉火种、相互告别,然后把车开上公路返家。一轮红日悬于天地交际的灰色背景,像拳击手的拳头把整个世界击晕了。什么都敌不过它的强势,大地熔化成一汪钢水,再坚硬的心也会被熔化。好像那是一个出口,吸引所有东西进入它的内部,变成几片翻滚的黑色羽毛。人们驾车相互赶超和按响长长的喇叭,广袤红色的原野,乱窜的汽车,人们的狂叫,世界呈现出野性十足的放荡不羁,这正是莉莉强大内心所需要的。她微扬起下巴,不管皮特曼妈妈已经打起瞌睡,独自吟唱起女歌手唱过的一首歌。

莉莉很快适应了与老皮特曼夫妇相处,他们像两个童话人物,得把他们当小孩对待。一周后皮特曼回来,听莉莉说很喜欢这里,开心地狼吞虎咽。就在前天,玛格丽特通知莉莉回去化疗,被她一口拒绝了。玛格丽特夫人这次特差皮特曼对她兴师问罪。皮特曼要在家待两天,他一回来这个家就像过节一样热闹。皮特曼妈妈欢喜地盯着儿子的肱二头肌看,他正在用力撕鸡翅膀吃。儿子把纽约这些天发生的事说了个遍,却对婚事只字不提。妈妈急了,左一个问题右一个问题问他,他嘴里塞满食物含糊其词地应付。老皮特曼躺在椅上无精打采，见儿子独斟独饮，不住地舔嘴唇。他昨晚睡觉吹了肚子，今天哪儿也不去，专心守着儿子，哪怕听他说话心里都发笑。他总觉得儿子昨天还被倒提起腿，惩罚他偷拔邻居家的门闩，今天居然长成大人并且搞女人很有一套，这点继承了他。婚前他尝了玻璃厂很多女工的鲜，但每次只有吉妮让他吐得最干净，好像五脏六腑都到她肚里去了，于是和她结了婚。婚后他又搞过无数女人，风流成性在这一带出了名。他本打算上午去社区诊所，但儿子回来他就不撒野腿了。

"妈妈，您做的饭真对胃口！"

"你从小就是这样，吃起来像头猪没完没了！"

"可不是，他像头公猪一样结实！"老皮特曼半睁着眼睛说话，因为肚子难受笑不起来。

"还有没有其他要说的，梅根先生又给你新任务了吗？"

"没有，上次的事情还没做完呢！"

"哦，你得抓紧，在梅根先生那里多表现，你有这个潜力，说不定他将来会把一点股份给你！"

"妈妈，我要做自己的事！"

"是啊，可梅根先生的确待你不错！"

"那是我自己努力的结果！"

"我的儿，你一定会成功的，你一定会变得富有，一定会当上总统，一定会实现你的全部愿望，到时我和你爸爸沾你的光，名字可以写上报纸！——是不是，皮特曼，你要是难受就去休息会儿！"

"爸，我吃完送您去诊所。"

"嚯，我又不是孩子，我没事了！"他从椅子上站起来，活动几下又坐下，"我哪也不去，就在家里！"

"伊莲娜在等着你呢！"皮特曼妈妈捂住嘴笑。——伊莲娜是社区诊所的护士，四十多岁时上了老皮特曼的钩，两人在野外灌木丛里做爱时被她的丈夫发现。老皮特曼从此和她的丈夫成了死敌，直到不久前他出车祸死了，老皮特曼又恢复了与伊莲娜的交往。吉妮生过一阵子气，但事过境迁就当笑话讲了。老皮特曼挠挠发痒的阴部，冲儿子干笑几声。

"好了，我该收拾卫生了，一会儿带你爸看望伊莲娜，你留下来好好陪陪莉莉，你们一定都想对方了！"皮特曼妈妈站起来呼呼带响地行动，老皮特曼在椅子里哼哼。一刻钟后，老两口出了门，房子里安静下来。莉莉松口气，眼睛望着皮特曼。皮特曼不说话，把她抱回卧室，然后一阵狂风暴雨般的亲吻。

"想我了吗？"

"皮特曼，亲亲我这里！"她把另一只乳房递给皮特曼。她看到过老皮特曼嘴里叼着妻子的乳头，把它扯成一根丝瓜样。他们做爱时居然忘了关门，动作比年轻人还疯狂。

"回答我，想我了吗？"

"再往下点，对，用力，皮特曼，你他妈的用力！"

"你是不是还在想那个东方人？"

"该死，你提他做什么！"

"你们做爱了吗？"

"啪！"莉莉打了皮特曼一记耳光，然后把他推开坐起来，眼睛幽幽的。

"宝贝，你生气了吗？"

莉莉不说话，流下两行泪。

"我们马上就要结婚了，你该喜欢我才是！"皮特曼顺着莉莉消瘦的脊背抚摸她，再次接近她。

"皮特曼，你想要什么我都给你，可是求你别干涉我可以吗？"

"我没有干涉你，你心里想什么我很清楚，你就是忘不了那个东方人，你喜欢他而不是我，我只是你名义上的丈夫！"

"对不起，皮特曼，我做不到！"莉莉抱着皮特曼哭起来，"你能原谅我吗？我知道这对你不公平，可我说服不了自己，我在心里已经把自己嫁给他了！"

"好吧，既然如此，那我退出！"

"你还要和我结婚吗？"莉莉看见皮特曼额上攒起两道很深的褶子。

"我爱你，莉莉！况且一切不是说好的吗？"

"我不知道会不会等到那天，那天我会迈入天堂还是进入地狱！"

"所以你拒绝化疗夫人很生气，她已经为你安排好一切，医院单独给你预留了时间，你把大家都要了！"

"没有用了，我活不了多久了，不想再受那个罪！"莉莉低下头，回想这些天天天在原野里尽情想象和感受，一方面不知流了多少泪，另一方面对于死亡有了新的看法。她觉得死亡就像地平线上的红日，一时雄壮后终要沉入苍茫大地。她获得了关于生命的临终体验，她已经找到心爱的人，并且心爱的人为她付出很多，她已经获得属于自己的那一份，她不能太自私，该把他原来的交还给他。她不能再去打搅他，就像不能去妒忌那些野餐的人一样，那是他们的生活。

"怎么回事？"皮特曼看到莉莉出神问道。

"你知道怎么回事！"

"夫人很生气，我也希望你回去，我们大家都爱你！"

"说实话，皮特曼，在美国我不快乐。"

"连和我做爱也不快乐吗，你在餐桌上不是告诉我你很喜欢这里吗？"

"皮特曼，你知道我在说什么，干吗总扯别的！别和我说生病化疗的事，别和我说婚礼的事，别和我说工上的事，我只想一步步接近死亡，我要看清楚它长什么样，我不怕它！"

皮特曼这次回来的主要任务就是劝莉莉继续治疗，他甚至在夫人面前保证了的，现在他碰了一鼻子灰。"她们可真是一对像极了的母女！"他心里直摇头。事实上，他越来越强烈感受到玛格丽特夫人的硬气作风，如果说他以前对此不甚明了的话，那么现在作为她的情人和跟班，已对她的自私和贪婪看得一览无余！说真的，皮特曼有时在同情莉莉。

皮特曼动手解开莉莉衣服，莉莉靠在他身上任他摆布。他们无声无息做完一场，躺下看着天花板。两人对这一刻很熟悉，好像在那间小公寓里。两人互相抓着手，皮特曼偶尔挠下莉莉手心，莉莉也轻轻回应一下，两人的交流变成了手语。

"你在想什么？"皮特曼轻轻问莉莉。

"想被你妈妈打死的那两条鱼。"

"怎么会想那个，我还以为你在后悔呢。"

"不，皮特曼，我喜欢做爱，做爱时我能忘掉一切。"

"做爱真他妈的是件美妙的事，我现在能想象爸爸为什么搞了那么多女人！"

"你会吗，你会找很多女人吗？"

"所有男人都不愿意回答这个问题！"

"他不是，他都没碰我一下！"

"你说什么，你们住在一起却没发生关系？"

"知道你不会信的。"莉莉把手抽回搁在肚子上。

"宝贝，你让我说什么好！"皮特曼支起一只胳膊肘，侧脸贴过去。

莉莉闭上眼喘息着，整个人都在打战，双手从后面抠入皮特曼肩胛。

"你是个婊子！"皮特曼咬着她耳朵又这样说。

"我就是个婊子！"莉莉毫不示弱地说。

"你为什么拉开窗帘？"

"我喜欢看着外面！——皮特曼！"

"什么？"

"我的伴娘是谁？"

"史密斯先生的女儿。"

"我就知道会是她！"

"你的伴郎是谁？"

"我本打算请我几个室友，不过你妈妈让梅根先生的儿子来，我都没见过他。"他没把全部情况说出来，因为梅根先生的儿子未必会答应。

莉莉咯咯笑起来。

"你笑什么？"提到梅根儿子，皮特曼有点分心。

"你是替妈妈来监视我的吧！"

"她的确担心你在这里待不下去！"

"假如我知道自己要死了，就会离开这里！"

"你不会死的，我还等着你给我生孩子呢！"

"死鬼，皮特曼，你快点行不行！"

皮特曼掀掉被单，咬着嘴唇加快频率："你又怎么了？"

"我生不出孩子了！"

"傻瓜，你想那个干吗！"

"在公寓时我想生孩子的愿意那么强烈，可现在生出来我也不放心交给你们！"

门突然开了，皮特曼妈妈冲进来，看到屋里情形马上叫道："哦，对不起！"用手连忙捂上眼睛，"我还以为你们早完事了！"她连呼带叫带好门。

"他们居然整整腻味了两个小时，皮特曼！"

老皮特曼嘿嘿笑着，"他和我一样有女人缘！"他的肚子不疼了，伊莲娜真是妙手回春啊！

"你的伊莲娜对你可不怎么样啊！"

"她的手还是那么白白嫩嫩，上面老年斑没你的多！"

"皮特曼，干脆我们离婚。她现在成了寡妇，你现在就去找她结婚！"

"你生气了！"老皮特曼大笑着，靠着沙发把两条腿摆来摆去，脸上的笑油里油气。

"爸妈，你们好！"皮特曼出来，见到父母有些不好意思。

皮特曼妈妈像要同丈夫争儿子一样抢上前："宝贝，你可出来了，快点通知莉莉小姐准备一下，我们去你帕特里克大叔家做客！我们在路上碰到他们一家从兽医院回来，他们的牛在坡上吃草时摔断了脖子，我告诉他们你回来了，帕特里克婶婶要给你做她拿手的牛肉馅饼。尽管他们一家都很伤心！"

"他们家这些年倒霉透顶，先是因为疯牛病不得不杀死好多牛，之后牛肉卖不出去，现在又死了一条，真是雪上加霜啊！"

"嘿，皮特曼，我问你！"母亲先是朝卧室看看，又将儿子叫到一边，"告诉我实话，我好像听到你和莉莉小姐谈什么化疗，难道她患的病很重？"

"您一定听错了，我从没说过那个词。"皮特曼连忙否认。

"那怎么回事，是我耳朵听错了？"

"你的耳朵像钝刀一样，再加上吃伊莲娜小姐的醋晕头了！"

"不过她真的是太瘦了，连帕特里克先生的一条胳膊重都没有。"

"嗯，帕特里克叔叔是个大块头，能扳倒一头犍子牛！"

"快把她请出来吧，她大概在里面难为情呢。"

"妈妈，以后记着敲门！"

"好吧，快点吧，我要过去好好和他们聊聊啦。自从海丝莉小姐住过来，我几乎没出过家门！你不知道帕特里克先生对我有多么热情！"

"关键是你妈妈对他们可劲地吹你，好像明天你就是总统先生！"——帕特里克年轻时是吉妮的老主顾，老皮特曼曾经和他干过一仗，不过后来也干了他的老婆，之后两人就变成了好朋友。尤其是退休后，他们成了钓友，一边在湖边钓鱼一边交流搞女人的经验。现在他知道吉妮故意这样说，懒得理她。

"妈妈，以后不要这样，我现在还没毕业，当总统只是我的理想，而且当总统名声很重要！"

"我儿子肯定能够当总统，你瞧他这副好性子！"

皮特曼把莉莉请出来，莉莉有些微微害羞，站在皮特曼身边不说话。

"我们这就走！——对了，把我的美味曲奇带上！"

一家人慌慌张张开车去帕特里克家。尽管帕特里克太太脸上泪痕未干，但两口子还是很热情地招待客人。他们的两个孩子在城里住宿上学，因为不喜欢闻牲口的尿臊味，所以回来很少。皮特曼在帕特里克家的农场又看到熟悉的场景，密如织毯的草原和拱桥一样健壮的杂色牛群，他激动地与帕特里克在栅栏前攀谈。其实帕特里克一直有皮特曼是自己儿子的念头，因为小皮特曼和老皮特曼眼睛的颜色不一样。老皮特曼用一根棍子挑逗一匹银色小马，希望它能跨过栅栏。帕特里克太太担忧地从屋里看着，却不能抽身阻止。皮特曼妈妈挡着电视彻底打开话闸，她说话的声音和外面牲畜的叫唤声交相辉映，把荒原变成她一个人的聊天室。莉莉安静地坐在两位老年妇女中间，因为吃晚饭的时间远没到，她必须耐心等着，中间偶尔回答一两个问题。在这里，为了吃一顿丰盛的晚餐甚至可以消磨一整天。帕特里克太太眼光很锐利，好几次打量莉莉胸部，让莉莉感觉很不舒服。

这是一个愉快的周末，不过莉莉已经没有了时间观念。

皮特曼上午离开的那天，莉莉夜里早早睡下。她已习惯这里的作习，第二天要攒足精力对付这里的恶劣天气。睡之前她竖起耳朵听德里克特家牲畜的叫声，它们在夜里顺风传得很远。她常常站在窗前看黑下来的原野，观摩繁复辽远的星空像缀满珠宝的斗篷，而黑色的风驱赶炊烟像空载的车辆轻快行驶。这里是典型的西部生活，男人从事放牧、贩卖、宰杀、运输，女人则承担饲养、为母畜接生、收集鸡蛋、抚养孩子、做家务以及坐在椅子上聊天和享受阳光。人们自古沿袭周而复始、一成不变的传统，脸从稚嫩如水沦为沟壑纵横。——就这样，莉莉从对西部居民生活的观察中渐渐对生命和生活变得迟钝。

　　早上，她听到德里克特家公鸡叫头遍就起床。那只公鸡见人总是怒目圆睁，她见着它一定躲着走。她起早的原因有两个：一是喜欢看这里的日出，二是赶在皮特曼夫妇起床前洗漱完毕。整个房子只有一间小浴室，天一亮就会被尿频的皮特曼夫妇占据。为避免难堪，更为遮掩丑陋的身体，她只得起早解决这些问题。今天，她心情格外好，夜里又梦到与玉真重逢，两人愉快地拉着手说话。上午她还将应邀为德里克特家帮忙，他家有小马驹出生，哪怕她站在旁边瞧着也好，德里克特太太把这也称为帮忙。莉莉喜欢看德里克特太太给牲口接生时歪嘴笑的样子，她和南斯拉夫女人一样强壮，却比南斯拉夫女人温柔许多。莉莉现在偶尔想起南斯拉夫女人，不知她现在怎么样了。

　　她在浴室畅快地洗浴，却不知隔壁皮特曼夫妇正在争执。

　　"吉妮，你还在睡吗？"

　　"你没看到吗？"皮特曼妈妈翻个身继续睡觉。

　　"你他妈的能不能睁开眼，我有重大发现告诉你！"

　　"快说吧，皮特曼先生，是不是看到幽灵了！"皮特曼妈妈在床上笑起来。

　　"我刚看到莉莉洗澡，她居然没有乳房！"

　　"你说什么，你看莉莉小姐洗澡了！"皮特曼妈妈一下坐起来，对丈夫二目圆睁。

　　"我早晨起来上厕所，听她在里面洗澡，就从门缝往里瞧了瞧！"

　　"你说她没有乳房？"皮特曼妈妈听到这个嘴张得老大，"你是不是看错了？"

　　"怎么会，我喜欢女人的乳房你又不是不知道，我看得清清楚楚！"

　　"天啊，皮特曼，你不会打莉莉小姐的主意吧？"

　　"你他妈的少废话，现在就跟我去看！"

　　皮特曼妈妈慌忙下床，胖胖的小脚丫趿着鞋子，随丈夫悄悄到了浴室外。莉莉大概忘了带好浴室门，站在花洒下一边冲洗一边小声哼唱。皮特曼妈妈一看不要紧，看了立马捂住嘴。她不敢置信地摇摇头，使劲拽着还在往里瞧的老皮特曼往回走。一关上卧室门，她立刻叫出声：

　　"天啊，皮特曼！"

　　"这下你相信了吧，她的乳房没有了！"

"我的天，可儿子从没对我们提起这件事！"

"这个王八羔子一定在骗我们，看我不打断他的腿！"

"莉莉小姐一定病得很重，可皮特曼怎么会不介意呢！"

"我现在就给他打电话，我要搞清楚这一切！"

老皮特曼像按死苍蝇一样按电话键。刚听到皮特曼声音，他就破口大骂起来："该死的皮特曼，你在骗我和你妈妈，你要娶一个快死的人，她的身体已经不完整了！"

皮特曼昨晚陪梅根先生喝多了酒，正打算多睡会儿，但一听到这个立刻清醒过来。他和玛格丽特夫人商量好对父母隐瞒莉莉的情况，他同样不想在父母面前丢面子。

"哦，皮特曼，你怎么能娶这样一个女人进家门！"皮特曼妈妈抢过电话说，"你为了能留在纽约和当上总统，是不是把自己出卖了？"

"妈妈，莉莉小姐她人很好，我真的爱她！"

"你真是个傻瓜！"皮特曼妈妈呜呜地哭起来。

"到底怎么回事，快告诉我们，否则我现在就把她赶出去！"

"不，爸爸，你千万不能那么做！妈妈，你要阻止爸爸！"皮特曼在电话里大声喊。

"那你就和我们说实话，到底怎么回事？"

"莉莉得的是乳腺癌，等查出来已经到了晚期，所以做了乳房切割手术。玛格丽特夫人十分爱她的女儿，决定让我同她结婚！"

"你昏头了吗，难道不知道她要死吗，你娶个死人回来做什么？"皮特曼妈妈摸着胸脯痛苦地说。

"我一直在追求她，她是纽约最好的姑娘！"

"得了，皮特曼，我是你妈妈，怎么会不了解你，你不是那样的人！"

"妈妈，您怎么能这样说我，我可是您儿子！"皮特曼小声嘟囔。他被梅根先生折磨了整晚，现在还有些痛。

"皮特曼，不要说了，我现在就要和玛格丽特夫人中止这场婚事！"

"不！"皮特曼长叫一声，"爸爸，你要这样做，我以前的一切努力就白费了！我求你们不要管我的事，我清楚怎么做！"

"皮特曼，你再也不是以前那个纯洁的小男孩了！你到了纽约，为了实现你所谓的理想，你的心变得比下水道还要脏！"

"不管你们说什么，我主意已定！我已经这么做了，而且一切很快会有眉目，这是我的人生计划！"——他已经做好人生规划，下半年发起一场关于改善外省年轻人在纽约创业和生存的"纽约关怀"行动，并且要倡导"不抽烟、不酗酒、不淫乱、不嗑药"四条健康建议，相信届时会吸引大批年轻追随者，他们的父母也会站队支持。现在他虽委身一对男女，但这是他深入纽约的敲门砖。他一度头发凌乱地站在海边，回头眺望纽约时，隐隐感觉它再不是不可一世了。

"皮特曼，没想到你这样厚颜无耻！"老皮特曼高声骂道。

"皮特曼，你就不能再考虑下吗？难道为了当总统，你可以违背道德和良心做事吗？"

"妈妈，纽约的大门正向我徐徐打开，我将迎接一个新世界！我不在乎别的，就像太阳不在乎上面的黑点。世界上的人没有谁清清白白，大家都带着污点生活！"

"看来你要一意孤行了！皮特曼，我们听你的。"皮特曼妈妈老泪纵横。她生活中很少有自己的主见，关键时都依着这对父子。她把电话还给老皮特曼，老皮特曼把电话扔到沙发上。

"你自己弄点吃的吧，我头疼死了，还要躺会儿。"

"他做得有点出乎我意料了！"老皮特曼到外面烤面包。

没多久，皮特曼妈妈进来厨房："我睡不着，皮特曼，我心口疼！"

"知道你睡不着，你要睡得着就是婊子！"老皮特曼脸上带着坏笑，手劲十足地搅拌蛋汁和面浆，然后把它们灌进模具。

"你怎么不生气了？"

"操，你说皮特曼这辈子会搞多少个女人？依我看，不会少于一百个！"

"你说话总是不着边际！"皮特曼妈妈身子闪在一旁，老皮特曼戴着手套把模具放入烤箱。之前他们听从莉莉的建议，把它挪到了厨房。"皮特曼，看来我们晚上得出来抓鬼了！"

"我恨不得它们真的存在，然后把它们抓住削成两段！"

"这是她的报应！"

"莉莉的报应？"

"当然是玛格丽特夫人！她的女儿要死了，这就是报应！上帝是公平的，谁让她拥有了太多的东西！还有莉莉小姐，她除了傲气还有什么，她甚至没动手帮我洗过一个碟子！"

"可儿子愿意！"

"难道你不明白他是在忍辱负重吗？皮特曼，我马上就去找本森太太！"

"去吧，去吧，让她教你如何抓鬼！"

"哦！"皮特曼太太惊呼一声，"烤箱里着火了！"她冲过去拔掉电源，打开烤箱门，浓烟从里面滚滚而出，呛得两人不住咳嗽，他们连忙转移至客厅。"你个该死的老鬼，你要烧掉好不容易属于我们的房子吗？"

老皮特曼不理睬妻子，瞪着蓝眼睛咬碎一颗石榴。

"上次德里克特太太告诉我，她这些天一直照本森太太的方法驱鬼！"

"德里克里先生不信这个，他也告诉我了！"

"我这就去！"

"儿子到底怎么回事！"老皮特曼仍然不能相信儿子做出这样的事，跟着妻子往外走。无论他嘴上说什么，一般总能与妻子做到心心相印。

"一点不奇怪，他随你！"

"是吗？"老皮特曼转转眼睛，想起德里克特与妻子的传闻，把石榴子吐出来，"快点去，要不然木森太太放牧去了！"

莉莉站在窗户后，梳理那只以假乱真的发套。看到老两口风风火火离开，脸上现出不解的神情。太阳正用耀眼的金色把落基荒原装扮成海德堡的皇家行宫，那辆旧福特车跑起来像只急于逃离光明地带的虫子。三人本说好一早去德里克特家，看他们给母马接生和参观新建成的畜舍，现在他们却往反方向去了。——直到下午，莉莉看到他们脸色难看地下了车，赶忙到客厅迎接。

"德里克特夫妇打来电话，问我们为什么没过去，我告诉你们有事出去了！"等老两口一进门，莉莉马上汇报这事。

"哦！"皮特曼妈妈直眼瞧瞧莉莉胸部，无心地应答了声。

莉莉感觉被狠狠捏了下，下意识的痛让下面渗出液体。她要去卫生间，老皮特曼却在里面水冲得哗哗响。好久他才出来，边走边系着裤扣。

"今天真不走运，吉妮，快把我的猎枪拿来，我要去打猎！"

"不去向德里克特一家道贺了吗？"

"你还有心情做这个，你想德里克特想疯了！"

"你，你又出口伤人！"

见莉莉从卫生间出来，老两口耷拉下眼皮停止说话。莉莉有种不祥之兆，特别是被皮特曼妈妈不怀好意地看了一眼，就猜到事情与自己有关。老皮特曼从储物间取出落满尘土的猎枪，冲上面使劲吹气，把客厅弄得乌烟瘴气。皮特曼妈妈罕见地没有发牢骚，只是专心地摆放椅子。

"皮特曼夫人，用我帮忙吗？"

"不用，谢谢！"

"我有什么地方做得不对吗？"

"哦，不关你的事！"

"发生了什么，能告诉我吗？"

"发生了什么？"皮特曼妈妈咬着嘴唇站着好一会儿不说话，然后继续把杯垫放好，"不，什么也没发生！"

"莉莉，你相信鬼魂附身吗？"

"不，我不相信！"

"可这里人人都信！"老皮特曼把猎枪甩着挎在身上，像极他三十年前的动作。

莉莉觉出势头不对，便往卧室躲去，隐隐感觉后背被皮特曼妈妈像黄蜂一样叮上。她关上门，出了身汗，如披针芒，从抽屉里找镇痛药吃了，黯然坐在窗前。一阵旋风像水螅一样移动，但很快消失到另一座小山之后。老皮特曼扛着枪出去了，那辆车像匹不知疲倦的老马任他使唤。皮特曼妈妈整个下午待在屋里，听不到她像平常那样絮叨。老皮特曼直到天黑才回来，鞋上结了冰，进屋就破口大骂："妈的，居然连根狐狸毛都没打着！"皮特曼妈妈不吭声地替丈夫砸鞋子上的冰。莉莉整天没吃东西，肚子咕咕叫，盼着皮特曼妈妈从外面唤她。可外面一直没动静，一阵强烈的屈辱感让她掉泪。她出去喝了些水，见客厅灯已经关上，风在外面原野上疯狂地哀号，一丝光亮从老夫妇卧室门缝里透出来。莉莉叹口气，回头吞下几粒糖果，关灯含泪睡了一晚。第二天大早她爬上山坡，在尘土里倚着枯树看太阳似气球般轻盈升起，荒原平庸萧瑟，衰草殷红一片。

不久皮特曼妈妈冲她招手，她一阵喜悦，连忙跑下山去。离近了，却见皮特曼妈妈挨打似的垂头丧气，嘴也像中风一样有点歪。她黑着眼圈对

莉莉说：

"跟我到里面来吧！"

"夫人，到底发生了什么事？"莉莉明知故问，意识到自己已经暴露。

"随便吃些吧，我们都没心思吃！"皮特曼妈妈把桌布摊开，然后把面包切成碎丁，还摆上一碟发黑的苹果酱。

不知是不是皮特曼妈妈把盐当成了糖，面包比平时难吃许多。不过莉莉真有点饿了，不挑剔地小口吃着。老皮特曼揉着发红的鼻子从卧室里出来，心不在焉地擦那把枪。

"莉莉小姐，你能对我们说实话吗？"

"皮特曼夫人，您要我说什么实话？"

"你得的是癌症，你就要死了，对不对？"

"是的，夫人！"莉莉一下子坐直了，心虚似的看着皮特曼妈妈手抖着切开剩下的面包。

"你倒承认得干脆！"皮特曼妈妈摇摇头，"我并不反对你们结婚，可我讨厌你们瞒着我和皮特曼！"

"我也觉得对不住你们！"

"你们是高贵的人，不能这样对我们！"

"我已经说过对不起了！"莉莉羞愧地低下头，把面包放进盘子。

"莉莉，昨天我们去找本森太太了！"

"找她做什么？"上次野餐后，莉莉听说本森太太在这一带很出名，她的副业就是为那些倒霉的人和牲口驱灵。

"莉莉小姐，这里不同于纽约，这的人还很传统，甚至相信龙卷风也是鬼魂变的！"

"你们想对我说什么？"

"莉莉小姐，本森太太告诉我：你生病是因为你被鬼魂缠身；如果把附在你身上的鬼魂驱赶掉，你的病就会好起来！"皮特曼妈妈晃动变了形的头发对莉莉神秘地说。见莉莉放下刀叉沉默，她继续说，"为什么不试试呢？她的话很灵验的，所以她家常年四畜兴旺。她的儿子考上加利福尼亚大学，在那儿中了张五十万美元的彩票！"

"我想皮特曼已经把一切告诉你们了。"

"快别提他，可怜的孩子，他怎么就没有本森太太儿子那么幸运！"

莉莉有口难辩，明明自己才是受害者，现在倒成了嫌犯。"我会离开这里的，皮特曼太太。"

"不，我们不是那个意思！"皮特曼妈妈连忙阻止，"如果你能配合一下，或许一切会好起来。"她担心把儿子的事弄黄，到时他会埋怨她。

"皮特曼太太，这太荒唐了！我知道自己会死，我一点都不害怕。"

"你就不替皮特曼想想吗，你不爱他吗，难道让他一结婚就变成鳏夫？"

莉莉笑起来，眼前掠过生活中所有人的脸，这里低矮的天花板像被她用激光武器摧毁了，她看到的是渺茫的天国。

皮特曼妈妈阴着脸看莉莉痴迷地笑，没涂口红的嘴唇格外难看。

"让我想想吧！"莉莉转身要离开餐桌。

"嘡！"老皮特曼枪口冒出一股白烟，把两个女人吓得尖叫起来。房顶出现一个亮眼，里面落下一些尘土和积雪。

"走火了！"老皮特曼什么事没发生似的笑呵呵说，把枪口支到眼前看，"中午我们到德里克特家吃烤牛腿，他家又死了条牛！"

"看看，我说什么了！如果德里克特先生早点相信本森太太，就不会接二连三死牛了！他只相信什么科学，可很多事情科学解释不清的！"皮特曼妈妈思维像诗人一样跳跃，身子在椅子上挪来挪去。"莉莉，你要去哪？"看到莉莉穿上衣服要出去，她连忙问道。

"我要出去一趟！"

"哦，莉莉小姐，你别为难我们！"

"让她去，一只母狗！"——莉莉转身出去，听到老皮特曼在背后骂她。她眼里流着泪，头也没回走到路边。她能到哪儿去呢？美国之大，世界之大，竟没有她安身立命之地。她看到一辆车开过来，拦住坐上去。皮特曼妈妈从房里追出来时，她已经走出去很远。

"皮特曼，你要坏儿子的好事！"皮特曼妈妈耷拉着下巴说。

"放心吧，她哪儿也去不了，她还得回这儿来！"老皮特曼把面包吐到地上，从冰箱里拿出冷火腿啃。

"快把那个枪眼补上，要不然没法住啦！"皮特曼妈妈催促丈夫，她非常生气他刚才说了那么难听的话。老皮特曼却不当回事，出去踩着梯子爬上房顶，动手修补窟窿。过会儿他抬头看到天边灰蒙蒙的，意识到天气很快会有一场剧变，怪不得他的膝关节从昨天就疼上了。他还看到莉莉乘坐的汽车驶进城里，他皱皱眉，剧烈咳嗽几声。那个城市正像一个婴儿躺在地形的襁褓里，过去他喜欢隔三岔五到那儿找乐子，现在却讨厌它了！

莉莉晚上八点才回家，至于一天干吗了她自己都记不清。她只记得在县城里逛着，看到商店就进去，饿了就到餐馆点餐，电影的名字忘了，好像还给了一个流浪琴手五美元。中间巡街警察拦住她，她看到他们红彤彤的脸膛和圆滚滚的肚子直发笑。她本打算住进酒店，可到里面才发现身无分文。她搭上一个乡下牛仔的车，他的脸粗糙极了，留着黄色胡子，从城里采购了整车的家用往家赶。他对莉莉讲流传在这一带的黄色笑话，还想半道把车停下来，但莉莉一副冷冰冰和无所谓的样子把他吓住了。到了岔路口他把她平安放下，摆摆手消失在夜色中。正好风尘袭卷而来，世界真像是末日到了。她婉拒了皮特曼夫妇的晚餐邀请径直回到卧室，先收拾好属于自己的东西，然后带着从未有过的清澈笑容，给爸爸发了个长长的邮件。她想自己在里面说清楚了一切，好像彻底放下了所有包袱，解除了心灵上的一切羁绊，可以笑着离去了。外面的风刮得山摇地动，她服了几粒安眠药，乘着药劲早点睡个好觉。

凌晨一点，客厅里，皮特曼夫妇关掉所有灯，两人戴着夜视仪搜查地面。皮特曼妈妈在前面抱只静电感应探测器，在地板上一寸一寸挪动。老皮特曼则手持利剑，倨着身子走在后边，他几次要说话被妻子制止。到了莉莉卧室门口，皮特曼妈妈洒了些圣水。

"听到了吗，外面的冤魂来了，听他们怎么在叫！"

"那不是刮风吗，这里不是经常这样吗？"

"这次不一样，你听，里面好像有很多人在哭！"

"有点像猫！"

"你要严肃点，越不信神的人越容易受到鬼魂光顾。德里克特和莉莉不就是这样吗？"

"瞧，探测器指针在这里动了下，本森太太可真了不起！快把圣水洒上，莉莉果然是恶灵附体！你今晚最好别出卧室来！"

"他们在哪里，我现在就把他们削成两截！"

"我们要不要进去？"

"你是说现在？这个时候她应该睡了，这样做好吗？"

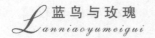

"我们既是为她也是为了皮特曼，傻瓜！"

"我看还是算了吧，让她看到不好！她要是告诉她妈妈，皮特曼就完蛋了！"

"说得是！好吧，等明天瞅空把驱灵符贴到她房间！"

"现在回去吗？我有点犯困！"

"你看到什么了吗？"

"没有，什么也没有！"

"我看到一个影子从我面前跑过去了！"

"你胡说什么，哪有什么影子！"

"皮特曼，借助科学仪器是可以看到鬼魂影子的！"

"我要回里面去了！"老皮特曼走入卧室。皮特曼妈妈自己留在外面继续感应，突然房顶发出一声巨响，吓得她丢下探测器往卧室跑，进去就钻到皮特曼怀里哆嗦个不停。

"皮特曼，晚上哪也不许去，尿壶我都准备好了！"

老皮特曼鼾声已起，皮特曼妈妈开了灯，睁眼观察房间各个角落，耳朵仔细分辨任何动静。这一夜她过得胆战心惊。

黎明时分，皮特曼妈妈晕晕乎乎来到莉莉门口。往常这个时候莉莉已经起床洗漱，可今天一点动静也没有。皮特曼妈妈着急看昨晚驱灵的效果：她先用一只眼睛往里面瞅，什么也没看到；不小心碰到门，正要跑开，门却自己开了条缝。好奇心让她折回来，闪在一边探头瞅，直到把整个头塞进去。

"来人呢，皮特曼，莉莉小姐人不见了！"当看到里面空无一人时，她在原地跳着喊叫起来。

老皮特曼穿着短裤赶来，里面叮叮当当。

"你瞅，她把房间收拾得干干净净，她的东西没有了，她一定是离开这里了！"

"嚯，这下真把人也驱走了！——大晚上她能去哪里，她会被冻死的！"

"说得就是，皮特曼知道了，一定会责怪我们！快打电话给德里克特先生和邻居们，让他们帮着我们找找！"

接下来，皮特曼夫妇和他们的邻居们从不同方向开车找莉莉，可辛苦了整个早晨和上午都没找着。他们一无所获地站在门前小山上，瞭望着白茫茫的荒原。天空旷远明艳，风已经小了很多，但吹到人脸上仍很难受。

"她那么柔弱的一个女孩，会不会要被风雪吞噬了！"德里克特太太说。

"她就那场风的化身，她是魔鬼！"本森太太说。

"我早就发现她不对劲，她身体太虚弱了，脸色从来就没好看过！"皮特曼妈妈捂着脸，像只随时滚下山坡的皮球。

"都别说了，想想怎么向玛格丽特夫人和皮特曼交代！"

山上的人继续用望远镜搜寻原野深处，几只白头鹰舒展双翅正在觅食。大家抬头注视着它们，或许此时世界上，只有它们知道莉莉去了哪里。

明天就是圣诞节，整个纽约像跳一支欢快的华尔兹。火车与汽车呼啸着从白雪皑皑的城外驶入，气喘吁吁满足巨城一夜间的饕餮需求。所有街道的橱窗里全装饰上雪花、铃铛、驯鹿、圣诞老人等花花绿绿的图案，连树木也像披着勋带的队伍，正打着鼓游行。有名的街道、建筑门前无一例外亮起高大的圣诞树，但时代广场的那棵无疑最俊俏，成为人们最钟爱的对象。雪后空气清新，大小饭店里外弥漫着勾人口水的熏火鸡香味，如果不是仍被经济危机的阴影笼罩，这是个多么开心的圣诞节啊！路口电子屏幕上，电视节目主持人扮成搞笑圣诞老人，主持各种娱乐和抽奖活动。提前备好的贺岁剧在各个影剧院轮番登场，不让爱文艺的纽约人笑出眼泪绝不罢休。公园里到处回响着孩子与年轻人的欢笑，引得每个游人想跟着笑。草坪上的鸽子在融雪中飞起落下，啄食人们丢给他们的面包渣。悠闲的貂皮阔妇手里牵着小狗，它们水汪汪的眼睛瞪着街角的情人冰雕。沃尔玛超市的传单寄送至千家万户，商家们绞尽脑汁榨干顾客的钱包。人们抱着形形色色的礼包往家赶，刚坐下又有快递上门，签账单签到手腕软。从市政厅到羊头湾，从长岛别墅区斯文的富裕白人到布鲁克林旧城疲于奔命的送餐仔，从西装笔挺的摩根斯坦利经理到栖身立交桥洞下性子桀骜的流浪汉，人们对于圣诞节的期待是一样的，都像簇美丽的焰火，只等平安夜十二点准时绽放！——莉莉出走距圣诞节和婚礼只差一天，她认定那些与自己不相干。她在夏延市区接到皮特曼电话，妈妈将在今天上午派飞机接她回纽约。婚礼布告早登上报纸，他们邀请到了纽约几乎所有的社会名流。恰是这点促使她下了最后决心，她不是个玩偶，她不陪他们玩了！没人知道她在皮特曼夫妇家最后一晚如何度过，反正那时折磨她的疼痛全部消失了，她像从没生过病一样劲头十足。梦里她来到风暴中心，随气流飞旋而起，感受到从未有过的自由超脱。凌晨她步入原野，感觉风如羽毛拂过脸颊，她不为所动，像女神将一切置之度外。

在与父母和众人相处这么多年后，在与皮特曼家人短暂相处近半个月后，在经历了一整天的流浪之后，从离开皮特曼夫妇房子的那一刻起，她彻底明白了为什么自己痴迷中国，为什么喜欢玉真，这些个萦绕她心头许久的疑问终于有了清楚的答案，于是她以前所未有的勇气出走，哪怕几十年未曾有的风雪横亘眼前，她一笑跨越！——她于次日早晨十一时准时出现在纽约街头，开始自己在纽约最后一日的行程。她首先要拜访陈梅和怀特一家。如果说纽约她还有朋友的话，那么无疑是陈梅。她踏上熟悉的台阶，看到熟悉的花园，看到植物的根部仍在发黑，春天依旧遥遥无期。开门的是梅伦，她一点没变，皮肤红润，永远若有若无地神秘微笑，看到莉莉眼睛大了下，马上友好地说："是你，海丝莉小姐，请进，今天正好吃红酒烘烤鳕鱼，你赶上了！"因为莉莉一直同情她的遭遇，所以她对莉莉非常友好。

房间还像过去一样昏暗，必须适应几分钟才能看清里面。教授的头颅像座雪山，他坐在那里一动不动，只是拿眼睛打量亮处的莉莉。

"你来了！"

"原谅我的冒昧，教授，一切都好吧！"她边问边搜寻陈梅的影子。梅伦消失了，她像一个光粒子合成的人。

"你随时受欢迎！"

"陈梅呢，她没在家里吗？"

"你来看她对不对？你马上会见到她！"梅伦隐在黑暗里幽幽说道。

"海丝莉，发生了不祥的事情，我甚至无法告诉你！"

"什么事情，关于陈梅吗？"

"是的，她疯了！"

"她疯了？"莉莉不敢相信地又问了次。

话音刚落，只见楼上一声尖叫，随后陈梅披头散发跑下来，怀里抱只

大枕头。看见莉莉，完全不像过去的反应，

"快，帮我把这个藏好，别让他们发现！"她手胡乱地抓着莉莉。

"藏什么，你要做什么，陈梅？"

"我要把它保护好？嘘——，我又傻了，这个不能告诉你！"

"你在做什么，陈梅，我是莉莉！"

"我认识你，你是莉莉，你喜欢我！帮帮我，我的孩子马上就要出生了，它已经会在肚子里动弹了！可是我保护不了它，背后总有个影子晃悠，你瞧，它又来了！"说着她使劲往外推莉莉，"它追来了，它要抓住我，要把孩子从我的肚子里取出来！"她惊恐万状在房间跑起来，撞翻了对面的所有东西，然后一个趔趄磕在桌角，头上流着血，缩作一团在地上求饶。

"到底怎么回事，教授，她怎么变成这样？"

"陈梅是个伟大的妻子，我更爱她了！"教授过去把陈梅像孩子那样抱起来，陈梅紧紧蜷缩在他怀里，像要死了一样痛苦呻吟。

"救救我怀特，救救我，我受不了了！"她抽出一只胳膊朝没人的地方打，再次暴发出一阵撕心裂肺的哭声。

"哦，宝贝，你醒醒！"怀特毛茸茸的眼睫上挂满泪珠。

莉莉站着不知该怎么办，好在陈梅闹了一会儿睡着了，睡梦中仍然不时惊厥。

"她每天闹腾五六次，然后筋疲力尽睡去。"

"能告诉我详细情况吗？"

"陈梅本来打算上月回国，接家人到这里照料她的生活。她送家人的礼物都准备好了。可就在临回国前的头天晚上，莫名地从楼梯上摔下来，结果那孩子就没了。"

"莫名，为什么要说'莫名'？"

"是的，以她平时的小心劲，绝不会发生这种事。"

"难道有人在场？"

"这房里只有两个人，她和梅伦。"

"梅伦？！"莉莉吓得一下捂上嘴，她刚才忘记了梅伦，但无论如何不会认为是她。

"陈梅当时就昏迷了，等醒来已经躺在血泊中！"

"我在外面侍弄土壤和花根，什么也不知道！"梅伦突然坐在沙发里说起来，她的声音不大，但却异常响亮、邪恶。而之前她好像不存在似的。

"她平时很小心的，对这个未出世的婴儿投入了太多的感情！"

"我知道你们想说是我干的，可是我向上帝保证，我不会那么干！"梅伦像个小女孩一样笑着流出泪来。

莉莉一下迷惑了，她好像不知道该相信谁说的，感到几个可疑的黑影在她周围跳跃。

"您没在家吗？"

"我没有，我一整天待在实验室！你说，梅伦，是这样吧！"

"不，我不知道，我已经很少注意你了，你对来说就像空气一样！"

"唉，连你也疯了！"

"一会儿你吃鳕鱼的时候我就会注意到你了，你的后颈又多了两个鞋板虫一样的老年斑！"

"没有报警吗？"看到陈梅痛苦万状的样子，莉莉内心的怒火被眼前两个人的左右不是点燃了。

"你要我去控告谁？她吗，老得像坨屎，我把她投进监狱去?!"导师眼睛里一时间充满悔恨的泪水，看得出他动了真情。

"上帝，那该怎么办，陈梅的一生就这样被毁了吗？"莉莉只觉眼前一阵发黑，这比她得知自己的死讯都难受。

"她疯了，一切都说不清！"教授替换陈梅整理下头发。"如果她没有疯，这个家会马上添丁进口，那时该多么幸福啊！可你瞧，现在一切都完了！"

"她的家人知道这事了吗？"

"知道了，可那又能怎样，她是失足摔下来的。他们来这里哭闹了一阵子就回去了，我没有让他们带走陈梅，我要亲自照顾她，直到她恢复。"

"她是您的妻子，也是我最好的朋友，教授，您一定要救救她！"

教授一边点头，一边捂着脸呜呜哭起来，莉莉不知怎么去安慰他。

"您刚才说孩子流掉了？"

"对！"教授用一只手遮住眼睛失声痛哭。"你没见她当时的样子，倒在血泊里，下面往外涌血，如果不是抢救及时，再过十几分钟就保不住命了！那个胎儿已经成形，像颗弯弯的豆芽，被医生装进透明袋子带走，估

计早在焚烧炉里烧掉了!"

"还是我打的救援电话,怀特,你要感谢我!"

"感谢你?感谢你什么,感谢你破坏了这家原有的平静生活?!"

"你诬陷我,怀特!我再不会帮助你和这个女人!"莉莉头一次听到梅伦以一种惊人的力量喊出来,好像一把利斧把这房子劈开两半。

教授和莉莉同时怔住,教授咽了口吐沫,莉莉乳房剧痛起来。

"好吧,你永远和你的那些花草一起生活吧!"教授声音发着抖说。

"教授,如果谁有错,上帝一定会惩罚他!"她忍着疼痛咬着牙说。

"莉莉,我打算退休了,我忘不了陈梅受伤后的样子!"

"您想好了吗?您的工作呢,您热爱的实验室呢?"

"我什么心思也没有了,我累了!我会马上写报告,然后在家专心照顾陈梅!"

"教授,我没想到发生了这样可怕的事!"莉莉仍然不能相信眼前的事实,仿佛陷入事实与假象的混境。

"是啊,当初谁能料到,我们都没长上帝的眼睛!你瞧她睡着的样子多可爱,我要像个父亲一样照顾她!"

"我的红烧鳕鱼做好了,你要不要尝尝?"梅伦光着脚恍然出现在莉莉面前,用真诚、混浊和流波颤动的眼神注视莉莉。

"不了,谢谢!"

"你会后悔的,你再也吃不到这样美味的鳕鱼了!"

"明天就是我的婚礼,但我今天是来向您告别的!"

"我想起来了,我看报纸了!我知道那个新郎,是个不错的小伙子!"

"好吧,再见了!"

"对不起,我参加不了你们的婚礼了!"

"你没明白我的意思,教授!——算了,各祝各好吧!"莉莉上去亲了下熟睡的陈梅。

"你真不打算留下来吃点?圣诞节快乐——"梅伦追着莉莉,好像有什么说不破的东西!

"嘿,莉莉,你刚才说什么,你要同我们告别?你要去哪儿,你要去做什么?"教授似有所悟,大声问道。

"上帝是不公平的,我要去问问他到底怎么回事!"她快步来到外面,

在风里流下眼泪。仰望灰蒙蒙的天空，一场雨雪不期而遇，而她在心里一遍遍重复那个问题。

天上下起雪，像整个纽约在哭泣。它为什么哭泣，这莫名其妙的夜叉，总让人捉摸不透！或许她意识到自己做错了什么在反省，或许她在那一夜又失去了什么，比如爱，比如贞洁？莉莉全身湿透，有人在伞下奇怪地看她。她蹿在泥水里，扶住两边的商店支撑身体。今天不是星期六，她只能去贝尔家找他。出租车司机不愿把她载到黑人区，找个借口让她提前下车。脚下到处是烂泥与冰雪的半凝体。裸露的供热管道上融雪蒸汽腾腾。雪把临时搭建的棚子压得嘎嘎作响。一对黑人姊妹花从破旧的公寓窗户里冲她笑。等寻到神父家的时候，她头发和衣服上全部结了冰。正待上前敲门，背后突然有人喊她名字。她回过身，贝尔神父正从车里向她招手。她迟疑下走过去，越走近越发现他不对劲，不再是那个神采奕奕的神父，更像一个靠救济过活的普通老头。

"神父，你在这里做什么，你要出去吗？"莉莉见神父神色不安，全身肌肉发抖。

"不，我哪也不去，我在这里伤心呢！我遇到了太多的事，莉莉小姐，我没辙了！"

"怎么会，您不是坐拥伟大的上帝吗？他可以帮您！"

"别开玩笑了，快坐到车里，我有话对你讲！"他肥胖的身子把汽车压得倾向一侧，莉莉坐进去也没能改变格局。神父递给她一块毛巾擦手，自己则用另一块捂住脸哭泣起来。

莉莉来时的怨气和怒气被浇灭了，静静看着神父抽搐肩膀。好久他重新抬起头，看前面几个黑小子追赶着跑过去。

"海丝莉小姐，还是我先问你吧，你来找我什么事？"

"哦，没什么，只是顺路看你！"莉莉撒了谎。这次她是同所有熟悉的人来告别的，也是来向纽约告别的，还是和这个活着的世界来告别的。她知道自己马上要死了，像一枚前往深空的火箭，发射已进入倒计时。此刻，她是全世界最平静的人，死亡吓不到她，她坚信自己是这个寒冬飞往天堂的最后一尾蝴蝶。从皮特曼夫妇那里出走的晚上，当想清楚一切的时候，她感觉整个世界变小也变得温柔，变成一个可以满足她任何愿望的母亲。她最后的行程很清楚，要对那些活在她生命里的人做最后拜访。她本以为在生命的最后一程，自己会是悲剧的主角，可事与愿违，她又一次做了旁观者。身子所在的地方越黑暗，心所向往的地方就越光明。那里是自己的必宿之地，她将在那里幻化成蝶！

"还为原来的事？有什么新进展？"

"我很好，还是谈谈您吧！"

"我吗，我都不想活下去了！"他再次呜呜哭起来，那狭小的车子跟着晃动。

雪里的街景像一幅褪色的古画，让它重新鲜艳起来已不可能。莉莉等着他说下去。

"海丝莉小姐，我失业了！"——莉莉惊愕地看着他。"是的，我失业了！来教堂的人越来越少，愿意捐钱的人更少之又少，教会已将地下室关闭了，盘给泰国人开按摩房，我一时没地方可去了！"

"神父，怎么会这样？"

"不知道，我解释不清楚！人们到底怎么了，丢弃了信仰就不怕上帝惩罚吗？上帝当然不存在，宇宙只有暗物质和星体。这是个多么现实的世界，原来人们生活在自己虚构的谎言中，现在一切被戳穿了！"

"如果人们愿意，可以继续活在童话里！"

"宗教不过是件衣裳，穿到谁身上也一样，重要的是内心感受！不管怎么说，我不会背叛上帝，但现在我没法养家了！我原本收入就不多，太太又是外来移民，很难找到一份稳定工作。我有四个孩子，更糟的是，她马上又要临盆了！海丝莉小姐，曾经帮助过别人的那个人，现在要去申请救济了，这多么悲摧和令人难以置信！家里断电了，她大发牛脾气，像黑暗里的蝙蝠进攻我，我只能躲出来。天下着雨，我没地可去，只有待在车里！"

"可你得回去，她需要你照顾！"

"我知道我得回去，可我不能就这么回去！她不想看到我这个人，而是我带给他们急需的水气电费、面包、饮料、圣诞树和游戏机！"

"一切都清楚了！"莉莉摇摇头，发梢的水珠溅到神父脚下，"贝尔神父，就到这里吧！"

"怎么，海丝莉小姐，你这就走吗，你不打算帮帮我吗？"

莉莉遗憾地看下他，打开车门走下去。天幕低垂，雪漫天而落，像蓄意埋了这个世界似的。她一点也不觉冷，像雪人走在荒野中。报纸上报道这里不久前发生过一起枪击案，她冷笑着向前，走得稳稳当当。

"海丝莉小姐，求你别走，帮帮我吧！——海丝莉小姐，我可以上你家里给你服务！"神父追下车从后面大声疾呼，仿佛把莉莉视作最后稻草。当看到莉莉转过街角时，他立刻像淋雨的纸盒塌下去。而曾几何时，他神气得像只铁皮盒。

一切像碎了，碎得无法弥补和愈合。贝尔神父在后面呼叫莉莉，她一点都没听到。她心里空空的，对一切不抱希望，像坠入猎户座的流星。现在她该去哪儿，随着天色变黑，雨夹雪变为大雪纷飞，纽约像只目光呆滞的黑白奶牛。她一天没吃东西，身上毫无知觉，却不愿停下。纽约像个迷宫，她要在最后时刻走出来。她仰望鹅毛大雪，想象所有不快皆被掩埋，然后在星星堆里美美睡个觉。而现实点的话，她坐在温暖微醺的酒吧里，听女歌手演绎浸透灵魂的歌曲。来杯加姜热饮就好了，芝士蛋糕店的香味也很诱人，隔三个街区都能闻到。但她脚步坚定，她要死了，解决灵魂的问题比生理问题更重要。

路过麦迪逊广场花园体育馆，广告屏里那个酒吧女歌手正向路人抛出微笑。莉莉很快知道她已通过一档选秀节目出名。签约公司要捧红她，把她的首场演唱会放在平安夜。

莉莉向一个陌生男人借钱，那人愣下替她买了票，莉莉懒得说感谢。演出马上开始，场子里坐满人，众人一致的呼吸变成一种可怕的力量。她像在荒漠里行走，努力接近舞台前方。看到女歌手的那一刻，她惊呆了，怀疑这台上暴臀露乳的女人还是不是酒吧那个娇小却坚强不屈的歌手？她原有的形象全毁了，笑容变了，眼神变了，看来已放弃操守，沦为人们的消遣工具。观众潮汐般涌动，既是一群白痴，也是一帮恶徒。世界是他们的，又不是他们的！女歌手惊人般地爆发，像把一颗手雷扔进人群里，引爆整个体育馆。歌声没有任何情绪上的铺垫和交代，从始至终像动物在交媾！她绝对只剩皮囊，只是人偶，人们喜欢她怎样她就怎样，服务到众人满意为止。莉莉被挤到外围，头脑轰轰作响。她不知如何是好，恐惧中只想逃跑。这个世界怎么了，看台上声浪一浪高过一浪，体育馆变成撒旦放浪形骸的天堂。外面的凄风冷雨他们根本听不到,对别人的痛苦置若罔闻;可他们没错,他们就是到这儿寻乐来了。听到旁边有人粗暴地喊叫女歌手名字,她顺手打了那人一巴掌。那人与她愤怒地对视,之后竖竖中指往别处去了。——她想打所有人的耳光!

来到外面,她彻底把自己弄丢了,身在何处,去向哪里?一切令她失望,无数人不是在消费那个歌手,而是集体强暴她。人生像碎掉的金鱼缸,美好的意愿像泥里无力挣扎的金鱼。啊,纽约,正与她渐行渐远!仰望低垂的天垠,她迷糊了,连接下来要做什么都不知道了……

好吧,最后该回去看看妈妈了,尽管是让她厌恶的妈妈,但终究还是她的妈妈!她走遍大半个纽约,像历经数年才找回来。她希望妈妈正在家里,哪怕对自己冷嘲热讽,哪怕她颤动红发发一通火,自己都会爱她、原谅她。是的,所有错都在自己,所有恶名都由她来承担,无所谓,反正她要死了,可以把过去像件件衣服烧掉。死亡如同水蟒蛇爬至她身上,她即将成为它的口中之物。——邻居家的灯光和路灯都还亮着,从树缝看到自家房子的一瞬间,她眼泪崩溃。但台阶下正停辆警车,警灯在车顶刺眼地闪烁。

"靠,他们果然报警了!"她心里骂一句。

正当她转身要离开的时候,突然房门大开,里面先是传出一阵吵闹,紧接着玛格丽特夫人同几个警察走出来,更让她吃惊的是那几个警察正押着南斯拉夫女人。她手被系上铁铐,在几个强壮男人的手里动弹不得。

"你竟敢干涉我的家事,警察先生,她还动手行凶!记住这是哪里,你太有点得意忘形!"

"你会遭报应的,你们都会遭报应的!你连自己的女儿都伤害,你是个禽兽!我真恨自己为什么心软,没有烧掉你的房子,让你像所有被你们伤害的人一样尝尝露宿街头的滋味!去死吧,你是个铁石心肠、无情无义的魔鬼!"

玛格丽特夫人站在台阶上不可一世的神情,好像恶神遭到触犯。听到南斯拉夫女人的话,她仰头一阵大笑,额头上流着血,幸灾乐祸看着南斯拉夫女人被拖上车,警车呼啸而去,她抬起头,把右手放在左胸上面向飘雪的天空……

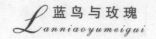

　　纽约怎么了？没怎么着，纽约还是纽约，纽约还矗立在那里，是你的心垮塌了！纽约人都是纽约的草，它这座山永远在，纽约人只是它上面一茬茬的草，不同时候绿了又黄，大家皆是过客一场！——纽约，我爱你，你这个生了我又抛弃我的婊子！纽约，我恨你，你这个打哭我又给我擦泪的嫖虫！

第十五章　醮坛化劫

　　2013 年 1 月 1 日，白云观结束了整天的祈福活动，执殿和保安清退了所有外人。白云观进入一年中最为繁忙的时候，观里要为信众祈福祛难，这是每年铁打不变的规定。但一些道人却在晚饭后没有正常休息，而是匆匆赶往老律堂。他们已经提前接到通知，今晚方丈将在那里举行一场醮醮仪式。众人按时到齐，个个锦衣缎服，华彩堂堂，却都肃穆不言，等待仪式开始。老律堂里灯火明熠，亮如昼午。高处悬挂一块蓝底金边的额匾，上书"琅简真庭"四个大字，出自康熙御笔，康武端庄、遒劲有力。匾下分置七座雕龙刻凤的戴顶仙龛，内奉道教全真派七位阐道弘教祖师，其中主奉丘处机。他一身风尘奔波色，满脸忧国患民情；用焦眼望下端，用悲悯怜后人；经国大略胸中藏，无及后来草莽莽。龛前立四极天柱，前面悬一副楹联，上联道："入真门秉真心参透真玄真自在"，下联书："来妙理达妙境展开妙道妙神通"。里面意思不言自明。又见其他柱上都沉甸甸垂几对云龙杏色花边落地大幡，上面绣些咒符经义，料用来秉德弘威、扬清去浊。主龛下连设三层镂空坛案，层层叠加，陈列供养无数，看着让人眼花缭乱。其中上两层供放香炉、对鹤、烛台、花瓶、香筒等，分别奉香、花、灯、水、果五种数量不一的精细供养；最下层放置诸如朝简、如意、玉册、玉印、宝剑、水盂、令旗、令牌、令牌、天蓬尺、镇坛木等法器，主要为仪式作法之用。底层桌上还摆放二十四盏精致蜡制莲灯，明晃晃铺开满桌，照得丘祖面目慈瑞、纤毫毕现。方丈亲任仪式主持，他早早来到殿里，头戴灵珠宝冠，着紫色金丝银线道袍，肩披七彩霞帔，手持银白拂尘，怀抱玉简一枚，于供坛右侧立身闭目等候。智海则担任今晚监功，他也早早扮好，进来问候过方丈，径直到坛前匍上跪下，备好木鱼槌和磬棒两样，只等众人来齐。智海身后又分别跪列侍经、侍香、侍灯、侍表等十几人，皆相貌清秀端庄，如仙似童。另两位执事也都是观内名高声隆者，同样着红色金丝银线道袍，执玉简一枚，分列方丈两侧。坛案左侧众乐手陆续列席，操持扬琴、竹笛、铙、铛、镲、铃、鼓、钟、锣、磬等，提前调好弦音，单等发令。在供坛与司职对面，正跪着清颜素面的玉真，他怀里抱着奄奄一息的莉莉。莉莉已经重度昏迷，今晚这场仪式单为她举行。这也是智海在玉真回心转意后有意成全他。当莉莉病入膏肓再次找来玉真时，智海亲去央求方丈为莉莉举办这次荡秽仪。令他没有想到的是，方丈非但答应并且决定亲自主持这场仪式。

时间一到，主持睁眼看下智海，智海立即击磬一下，乐手们听到立刻奏乐。昏迷多时的莉莉听到音乐响起，嘴唇微微张开，手指轻轻动弹几下。玉真小心抱紧她，好像唯恐她一下变没了。

"入定！"方丈高喝一声，音乐徐止，众人调息，随方丈入神。只感觉四下空洞无音，好像来到清凉山界，意念里云起雾落、树影山风。各人循昏沉、掉悔、嗔疑、贪欲四个次序定神，接下用最大诚意和最纯洁的心地祈请神灵。

"回神！"方丈依时出令，好似将众人整队成列，带上山路出行。众人随他睁眼，如受过规戒一般，相同的表情与神色，做到了行动整齐、意志划一。

方丈神态端详，拂尘悬臂，双手抱举玉简至坛前，念道："仙坐于位，功立于列，仪式开始！"

智海击磬一下，众人安神，等候方丈开坛。

方丈拈香三支，左手包右手，举至额前，朗声道："日出扶桑映海红，瑶坛肇启阐宗风。全真演教谈玄妙，大道分明在其中！"

磬再响一下，丝竹应声而起，仿若游丝万缕，就地生云起雾。众人跟方丈齐唱道："宝座临金殿，霞光照玉轩，万真朝帝所，飞泻蹑云端！"

唱着时，方丈由两位执事伴着，在桌案前前进后退、左行右转，步履精妙，脚下生风。这实为走罡步，表明已经离开人间，经星斗云月，踏往天庭之路，禀报和邀请众神到此坛上施法显灵。

几分钟唱毕，磬响一下，仿佛已达云霞袅袅的仙界。首请开坛演教天尊。两执事立方丈身后，抱玉简面朝神龛，由方丈带头三人齐念："瑶坛设像玉京山，对越金容咫尺间。宝黍空悬瞻日表，珠帘高卷现天颜。鸾舆鹤驾临金殿，风烛龙灯映宝坛。三界十方齐降鉴，滂流洪福遍尘环！"

焚香敬上，三人伏地叩拜，请天尊出山赴坛。

玉真因抱着莉莉无法行礼，只能默默心礼。他复归道观，对莉莉即将离世虽觉难过但也心安，只希望她在人生最后时刻化茧成蝶，这意味着她并非真的消失，只将生命转化为另一种形态，日后见到蝴蝶如见她。莉莉继续紧闭双眼，不知是否意识到，一帮道人正在为她作法，召唤神奇力量让她起死回生，或为她铺就好前往天国的道路。

智海击磬一下，示意方丈首请开坛演教天尊毕。他专心职守，希望这仪式既是为莉莉超生纳福，也开启玉真新的道途生涯，所以格外认真和严肃。

侍香递香给方丈，方丈邀请第二位仙家。禀过"度人无量天尊"，他揽衣跪地，口中念道："伏以，此日瑶坛设像，炉焚妙洞真香。琅函玉局广宣扬，好把妖氛扫荡。今日存诚谒帝，稽首三礼虚皇。清众整衣人坛场，广取度人无量！"

侍经送上开坛符，方丈上宣道："伏以，坛树八极，按八卦以立坛界。玄元阐化，仗玄科而叩请高真。以今混元宗坛，都炉焚香，下令宣召，乾天坤地，离火坎水巽风艮山震雷兑泽八卦大神。再运真香虔诚奉请，天德君，地德君，日精月华君，天罡大圣，魁罡星君。三元唐葛周三位真君，五方生气旺气道气神君，玄坛四灵四夷四兽神君，各请分身化气，下降行坛，原有开坛符命，谨当告下！"

说罢玉简抱怀，手持符文在空中比画，稍后加盖太极图，再焚毁弃入水缸。中间又说道："开坛符命已宣传，律令飞敕彻地天。三界大魔齐消散，五方鬼怪尽除蠲。真文本是皇人篆，但荡无极听鸟言。咔嚓一声冲太极，无鞅数众听灵篇！"

磬再响一下，众人跟着方丈接请第三位神仙。

智海借空观察玉真，玉真也正扭头望他。智海见玉真眼神清湛，神色寂淡，心中不由欢喜，这比他当年自己重返道教还要高兴！而玉真与智海心领神会，他明白智海良苦用心，决定从此再不邪侈，循着方丈和智海指点的路矢志不渝走下去。两人虽只眼神轻碰一下，但片刻间已过千言万语。

方丈神色如常，第三次接过敬香，尊声报道："三清三境天尊！"——他平素事多，加之年龄渐大，行动有时不免疲沓。但今日主持这仪式，精气蓬勃，神力奋发，令在场众人不敢分心，皆收心入怀，严谨行事。方丈再拜三回，往下念道："龙虎山前炼大丹，六天魔王心胆寒，自从跨鹤归玄表，清风明月绕绛坛。"念后，手指掐诀，心通神灵，带头唱起曲调。殿内雾色沉沉，穆气重重。"天宫赫奕位玄都，赐福权尊握化枢，上斡权衡司宪令，下提纲纪典谟谋，停愆尽消三生籍，受度应标万古图。唯愿慈仁推有道，形神无复堕三途。香供养，三清三境天尊！"

悠然唱罢，接着吟道："伏以，道气殊名，必贯通之有术。神人异处，可感召以无方。故聚精微，达诚冲漠。夫香者，飞云结篆，明德维馨。阳气升腾，丹鼎运元神之火；回风混合，玄关霭太素之烟。非草木臭秽之彝伦，迎天地神祇而降格。传香有偈，宝号称扬！"

熟练地陈表过辞令，接着又踏罡一回，续掐诀焚香叩拜，再往上天通报第四位神灵："香云达信天尊！子午分明方是火，神气交炼即维馨，假此真香燕真火，大如法界细微尘！"

然后伴着修长绵延的曲子，又一段繁复的文令，仿佛云漫山腰、水缘地形。"伏以，仙境难通，以香为信。尘凡混浊，非水弗清。试将一滴之功，肃清十方之界。夫此水者，北方正气，天乙真源。玉液内潮，甘露熏蒸于丹谷；金精上涌，醴泉溶泄于华池。内施则吐故纳新，外用则荡瑕涤垢。是谓乾坤之正气，能除天地之厌秽。教有真科，再吟圣号！"

接过黄表，诣诀吟语几声，把表在香烛上点化，续对另一位神仙表白："法雨流润天尊！"再和然起唱："玉井光腾不夜天，柳枝洒出雨长春。今将遍布法筵中，五浊六尘俱洁净。风云鼓舞列仙班，龙吟虎啸镇宝坛。臣今默运先天气，千妖万怪心胆寒！"众人随他齐唱，老律堂一时仙乐翩翩、灵光闪烁，让人不禁联想那庄严华妙的迎请场面，神仙定会被感动，达成与凡人的心愿。

这番请过，另番再请，聚神告："五龙荡秽天尊！"——肃颜，奉香，踏罡，谒诣，音意穆穆，行影珊珊。"伏以，清静道德，本无一点之尘埃。上下神祇，请破五方之厌秽。凡遇迎真请圣，必先清净坛场，然后依科敷扬妙道。以今混元宗坛，本坛都炉焚香，奉请天德君，地德君，日精月华君。天罡大圣，魁罡星君。三元唐葛周三位真君，五方生气、旺气、道气神君。五方五帝，解秽星君。黄华玉女，浣濯夫人。五方五龙，主水使者，南方丹天世界，九凤玉化司，破秽大将军，流精火铃大神。西方大素童子，金刚灭迹神王，乾罗答那，洞罡太玄使者，斩妖缚邪神吏。沫若东井大神，石镜水母元君，铜头铁额骑吏，吞魔食鬼大神军，沧水绣衣使者，华池文渚夫人。北方风雷荡鬼周元帅，青龙白虎朱雀玄武神君。九天运秽解秽收秽却秽神君，九天除秽断秽灭秽洗秽神君。九天涤秽荡秽神君。解秽司、荡秽司、合干一行官军将吏。天仙地仙水仙兵马。净天净地净八方大力威神。值年太岁，至德尊神。本境城隍土地、里域尊神。悉仗真香，普同供养。有请个个执斧掌剑，掷火流金，降真气于水中，放祥光于瑶坛。光明赫奕，从九凤破秽而来，对答真仙，自五云浮空而至。禳灾而何灾不灭，祈福而何福不臻，上帝敕令，万圣拱听。肃清厌秽，扫荡妖氛。具有荡秽牒文，谨当宣读！"这段漫漫文辞，被方丈说得不急不躁、神通天地、游刃有余！众人不得不佩服他，仿佛面他如面仙。智海一直小心听好，配合师兄不差分毫。

又一番化表入水，执剑御简，踏步迂回，纵情禀报："志心皈命礼。三天门下，统御万灵。身降尘凡，为道祖而说法；躬居宝笈，代斗姥以演真。心存三教，志悯四生。大悲大愿，大孝大仁，三天门下，掌教天师，度世救劫，灵宝龙虎真人；永保劫运，广济无量天尊！"

又请另位仙神，向之陈情："伏以，尘居为浊界，秽气纷葩；凡世升仙都，妖氛混起。不凭激浊以扬清，安可迎真而驻跸。以今开坛之际，阐事之初。切虑坛场内外，人物往来，秽杂之气，难以降格高真。先请降五龙之法水，洒净坛场，然后依科，敷扬妙道。夫水者，禀五方之正气，合九凤之光华，故能激浊以扬清，亦可除尘而解秽。一洒天无氛秽，二洒地无妖尘。三洒人间长寿，四洒精鬼亡形、灵魂超升。坛有清净灵草，清众宣扬！"据调起唱，仿佛幽水吹皱，平云生波，意通天庭，坦途万丈。"大道洞玄虚，有念无不契。炼质入仙真，遂成金刚体。超度三界难，地狱五苦解。悉归太上经，静念稽首礼。"

玉真屏气入境，心似璃翠金刚，神若雪蕊冰晶，不携丝毫虚浮，不带半分杂念，只盼众神听明旨意，心怀善爱，前来救扶莉莉，而或替她顺当超生。他将毕生守道，率天下黎民敬天戴神、慕仙行道。他坦荡荡一片心怀，穆戚戚一汪心思，不时照顾好莉莉，深怕她有一点闪失不适。中途莉

莉突然睁开眼睛，茫然四顾。玉真看到立即喜泪涟涟，只当那坛神显威，众仙感化，灵法顿起。当下心更虔诚，随方丈将仪式进行下去。

众神请毕，老律堂一时变作群仙殿：仙坛高百尺，香烟旺蒸腾，火烛环庭绕，列仙百八辰，威赫四光光，道法功无穷，垂福降吉瑞，震邪服妖魔。仙到坛启，方丈执简续授神明。拈香三支，放下玉简，双手掐诀，请神仙授令。香上三次，接表焚化，左右绕坛前三次，于简中执起令牌。之后再拈香三支，左手掐诀，令牌在香上划篆，随后将其猛拍桌上，轰的一响，声似霹雳，疾如闪电。众人皆惊，似感到那令牌威力与众神威严。——松左手，再拈香一支，再上香再掐诀，令牌在桌案上方空写神讳。二击令牌于桌案上，震撼寰宇，气象万千。手在香炉上方又写一神讳，又拈香一枝，开始在令牌上下、左右、前后书写讳字，然后带头与众人默首吟念："玉帝所赐，敕召万神，敢有违令，化作微尘，道香一炷，十方肃清，发鼓三通，万神咸听，诸师帅将，速现真形，急急如紫微大帝律令！"拈香三支，令牌在桌案上方再写画一番。再后，左手掐诀，香上三度，三击令牌，再放手于香炉上。众人肃穆吟念："令牌非妄动，动即不留情，一击天门开，二击地户裂，三击万神降，闻召速来临！"完毕，令牌在衣袖处写画几下，左手执令牌，右手掐诀又着腰走罡步，到乾的位置向着巽的方向写一神讳，到巽的位置向乾的方向写另一神讳。如此这般后，分别三次跪拜桌案前接取三气。

取太阳气：拈香三支，左手掐诀低念："谨请日宫太阳帝君，降布九芒真气，入吾水中，助令解秽！"行走一番罡步，向东方念咒："荣日之光，赫赫煌煌，消除邪秽，保守吉祥，急急如律令！"随之左眼转动九圈，仿佛眼前一轮红日芒华飞射。吸长气入丹田，好似日从口入，继续低声吟道："太阳洞照寥阳境！"紧接着向旁边水缸吹入，又在令牌上书写一番。

取太阴气：拈香三支，左手掐诀低念："谨请月府太阴星君，降布十芒真气，入吾水中，助令解秽！"行另一番罡步，向西方念咒："皓月生明，至清至灵，添精保魄，邪灭正生，急急如律令！"再右目转动十圈，仿佛眼前一轮银月光芒飞射。吸静气将之纳腹，又低声吟念："太阴光华宇宙摄！"再将之吹入水缸，再在令牌上书写东西。

取天罡气：拈香三枝，闭目默书，低声念咒："天罡天罡，上帝真王，波罗天尊，统镇北方，身长万丈，着紫罗裳，披发赤足，手执神芒，朝呼北斗，夜观不祥，吾今取气，万邪灭亡，急急如律令！”接着又念，“唵吽吽军达吒利婆诃！伏请降布七芒真气入吾水中，助令解秽！”呵气入水。

取过三气，将令牌斜放头顶，双手掐诀，请水盂法器在香烟上熏蒸，一边吟念：“天地自然，万邪归正，敕煞摄！”熏过的水盂放在玉简背上，同时以额头虚空书写。再放下玉简执起令牌，左手掐诀，令牌在水盂上书写神讳，再加盖法印。之后，念咒：“唵味弗罗弗萨利婆诃。”完毕，用柳枝在左手手心各点三下，含水一口，左手握令牌，右手掐诀叉腰，头转向外面将口中水喷出，手书一次。完成后，左手执令牌，右手掐诀吟念一番，同时边说边写下所说的话。再鞠躬头至桌案，拈香三支，退后一步，令牌在左袖口写画。左手握令牌，右手掐诀叉腰行走罡步，吟念：“吾领众神下坤宫。循震与离雷火轰，巽户下令召万灵，离步交乾登阳明，坎方捕捉邪妖精，西向兑宫八卦分，敕向艮宫封鬼路，中请诸将护玄宗！”

念至“敕向艮宫封鬼路”，沉默片刻，又用令牌写一番符咒，转身变换方向踏步。又一次鞠躬头至桌案，拈香三支，令牌在水盂里书写几下，吟念：“玉枢青华境，元始上帝敕，九凤真气降，合明天帝日，吾以日洗心，以月炼形，真人扶我，玉女助行，千妖万怪，随水而清，急急如律令！”左手掐诀，令牌在水盂里书画，吟念：“唵躐啼奴摄。”在水盂中刺一下，令牌在香上绕一转，放下令牌，左手掐诀托住水盂，右手用柳枝向仙坛正向写个“心”字，念咒道：“一洒天朗清，二洒地起宁，三洒人长寿，四洒鬼超升，天圆地方，律令九章，法水到坛，万邪灭藏！”走另一种步法绕坛洒净水。完成以上，再仗剑走另一步法，之后转身归到正中，向上用柳枝划一圈，吟念片刻：“上开天门，下闭地户，先留人行，次塞鬼路，妖气绝灭，道气分布，一切厌秽，速令消除，急急如九凤破秽先师律令！”刺剑水盂中，接着说道，“清净之水，日月华盖，中藏北斗，内隐三台，神水洒处，厌秽速开，神水一洒，祸去福来！”从旁接表说道：“神水解秽天尊！”通报后，续说若干文辞：“凡遇朝真请圣，先须解秽身心，俾魔试以潜消，值诸真而降鉴。今敕道众人等，身中秉元气，顶上灵光至，六甲内真人，侍从降福利，千妖不敢当，魍魉皆回避，身中此法水，长生得永视，急急如南极长生大帝律令！”再接表上报：“长生保命天尊！伏以行三光之法水，天地无尘，焚百合之真香，祥云结篆，凡境化为仙境，诚心可格天心，欲达忱悃，默运一诚，先吟三礼，称扬圣号。法主道君天尊，不可思议功德。"……

正当方丈说到这里，莉莉突然从玉真怀中坐起，冲着那香烟缭绕的上方急道："玉真，快看，飞来好多好多的蝴蝶！"她微笑起来，眼前到处是飞舞着的、翅膀呼呼作响的蝴蝶，闪着五颜六色的光彩，先在天空里拥挤着、聚集着，而后渐渐拼出几个文字，那正是她朝思暮想的东西，正是关于爱情和人间和平的答案！她释然一笑，胳膊永远向上抬起，那笑也永远留在了脸上……

第十六章　化蝶成谜

　　春天的纽约，一个少有的暖和明媚的天气。人们奔波在路上，脸上平静中透出疲惫。他们既不像婴儿那般无知懵懂，又不像先知们那样智慧超然，只介于清醒与非清醒之间，痛苦像长年患病在脸上形成固定表情。生命是种莫名的东西，如果不对它进行思考，它我行我素；如果对它进行思考，又因为过程复杂、抱负太大而遗憾与迷失，正像很多人身处纽约却不知纽约居于何处。纽约和美国没有因为一些抱怨和担心而丧失什么，也没有因为些龌龊不堪而声名狼藉，它们依旧繁荣强大，依旧魅力迷人。唐人街上行人不多，但从这里能够看到正在重建的世贸大厦。比起被摧毁的前身，它们更凸显美国人一贯的顽强坚毅。美国依旧勇往直前，喷泉在漂亮的草坪上喷洒，华尔街仍像乌贼吸盘吞噬投资人的财富，人民的意志与士气继续高涨，向世界证明美利坚合众国无坚不摧。

　　几株樱花在街角悄然开放，像一片彩云落入人间。它们不高调、不张扬，花瓣只在一夜间开放，花蕊散发幽香，而后随一场不期而遇的风雨飘零而坠。几乎没人留意他们的来处，更多人是对它们视而不见，但它们自怜自爱，不打扰谁，不惊动谁，只为自己开放，只为世间留下那份美丽！树影下行人匆匆经过，脸上、脚尖上蒙着尘埃，但也无意间携走那阵飘荡的清香。——就在这片自开自败、自生自灭的花荫之后，一座赫红色中式牌楼静穆矗立，它与周围鳞次栉比的高楼大厦截然另类。虽然这在文化多元、异域色彩浓郁的纽约算不得什么，但还是非常吸引人的目光。纽约就是纽约，有他的美国范儿，有别人做不到的。——牌楼两边柱上各悬一挂匾，分别用中英文写着"新和观"和"新和观道医馆"。牌楼后的道观和道医馆合二为一，与周围的商业店铺在外观上没有任何区别。这可看作道

教做到了入乡随俗，不再像过去追求形式与内容的极致统一。正像方丈所言：道家一心宣扬宗义，是让其惠及人们心灵；道教永远是道教，道家仍然是道家，就像一个中国人无论穿什么衣服，只要思想是中国的，他就永远是中国人。这就是天地之道的变与不变，体现了道家的进步与发展。是的，道教不仅要坚守下去，还要走出去。纽约人见多识广，可能根本没打算停下来关注它，但他们迟早会的。

　　阿杰夫陪着玉真从观里出来，换下军装的他显得苍老疲惫。一件带褶的雪白衬衫，一条松松垮垮的黑裤，头发因久未打理遮住额头和红肿的眼睛。耳鬓生出好些白发，脖子和脊背像战败的公鸡弯曲下来。他低头走路，一时似乎把身边的客人和整个曼哈顿岛全忘了。贝蒂妈妈穿件浅绿色裙子走在一旁，眼睛坦诚明亮，一只胳膊夹只皮夹，另一只放在身后，谨慎得像个精明的女学生。玉真道袍及踝，牛鼻鞋轻抬，一尾银尘搭臂，不紧不慢随阿杰夫往前。小净能则攀着玉真的手，用乌黑的眼睛观察周围。他再次来到一个全新世界，跟随玉真在这里将道教发扬光大。

　　到牌楼下，阿杰夫停住，抬头找到玉真，伸出手，笑像碎影从脸上闪下："留步吧，非常感谢你们照顾我的女儿，她会安息的！"他伸出的手明显乏力，上面长出几块紫斑，并且不时轻微颤抖。

　　"阿杰夫先生，有我陪在这里，她不会寂寞。"

　　"多亏了您，莉莉走的时候没有任何遗憾！你们都是真诚可靠的人，感动了我，我会铭记你们的！"

　　"遗憾玛格丽特夫人今天没能来，希望她节哀，祝她早日康复。"

　　"她坚持把女儿葬到绿荫公墓，可我坚决不会同意！她还在生气，不过终有一天她会明白的。"他又回过头，好像女儿就站在身边，"让她长眠于此吧，这对她是最好的选择。——原谅她妈妈对您的态度，她只是太好强了。我们回去都要好好思考一下，到底是什么夺去了我们的女儿，难道仅仅是由于疾病？绝非这么简单！"他的手与玉真紧握在一起，透出男人间的殷实、感动和信任。"再次感谢您为我们做了这么多，您让莉莉在最后时刻得到了安宁，得到了她想要的快乐，我们因此也成为要好的朋友！"

　　"您随时可以到这里来，您的女儿也盼着您来！"

"为什么我们总是在结果发生后才去反思和忏悔!"阿杰夫眼眶湿润着,像大鼻子的狗摇着头。"我相信你们的宗教,更相信您的为人!莉莉没有看错,她喜欢您是有理由的。"他带着幡悟之情说道。

"莉莉也同样优秀,我为能结识她感到骄傲。"玉真想起同莉莉的第一次见面,也像那时那样微笑起来。

阿杰夫点点头:"莉莉在最后写给我的邮件里把一切都说清楚了!我最终确信,她将自己生活里的谜全部解开了!她提议我说服她妈妈和周围所有人,要热情、平等和友爱地与他人相处和生活,要像您那样落落大方,关爱别人就是善待自己,与人方便就是于己方便,这算是她的遗愿,我会努力去实现。但您也知道她妈妈和一些人很顽固,包括我同样也有诸多不解,我们得慢慢来做这件事情!——或许她说得对,中国是一位有着五千年资历的老师,美国需要低卞头谦虚向他学习。即使错了也无妨,道在天上,理在人心,这不丢脸,而是有益于自身。"

"莉莉在我看来不仅是位慕道者,更像一个传道士。她一点不自私,把自己感受到的极力向别人传播推广,这点非常伟大、令人敬佩。她品尝到了美食,就与别人分享;看到了美景,希望更多人领略。她试图向大家传递真实的世界,盼着全世界和平共处,这是一位纽约女孩多么淳朴又多么美好的遗愿!我们今天能在这里推心置腹地谈话,正是她为我们创造了这样的条件。或许她就是上帝派来的天使,完成任务便离开!我们是幸运者,受到了她的启发,必须把她的想法传递下去,这样才是对她最大的告慰与纪念。"

"虽然我对您和您的宗教尚不甚了解,但觉得它于人是无害的!我们之间,包括我们与其他人之间也需要进一步沟通,真诚欢迎您到纽约来,也希望中美之间真正能做到无为而治!——好了,再见吧,莉莉在这里就拜托给您,这里没什么让我留恋的了,我又要回到横须贺!"

"祝您一切顺利!"

"会吗?"阿杰夫沉重迟缓地摇头,吃力地叹气,"恐怕得认真做好准备了!这不会因为你我而改变,只能让你我为彼此祝福。世界从来不会真正太平,可能正因如此,和平才显得弥足珍贵,实现和平的愿意才会如此强烈!"阿杰夫直起身子,略微弯下,然后并拢脚跟,毅然转身离去。

阿杰夫走过樱花下，一阵风刮起，迅速将他的身影淹没于一片纷飞的花海中。玉真久望不动，眼泪盈盈。

"玉真道长，我也要离开了。"贝蒂妈妈从前面撤回目光，转身对玉真说。刚才她始终站在旁边认真聆听。

"真不知说什么好，如果没有您的帮助，事情一定不会这么顺利。"

"不，说谢谢的应该是我！我这么做既是贝蒂希望的，也是我自己希望的。希望通过做件事，让自己快乐、让大家快乐，让更多人感受到爱与被爱。"

"还有您的家人。"

"是的，我也要感谢他们。玉真大夫，这就是美好的信仰给予我们的影响，这就是它的魅力和力量，让人受用至极，因此更加愿意接受和付出。筹建这个道观我们发动了身边很多人，当他们听说贝蒂的故事后，都愿意捐献出自己的一份力量！今天道观终于开观，我感到非常欣慰。"

"您及您身边所有人的努力让我看到了希望，相信这里会是新的沃土，我们的理想一定会实现！"

"非常期待！另外我正在筹划一个基金会，希望以这样的方式加快道观发展，我们一起来研究这个课题好吗？"

"当然可以，这道观并不属于我和我的人，也属于整个纽约、美国和全世界！"

贝蒂妈妈认同地点点头："再次表示感谢，您帮助我一起实现贝蒂的愿望，她没有死，仍活在我心里！您把道教带到这里，把美好的精神带到这里，不仅为自己服务，也为这里的人服务。我们需要这样的宗教和它的和善精神，就像一股清洁的水注入混浊的河道。相信这里很快会发生令人欣喜的变化，就像沙漠因为有河水变为绿洲。当然，这是件任重道远的事，我决心和您一起努力！"

"道教需要您这样的人，凭自身的感悟感化更多人。您做得非常好，世间将因为您而多一份美好！"

"再见，相信很快会有更多美国人像我一样爱上道教和您的国家、您的医术！保持联系，祝你们在这里生活得愉快！"贝蒂妈妈蹲下在净能额头亲下，然后起身抱着文件离开。

　　两位客人陆续离开，玉真也要赶回观里处理一大摊子事情。正待他转身，一阵暖风拂面，紧接着出现一只蝴蝶：它振动双翅围着玉真绕几圈，然后径直飞入如霞似锦的樱花丛中。玉真觉得似乎那是莉莉又一次返回人间看望他、嘱咐他，和他做最后道别。在他出神之际，竟能不失时机地晃了晃手中的铃铛。他恍惚抬头，那蝴蝶早已不见，头上的世贸大厦正像巨人无声地眺望着远方……

图书在版编目（CIP）数据

蓝鸟与玫瑰 / 包讷睿著. — 北京：中国文史出版社，
2017.1

（跨度长篇小说文库）

ISBN 978 - 7 - 5034 - 7725 - 6

Ⅰ. ①蓝… Ⅱ. ①包… Ⅲ. ①长篇小说 - 中国 - 当代

Ⅳ. ①I247.5

中国版本图书馆 CIP 数据核字（2016）第 102115 号

责任编辑：薛媛媛

出版发行：**中国文史出版社**

网　　址：http://www.chinawenshi.net

社　　址：北京市西城区太平桥大街 23 号　邮编：100811

电　　话：010 - 66173572　66168268　66192736（发行部）

传　　真：010 - 66192703

印　　装：廊坊市海涛印刷有限公司

经　　销：全国新华书店

开　　本：720×1020　1/16

印　　张：24.5　　　字数：380 千字

版　　次：2017 年 1 月第 1 版

印　　次：2017 年 1 月第 1 次印刷

定　　价：49.80 元